AS ILUSÕES ARMADAS

A Ditadura Escancarada

ELIO GASPARI

A Ditadura Escancarada

1ª reimpressão

COMPANHIA DAS LETRAS

PROJETO GRÁFICO E CAPA
Raul Loureiro

FOTOS DA CAPA
Capa: Barreira militar, Rio de Janeiro, 1969 (Iconographia)
Lombada: Cartaz de pessoas procuradas pelo governo. Os dois de cima são Carlos Lamarca e Iara Iavelberg (Iconographia)
Quarta capa: D. Helder em Paris (Abril Imagens)

EDIÇÃO DE TEXTO
Márcia Copola

PESQUISA ICONOGRÁFICA
Companhia da Memória
Coordenação: Vladimir Sacchetta
Pesquisa: Ricardo Braule Pereira
Apoio: Dedoc – Departamento de Documentação da Editora Abril
Reproduções fotográficas: J. S. Rangel

ASSISTÊNCIA EDITORIAL
Rosangela de Souza Mainente
Cristina Yamazaki
Miguel Said Vieira
Danilo Nicolaidis
Clarice Cohn
Adriana Alves Loche
Luiz Alberto Couceiro
Claudia Agnelli

ÍNDICE REMISSIVO
Silvia Penteado

REVISÃO
Beatriz de Freitas Moreira
Maysa Monção

Dados Internacionais de Catalogação na Publicação (CIP)
(Câmara Brasileira do Livro, SP, Brasil)

Gaspari, Elio
A ditadura escancarada / Elio Gaspari. — São Paulo : Companhia das Letras, 2002.

Bibliografia.
ISBN 85-359-0299-6

1. Brasil - História - 1968-1973 2. Ditadura. I. Título.

02-5686 CDD-981.08

Índice para catálogo sistemático:
1. Brasil : Regime militar : 1968-1973 : História 981.08

2002

EDITORA SCHWARCZ LTDA.
Rua Bandeira Paulista 702 cj. 32
04532-002 — São Paulo — SP
Telefone (11) 3167-0801
Fax (11) 3167-0814
www.companhiadasletras.com.br

Para Dorrit

SUMÁRIO

ABREVIATURAS E SIGLAS

Abreviaturas utilizadas

AA	Arquivo do Autor
AACM/CPDOC	Arquivo do General Antonio Carlos Muricy
APGCS/HF	Arquivo Privado de Golbery do Couto e Silva/Heitor Ferreira
APRPCF	Arquivo Privado de Romualdo Pessoa Campos Filho
BLBJ	Biblioteca Lyndon B. Johnson
DEEUA	Departamento de Estado dos Estados Unidos da América

Siglas gerais

ALN	Ação Libertadora Nacional
AP	Ação Popular
APML	Ação Popular Marxista-Leninista
Arena	Aliança Renovadora Nacional
Bovespa	Bolsa de Valores de São Paulo
CCC	Comando de Caça aos Comunistas
CNBB	Conferência Nacional dos Bispos do Brasil
Colina	Comando de Libertação Nacional
Comintern	Comitê Internacional Comunista (URSS)
CPDOC	Centro de Pesquisa e Documentação de História Contemporânea do Brasil da Fundação Getulio Vargas
Embraer	Empresa Brasileira de Aeronáutica S.A.
Embrafilme	Empresa Brasileira de Filmes S.A.
Embratel	Empresa Brasileira de Telecomunicações S.A.
FAL	fuzil automático leve
FALN	Forças Armadas de Libertação Nacional
FIESP	Federação das Indústrias do Estado de São Paulo
FLN	Frente de Libertação Nacional (Argélia)

GMT	Greenwich Mean Time
GTA	Grupo Tático Armado
Ibrades	Instituto Brasileiro de Desenvolvimento
IBV	Índice da Bolsa de Valores do Rio de Janeiro
IPÊS	Instituto de Pesquisas e Estudos Sociais
JB	*Jornal do Brasil*
JEC	Juventude Estudantil Católica
JUC	Juventude Universitária Católica
LEC	Liga Eleitoral Católica
MAR	Movimento de Ação Revolucionária
MASP	Museu de Arte de São Paulo Assis Chateaubriand
MDB	Movimento Democrático Brasileiro
Molipo	Movimento de Libertação Popular
MR-8	Movimento Revolucionário 8 de Outubro
MRT	Movimento Revolucionário Tiradentes
OES	Organização do Exército Secreto (Argélia)
PC do B	Partido Comunista do Brasil
PCB	Partido Comunista Brasileiro
PCBR	Partido Comunista Brasileiro Revolucionário
PCR	Partido Comunista Revolucionário
PNB	produto nacional bruto
Polop	Organização Revolucionária Marxista – Política Operária
PTB	Partido Trabalhista Brasileiro
PUC	Pontifícia Universidade Católica
REDE	Resistência Nacional Democrática Popular
UDN	União Democrática Nacional
UNE	União Nacional de Estudantes
VAR	Vanguarda Armada Revolucionária
VPR	Vanguarda Popular Revolucionária

Siglas governamentais

AC	Ato Complementar
AI	Ato Institucional
CDDPH	Conselho de Defesa dos Direitos da Pessoa Humana
CIA	Central Intelligence Agency (EUA)
Detran	Departamento de Trânsito
DOPS	Delegacia de Ordem Política e Social
FBI	Federal Bureau of Investigation (EUA)
Geipot	Grupos de Estudos para a Integração da Política de Transportes
IBGE	Instituto Brasileiro de Geografia e Estatística
IML	Instituto Médico Legal

INCRA	Instituto Nacional de Colonização e Reforma Agrária
Prorural	Programa de Assistência ao Trabalhador Rural
PIS	Plano de Integração Social
SNI	Serviço Nacional de Informações
STF	Supremo Tribunal Federal
Sudene	Superintendência do Desenvolvimento Econômico do Nordeste
UFRJ	Universidade Federal do Rio de Janeiro
USP	Universidade de São Paulo

Siglas militares

AMAN	Academia Militar das Agulhas Negras
BIB	Batalhão de Infantaria Blindada
BIS	Batalhão de Infantaria da Selva
Cenimar	Centro de Informações da Marinha
CEP	Centro de Estudos de Pessoal
CIE	Centro de Informações do Exército
CISA	Centro de Informações e Segurança da Aeronáutica
CODI	Centro de Operações de Defesa Interna
CPOR	Centro de Preparação de Oficiais da Reserva
DOI	Destacamento de Operações Internas
DPG	Departamento de Provisão Geral
EME	Estado-Maior do Exército
EMFA	Estado-Maior das Forças Armadas
ESAO	Escola de Aperfeiçoamento de Oficiais
ESCEME	Escola de Comando e Estado-Maior do Exército
FAB	Força Aérea Brasileira
FEB	Força Expedicionária Brasileira
HCE	Hospital Central do Exército
IPM	Inquérito Policial-Militar
Oban	Operação Bandeirante
Para-Sar	Esquadrão Aeroterrestre de Salvamento da Força Aérea Brasileira
PE	Polícia do Exército
PM	Polícia Militar
QG	quartel-general
RI	Regimento de Infantaria
STM	Superior Tribunal Militar
ZDI	Zona de Defesa Interna

EXPLICAÇÃO

Escancarada, a ditadura firmou-se. A tortura foi o seu instrumento extremo de coerção e o extermínio, o último recurso da repressão política que o Ato Institucional nº 5 libertou das amarras da legalidade. A ditadura envergonhada foi substituída por um regime a um só tempo anárquico nos quartéis e violento nas prisões. Foram os Anos de Chumbo.

Este livro trata do período que vai de 1969, logo depois da edição do AI-5, ao extermínio da guerrilha do Partido Comunista do Brasil, nas matas do Araguaia, em 74. Foi o mais duro período da mais duradoura das ditaduras nacionais. Ao mesmo tempo, foi a época das alegrias da Copa do Mundo de 1970, do aparecimento da TV em cores, das inéditas taxas de crescimento econômico e de um regime de pleno emprego. Foi o Milagre Brasileiro.

O Milagre Brasileiro e os Anos de Chumbo foram simultâneos. Ambos reais, coexistiram negando-se. Passados mais de trinta anos, continuam negando-se. Quem acha que houve um, não acredita (ou não gosta de admitir) que houve o outro.

Nas páginas que vão adiante, estão os dois. Se nelas há mais do chumbo que do milagre, isso se deve à convicção do autor de que a tortura e a coerção política dominaram o período. A tortura envenenou a conduta dos encarregados da segurança pública, desvirtuou a atividade dos militares da época, e impôs constrangimentos, limites e fantasias aos próprios governos ditatoriais.

PARTE I O choque

A praga

Os oficiais-generais que ordenaram, estimularam e defenderam a tortura levaram as Forças Armadas brasileiras ao maior desastre de sua história. A tortura tornou-se matéria de ensino e prática rotineira dentro da máquina militar de repressão política da ditadura por conta de uma antiga associação de dois conceitos. O primeiro, genérico, relaciona-se com a concepção absolutista da segurança da sociedade. Vindo da Roma antiga ("A segurança pública é a lei suprema"), ele desemboca nos porões: "Contra a Pátria não há direitos", informava uma placa pendurada no saguão dos elevadores da polícia paulista.[1] Sua lógica é elementar: o país está acima de tudo, portanto tudo vale contra aqueles que o ameaçam. O segundo conceito associa-se à funcionalidade do suplício. A retórica dos vencedores sugere uma equação simples: havendo terroristas, os militares entram em cena, o pau canta, os presos falam, e o terrorismo acaba. Como se vangloriou o general Emilio Garrastazú Medici, mais de dez anos depois de ter deixado o poder: "Era uma guerra, depois da qual foi possível devolver a paz ao Brasil. Eu acabei com o terrorismo neste país. Se não aceitássemos a guerra, se não agíssemos drasticamente, até hoje teríamos o terrorismo".[2]

A ação policial da ditadura foi rotineiramente defendida como resposta adequada e necessária à ameaça terrorista. O general Ernesto Gei-

1 Percival de Souza, *Autópsia do medo*, p. 183.

2 Entrevista do ex-presidente Emilio Garrastazú Medici ao jornalista Antonio Carlos Scartezini, em Scartezini, *Segredos de Medici*, p. 36.

sel, num depoimento aos historiadores Maria Celina d'Araujo e Celso Castro, desenvolveu esse raciocínio justificativo: "Era essencial reprimir. Não posso discutir o método de repressão, se foi adequado, se foi o melhor que se podia adotar. O fato é que a subversão acabou".[3] Esse raciocínio ampara-se na exacerbação da ameaça. Tratando-a como algo excepcional, justifica a excepcionalidade da reação.

No caso brasileiro, faltou ao surto terrorista a dimensão que lhe foi atribuída. Só no segundo semestre de 1970 explodiram 140 bombas nos Estados Unidos, número superior, de longe, a todas as explosões ocorridas no Brasil.[4] Em 1971, na Irlanda, detonaram-se mais de mil bombas, e as forças de segurança perderam 59 homens em combate.[5] Em nenhum dos dois países a tortura foi transformada em política de Estado. Ademais, essa argumentação confunde método com resultado. Apresenta o desfecho (o fim do terrorismo) como justificativa do meio que o regime não explicitava (a tortura). Arma um silogismo: é preciso acabar com o terrorismo, a tortura acabou com o terrorismo, logo fez-se o que era preciso.

É comum condenar a tortura com juízos éticos e morais. De todas as linhas de resistência a essa praga, a corrente moral é provavelmente a que exerce maior atração, mas também a de influência menos mensurável.[6] Ela enobrece a militância da denúncia, mas se tem a capacidade de mobilizar sentimentos, é ineficaz quando se trata de conter o presidente, ministro ou general que já atravessou a linha divisória da moralidade. Dado esse passo, a questão ética torna-se irrelevante. Para a maioria das pessoas a tortura é condenável por imoral, mas é a minoria que despreza esse aspecto quem a põe em funcionamento.

No centro da questão, está a medida dos direitos dos presos. Em 1969, o comandante da Academia Militar das Agulhas Negras, general Carlos de Meira Mattos, informava: "Em nenhum lugar do mundo o terrorista é considerado um combatente. [...] A ação do combatente ainda se en-

3 Maria Celina d'Araujo e Celso Castro (orgs.), *Ernesto Geisel*, pp. 223-4.

4 Para as bombas americanas, John B. Judis, *The paradox of American democracy*, p. 95.

5 Tony Geraghty, *The Irish War*, p. 41.

6 Edward Peters, *Torture*, p. 81.

tende. Para ele pode-se admitir um tratamento diferente. Mas para o que incendeia e seqüestra, não".[7]

Há na argumentação de Meira Mattos um eco da experiência da Batalha de Argel, onde os pára-quedistas do exército francês, comandados pelo general Jacques Massu, instalaram a tortura como política de Estado na repressão ao terrorismo da Frente de Libertação Nacional. Desde 1957 um documento do estado-maior de Massu negava aos combatentes argelinos a proteção das leis de guerra e recomendava que "todo indivíduo pertencente a uma organização terrorista que venha a cair nas mãos das forças da ordem será interrogado imediatamente, sem contemplação, pela mesma tropa que o tiver capturado".[8] O general informou anos depois que o método de tortura mais comum nas suas unidades "era a eletricidade, através do uso de geradores de equipamentos de comunicações". "Eu a experimentei, no início de 1957, em meu gabinete de Hydra, e a maioria dos meus oficiais fez a mesma coisa", escreveu Massu, retrato do pára-quedista valente, sentimental e mal-encarado, veterano da Segunda Guerra e da reconquista da Indochina, em 1945.[9]

A tortura é filha do poder, não da malvadeza. Como argumentou Jean-Paul Sartre: "A tortura não é desumana; é simplesmente um crime ignóbil, crapuloso, cometido por homens [...]. O desumano não existe, salvo nos pesadelos que o medo engendra".[10] A natureza imoral dos suplícios desaparece aos olhos daqueles que os fazem funcionar, confundindo-se primeiro com razões de Estado e depois com a qualidade do desempe-

7 Entrevista do general Carlos de Meira Mattos a Raimundo Rodrigues Pereira, *Veja*, 1º de outubro de 1969.

8 Nota do estado-maior da 10ª Divisão de Pára-Quedistas Coloniais, em Jacques Massu, *La vraie Bataille d'Alger*, p. 49.

9 Jacques Massu, *La vraie Bataille d'Alger*, pp. 165 e 82. O general Paul Aussaresses, em suas memórias, menosprezou a descarga que Massu recebeu e disse que ela lhe foi aplicada por "cortesãos". "Se fosse eu a torturá-lo, teria aplicado exatamente o mesmo tratamento que dava aos suspeitos", *Services spéciaux*, p. 156. Como major, Paul Aussaresses foi um pioneiro da tortura francesa na Argélia. Intitulou-se "maestro da orquestra do contraterror". Veio a ser adido militar da França no Brasil entre 1973 e 1975, com a patente de general. Para o título, Aussaresses, *Services spéciaux*, p. 124. Para o cargo, *Folha de S.Paulo*, 15 de junho de 2001.

10 Jean-Paul Sartre, "Uma vitória", prefácio à edição brasileira de *A tortura*, de Henri Alleg. Citado em Alfredo Naffah Neto, *Poder, vida e morte na situação de tortura*, pp. 9-10.

nho que dá às investigações. O fenômeno ocorre em dois planos. Num está a narrativa da vítima, com seus sofrimentos. No outro, a do poder, com sua rotina e a convicção da infalibilidade do método. Para presidentes, ministros, generais e torcionários, o crime não está na tortura, mas na conduta do prisioneiro. É o silêncio, acreditam, que lhe causa os sofrimentos inúteis que podem ser instantaneamente suspensos através da confissão. Como argumentava o bispo de Diamantina, d. Geraldo de Proença Sigaud, "confissões não se conseguem com bombons".[11]

No exame dessa praga deve-se ter sempre presente que nela estão envolvidos tipos distintos de agentes. Há o torturador, que não montou a máquina. Sartre insiste: "É a tortura que faz o torturador".[12] O "tenente Ailton" jamais daria sua aula de tortura num salão do quartel da PE da Vila Militar se temesse a reação dos seus comandantes. Acima dele está o agente, decisivo e beneficiário direto da questão do poder. Ele sanciona a máquina, mas não toca nos presos. Quando um oficial lecionava técnicas de tortura na Vila para uma platéia de cem oficiais e sargentos das três Forças Armadas, o ministro do Exército, general Lyra Tavares, já estava em campanha para tomar uma cadeira na Academia Brasileira de Letras, ascendendo assim à "glória da imortalidade". Na mesma época em que o tenente demonstrava, num quartel, durante o expediente, "o que se faz clandestinamente no país", o general assinava um manifesto admitindo que eram praticados abusos, "por mais que os condenem e reprimam as autoridades responsáveis pela ordem pública".[13]

A convivência desses dois personagens dá-se através de um processo desgastante para a hierarquia. Salvo na Alemanha hitlerista e na União Soviética dos expurgos de Stalin, todas as ditaduras que sancionaram a tortura negaram sua existência. Disso resulta uma ambigüidade que vai dos palanques das autoridades às cafuas.

11 Entrevista de d. Geraldo de Proença Sigaud ao *La Croix*, em Ralph della Cava (org.), *A Igreja em flagrante — Catolicismo e sociedade na imprensa brasileira, 1964-1980*, p. 149. D. Sigaud disse essa mesma frase em Roma, no dia 13 de julho de 1970. Telegrama da agência France Presse, de 14 de julho.

12 Jean-Paul Sartre, prefácio à edição americana de *The question*, de Henri Alleg, p. 22.

13 Comunicado dos ministros militares de 6 de setembro de 1969, em Aurelio de Lyra Tavares, *O Brasil de minha geração*, vol. 2, pp. 254 e 219.

O Centro de Informações do Exército produziu uma apostila intitulada *Interrogatório*. Suas 49 páginas permitem o exame dessa ambigüidade no seu nível mais baixo, o operacional. Ela informava que "a liberdade de atuação dos interrogadores deverá estar subordinada ao prescrito em leis e regulamentos, e delimitada por diretrizes emanadas das autoridades responsáveis pela Segurança Interna".[14] Se os interrogadores deviam respeitar as leis, pouca importância teriam as diretrizes. O trabalho do CIE é um diálogo da ambigüidade:

No cravo: "Uma agência de contra-informações não é um Tribunal de Justiça. [...] Deve ser decidido pelo governo qual a prioridade a ser dada à utilização dos elementos capturados ou presos, isto é, se dirigida ao processamento judicial, ou se voltada para os interesses das informações".[15]

Na ferradura: "Os princípios básicos para o tratamento de pessoas sob prisão ou detenção, durante as operações de segurança interna, estão contidos no artigo 3 da Convenção de Genebra. Estes princípios devem ser observados". "[...] O uso da tortura é uma técnica de interrogatório ineficiente."[16]

E no cravo: "Será necessário, freqüentemente, recorrer a métodos de interrogatório que, legalmente, constituem violência. [...] Se o prisioneiro tiver de ser apresentado a um tribunal para julgamento, tem de ser tratado de forma a não apresentar evidências de ter sofrido coação em suas confissões".[17]

A ambigüidade obriga o governo a manter ao mesmo tempo uma situação mentirosa e um mundo clandestino. É comum que presidentes ou ministros neguem a existência de delitos usualmente praticados em suas administrações. Assim sucede com as propinas, o contrabando e o tráfico de influência. Em todos esses casos, porém, o agente da ilegalidade tira proveito pessoal imediato da própria delinqüência e aceita correr

14 *Interrogatório*, apostila, marcada "confidencial", do Centro de Informações do Exército, de 1971, p. 7. AA. Cedida ao autor pelo jornalista Luís Nassif, que a divulgou na *Folha de S.Paulo* de 23 de abril de 1995, pp. 1-8.

15 Idem, pp. 18 e 8.

16 Idem, pp. 9 e 22.

17 Idem, p. 8.

o risco de transformar-se em bode expiatório num surto moralizador da administração. No caso da tortura, como a remuneração direta não existe, o governo é obrigado a recompensar o funcionário dentro dos critérios de mérito da burocracia. Enquanto um policial metido em contrabando jamais é promovido em função do volume de suas muambas, o torturador é publicamente recompensado por conta de suas investigações bem-sucedidas.

Uma das moedas postas em circulação pelo CIE foi a concessão aos torturadores da Medalha do Pacificador, condecoração meritória, cobiçada por oficiais, políticos e empresários, pois registrava o reconhecimento de atos de bravura ou de serviços relevantes prestados ao Exército.[18] O tenente Ailton Joaquim, chefe da seção de informações da 1ª Companhia do Batalhão de Polícia do Exército da Vila Militar, recebeu a sua em 1970. Só em São Paulo a "tigrada" ganhou noventa medalhas em três anos.[19] Não se tratava de crachá fácil: em 1975 apenas 42 dos 769 capitães da infantaria podiam colocá-la na túnica. Deles, catorze a tinham no seu grau mais honroso, "com palma", como Ailton Joaquim. Destes, seis haviam enfrentado a esquerda armada, e dois deles haviam sido feridos em combate.[20]

A negação da tortura pela retórica do regime catapulta a "tigrada" da condição de infratora à de intocável. Quando ela mostra que pode fa-

18 Para se ter uma idéia da mágica do crachá, quando um ajudante-de-ordens de Medici perguntou a Orlando Geisel por que a medalha ainda não havia sido dada aos dois filhos do presidente, que trabalhavam no Planalto, ele respondeu: "E o que é que eles fizeram pelo Exército para merecer?". Em Roberto Nogueira Médici, *Medici — O depoimento*, p. 55. Para a relação entre a ação policial e a concessão da medalha, depoimento do general Rubens Bayma Denys, em Maria Celina d'Araujo e Celso Castro (orgs.), *Militares e política na Nova República*, p. 83.

19 *Sistema de Segurança Interna — Sissegin*, p. 41. Marcado "secreto". AA.

20 A concessão da palma destina-se, geralmente, a reconhecer atos de bravura, e na maioria dos casos ela foi concedida por motivos inteiramente estranhos às atividades do "porão". Segundo a edição de 1975 do *Almanaque do pessoal militar do Exército*, os seguintes capitães, entre outros, tinham a medalha com palma: Álvaro de Souza Pinheiro, Sebastião Rodrigues de Moura (feridos em combate), Aluisio Madruga (do CIE), Ailton Joaquim, André Leite Pereira Filho (do CIE), Celso Seixas Marques e Eduardo de Oliveira Fonseca. Salvo Ailton Joaquim, todos estiveram no combate à guerrilha do Araguaia.

zer algo que o governo nega e condena, não se pode mais saber por onde passa a linha que separa o que lhe é permitido daquilo que lhe é proibido. O porão ganha o privilégio de uma legitimidade excepcional. A mentira oficial é o reverso da covardia da tortura. Através dela os hierarcas sinalizam um medo de assumir a responsabilidade por atos que apóiam e recompensam. Caso clássico dessa fuga está na resposta do presidente uruguaio Juan María Bordaberry, em 1973, a três professores que lhe enviaram denúncias de torturas nos quartéis: "Caso existam, não estão autorizadas, pelo que as autoridades, incluindo-se o Presidente, não podem dispor sobre o fim do que não se ordenou".[21]

Ainda assim, há uma estranha fragilidade no embuste. De um lado, é certo que se trata de uma mentira, pois o governo condena a tortura, nega sua existência, mas não aceita investigar as denúncias que saem dos porões. De outro — o lado pelo qual ela entra no mundo do torturador — é possível que a própria mentira seja mentirosa. Ou seja, a qualquer momento a condenação dos torturadores pode se tornar verdade. Para o torturador, o hierarca de discurso humanitário é um mentiroso que poderá fritá-lo numa eventual mudança do clima político. Isso faz com que a conduta da "tigrada" se torne potencialmente adversária do governo. Ela suspeita que a vêem como um bando de bobos descartáveis, metidos num serviço sujo.

Um exemplo da dissimulação dos hierarcas pode ser encontrado numa explicação do ex-presidente João Baptista Figueiredo, em 1996: "Se houve a tortura no regime militar, ela foi feita pelo pessoal de baixo, porque não acredito que um general fosse capaz de uma coisa tão suja, não aceito isso".[22] Ou ainda nas memórias do ministro Jarbas Passarinho: "Praticaram-na clandestinamente".[23]

A zanga da "tigrada" pode ser ouvida no depoimento do ex-tenente do Exército Marcelo Paixão de Araújo, que torturou presos de 1968

21 José Luiz Baumgartner e outros, *Os desaparecidos — A história da repressão no Uruguai*, p. 72.

22 Entrevista de João Baptista Figueiredo a Claudio Renato, *O Estado de S. Paulo*, 23 de dezembro de 1996.

23 Jarbas Passarinho, *Um híbrido fértil*, p. 393.

a 1971 nos porões do 12º RI, em Belo Horizonte: "As altas autoridades do país foram as primeiras a tirar o seu da reta. [...] Todos os agentes do governo que escreveram sobre a época do regime militar foram muito comedidos. Farisaicos, até. Não sabiam de nada, eram santos, achavam a tortura um absurdo. Quem assinou o AI-5? Não fui eu. Ao suspender garantias constitucionais, permitiu-se tudo o que aconteceu nos porões".[24]

Na medida em que a responsabilidade desliza da sala de jantar para o porão, dá-se a construção do estereótipo do torturador indisciplinado, emocionalmente desequilibrado. A realidade é bem outra, pois a máquina, com suas recompensas, cria torturadores competentes, capazes de demonstrar as virtudes de seus métodos através da qualidade do desempenho de suas investigações. Quando a tortura é levada para dentro de instituições hierarquizadas e fortemente disciplinadas, produz-se uma burocracia da violência. Uma de suas características foi percebida pela filósofa Hannah Arendt na personalidade de Adolf Eichmann: "O problema com Eichmann era exatamente que muitos eram como ele, e muitos não eram nem pervertidos, nem sádicos, mas eram e ainda são terrível e assustadoramente normais".[25]

O torturador maluco, vítima de uma perversão, é em geral um produto de fantasia política. Para a ditadura, funciona como um álibi. Permite-lhe ter à mão a tese da insanidade do agente para salvar a honra do regime se algum dia a oposição conseguir provar os suplícios e identificar os torcionários. Essa construção acrobática pode ser apreciada nas palavras do general Adyr Fiúza de Castro, fundador do CIE: "Eu não admito a tortura por sadismo ou vingança. Para obter informações, acho válida. Os hipócritas dizem que não, mas todo mundo usa. [...] Isso é uma contingência natural da humanidade. Nunca permiti [...]".[26]

Para aqueles que combatem a tortura sancionada pelo governo é conveniente criar o caso com um tenente ou delegado, preservando-se de um

24 Entrevista de Marcelo Paixão de Araújo a Alexandre Oltramari, *Veja*, 9 de dezembro de 1998.

25 Hannah Arendt, *Eichmann em Jerusalém*, p. 299.

26 Entrevista do general Adyr Fiúza de Castro a Hélio Contreiras e Chico Otávio, *O Estado de S. Paulo*, 31 de maio de 1993.

choque com um general ou com um ministro. Em ambas as construções escala-se o torturador para um papel expiatório que ele percebe desde o primeiro instante. Em resposta, articula-se nos porões uma rede de lealdades e comprometimentos que se infiltra na estrutura da máquina repressiva. Numa cartilha preparada pelo DOPS paulista em 1973, o verbete "Torturadores" tinha a seguinte definição: "Expressão utilizada pela subversão para designar todos aqueles que se empenham ou colaboram na prisão de subversivos terroristas".[27] Documento de circulação interna, a cartilha preocupava-se em insinuar que os torturadores não seriam só aqueles que espancavam presos, mas "todos" os que colaboravam no combate à subversão.

É falsa a suposição segundo a qual a tortura é praticada em defesa da sociedade. Ela é instrumento do Estado, não da lei. Pertence ao episódio fugaz do poder dos governantes e da noção que eles têm do mundo, e sobretudo de seus povos. Oficiais-generais, ministros e presidentes recorrem à tortura como medida de defesa do Estado enquanto podem se confundir com ele. Valem-se dela, em determinados momentos, contra determinadas ameaças, para atingir objetivos específicos.

Tanto os hierarcas como os torturadores pensam que estão de acordo num ponto: cessada a ameaça, cessará a violência. Os presidentes, ministros e generais acreditam ser prerrogativa sua decidir quando a ameaça acabou. Os torturadores também. Para desgraça de ambos e dos países onde eles se juntam, raramente esses dois grupos se põem de acordo sobre a hora de desligar a máquina. Não porque haja entre eles uma insolúvel divergência doutrinária, ou até visões diversas do perigo, mas porque enquanto o fim da tortura pode ser uma renovada fonte de poder para a hierarquia, para os torturadores ele significa, no mínimo, a perda desse mesmo poder.

Ao materializar-se nos cárceres, a tortura obedece a uma lógica que novamente nada tem a ver com a defesa da sociedade. A condição necessária para a eficácia da burocracia da violência é a recompensa funcional, tanto através das promoções convencionais como das gratificações

27 Para a cartilha, de autoria do delegado Edsel Magnotti, Fabricio Marques, em *Jornal do Brasil*, 16 de janeiro de 1995, Caderno Brasil, p. 4.

que esse mundo policial engendra. No aparelho de repressão política montado pela ditadura brasileira, um oficial classificado no CIE, por exemplo, ficava burocraticamente lotado no gabinete do ministro do Exército. Outro, no SNI, tornava-se parte do quadro de pessoal da Presidência da República. Isso assegurava-lhes uma pequena gratificação salarial e uma boa quantidade de pontos no sistema de avaliação funcional que orienta promoções e remanejamentos. Um oficial que entrasse como capitão no circuito SNI-CIE-DOI tinha duas vezes mais chances de vir a servir como adido no exterior do que outro mantido na rotina dos quartéis. Os delegados e investigadores eram geralmente promovidos tão logo preenchessem as exigências formais da burocracia.[28] O delegado paulista Sérgio Fleury levara quatro anos para subir o primeiro degrau da hierarquia. Subiria três outros em apenas dois anos.[29] Enquanto essa recompensa existe, o torturador age a favor do governo ou até mesmo contra ele. Quando ele percebe que ela cessou, pára de torturar, ainda que persistam os elementos de tensão política.

Há casos em que o combate ao terrorismo provoca a suspensão de algumas garantias constitucionais em regimes democráticos. Assim sucedeu na Itália. Na Irlanda, além dessas restrições, chegou-se à virtual legalização do emprego da brutalidade em interrogatórios, bem como ao uso de técnicas destinadas a desestruturar a personalidade dos presos.[30] Mesmo nesse caso a sociedade foi informada do que se fazia nas prisões, e os governos responsabilizaram-se publicamente pela dureza

28 Para as gratificações e promoções de militares e civis do DOI, Carlos Alberto Brilhante Ustra, *Rompendo o silêncio*, p. 135. Ver também o depoimento do general Octavio Costa, em Maria Celina d'Araujo, Gláucio Ary Dillon Soares e Celso Castro (orgs.), *Os Anos de Chumbo*, pp. 261-2.

29 Percival de Souza, *Autópsia do medo*, p. 296.

30 Em 1972 uma comissão de inquérito presidida por lord Parker, ex-presidente da Corte de Justiça da Grã-Bretanha, para apurar a brutalidade em interrogatórios de terroristas presos na Irlanda, concluiu que "não há razão para proibir essas técnicas com base na moral", pois "é possível operar com elas de acordo com os altos padrões da nossa sociedade". Entendia-se por brutalidade nas investigações conduzidas pela comissão a privação do sono, alimentação a pão e água, detenção em lugares onde o preso ouvia barulhos ensurdecedores e, finalmente, a obrigação do suspeito de ficar encapuzado e horas de pé, com os braços levantados, apoiados numa parede. Essa questão foi discutida publicamente, e o governo inglês proibiu o barulho nas celas, os capuzes, a privação do sono e os longos períodos de pé, além de ter mudado a dieta dos presos. Em Brian Crozier, *A theory of conflict*, p. 157. Para uma narrativa do caso irlandês, ver também Tony Geraghty, *The Irish War*, pp. 47-51.

dos interrogatórios. Num e noutro caso a repressão coexistiu com a ordem constitucional e destinou-se a mantê-la. As forças especiais inglesas e os carabineiros italianos não se relacionavam com um projeto ditatorial.

No Brasil, os órgãos de segurança provinham da desordem e do terrorismo, eram parte de um complexo projeto subversivo, derivado da anarquia militar. A tortura sancionada pelos oficiais-generais a partir de 1968 tornou-se inseparável da ditadura. Não há como entender os mecanismos de uma esquecendo-se a outra. De um lado a tortura dá eficácia à ordem ditatorial, mas de outro condiciona-a, impondo-lhe adversários e estreitando-lhe o campo de ação política. Quando a hierarquia se dá conta de que o custo dos porões é maior que seus benefícios, ela vai ao manual e decide desativar a engrenagem. Recebe de volta a conta do seu erro.

Entrando no cenário político ao lado da supressão das liberdades públicas, a tortura embaralha-se com a ditadura e torna-se o elo final de uma corrente repressiva radicalizada em todos os níveis, violentando a própria base da sociedade.[31] Essa circunstância transforma a tortura, no seu conjunto, muito mais num elemento do jogo político do que num instrumento de processo investigativo. Quando tortura e ditadura se juntam, todos os cidadãos perdem uma parte de suas prerrogativas, e, no porão, uma parte dos cidadãos perde todas as garantias. Nesse processo a tortura assume a função de derradeiro sinal de perigo, alterando a própria percepção da cidadania. Desenvolve-se um estratagema ameaçador através do qual a violência protege o regime alimentando um mecanismo de compensações. Se um cidadão é preso sem motivo e logo a seguir é solto, vê-se no caso uma certa moderação das autoridades por terem-no libertado. Se a imprensa é posta sob censura, vê-se parcimônia na providência, pois as publicações não foram apreendidas nem fechadas. Finalmente, se um militante de organização clandestina é encarcerado, posto incomunicável, dá-se à sua família uma grande notícia: ele não está apanhando. No fundo do poço, aos

31 Lawrence Weschler, *Um milagre, um universo*, p. 245.

parentes daquele que está sendo supliciado, também oferece-se uma esperança: é possível que nos próximos dias seja conseguida sua transferência para outra prisão, onde não se bate. Impõe-se às vítimas uma lógica degradada.

Mascarada pelo horror, a tortura esconde-se atrás de seus efeitos e tende a girar em torno do sofrimento das vítimas. Por trás da máscara, porém, ela mostra métodos, objetivos e conseqüências bastante diferentes do mundo de aparências construído nos calabouços. Mesmo clandestina, a tortura não pode viver enclausurada. Ainda que os torturadores respeitem a hierarquia, sem roubar nem extorquir, o fenômeno transborda naturalmente para outras áreas da atividade pública.

Ela vaza primeiro para o aparelho judiciário, cuja cumplicidade passa a ser essencial para prevenir denúncias e até mesmo a anulação de confissões. Essa cumplicidade, muitas vezes tensa, pode ser total em determinados períodos, mas nunca consegue tornar-se permanente. Durante o suplício, em troca de alguns instantes de sossego, o preso não se importa em admitir crimes que lhe custarão anos de cadeia. Livre dele, na fase de instrução judicial, não tem mais compromisso com a confissão. Em muitos casos a renega. Os promotores e juízes do regime vivem fora dos porões, num mundo onde estão os seus pares e, sobretudo, os advogados de defesa das vítimas. Por mais que estejam dispostos a amparar a ditadura, e por mais que ela lhes agradeça os serviços prestados, juízes e promotores acabam presos numa armadilha. Os torturadores raramente são mencionados nos inquéritos, e em certos casos nem sequer suas identidades são conhecidas. Seus crimes, porém, entram nos autos pela narrativa das vítimas ou mesmo pelas análises periciais. Às vezes, a ponta da verdade emerge da mentira encoberta por histórias inverossímeis. Casos como o do preso que morreu num tiroteio numa determinada esquina enquanto os moradores do lugar testemunham que nela jamais se disparou um tiro. Ou ainda o do cidadão de mais de 1,80 m de altura, pesando quase cem quilos, que teria conseguido fugir do banco traseiro de um Volkswagen enquanto era escoltado por três soldados da PE. Os interrogadores do II Exército, em São Paulo, chegaram a esquecer dentro de um inquérito uma nota avulsa em cuja margem havia uma anotação manuscrita recomendando "forçar a barra, porém sem deixar marcas".[32] Por mais que haja cumplicidade na máquina judiciária, é comum que surjam constrangimentos entre promotores e juízes quando eles são obrigados a associar seus nomes a processos absurdos, sabendo que os verdadeiros responsáveis estão fora dos autos.

Para funcionar, o porão expande-se além das fronteiras da sua clandestinidade. Ele precisa de diretores de hospitais, médicos e legistas dispostos a receber presos fisicamente destruídos, fraudar autos de corpo de delito e autópsias. Outro vínculo natural surge nas fímbrias da plutocracia, junto à qual a máquina de repressão vai buscar dotações extra-orçamentárias. Por mais que esse serviço seja conduzido com discrição, sua mecânica acaba fazendo que apareçam tanto o empresário prestigiado na sua comunidade em função das conexões que montou no porão, como o torturador que pretende se transformar em homem de negócios.

Quanto mais duro o regime, mais prestígio tem o promotor, médico ou empresário que colabora com o porão. Ao menor sinal de liberalização toda a teia é duplamente ameaçada. Primeiro pela perda do poder. Depois — e aí reside o risco temível — pela exposição dos crimes. A rede, assim como o torturador, vale-se da ditadura para amealhar suas recompensas, mas precisa que ela persista, quer para encobrir delitos, quer para disfarçar o rastro de ligações perigosas.

De todas as manifestações da gangrena,[33] a mais severa é a que ocorre no meio militar. A experiência brasileira vinha do Estado Novo, quando a repressão política foi montada através da remessa de oficiais a delegacias. Conseguiu-se assim que, depois do desabamento do regime, o entulho de seus crimes fosse posto na conta de delegados, investigadores e meganhas, ou, quando muito, na biografia do chefe de polícia, o capitão Filinto Müller. A partir de 1969, a ditadura militar tomou um caminho diverso, e a "meganha" foi para os quartéis. A aula do "tenente Ailton" deu-se num batalhão da PE, não numa delegacia.

32 *Brasil: nunca mais*, p. 223.

33 O termo *gangrena* foi usado pela primeira vez em 1959 no título de um dossiê, publicado pela Éditions de Minuit, reunindo denúncias de torturas sofridas por estudantes argelinos. Em Pierre Vidal-Naquet, *Face à la raison d'État*, p. 134.

A atividade policial torna-se também um embaraço à estrutura militar. Ela cria uma situação em que coexistem dois tipos de oficiais. Um vive dentro das normas do profissionalismo, cumprindo a jornada dos pacíficos expedientes da corporação. Outro, combatente, campanando aparelhos, estourando "pontos" e torturando presos. "Foi a ação de uma pequena parte da oficialidade, trabalhando nos órgãos de segurança, que permitiu à maioria ficar em paz, tomando suas aulas de tática", registrava o coronel Carlos Alberto Brilhante Ustra, comandante do DOI paulista.[34]

A tensão entre o combatente e o burocrata é velha como a guerra, mas o que a tortura leva para dentro da caserna é bem outra coisa. Durante um conflito armado toda a organização está engajada nele, conhecendo-lhe as normas. A montagem de porões nos quartéis faz que os comportamentos dos dois personagens sejam diferenciados à luz de regras básicas da máquina militar. O combatente do aparelho repressivo vive num mundo funcionalmente diverso, regido por normas peculiares de sigilo, disciplina e hierarquia. Exatamente o contrário do que aprendeu desde que entrou para a academia militar.[35] Está classificado numa guarnição, mas seu trabalho não é coordenado pela estrutura de comando da unidade. Cultiva afinidades produzidas pela partilha do risco que aproximam o tenente do sargento que lhe dá cobertura num tiroteio, ao mesmo tempo que o distanciam do general que finge ignorar o que acontece nos calabouços de sua unidade. Torna-se excêntrico para a tropa, mas igualitário para seus pares. Isso ocorre até em detalhes da vida social, pois não trabalha fardado, nem usa o corte de cabelo militar. Veste-se como os comandados. Manda muito, faz sua lei, dispõe da vida dos presos e da infelicidade dos familiares que batem às portas dos cárceres mendigando uma visita ou a entrega de um pacote de roupas. De um lado, sente-se superior aos colegas. De outro, sente-se discriminado e incompreendido. Como explicou o general Carlos Alberto da Fontoura, chefe do SNI no governo Medici, "houve muita coisa, muita prevenção, muito aborrecimento, mas era um caso delicado, porque não se pode cortar de público o estímulo do combatente, senão ele não volta a

34 Coronel Carlos Alberto Brilhante Ustra, março de 1988.

35 General Gustavo Moraes Rego, novembro de 1984.

combater".[36] O CIE pedia compreensão "para que o interrogador não venha a ser inquietado para observar as regras estritas do direito".[37] Em São Paulo, foi necessário que o comandante do II Exército distribuísse uma circular condenando episódios de "má vontade" contra esses agentes e recomendando "que se crie um ambiente de reconhecimento e admiração por aqueles que, diuturnamente, arriscam suas vidas na manutenção da segurança interna e salvaguarda de nosso estilo de vida".[38]

Nada havia de novo debaixo do firmamento quando a hierarquia militar brasileira associou as Forças Armadas à tortura. Ela dispunha dos exemplos de dois casos clássicos de ação antiinsurrecional. Um deles, o Vietnã, estava diariamente no noticiário. Não convinha. As forças americanas, mesmo envolvendo-se em crimes e recorrendo à tortura contra a guerrilha vietcongue, achavam-se indiscutivelmente debaixo do primado do poder constitucional. O presidente Richard Nixon buscava um fim honroso para a guerra perdida, e a "tigrada" americana estava contida. O tenente William Calley, cujo pelotão executou 175 civis no vilarejo de My Lai, não era candidato a nenhuma medalha. Estava no banco dos réus, de onde sairia desonrado e condenado.[39] O segundo exemplo, a ação francesa na Argélia, encontrava-se nas estantes das bibliotecas militares.

Lá o general Massu vencera a Batalha de Argel. Seus pára-quedistas sobrepuseram-se ao poder civil, o pau cantou, e o terrorismo sumiu. Entre janeiro e março de 1957, foram capturados 55 chefes de células e 73

36 Depoimento do general Carlos Alberto da Fontoura, em Maria Celina d'Araujo, Gláucio Ary Dillon Soares e Celso Castro (orgs.), *Os Anos de Chumbo*, p. 97.

37 *Interrogatório*, apostila, marcada "confidencial", do Centro de Informações do Exército, de 1971, p. 18.

38 *Circular 35-E2*, reservado, do general Humberto de Souza Mello, comandante do II Exército, sem data, em Carlos Alberto Brilhante Ustra, *Rompendo o silêncio*, p. 136.

39 Calley foi condenado à prisão perpétua com trabalhos forçados, teve a sentença reduzida para dez anos de reclusão e foi solto em 1972, depois de cumprir três. Começou uma nova vida dirigindo a joalheria do sogro na cidade de Columbus, na Geórgia. Revista *Time, 1968, A pictorial history*, primavera de 1989, p. 21.

quadros da Frente de Libertação Nacional responsáveis por centenas de atentados ocorridos na cidade, que iam do assassinato de personalidades a bombas em restaurantes e estádios, matando pelo menos vinte pessoas e ferindo mais de cem. Na sua conta, prendeu 1800 argelinos, duzentos dos quais desapareceram. Na conta de seus críticos, os desaparecidos teriam sido 4 mil. As baixas da tropa ficaram em dois mortos e quatro feridos.[40] Nos três meses de duração, a Batalha de Argel foi o maior triunfo de uma unidade antiinsurrecional nos tempos modernos. Examinada no conjunto da vida política francesa, foi erro militar, provocou um desastre político e terminou como começou: em terrorismo.

A discussão da entrada da tortura nos quartéis do exército francês na Argélia começou pouco depois do início da ofensiva de Massu. Enquanto o pau cantava em Argel, o general Jacques Paris de Bollardière, tenente da Legião Estrangeira, *maquisard* das Ardenas, pára-quedista da Indochina e comandante na região dos montes Atlas do deserto argelino, resolveu comprar a briga. Numa diretriz às suas tropas advertiu: "A tentação em que caíram os países totalitários, de considerar certos procedimentos como um método normal para obter informações, deve ser inequivocamente rejeitada. Esses métodos devem ser formalmente condenados".[41] Duas semanas mais tarde Bollardière e Massu encontraram-se em Argel. Bollardière acusou-o de perseguir uma vitória que levaria "à mais desesperadora das derrotas, aquela do homem que renuncia à sua humanidade". Deixou o gabinete de Massu dizendo-lhe: "Eu desprezo tuas ações".[42] Renunciou ao comando, retornou a Paris, e voltou a atacar. Numa carta à revista *L'Express*, advertiu do "perigo terrível de se perder de vista, sob o pretexto falacioso de uma eficácia imediata, os valores mo-

40 Para a estimativa de 4 mil desaparecidos, Yves Courrière, *La Guerre d'Algérie*, tomo I, p. 841. Para a conta oficial, Jacques Massu, *La vraie Bataille d'Alger*, p. 173. Nas suas memórias, Massu fala em duzentos argelinos mortos "no cumprimento de suas missões, em combates, perseguições, fugas e acidentes diversos". Na época, quando apresentou sua contabilidade e lhe foi mostrado que, comparando-se o número de pessoas detidas com o de presos, faltavam 220, ele respondeu: "Sumiram". Em Courrière, *La Guerre d'Algérie*, tomo I, p. 824.

41 *Diretriz nº 391*, do general Jacques Paris de Bollardière, em Jacques Massu, *La vraie Bataille d'Alger*, p. 222.

42 Jacques Massu, *La vraie Bataille d'Alger*, p. 225, e Jacques Paris de Bollardière, *Bataille d'Alger, bataille de l'homme*, p. 93.

rais que fizeram a grandeza da nossa civilização e do nosso Exército".[43] A hierarquia, que já sinalizara a sua solidariedade a Massu aceitando o pedido de demissão de Bollardière, respondeu com dureza e deu-lhe dois meses de cadeia numa fortaleza. A tortura vencera na casbá e no Ministério da Guerra. Sua batalha continuaria.

Em maio de 1958 as tropas francesas na Argélia deram um golpe militar e depuseram a administração civil da colônia. Duas semanas depois, Charles de Gaulle retornou à chefia do governo francês. Era o fim da Quarta República. Levado de volta ao poder na ponta das baionetas, em pouco tempo surpreendeu seus aliados pronunciando a palavra maldita da questão argelina: *autodeterminação*. O velho general chegara ao poder convencido de que era preciso "restabelecer, sem demora, a obediência do Exército".[44] Quanto à Argélia, a batalha havia sido ganha, mas a guerra, que fazia sangrar a unidade interna e o prestígio internacional da França, poderia estar perdida.

Para a rede que resultara da gangrena, começava uma nova campanha, contra a política de De Gaulle, que oferecia aos argelinos "a paz dos bravos".[45] Nesse combate o general Massu deu uma entrevista desafiadora: "O Exército tem a força, e ela ainda não foi mostrada porque a ocasião ainda não apareceu. [...] Nós não entendemos mais a política do presidente De Gaulle. O Exército não poderia prever que ele faria uma política dessas. [...] Nossa maior decepção foi verificar que o general De Gaulle se tornou um homem de esquerda".[46] Chamado a Paris, perdeu o comando.

A indisciplina militar não se rendeu. No dia 22 de abril de 1961 uma parte da hierarquia que quatro anos antes se solidarizara com Massu contra Bollardière lançou-se num golpe militar contra De Gaulle. Derrotada, refluiu para a clandestinidade, incorporando-se à Organização do Exército Secreto, milícia terrorista que deixou um rastro de explo-

43 Jacques Paris de Bollardière, *Bataille d'Alger, bataille de l'homme*, p. 97.

44 Charles de Gaulle, *Mémoires d'espoir*, tomo I: *Le Renouveau — 1958-1962*, p. 30.

45 Alistair Horne, *Histoire de la Guerre d'Algérie*, p. 319.

46 Jacques Massu, *Le torrent et la digue*, p. 299.

sões, assaltos e extorsões, com mais de 5 mil vítimas.[47] Num só dia, na *Operação Rock'n'Roll*, ela explodiu 120 bombas em Argel e noutro, durante a Noite Azul, detonou dezoito em Paris.[48] Explodiram o apartamento do ministro da Cultura francês André Malraux, incendiaram a biblioteca da Universidade de Argel.[49] Mataram um general, um coronel e dois chefes da repressão ao terrorismo. Como se tudo isso fosse pouco, planejaram mais de vinte atentados contra De Gaulle. Num, explodiram um pedaço de estrada quando o general, num Citroën blindado, voltava de sua casa de campo. O motorista Francis Marroux acelerou e atravessou uma cortina de fogo.[50] Noutro, que mais tarde resultaria — fantasiado — no filme *O dia do chacal*, o pistoleiro embolsou 20 milhões de francos e, em vez de matar o presidente, chamou a polícia. Finalmente, em agosto de 1963, quando o carro do general passava pelo Petit Clamart, em Paris, ele e sua mulher escaparam de um pelotão composto por quatro carros e doze pistoleiros. Dos 187 tiros disparados, catorze tinham atingido o carro, e um passara a poucos centímetros do general. De Gaulle e a Quinta República foram novamente salvos pelo motorista Marroux, que, ao primeiro tiro, enfiou o pé no acelerador.[51]

No comando do atentado de Petit Clamart estava um coronel do exército francês, Jean-Marie Bastien-Thiry. Era a sua 18ª tentativa, a segunda em que falhava por pouco.[52] Dois anos antes pusera trinta quilos de dinamite e napalm debaixo de uma ponte por onde passou o general.[53] Ele considerava De Gaulle "a vergonha da França". Já um de seus colegas de fuzilaria, Alain de la Tocnaye, dizia que o gaullismo "nos levará primeiro a uma amálgama de capitalismo e marxismo, para depois atirar-

47 Pierre Montagnon, *La Guerre d'Algérie*, p. 405, e Yves Courrière, *La Guerre d'Algérie*, tomo II, p. 949.

48 "*OAS parle*", pp. 337 e segs.

49 Alistair Horne, *Histoire de la Guerre d'Algérie*, pp. 520 e 549.

50 Jean Lacouture, *De Gaulle — The ruler — 1945-1970*, pp. 299-300 e 326.

51 Idem, pp. 326 e segs. Sete anos depois Francis Marroux estava na casa de campo de De Gaulle quando ele morreu, vítima de um rompimento da aorta abdominal. Idem, p. 591.

52 Idem, p. 326.

53 Alistair Horne, *Histoire de la Guerre d'Algérie*, p. 517.

nos ao bolchevismo".[54] Na Organização do Exército Secreto estava uma parte da mesma hierarquia militar que mandara Massu baixar o pau e trancafiara Bollardière. Fechara-se um círculo. Uma parte do exército francês foi do combate ao terrorismo à tortura, dela à rebelião e, finalmente, ao seu próprio terror.

De 560 terroristas presos, 252 eram militares. Entre eles havia três generais e 46 oficiais.[55] *Soleil*, chefe supremo da Organização, era Raoul Salan, comandante das tropas francesas na Argélia entre 1957 e 1958, um dos oficiais mais condecorados do exército francês. Seu substituto foi *Soleil Bis*, o general Edmond Jouhaud. *Albatroz* vinha a ser o coronel Antoine Argoud, que abria a tiro de tanque lojas fechadas em dia de greve.[56] *Françoise*, o organizador de toda a estrutura da OES, era o coronel Yves Godard, chefe do estado-maior de Massu, que o considerava um "precioso braço direito".[57] *Danielle*, comandante dos quinhentos homens que formavam os sanguinários comandos Delta, verdadeiro chefe das operações terroristas na Argélia, era o tenente Roger Degueldre.[58]

54 Edgar S. Furniss Jr., *De Gaulle and the French Army*, pp. 62-3.

55 "*OAS parle*", p. 310.

56 Alistair Horne, *Histoire de la Guerre d'Algérie*, p. 99.

57 Idem, p. 499, e Jacques Massu, *La vraie Bataille d'Alger*, p. 108.

58 Salan foi capturado e, para desgosto de De Gaulle, que desejava fuzilá-lo, condenado à prisão perpétua. Argoud, seqüestrado na Alemanha e deixado grogue num carro em frente à chefatura de polícia de Paris, foi condenado à morte e teve a sua pena comutada em prisão perpétua. Godard, condenado à morte, refugiou-se na Bélgica. Degueldre, com sua farda de pára-quedista e cantando a *Marselhesa*, foi executado no forte de Ivry. O coronel Bastien-Thiry também foi fuzilado. De Gaulle recusou-se a comutar sua pena porque no atentado de Petit Clamart sua mulher, Yvonne, estava no carro. O fato de Bastien-Thiry não ter empunhado armas durante o atentado, ficando numa posição em que não corria riscos, também influenciou a decisão de De Gaulle de fuzilá-lo. O sucessor de Salan no comando da OES foi o professor Georges Bidault, chefe da Resistência em solo francês de 1943 a 1945. Ele fugiu para a Alemanha e, em 1963, asilou-se no Brasil, vivendo em Campinas até 68. Massu manteve-se fiel a De Gaulle. Em maio de 1968, quando o general enfrentou a rebelião de Paris, Massu comandava as tropas francesas estacionadas na Alemanha. De Gaulle voou a Baden-Baden para conseguir dele a certeza de que em caso de necessidade elas marchariam sobre a capital. Acredita-se que nessa reunião Massu conseguiu do presidente o compromisso de anistiar todos os presos em razão da guerra da Argélia. A complexa relação entre esses dois militares pode ser ilustrada por um diálogo que teriam mantido em 1958, quando De Gaulle voltou ao poder:

— Como vais, Massu, sempre idiota?

— Sempre idiota, meu general. E sempre gaullista. (Alistair Horne, *Histoire de la Guerre d'Algérie*, p. 196.)

Só em fevereiro de 1962 ele coordenara 302 atentados, nos quais morreram 553 pessoas.

De Gaulle, na parcimônia de suas memórias em relação ao desastre militar argelino, apontou a raiz do problema do envolvimento do Exército em funções policiais: "Trata-se de uma espécie de cruzada, em que, num meio isolado, cultivam-se e afirmam-se valores próprios ao risco e à ação. Por mais sensível e simpático que eu seja a essa concentração de qualidades militares, devo perceber quão tentadora ela pode se tornar para a ambição tortuosa de um chefe que a queira usar como instrumento de aventuras".[59]

A partir de 1968 a "tigrada" brasileira construiu seu ninho dentro da máquina militar. Em pouco mais de dois anos o CIE triplicou seu quadro de oficiais.[60] Com dez anos de atraso, seguiam a trilha dos combatentes de Massu. Cada passo foi dado em nome do combate ao terrorismo, mas a cada passo correspondeu também a expansão do sistema de recompensas e da autonomia dos torturadores. O Exército prevaleceu sobre as outras forças. Nele, o CIE prevaleceu sobre as linhas de comando convencionais.

59 Charles de Gaulle, *Mémoires d'espoir*, tomo I: *Le Renouveau — 1958-1962*, p. 79.

60 Depoimento do general José Luiz Coelho Netto, subcomandante do CIE de 1969 a 1974, em Maria Celina d'Araujo, Gláucio Ary Dillon Soares e Celso Castro (orgs.), *Os Anos de Chumbo*, p. 235. Sua estimativa para o número de oficiais foi de "cem, cento e poucos".

A dor

O que torna a tortura atraente é o fato de que ela funciona. O preso não quer falar, apanha e fala. É sobre essa simples constatação que se edifica a complexa justificativa da tortura pela funcionalidade. O que há de terrível nela é sua verdade. O que há de perverso nessa verdade é o sistema lógico que nela se apóia valendo-se da compressão, num juízo aparentemente neutro, do conflito entre dois mundos: o do torturador e o de sua vítima. Tudo se reduz à problemática da confissão. Quem melhor explicitou esse reducionismo, na visão da hierarquia, foi Ernesto Geisel: "Acho que a tortura, em certos casos, torna-se necessária, para obter confissões".[1] Na visão do torturador, a eficácia chega a surpreender. Um jovem tenente, mal iniciado nas práticas do regime, haveria de reconhecer: "A coisa complicou quando descobri que o método era rápido. Bastava levar para o porão, e pronto".[2]

Como explicou o coronel Roger Trinquier, comandante do 3º Regimento de Pára-Quedistas francês na Argélia, que terminou sua carreira comandando mercenários no Congo: "Ao ser preso, o terrorista sabe que será interrogado, que não terá escapatória. Para ele, chegou a hora da verdade".[3] O secretário de Segurança do Rio Grande do Sul, coronel Jayme Mariath, descreveu a tensão dessa hora: "O interrogatório em si, em qual-

1 Maria Celina d'Araujo e Celso Castro (orgs.), *Ernesto Geisel*, p. 225.

2 Entrevista de Marcelo Paixão de Araújo a Alexandre Oltramari, *Veja*, 9 de dezembro de 1998, pp. 44-9.

3 Roger Trinquier, *La guerre*, p. 176.

quer nação do mundo, não é um ato cordial. Atentados físicos contra eles [os presos], se houve [...] é porque houve reação, uma resistência obstinada à confissão".[4] Ou, na argumentação de Jarbas Passarinho: "Os militantes são treinados para resistir aos interrogatórios, para dar tempo a que seus companheiros se ponham em segurança. A delação, para eles, é o supremo opróbrio, como o é para todos os que têm caráter".[5]

Assim, a tortura pressiona a confissão e triunfa em toda a sua funcionalidade quando submete a vítima. Essa é a hipérbole virtuosa do torturador. Assemelha-se ao ato cirúrgico, extraindo da vítima algo maligno que ela não expeliria sem agressão. O militante do exemplo de Passarinho é torturado porque tem caráter, pois se não o tivesse, aceitaria o "supremo opróbrio" antes de apanhar, e ficaria tudo mais barato. Por conta de toda uma mitologia heróica, essa visão do interrogatório é freqüentemente compartilhada por vítimas e algozes. Jacob Gorender, fundador do Partido Comunista Brasileiro Revolucionário e vítima dos torturadores do Exército em São Paulo, sustenta que "são mais aptos a resistir à tortura os militantes que interiorizaram a ideologia socialista e fizeram dela sua norma moral".[6] O PCB vangloriara-se do comportamento de Harry Berger, representante do Comintern que caiu nas mãos dos torturadores de Getulio Vargas e foi à demência sem passar pela submissão. Carlos Marighella, que passou pelas torturas do Estado Novo e nos anos 50 redigiu um folheto romântico intitulado *Se fores preso, camarada...*, fechou um soneto — "Liberdade" — com versos típicos dessa visão propagandística do prisioneiro:

E que eu por ti, se torturado for,
possa feliz, indiferente à dor,
morrer sorrindo a murmurar teu nome.[7]

4 *O Estado de S. Paulo*, 28 de julho de 1970, p. 6.

5 Antonio Carlos Scartezini, *Segredos de Medici*, p. 8.

6 Jacob Gorender, *Combate nas trevas*, p. 261. Para uma detalhada sustentação da posição assumida pelo PCB até o final dos anos 70, ver Renato Guimarães, *Travessia*.

7 Carlos Marighella, *Poemas*, p. 21. A informação de que Marighella é o autor do folheto *Se fores preso, camarada...* está em Jacob Gorender, *Combate nas trevas*, p. 245.

O PCB expulsou diversos dirigentes que, uma vez capturados, contaram aos seus torturadores segredos da organização. Nessa sua atitude houve sempre uma certa teatralidade, em que se varriam para debaixo do tapete casos de submissão que não convinham à mitologia partidária. Em todos os grupos esquerdistas vigorou um eufemismo para estigmatizar a conduta dos presos que produziram confissões: "Portou-se mal". Em 1995 uma ex-dirigente da ALN chamou de "covardes" os simpatizantes dessa organização envolvidos na cilada em que o chefe terrorista foi assassinado.[8] Esse julgamento subverte o problema moral da tortura, transferindo-se à vítima a responsabilidade pela conduta do algoz. Elaine Scarry, em magistral estudo sobre a tortura, argumenta que existe um "dissimulado desdém pela confissão". "Esse desdém é uma das muitas manifestações de quão inacessível é a realidade da dor física para quem não a está sofrendo."[9]

A teoria da funcionalidade da tortura baseia-se numa confusão entre interrogatório e suplício. Num interrogatório há perguntas e respostas. No suplício, o que se busca é a submissão. O "supremo opróbrio" é cometido pelo torturador, não pelo preso. Quando a vítima fala, suas respostas são produto de sua dolorosa submissão à vontade do torturador, e não das perguntas que ele lhe fez. Prova disso está no fato de que nos cárceres soviéticos milhares de presos confessaram coisas que jamais lhes haviam passado pela cabeça, permitindo ao stalinismo construir suas catedrais conspiratórias. Um ex-cabo do Exército brasileiro, preso e torturado por oficiais da Marinha em 1969, confessou que vendera uma submetralhadora a um grupo terrorista ligado ao ex-presidente Juscelino Kubitschek e levou uma patrulha à mata da Tijuca, onde estaria escondido um arsenal. No meio do mato sua história desabou. Trocara a submetralhadora por maconha, nada mais. A conspiração fora montada na sessão de tortura, na qual fabricava respostas que contentassem seus algozes.[10]

8 Entrevista de Zilda Xavier Pereira a José Mitchell, *Jornal do Brasil*, 12 de janeiro de 1995, Caderno Brasil, p. 5.

9 Elaine Scarry, *The body in pain*, p. 29.

10 Testemunho ouvido pelo autor.

Usada como instrumento de investigação, a tortura transforma-se para a vítima num tormento maior que a própria pena.[11] Ela extrai a confissão através da aplicação do sofrimento ao preso, mas não é a dor pura e simples que o leva a falar. É possível que um prisioneiro confesse ao receber descargas elétricas bem inferiores àquelas a que o general Massu se submeteu. No Brasil, um oficial do Exército experimentou o suplício: "É ruim, mas não é um horror. Dá para agüentar. Não é de se tirar de letra, mas não é o horror".[12]

A tortura manobra a dor de forma diversa. O sofrimento começa ou pára, aumenta ou diminui, pela exclusiva vontade do torturador. Ele tanto pode suspender uma sessão para dar a impressão de que teve pena do preso, como pode avisar que vai iniciar outra, sem motivo algum, para mostrar-lhe a extensão do seu poder. "Meu maior medo não era do pau, mas da possibilidade de tomar um pau", lembra Ariston Lucena, militante da VPR, preso do DOI paulista.[13] "O meu pavor atingiu tal limite que só de ouvir um abrir de portas já começava a tremer, eu não pensava em mais nada", depôs Manoel Henrique Ferreira, militante da VPR e prisioneiro da Força Aérea Brasileira.[14]

O poder absoluto que o torturador tem de infligir sofrimento à sua vítima transforma-se em elemento de controle sobre seu corpo. No meio da selva amazônica, espancando um caboclo analfabeto que pedia ajuda divina para sustar os padecimentos, um torturador resumiria sua onipotência embutida: "Que Deus que nada, porque Deus aqui é nós mesmo".[15] A mente insubmissa torna-se vítima de sua carcaça, que é, a um só tempo, repasto do sofrimento e presa do inimigo. "O preso só lastima uma coisa: o 'diabo' do corpo continua agüentando", lembraria o dirigente co-

11 Michel Foucault, *Vigiar e punir — História da violência nas prisões*, pp. 33 e segs.

12 Informação dada ao autor por um oficial cujo nome fica preservado.

13 Ariston Lucena, agosto de 1988.

14 Depoimento de Manoel Henrique Ferreira, em Luzimar Nogueira Dias (seleção), *Esquerda armada — Testemunho dos presos políticos do presídio Milton Dias Moreira, no Rio de Janeiro*, pp. 32 e segs., citado em *Brasil: nunca mais*, pp. 221-2.

15 Entrevista de *Pedro Marivetti*, morador de São Domingos do Araguaia, a Romualdo Pessoa Campos Filho, 21 de janeiro de 1994. APRPCF.

munista Marco Antônio Coelho.[16] Ainda que a certa altura a mente prefira a morte à confissão, aquele corpo dolorido se mantém vivo, permitindo o suplício. A dor destrói o mundo do torturado ao mesmo tempo que lhe mostra outro, o do torturador, no qual não há sofrimento, mas o poder de criá-lo. Quando a vítima se submete, conclui-se um processo em que a confissão é um aspecto irrelevante. O preso, na sala de suplícios, troca seu mundo pelo do torturador.[17] "A vítima faz mais do que dar uma informação ao carrasco, ela passa a reconhecer nele o senhor da sua voz, ou seja, de sua humanidade", ensina o professor Pierre Vidal-Naquet.[18]

Dentro da máquina do poder, a linguagem dos torturadores é bastante distinta da de seus exegetas. O Centro de Informações do Exército, numa referência elíptica aos suplícios, qualificou-os como "ações que qualquer justiça do mundo qualificaria de crime".[19] Oficiais do DOI do Rio atendiam ao telefone em nome da "Funerária Boa Morte", e nele um torturador disse a uma jovem, durante uma Sexta-Feira Santa, que sofreria como Jesus Cristo.[20] Em São Paulo, o agente *Campão* (cáften da boca-do-lixo) informava: "Meu nome é Lúcifer".[21] Um torturador disse no Ceará: "Aqui não é o exército, nem marinha, nem aeronáutica. Aqui é o inferno".[22] Na PE da Vila Militar, um sargento mostrava a cancela do quartel e dizia: "Dali pra dentro Deus não entra. Se entrar, a gente dependura no pau-de-arara".[23]

A metamorfose provocada pela dor dá aos torturadores de todo o mundo muito mais que uma confissão. Pode-se estimar que bem mais da metade dos prisioneiros brutalizados nos porões, além de terem contado aquilo que seus algozes quiseram saber, prestaram-lhes algum tipo de colaboração durante o período em que estiveram nos centros de tor-

16 Marco Antônio Tavares Coelho, *Herança de um sonho*, p. 374.

17 Elaine Scarry, *The body in pain*, p. 37.

18 Pierre Vidal-Naquet, *La torture dans la république*, p. 9.

19 *Estudo e Apreciação sobre a Revolução de 1964*. Informe 209/S-102-A3-CIE, de 16 de junho de 1976. AA.

20 Para o caso da moça, depoimento de Vera Sílvia Magalhães à jornalista Helena Salem, em Vários Autores, *Versões e ficções*, p. 68.

21 Percival de Souza, *Autópsia do medo*, pp. 12 e 444.

22 Depoimento de José Elpídio Cavalcante, em *Brasil: nunca mais*, p. 240.

23 Mauricio Paiva, *O sonho exilado*, p. 45.

tura. Foram raros os que nada disseram. Muitos resistiram às 48 ou 72 horas críticas, dando tempo para que se desconectassem as ligações que conheciam. Outros preservaram segredos que sobreviveram ao porão. Poucos, contudo, conseguiram resistir àquela rotina em que a perspectiva da continuação dos suplícios pode se prolongar por semanas, até meses. Houve casos em que presos torturaram companheiros, ou ainda de detentos que percorriam as ruas de São Paulo dentro de automóveis dos órgãos de informações, farejando "pontos" e apontando suspeitos.[24] Foram inúmeros os prisioneiros que, depois de terem concluído seus depoimentos, ajudaram a estruturar interrogatórios alheios. Na maioria esmagadora dos casos esses presos, uma vez condenados e colocados sob a guarda da Justiça, fora do alcance dos torturadores, denunciaram as violências por que passaram. Poucos foram os que efetivamente se transformaram em quadros da máquina de repressão política.

A justificativa funcional da tortura como recurso conveniente na busca da confissão é mistificadora tanto no que se refere ao método como às suas conseqüências. O encontro do torturador com sua vítima não tem a banalidade implícita no raciocínio do eu-pergunto-ele-não-fala-eu-bato-ele-confessa. O que sucede nesse encontro, quando a proximidade dos dois sinaliza também a maior distância que pode separar dois seres humanos, nada tem a ver com a importância que um presidente, um senador, um coronel ou um torturador dão a uma confissão.[25] Relaciona-se com a opinião que têm do gênero humano.

A tortura raramente é reconhecida e nunca é abertamente defendida. Toda a arquitetura de sua defesa se dá através de raciocínios contorcidos. Ora se diz que o preso não pode ser amparado pelas leis que protegem os direitos humanos, ora se relaciona o suplício à circunstancialidade da confissão. De todas as defesas, uma das mais convincentes tem sido a parábola do avião cheio de crianças. Com pequenas variações ela já foi re-

24 Aton Fon Filho, da VPR, preso em 1970, foi torturado por seu ex-companheiro Hans Rudolf Manz no carro em que era transportado do Rio para São Paulo (Ariston Lucena, agosto de 1988).
25 Elaine Scarry, *The body in pain*, p. 36.

petida em diversos idiomas. Em português, assim foi enunciada por Geisel: "Não justifico a tortura, mas reconheço que há circunstâncias em que o indivíduo é compelido a praticar a tortura, para obter determinadas confissões e, assim, evitar um mal maior".[26] Essa projeção destina-se a demonstrar não só que o torturador está certo, mas também que, numa situação excepcional, todo ser humano pode ser um torturador.

A proposição é curta: imagine-se um avião cheio de crianças no qual se sabe que há uma bomba. Ela explodirá dentro de duas horas, e acaba de ser preso o terrorista que com quase toda a certeza sabe onde ela foi escondida. Ele se recusa a falar.[27]

Baixa o pau?

Se não se sabe onde está a bomba, é possível que não exista bomba alguma. Além disso, nada garante que o preso saiba onde ela está. Aceitando-se que a bomba existe e que o preso sabe onde está, parece preferível torturá-lo.

Pela maneira como está enunciada, a proposição se destina a levar a mais pia das almas a sancionar a tortura do preso para não assumir a responsabilidade pela morte das crianças. Contudo, há nela um truque de lógica: finge demonstrar a necessidade da tortura quando, na realidade, o que busca é a sua inimputabilidade. Não se trata de autorizar a tortura para salvar as crianças, mas um entendimento de que, uma vez autorizada, ela deve ficar impune. Além disso, através da particularidade do exemplo do avião das crianças, ela busca uma generalização por meio da qual se dá ao torturador o direito de decidir quando as circunstâncias requerem o suplício.

26 Maria Celina d'Araujo e Celso Castro (orgs.), *Ernesto Geisel*, p. 225.

27 Algumas versões da parábola. Em francês: Roger Trinquier, *La guerre*, p. 174. Do padre Delarue, capelão militar da 10ª Divisão de Pára-Quedistas em Argel: "Entre dois males, o de fazer um bandido sofrer momentaneamente, e o de deixar que inocentes sejam massacrados, deve-se escolher, sem hesitação, o menor: um interrogatório sem sadismo, porém eficaz" (em Pierre Montagnon, *La Guerre d'Algérie*, p. 207). Em espanhol: "O que se tem de perguntar, em termos maquiavélicos, é até que ponto os fins justificam os meios. Um preso sabe onde está colocada uma bomba que vai matar centenas de pessoas. O senhor poderia ter de carregar a responsabilidade da explosão de uma bomba num colégio de crianças, matando centenas de meninos, por não ter torturado". Vicente Massot, secretário de Assuntos Militares do presidente argentino Carlos Menem, citado em Horacio Verbitsky, *El vuelo*, p. 19.

Se os torturadores de todo o mundo aceitassem o risco de ir às barras dos tribunais sempre que brutalizassem um inocente ou matassem um suspeito, a humanidade jamais teria conhecido essa praga que o jurista Ulpiano, na Roma antiga, chamava de "coisa frágil e perigosa". Quase todos os pais das crianças a bordo do avião, se não todos, seriam capazes de infligir ao preso os mais cruéis suplícios, aceitando com naturalidade qualquer pena que a sociedade quisesse lhes impor. Admitindo-se que houvesse a bomba, que o preso soubesse onde ela estava e que da tortura tivesse resultado a salvação das crianças, poucos seriam os tribunais do mundo capazes de condenar o torturador.

É grande a freqüência com que a charada do avião de crianças é repetida na literatura antiinsurrecional e a parcimônia com que se menciona um caso semelhante, ocorrido na vida real. Em novembro de 1956 a polícia de Argel prendeu em flagrante um terrorista que acabara de colocar uma bomba no gasômetro da cidade. Sabia-se que ele montara outro artefato e que, se este explodisse, poderia matar milhares de pessoas. O terrorista recusava-se a falar, e o chefe de polícia levou o problema ao secretário-geral da prefeitura, Paul Teitgen. Católico fervoroso, combatente da Resistência, Teitgen sabia o que estava em questão, pois fora prisioneiro e vítima de torturas da polícia alemã no campo de Dachau. Ele conta: "Eu me recusei a deixar que o torturassem. Tremi a tarde toda. Finalmente, a bomba foi achada e desarmada. Graças a Deus eu tive razão. Porque se você se mete nesse negócio de tortura, acaba perdido".[28]

Passado quase meio século de sua vitória na Batalha de Argel, aos 92 anos, o general Massu ratificou a opinião de Teitgen: "A tortura não é indispensável num tempo de guerra. Nós poderíamos ter passado sem ela. Quando penso na Argélia, fico desolado. Nós poderíamos ter feito as coisas de maneira diferente".[29]

28 Alistair Horne, *Histoire de la Guerre d'Algérie*, p. 211. O prisioneiro era o comunista francês Fernand Yveton. Foi preso no dia 14 de novembro de 1958, na usina Hamma Gaz. Em Pierre Montagnon, *La Guerre d'Algérie*, p. 204.

29 Entrevista do general Jacques Massu a Florence Beaugé, *Le Monde*, 21 de junho de 2000: "Torture en Algérie: le remords du général Jacques Massu".

A "tigrada" dá o bote

Augusto (Onofre Pinto, ex-sargento, veterano das articulações de Caparaó, pós-graduado em Cuba) era o senhor da Vanguarda Popular Revolucionária, a VPR. Em janeiro de 1969 via boas razões para que ela tentasse um lance de audácia. Praticamente intocada, a organização completava um ano com duzentos quadros, cinqüenta dos quais militantes de tempo integral.[1] Atacara o QG do II Exército em junho de 1968, matara o capitão americano Charles Chandler em outubro, assaltara pelo menos seis bancos, depenara um paiol de pedreira e limpara uma loja de armas a poucos metros do DOPS paulista. Na casa de um de seus militantes, dinheiro mofara num saco e um estoque de bananas de dinamite suava no forro. Infiltrara-se com algum sucesso entre os metalúrgicos de Osasco, no quartel-general do Ibirapuera e dispunha de uma razoável base de apoio nos meios universitário e artístico de São Paulo. Um de seus assaltos fora planejado no teatro Maria Della Costa.[2] Em dezembro a maioria dos dirigentes da organização havia-se inclinado a um refluxo das ações armadas, mas Onofre recorreu às bases de militantes, depôs a direção e estabeleceu a supremacia dos "do gatilho" sobre "os da pena".[3]

1 Para o número de militantes, Jacob Gorender, *Combate nas trevas*, p. 144.

2 Depoimento de Hermes Camargo Batista, publicado em *O Estado de S. Paulo* de 9 de abril de 1980 sob o título "Confissões de um ex-guerrilheiro". Para a infiltração no quartel, Luiz Maklouf Carvalho, *Mulheres que foram à luta armada*, pp. 54-5.

3 Marco Aurélio Garcia, "A VPR e a crítica das armas", *Em Tempo*, nº 100, 21 de fevereiro a 5 de março de 1980, São Paulo.

Para quem gostava de gatilhos, a VPR virara o ano com a maior de suas vitórias. Recrutara um capitão do Exército, bom de tiro, comandante de uma companhia do 4º Regimento de Infantaria, em Quitaúna, nas cercanias de São Paulo. Chamava-se Carlos Lamarca. Tinha 32 anos, nascera nas fraldas do morro de São Carlos, no Estácio, berço de alguns dos maiores sambas do Carnaval carioca. Seu pai era sapateiro na praça Saens Peña, na Tijuca, e entre seus fregueses estava a nora de Costa e Silva, cujo marido comandara o segundo-tenente Lamarca no Batalhão das Nações Unidas enviado ao canal de Suez em 1962. Magro, alto e taciturno, fora o 46º numa turma de 57 aspirantes da AMAN. Servira de instrutor de tiro num curso de defesa contra assaltantes oferecido pelo Bradesco aos funcionários de suas agências. Em dezembro de 1964, como tenente, servia no Rio Grande do Sul e dera fuga a um capitão brizolista que estava sob sua guarda na 6ª Companhia de Polícia do Exército, em Porto Alegre.[4]

Disposto a desertar para se juntar à guerrilha, costurava o pulo havia meses. Com um sargento, um cabo e um soldado, formara uma célula dentro do 4º RI. Surrupiavam armas leves e granadas. Certa vez transformara o tambor da máquina de lavar roupa de sua casa em depósito de armas.[5] Em setembro de 1968 Lamarca encontrou-se com Carlos Marighella e, com sua ajuda, pôs a mulher e dois filhos a salvo, embarcando-os para Cuba. Desde dezembro, quando formalizou sua ligação com o que viria a ser a VPR, ele e Onofre Pinto discutiam a abertura de um foco rural. O ex-sargento falava numa área do Pará com 2 mil camponeses, devidamente preparada, esperando a faísca.[6] Era sonho, mas Onofre tinha fantasia melhor.

Estava tudo imaginado. No dia 26 de janeiro, Lamarca e seus camaradas roubariam o que pudessem do arsenal do quartel e levariam algo

4 Para uma biografia de Lamarca, Emiliano José e Oldack Miranda, *Lamarca, o capitão da guerrilha*. *Dicionário histórico-biográfico brasileiro pós-1930*, coord. de Alzira Alves de Abreu e outros, vol. 3, pp. 3010-2. Jacob Gorender, *Combate nas trevas*, p. 145. Judith Lieblich Patarra, *Iara*, pp. 305-6, informa que Lamarca militara no PCB.

5 Informação dada por Maria Lamarca ao cineasta Sérgio Rezende, em Havana. Em Judith Lieblich Patarra, *Iara*, p. 263.

6 Depoimento do ex-sargento Darcy Rodrigues, em Judith Lieblich Patarra, *Iara*, p. 262.

em torno de 560 fuzis, além de dois morteiros de 60 mm. As armas sairiam do 4º RI num caminhão pintado com o verde-escuro dos veículos militares. A VPR bombardearia o palácio dos Bandeirantes, sede do governo de São Paulo, o QG do II Exército e a Academia de Polícia. Um comando tomaria a torre de controle do Campo de Marte e embaralharia as comunicações aéreas da cidade.[7] O país ficaria com a sensação de viver uma guerra civil.

Faltavam três dias. Na chácara Ibiti, em Itapecerica da Serra, a trinta quilômetros de São Paulo, terminava-se a pintura do caminhão. Um menino da vizinhança saiu do mato e acercou-se. Foi maltratado e posto a correr pelos pintores. Queixou-se aos pais, eles chamaram a polícia, e ela levou quatro dos cinco misteriosos ocupantes da chácara. Durante três dias sustentaram na Polícia do Exército que eram contrabandistas.[8] Desde a prisão dos guerrilheiros de Caparaó não se aprisionava grupo tão qualificado. Capturaram o ex-sargento Pedro Lobo de Oliveira, veterano da base de treinamento cubana do Punto Cero, que participara do ataque ao hospital militar do Cambuci e da execução de Chandler. Junto veio o ex-soldado pára-quedista Hermes Camargo Batista, um dos responsáveis pelo setor de logística da organização. Conheciam boa parte da estrutura da VPR e sobretudo o grande segredo do capitão do 4º RI.

Pela maneira como os combatentes foram descobertos, dificilmente a VPR conseguiria realizar sua jornada de pirotecnia. Nem antes nem depois, nem ela nem nenhum outro grupo terrorista brasileiro lograriam ativar plano tão ambicioso. Exigia um refinamento operacional muito superior ao nível de organização dos assaltos a bancos ou explosões como a do QG do II Exército, mas a história do terrorismo registra casos de improvisações medíocres que acabaram em sucessos surpreendentes. O seqüestro de onze ministros da Organização dos Países Exportadores de Petróleo, em Viena, em 1975, foi feito sem nenhum ensaio e quase não aconteceu, porque as armas chegaram atrasadas. Mesmo vis-

7 Depoimento do ex-sargento Darcy Rodrigues, em Antonio Caso, *A esquerda armada no Brasil — 1967/1971*, pp. 103 e segs. Jacob Gorender, *Combate nas trevas*, p. 145. Emiliano José e Oldack Miranda, *Lamarca*, pp. 36 e segs.

8 Jacob Gorender, *Combate nas trevas*, p. 145.

to como um simples plano, o bombardeio de São Paulo foi não só o mais audacioso, como também o último projeto de ação complexa e exclusivamente ofensiva de todo o surto terrorista.

As prisões de Itapecerica obrigaram a VPR a jogar na defesa. Lamarca desertou no dia seguinte e foi para a clandestinidade como *César*. Levou consigo a roupa do corpo, os militantes de sua célula e uma Kombi com 63 fuzis FAL e três submetralhadoras INA. O bombardeio foi cancelado, e a organização, assustada, pediu socorro à ALN para colocar o comandante e seu arsenal em lugares seguros. A "tigrada" achara uma ponta do fio, e como sucede com freqüência na primeira fase da repressão a organizações clandestinas intocadas, os resultados foram encorajadores. Com as informações obtidas nos interrogatórios, compreendeu-se a estrutura da VPR, e identificou-se uma parte de seus militantes. Desvendaram-se também alguns mistérios, como o assassinato de Chandler, o atentado ao QG do II Exército e diversas "expropriações" de bancos.

O fator surpresa, grande arma do terrorismo, passara momentaneamente para as mãos do governo. Apesar de a VPR ter sido avisada das prisões de Itapecerica por um sargento que servia na PE, sua rede compartimentalizada foi surpreendida. A polícia trabalhou à vontade por toda uma semana.[9] Teve à sua disposição os conhecimentos de Hermes Camargo Batista, o *Xavier*, cuja submissão resultara em efetiva e duradoura colaboração com seus interrogadores.[10]

A VPR desarticulara-se. Desabrigado, Lamarca estivera enlatado por quase doze horas num minúsculo Gordini, enquanto seus colegas buscavam um refúgio.[11] Onofre Pinto acabara capturado, metade das ar-

9 Maço de catorze folhas encontrado pelos agentes do DOI de São Paulo num aparelho. Trata-se de uma tentativa de reconstituição da sucessão de prisões de militantes das organizações armadas. Esse documento foi concluído no segundo semestre de 1973, pelos presos que estavam no presídio Tiradentes. Sua autenticidade foi reconhecida por diversos militantes da ALN e da VPR. Isso não significa que seu conteúdo esteja livre de equívocos. Tornou-se conhecido como *Quedograma*, nome pelo qual será referido. AA.

10 Jacob Gorender, *Combate nas trevas*, p. 146.

11 Judith Lieblich Patarra, *Iara*, pp. 279-80.

mas roubadas ao 4º RI foram recuperadas, e o núcleo dirigente da organização pulverizara-se.

A partir de uma prisão feita na VPR, furou-se em poucos dias a capa da ALN, e chegou-se ao aparelho de um membro do seu Grupo Tático Armado. O GTA tinha em torno de quarenta integrantes e era a artilharia da organização. Chefiava-o Marco Antônio Brás de Carvalho, *Pedrinho*, experimentado manipulador de armas e explosivos, veterano de quase todas as ações armadas da organização. Tinha mais de trinta anos, diferenciando-se da militância juvenil do grupo. Dizia que não era marxista, mas "invocado", e que estava "numa guerra, não num círculo de debates". No dia 28 de janeiro, depois de ir a um "ponto" onde deveria encontrar um colega, resolveu procurá-lo no aparelho. Virou a chave na fechadura, e a polícia caiu-lhe em cima. Foi morto a tiros.[12]

Prisões feitas em Brasília derrubaram mais uma fatia da ALN. Em Belo Horizonte, o coronel Octavio Medeiros destroçara o Colina. O pique do final de 1968 estava contido. Os combatentes refluíram para lamber as feridas.

Um ex-militante do PCB que se tornara colaborador da polícia revelou a estrutura de uma nova organização, baseada no Rio de Janeiro, saída da dissidência estudantil do Partidão em Niterói.[13] Era o Movimento Revolucionário 8 de Outubro, MR-8, assim batizado por conta do dia da captura do Che Guevara. O "8", como era chamado, tinha menos de trinta militantes e, num só golpe, foi liquidado pela Marinha. Entre janeiro e julho descobriram-se todos os seus quadros, a fazenda no Paraná onde se pretendia abrir um foco rural e a surpreendente figura de Jorge Medeiros Valle, o corpulento *Bom Burguês*. Funcionário da agência do Banco do Brasil no Leblon, manipulava um engenhoso sistema de desfalques através do qual juntara mais de 2 milhões de dólares. Dera 100 mil à organização e dela ganhara o apelido. Ao PCBR, passara 150 mil dólares.[14]

12 Jacob Gorender, *Combate nas trevas*, pp. 108-9. Para esse caso, ver também o depoimento de Dulce de Souza Maia, em Luiz Maklouf Carvalho, *Mulheres que foram à luta armada*, p. 59.

13 *Quedograma*, item 4.

14 Entrevista de Jorge Medeiros Valle a *O Globo* de 28 de julho de 1969.

A Marinha montara um presídio no antigo centro de triagem de imigrantes da ilha das Flores, no fundo da baía de Guanabara. Nele reinava o comandante Clemente José Monteiro Filho, um fuzileiro naval que nos anos 40 freqüentara o Partido Comunista e sobrevivera a três inquéritos e uma crise nervosa.[15] Do ponto de vista administrativo, estava subordinado ao comando geral do Corpo de Fuzileiros, mas, na hierarquia do porão, respondia ao Cenimar e à seção de operações do 1º Distrito Naval, chefiada pelo capitão-de-fragata Francisco Sérgio Bezerra Marinho. A inversão de comando era tão profunda que durante o inverno de 1969, quando o comandante dos fuzileiros, almirante Heitor Lopes de Souza, mencionou a Marinho a existência de uma queixa contra a escassez de cobertores nas celas, ouviu de volta: "O senhor fica aqui cuidando do frio desses comunistas, mas quem vai para a rua arriscar a vida para capturá-los nos 'pontos' sou eu".[16]

A funcionalidade da tortura dava seus dividendos. Em Minas Gerais e no Rio de Janeiro o Colina e o MR-8 caíram como um castelo de cartas. Do primeiro, sobraram alguns quadros que deslizaram para a VPR. Do "8", nem isso. Numa das celas da ilha das Flores, um operário, veterano militante do PCB, submetido a um inútil aliciamento por um dos guerrilheiros, observava: "Eu prefiro ficar na minha. Pelo menos tem alguém lá fora. A deles está toda aqui".[17]

A sede da ofensiva estava em São Paulo, no quartel da Polícia do Exército da rua Abílio Soares, a poucos minutos do QG. Lá se puxavam com sucesso os fios das duas principais organizações, a VPR e a ALN. O comandante das operações era o major Waldyr Coelho, chefe da seção de informações do estado-maior da 2ª Divisão de Exército. Tinha 41 anos e uma aparência comum, salvo pela calva precoce. Vinha da arma da engenharia. Centralizador, autoritário e vaidoso, trabalhava dezesseis horas

15 *Correio da Manhã*, 2 de dezembro de 1964. A ilha das Flores fora usada como presídio político em 1935, quando guardou os revoltosos capturados no levante do 3º Regimento de Infantaria.

16 Silvio Ferraz, testemunha do diálogo, ocorrido no gabinete do almirante Heitor Lopes de Souza. Setembro de 1969.

17 Djalma, operário da Forja Tijolos, agosto de 1969.

por dia. Era de rara severidade com os comandados. Devolvera como incompetentes dois oficiais saídos da Escola de Estado-Maior que não se adaptaram aos seus métodos. Às vezes participava de interrogatórios no papel de magnânimo. "Meu filho, o que estão fazendo com você? Já dei ordens aos meus subordinados para que não façam isso", disse a um preso que estava numa sessão de tortura para, logo depois, às suas costas, fazer um sinal para que voltassem a espancá-lo.[18] Mantinha-se fora da política e estivera ao largo das traquinagens da linha dura.

Os reveses provocaram uma alteração no metabolismo da ALN e da VPR. Obrigadas a manter na clandestinidade os quadros identificados pela polícia, incharam o seu efetivo de quadros profissionais. Com o aumento dos custos, foram caçar recursos. Aos poucos, a sobrevivência tornava-se o eixo das atividades do militante enredado em normas de segurança cada vez mais rígidas. A própria organização via-se levada a equilibrar o orçamento com ações destituídas de significado político.

Deixando-se de lado os custos de manutenção dos quadros dirigentes e as despesas essenciais da organização, cada clandestino vivendo em condições modestas custava pelo menos o equivalente a duzentos dólares mensais. Pode-se estimar que cada roubo a banco rendia em média 6,5 mil dólares.[19] A subsistência dos quadros custava um assalto mensal para cada 32 clandestinos. Cada assalto a banco mobilizava em torno de dez pessoas e demandava o furto de cinco automóveis. Cada um desses furtos exigia a participação de pelo menos quatro militantes. Em abril de 1969, quando a VPR se fundiu aos fugitivos do Colina, adotando o nome de Vanguarda Armada Revolucionária — VAR — Palma-

18 Ariston Lucena, agosto de 1988.

19 Segundo um levantamento produzido pelos órgãos de segurança e divulgado no *Jornal do Brasil* de 14 de dezembro de 1970, entre 1º de agosto de 1969 e 31 de julho de 1970 (pp. 44-6) foram assaltados 343 bancos, dos quais se retiraram 9,6 milhões de cruzeiros em dinheiro. Disso resulta um valor médio de 28 mil cruzeiros para cada assalto, ou cerca de 6,5 mil dólares. Essas cifras devem ser tomadas com cautela, pois foram muitos os casos em que os assaltantes se viram com muito menos dinheiro nas sacolas do que diziam tanto a polícia como os bancos. O próprio levantamento carece dos detalhes necessários para se afirmar que todos os assaltos foram praticados por terroristas. Para a relação custo-benefício das "expropriações", ver Herbert Daniel, *Passagem para o próximo sonho*, p. 20.

res, o capital da nova sigla somava entre 6 mil e 14 mil dólares.[20] Um lance de audácia haveria de inundar as finanças da VAR e irrigar uma parte da economia da luta armada.

A velha VPR e a ALN souberam da existência de um tesouro. Parecia lenda de pirata. O primeiro a ser avisado foi Marighella. Um militante falou-lhe de um cofre escondido no apartamento paulista de Ana Benchimol Capriglioni, mitológica amante e depositária de propinas guardadas pelo ex-governador Adhemar de Barros. Conhecido pelo slogan "Rouba mas faz", governara o estado de São Paulo por três vezes e roubara como poucos. O cofre, que se supunha pesar duzentos quilos, estava no 14º andar de um edifício da avenida São Luís. Em poucas semanas a ALN estocou quatro submetralhadoras, três fuzis FAL, revólveres, pistolas e granadas, e o plano marchava quando Adhemar morreu em Paris e Marighella suspendeu a operação.[21]

Não se sabe precisamente quantos cofres teve Adhemar, mas um deles estava na casa do irmão de Ana Capriglioni, no morro de Santa Teresa, no Rio de Janeiro. Sorte da VAR-Palmares. Um militante da organização, sobrinho da poderosa senhora, tinha o mapa: a "caixinha do Adhemar" estava no fundo de um armário embutido do segundo andar. Começou assim "A Grande Ação". Vendedores de enciclopédias e pesquisadores de audiência de televisão visitaram o palacete, enquanto o sobrinho caiu na clandestinidade.[22]

Na tarde de 18 de julho um comando da VAR subiu as ladeiras de Santa Teresa. Eram onze homens e duas moças. Chegaram dizendo-se

20 *IPM — VAR-Palmares na Área do I Exército. Conclusões*, p. 2. Segundo o documento "A Ação Grande ou O Roubo do Cofre do Adhemar", colocado em outubro de 2000 no sítio *Terrorismo nunca mais, Ternuma*, <http://www.ternuma.com.br/adhemar.htm>, a VPR trouxe um dote de 55 milhões de cruzeiros, equivalentes a cerca de 14 mil dólares.

21 *O Estado de S. Paulo*, 16 de julho de 1989, "O sumiço do cofre do Adhemar", p. 4, e Marco Aurélio Garcia, "A preparação — 'Sobrinho subversivo' abre a boca", *Em Tempo*, nº 99, 7 a 21 de fevereiro de 1980, São Paulo.

22 Marco Aurélio Garcia, "A preparação — 'Sobrinho subversivo' abre a boca", *Em Tempo*, nº 99, 7 a 21 de fevereiro de 1980, São Paulo. *O Estado de S. Paulo*, 23 de julho de 1989.

agentes da Polícia Federal em busca de material subversivo, "a mando do general". Entraram na casa nove "federais" e duas camionetes. Na rua ficaram um Aero-Willys e os encarregados da cobertura, um dos quais montado numa metralhadora Schmeisser ponto 30. Um grupo subiu ao segundo andar para procurar o esconderijo da "caixinha" enquanto outro furava os pneus dos carros guardados na garagem, desligava os telefones e amarrava os criados e moradores. Os contratempos foram poucos. A cozinheira não se intimidou e se recusou a sair de perto do fogão, porque "se eu deixo essa carne estragar, a patroa me mata". A copeira se negou a apressar o banho. De acordo com o plano o cofre deveria descer num carrinho, mas rolou pela escadaria de mármore.[23] Colocado numa das camionetes, foi levado para um aparelho em Jacarepaguá. A operação durou 28 minutos.[24]

Um mecânico trazido de Porto Alegre acendeu o maçarico de uma solda de acetileno e começou a cortar a "caixinha". Feito o primeiro buraco, inundou-se o cofre para que o dinheiro não se queimasse.

"Você acha que tem um milhão aí dentro?", perguntou Juarez Guimarães de Brito, economista que vinha do Colina e dividia seu tempo entre a VAR e serviços de pesquisa para a Pontifícia Universidade Católica. Era o *Juvenal* e fora o organizador da "Grande Ação".

"Se tiver cem mil já está bom demais", respondeu *Alberto* (José de Araújo Nóbrega, um ex-sargento que num lance de sorte escapara da polícia em Itapecerica da Serra).[25]

Havia sete pessoas em torno do cofre quando se rasgou uma fatia de sua blindagem. Juarez riu. Era uma botija de dólares. Notas pequenas, grandes, soltas ou em pacotinhos de um banco suíço. Estenderam-se varais pela casa, ligaram-se ventiladores, e pôs-se o tesouro a secar.

23 "A Grande Ação ou o roubo do cofre do Adhemar", reportagem de José Roberto de Alencar, em *O Estado de S. Paulo*, 23 de julho de 1989, p. 9. Para o peso do cofre, documento intitulado "A Ação Grande ou O Roubo do Cofre do Adhemar", colocado em outubro de 2000 no sítio *Terrorismo nunca mais, Ternuma*, <http://www.ternuma.com.br/adhemar.htm>.

24 Para os 28 minutos, depoimento de Wellington Moreira Diniz a *IstoÉ* de 21 de julho de 1999.

25 "A Grande Ação ou o roubo do cofre do Adhemar", reportagem de José Roberto de Alencar, em *O Estado de S. Paulo*, 23 de julho de 1989, p. 9.

Contaram 2,6 milhões de dólares.[26] Tinham acabado de dar o maior golpe da história do terrorismo mundial. Os principais grupos de combatentes surgidos desde o final do século XIX haviam arrecadado, em conjunto, algo como 17 milhões de dólares. A VAR, de uma só tacada, faturou o equivalente a 15% do centenário esforço internacional.[27] Como dizia a modinha ademarista dos anos 50:

Quem não conhece?
Quem nunca ouviu falar?
Na famosa "caixinha" do Adhemar
Que deu livros, deu remédios, deu estradas
Caixinha abençoada![28]

Assim como não se sabe quem colocou tamanha fortuna no bolso de Adhemar de Barros, também é difícil saber onde ela foi parar. Há duas versões para o destino desse butim. Uma resulta das diversas narrativas dos militantes da VAR e das facções em que ela viria a se subdividir. Outra, das contas do CIE. Partem de totais diferentes, mas são semelhantes. Um pedaço, que pode ter variado entre 800 mil e 1 milhão de dólares, foi entregue a um diplomata argelino. Outro, estimado entre 250 mil e meio

26 Para a cifra, "A verdadeira história do cofre do dr. Rui", reportagem de Luiza Villaméa, em *IstoÉ* de 21 de julho de 1999. Segundo "A Ação Grande ou O Roubo do Cofre do Adhemar", documento colocado em outubro de 2000 no sítio *Terrorismo nunca mais*, *Ternuma*, <http://www.ternuma.com.br/adhemar.htm>, havia no cofre 2,8 milhões de dólares.

27 Walter Laqueur, *The age of terrorism*, p. 102. Laqueur estima que entre 1880 e 1947 as organizações terroristas arrecadaram de 10 a 17 milhões de dólares em dinheiro de 1976. Laqueur não computou o saque do Banco da Argélia, ocorrido em 1960 e praticado pela Organização do Exército Secreto, que rendeu cerca de 5 milhões de dólares. A colaboração dos funcionários foi tamanha que é arriscado dizer que houve um assalto. Yves Courrière, *La Guerre d'Algérie*, tomo II, pp. 949 e 1054. O recorde da VPR durou pouco. No dia 12 de novembro os Tupamaros uruguaios saquearam o Banco da República e levaram o equivalente a 6 milhões de dólares, quase tudo em jóias. Laqueur, *The age of terrorism*, p. 97. Em 1974 todos os recordes foram pulverizados na Argentina pelo Exército Revolucionário do Povo. Ele arrecadou 60 milhões de dólares no seqüestro dos irmãos Jorge e Juan Born.

28 "A verdadeira história do cofre do dr. Rui", reportagem de Luiza Villaméa, em *IstoÉ* de 21 de julho de 1999.

milhão, foi depositado na Suíça. Assim, algo entre 1 e 1,6 milhão de dólares ficou no Brasil. É certo que um espertalhão francês embolsou parte da poupança externa do grupo. Segundo o CIE, em 1974 restavam na Europa 120 mil dólares.[29] Em 1998, Maria do Carmo Brito, a *Lia*, dirigente da VPR e viúva de Juarez, o comandante da ação, informou ao jornalista Luiz Maklouf Carvalho que só ela sabe o nome da pessoa a quem repassou o controle do dinheiro entregue aos argelinos, mas não o revelou.[30]

A surpreendente conexão argelina ia além da VAR. Enquanto os cubanos carregavam toda a fama, o embaixador Hafid Keramane, veterano militante da FLN e autor de um livro sobre as torturas francesas em Argel, operava uma representação diplomática acreditada tanto junto ao governo como aos terroristas. A embaixada americana suspeitava da existência de contatos dos argelinos com o Colina e supunha que tivessem ligações com o MR-8.[31] Semanas antes de ser preso, em julho de 1969, o *Bom Burguês* estivera em Paris buscando veteranos da rede da Guerra da Argélia, pois pretendia multiplicar sua verba revolucionária através de operações de comércio internacional que poderiam render, a seu juízo, 300 mil dólares anuais. Depositara uma pequena fortuna no Handels Bank, na Suíça, e instalara sua família num apartamento do elegante "XVIème" parisiense.[32] Tentara sem sucesso um encontro com Marighella. Sua idéia era impulsionar uma vertente da luta armada livre das influências cubana e chinesa.[33]

29 Para duas versões da divisão do butim, "A Ação Grande ou O Roubo do Cofre do Adhemar", documento colocado em outubro de 2000 no sítio *Terrorismo nunca mais*, *Ternuma*, <http://www.ternuma.com.br/adhemar.htm>; "A Grande Ação ou o roubo do cofre do Adhemar", reportagem de José Roberto de Alencar, em *O Estado de S. Paulo*, 23 de julho de 1989, e "A verdadeira história do cofre do dr. Rui", reportagem de Luiza Villaméa, em *IstoÉ* de 21 de julho de 1999.

30 Luiz Maklouf Carvalho, *Mulheres que foram à luta armada*, p. 130. Juarez Guimarães de Brito morreu nove meses depois do assalto. Encurralado por agentes do DOI, deu-se um tiro na cabeça.

31 Telegramas da embaixada americana no Rio para o Departamento de Estado, de 31 de janeiro de 1969, para o Colina, e de 29 de julho de 1969, para o MR-8. DEEUA. Keramane escreveu *La pacification*, publicado pela editora La Cité, de Lausanne, em 1960.

32 Reportagem de Reali Junior, em *O Estado de S. Paulo*, 11 de março de 1979, p. 45.

33 Entrevista de Jorge Medeiros Valle, o *Bom Burguês*, a *O Globo* de 28 de julho de 1969. Medeiros Valle fez um acordo com o Cenimar, foi levado à Suíça, devolveu pelo menos 1 milhão de dólares e ficou com o que sobrou. Capitão-de-mar-e-guerra João Batista Torrens Gomes Pereira, fevereiro de 2001.

A VAR-Palmares embolsou o butim, mas Ana Capriglioni e os herdeiros do governador não reclamaram à polícia um só centavo. Sustentaram que o cofre estava vazio.[34] O governo, supostamente empenhado no combate à corrupção (que enchera o cofre) e à subversão (que o esvaziara), não se interessou em descobrir como os 2,6 milhões de dólares chegaram à cafua de Santa Teresa. Era dinheiro roubado, tomado a empreiteiros e bancas de bicho, mas o ministro da Justiça, Gama e Silva, já fornecera um atestado de bons antecedentes a Adhemar, fazendo circular a informação de que nada havia contra ele na Comissão Geral de Investigações. Jamais um larápio pilhado dispôs de tanta proteção.

A rapina do cofre foi um sucesso financeiro e político. Pelo raciocínio segundo o qual era preciso reunir uma base material para permitir que a luta armada desse um salto qualitativo, os 2,6 milhões de dólares deveriam queimar a etapa de acumulação capitalista, ampliando o recrutamento de quadros e antecipando o começo da sonhada guerrilha rural. Afinal, num só golpe, coletou-se o equivalente a cinco vezes a renda de todos os 41 assaltos feitos no país desde o início das "expropriações", em dezembro de 1967.[35] Parte da cúpula da organização deixou de vagar por pequenas casas de subúrbio e se instalou numa chácara em Jacarepaguá, equipada com carro estrangeiro e falso motorista.[36] Se o problema fosse dinheiro, o caminho para o socialismo encurtara. Como observou Marco Aurélio Garcia, em trabalho pioneiro que há décadas ilumina a história do período, "o 'dinheiro não trouxe a felicidade' às organizações de esquerda revolucionária".[37] A VAR-Palmares se estilhaçou depois de alguns meses, e, salvo a montagem de duas bases de treinamento de guerrilhas, uma das quais sob o comando de Lamarca, as ações

34 Defesa de Gustavo Buarque Schiller, feita pelo advogado Evaristo de Moraes Filho junto ao STM, p. 3. Evaristo sustentou que Gustavo Schiller não podia ser acusado de ter infringido a Lei de Segurança Nacional porque ela não capitula de crime o roubo de cofres vazios. O irmão de Ana Capriglioni, comandante José Burlamaqui Benchimol, testemunhou ser a única pessoa a conhecer o segredo do cofre supostamente vazio.

35 Telegrama da agência Reuters de Buenos Aires para Londres, de 15 de maio de 1969. Os 41 assaltos de 1968 a maio de 69 teriam rendido o equivalente a 450 mil dólares, segundo a polícia.

36 Judith Lieblich Patarra, *Iara*, p. 334.

37 Marco Aurélio Garcia, "Contribuição à história da esquerda brasileira, 1960-1979", *Em Tempo*, nº 102, 20 de março a 2 de abril de 1980, São Paulo, p. 17.

subseqüentes mantiveram-se naquilo que Herbert Eustáquio de Carvalho, o *Daniel*, dirigente da VPR, chamou de "dinâmica da sobrevivência".[38]

Ao longo de 1969 as organizações esquerdistas brasileiras que se lançaram em atos terroristas foram submetidas ao primeiro grande teste que a existência lhes reservava. Na infância de sua formação, qualquer grupo revolucionário beneficia-se da falta de informações da polícia, da capacidade de surpreender seus alvos e do apoio de uma rede de militantes cuja fidelidade é proporcional à segurança que lhe faculta a mística de segredo da organização. É uma fase de esplendor, na qual o romantismo dos primeiros tiros se confunde com a sensação de onipotência oferecida pela perplexidade do inimigo. Parece ser a prova factual da clarividência da opção política. Na fase seguinte, quando o governo consegue prender combatentes, prevenir ações e intimidar o grande círculo da militância desarmada, dá-se um teste de madureza para o grupo. Alguns não vivem além dele, como o Colina e o MR-8.[39] Quase todos os outros, mesmo sobrevivendo, já não se organizam como a revolução precisa, mas como a repressão condiciona, produzindo uma rotina de gato-e-rato.

38 Herbert Daniel (Herbert Eustáquio de Carvalho), *Passagem para o próximo sonho*, p. 21.

39 Meses depois da captura do MR-8, a Dissidência Universitária da Guanabara adotou a sua sigla.

A *Operação Bandeirante*, Oban

Apesar dos sucessos conseguidos pela repressão, o governo se assustara com a fuga de Lamarca, sobretudo pelo toque romanesco do capitão do Exército que deixa a fortaleza e se junta aos guerrilheiros. O general Jayme Portella, na qualidade de secretário-geral do Conselho de Segurança Nacional, escreveu a Costa e Silva que "a persistir tal situação é de prever-se: a eclosão de guerrilhas urbanas e rurais; a atuação mais violenta em atos de terrorismo; a criação de 'bases' e 'zonas liberadas'". Havia nesse cenário um condimento catastrofista, resultante da instrumentalização da ameaça, pois quanto maior ela fosse, mais estariam justificados o AI-5 e todas as suas seqüelas. Ainda assim, Portella tinha razão quando sustentava: "Os organismos policiais nas áreas estaduais mostram-se despreparados e insuficientes. A falta de coordenação e de uma ação maciça de repressão à onda de violência parece constituir o principal fator de êxito do plano subversivo". Propunha uma "Comissão Geral de Inquérito Policial-Militar", vinculada à Presidência da República.[1] É possível que o general pretendesse colocar sob sua jurisdição uma central de repressão política, mas, de qualquer forma, a idéia não prosperou.

A novidade viria de São Paulo, onde o general José Canavarro Pereira assumira em maio de 1968 o comando do II Exército. Ele levara como chefe do estado-maior o general Ernani Ayrosa da Silva, condecorado duas vezes por bravura na Força Expedicionária Brasileira. Solteirão,

1 *Veja*, 19 de fevereiro de 1969, p. 16.

fora mutilado quando o jipe em que viajava explodiu depois de um choque com uma patrulha alemã. Devia a vida à Convenção de Genebra, instrumento de proteção internacional dos prisioneiros de guerra. Capturado no mesmo dia em que os comunistas italianos metralhavam Benito Mussolini, Ayrosa fora superficialmente assistido por um médico alemão e deixado em paz num depósito de cereais. Lá ficou por quase duas semanas, até que a guerra acabou e os Aliados o levaram para um hospital.[2] Era um homem de fina educação, general que tocava piano.

O estímulo de Ayrosa ao major Waldyr Coelho e a seus "tigres" paulistas cristalizou-se na *Operação Bandeirante*, a Oban. Ela foi lapidada por meio de uma *Diretriz para a Política de Segurança Interna*, expedida pela Presidência da República em julho de 1969, que resultou no surgimento de estruturas semelhantes em outros estados.[3] Estabelecia as normas que centralizavam o sistema de segurança, colocando-o sob as ordens de um oficial do Exército classificado na seção de informações do comando militar. Ele requisitaria efetivos à PM, delegados e escreventes à polícia. Manteria algo parecido com um cartório para tomada de depoimentos e teria sua própria carceragem. Buscava-se a centralização das atividades repressivas nas grandes cidades. As delegacias policiais, inclusive o DOPS, estavam obrigadas a mandar à Oban todos os suspeitos de atividades terroristas. A providência fazia sentido, tanto pelas energias e tempo perdidos nas rivalidades entre o aparelho militar e o civil, como pelas quizílias que separavam ora os comandantes das diversas unidades ora os delegados dos diversos serviços especializados da polícia. Criava-se assim um corpo de polícia política dentro do Exército, funcionando na zona militar do parque do Ibirapuera.

Subordinada à 2ª Seção do estado-maior das grandes unidades, essa célula repressiva era uma anomalia na estrutura militar convencional. Na originalidade e na autonomia, assemelhava-se ao dispositivo montado pelo general Massu em Argel.[4] Num desvio doutrinário, essa unida-

2 Ernani Ayrosa da Silva, *Memórias de um soldado*, pp. 79-80. O episódio está narrado por outro passageiro do jipe, Ápio de Freitas, em Ricardo Bonalume Neto, *A nossa segunda guerra*, p. 213.

3 *Sistema de Segurança Interna — Sissegin*, p. 6. AA.

4 Paul Aussaresses, *Services spéciaux*, pp. 99-102.

de de centralização das atividades repressivas operava sob a coordenação do Centro de Informações do Exército, órgão do gabinete do ministro. Em julho de 1969, quando o governador Roberto de Abreu Sodré compareceu à cerimônia de lançamento da *Operação Bandeirante*, essa questão parecia ser uma dúvida arcana, irrelevante para quem precisava — e rápido — de comando, ação e eficiência.[5]

Em termos práticos, o major Coelho fazia tempo pensava em transferir o seu porão para outra sede, onde tivesse mais segurança e, sobretudo, discrição. Uma das inconveniências do quartel estava na inevitável convivência dos recrutas com a tortura. Além disso, o general Canavarro achava necessário quintuplicar o efetivo da sua tropa de Polícia do Exército. Tinha uma companhia com duzentos homens e queria um batalhão, com 960. A burocracia de Brasília dissera-lhe que nada havia contra a idéia, desde que ele conseguisse equipar o quartel sem pedir dinheiro à caixa do ministro.[6] Para satisfação da plutocracia paulista, o comandante do II Exército aceitou o desafio.

O prefeito da cidade, Paulo Maluf, asfaltou a área do quartel, trocou-lhe a rede elétrica e iluminou-o com lâmpadas de mercúrio. O governador Roberto de Abreu Sodré cedeu-lhe espaço numa delegacia na esquina das ruas Tomás Carvalhal e Tutóia, a cinco minutos do QG do Ibirapuera, para que nela fosse instalada a Oban. O prédio ficava numa vizinhança de apartamentos de classe média. Outras necessidades foram supridas graças à coordenação de Luiz Macedo Quentel, sóbria figura das rodas da grã-finagem paulistana. Ayrosa via nele um "homem tradicional por família, religioso por formação, afetivo por sentimento, carinhoso por bondade, compreensivo e tolerante pela inteligência".[7] Magro, elegante, casado numa das antigas famílias do estado, fora assessor de Jânio Quadros. Trabalhava causas da Light e de empreiteiras. "Ele mandou e desmandou nesta cidade, falava em nome da espada de Caxias", relembrou Delfim Netto.[8]

5 Ana Lagôa, *SNI*, p. 69, e Antonio Carlos Fon, *Tortura*, p. 15.

6 Ernani Ayrosa da Silva, *Memórias de um soldado*, p. 118.

7 Idem.

8 Antonio Delfim Netto, janeiro de 1986 e janeiro de 1990.

A reestruturação da PE paulista e a *Operação Bandeirante* foram socorridas por uma "caixinha" a que compareceu o empresariado paulista. A banca achegou-se no segundo semestre de 1969, reunida com Delfim num almoço no palacete do clube São Paulo, velha casa de dona Veridiana Prado. O encontro foi organizado por Gastão Vidigal, dono do Mercantil de São Paulo e uma espécie de paradigma do gênero. Sentaram-se à mesa cerca de quinze pessoas. Representavam os grandes bancos brasileiros. Delfim explicou que as Forças Armadas não tinham equipamento nem verbas para enfrentar a subversão. Precisava de bastante dinheiro. Vidigal fixou a contribuição em algo como 500 mil cruzeiros da época, equivalentes a 110 mil dólares. Para evitar pechinchas, passou a palavra aos colegas lembrando que cobriria qualquer diferença. Não foi necessário. Sacou parte semelhante à dos demais.[9] "Dei dinheiro para o combate ao terrorismo. Éramos nós ou eles", argumentaria Vidigal, anos mais tarde.[10]

Na Federação das Indústrias de São Paulo, convidavam-se empresários para reuniões em cujo término se passava o quepe. A Ford e a Volkswagen forneciam carros, a Ultragás emprestava caminhões, e a Supergel abastecia a carceragem da rua Tutóia com refeições congeladas.[11] Segundo Paulo Egydio Martins, que em 1974 assumiria o governo de São Paulo, "àquela época, levando-se em conta o clima, pode-se afirmar que todos os grandes grupos comerciais e industriais do estado contribuíram para o início da Oban".[12]

Os donativos eram levados ao general Ayrosa.[13] As empresas nacionais pagaram de acordo com a vontade de seus diretores. Já as multina-

9 Gastão Vidigal, novembro de 1995. Vidigal mencionou a cifra ("500 milhões"), mas não se mostrou seguro a seu respeito. Lembrava-se, contudo, que "era muito dinheiro".

10 Declaração feita por Gastão Vidigal ao jornalista Silvio Ferraz em 1981.

11 Para os carros da Ford e da Volkswagen, entrevista do ex-sargento Marival Chaves Dias do Canto ao *Jornal do Brasil* de 17 de novembro de 1992. Para os caminhões da Ultragás, *Venceremos*, órgão da ALN, nº 1, abril de 1970. Para as refeições da Supergel, Francisco Carlos de Andrade, 14 de agosto de 1988.

12 Paulo Egydio Martins, junho de 1988.

13 Paulo Sawaya, janeiro de 1990.

cionais americanas procuraram conselhos no consulado dos Estados Unidos. Se a consulta era telefônica, o funcionário encarregado do assunto respondia que ficava a critério de cada um, mas pelo menos um homem de negócios recebeu uma visita complementar de um funcionário do consulado que, satisfeito, enumerou as empresas que já haviam decidido ajudar o combate à subversão.[14]

A associação entre interesses empresariais e os da segurança estava semeada desde 1964, mas floresceu em julho de 69, depois de quatro incêndios que em menos de 72 horas torraram as instalações de quatro emissoras de televisão paulistas.[15] O dono da TV Record e um diretor da TV Globo disseram-se certos de que "o fogo foi ateado por terroristas".[16] O jornal *Folha de S.Paulo* reagiu com um editorial intitulado "União contra a violência".

A violência estava envenenando a vida nacional. Em Belo Horizonte, 38 padres haviam assinado dias antes uma carta endereçada à Conferência Nacional dos Bispos do Brasil denunciando a prática e as sedes da tortura "de que temos certeza". Enquanto o editorial da *Folha* estava nas bancas, começava no Recife o suplício do advogado Luís Antonio Medeiros de Oliveira, em cujo término, com duas vértebras fraturadas, ele saiu paralítico. A violência de que falava o editorial era outra: "esse terrorismo que nada tem a ver com nossas tradições de luta política e se confunde pura e simplesmente com o banditismo [...] contra o qual é preciso lutar, custe o que custar".[17]

A FIESP atirou com um manifesto em que denunciou o "vandalismo" das "falanges da subversão e do genocídio". O presidente da Federação do Comércio, José Papa Jr., garantiu sua solidariedade às Forças Armadas, "que se cobriram de glórias nas trincheiras e nos céus da Europa". "Chegou o

14 A. J. Langguth, *A face oculta do terror*, p. 108.

15 Houve incêndios nas seguintes emissoras: Globo, Record, Bandeirantes e Excelsior (duas vezes). Entre 1966 e 1969 deram-se oito incêndios em emissoras paulistas. Em 1968 o comandante do Corpo de Bombeiros responsabilizara as empresas, por ineptas, e previra que eles poderiam vir a se repetir. *O Estado de S. Paulo*, 18 de julho de 1970.

16 *Jornal do Brasil*, 15 de julho de 1969.

17 *Folha de S.Paulo*, 16 de julho de 1969, edição extra, p. 1. Para a tortura de Luís Antonio Medeiros de Oliveira, *Projeto Brasil: nunca mais*, tomo V, vol. 2: *As torturas*, p. 841.

momento de dizer basta!", acrescentou o presidente da Confederação Nacional do Comércio, Jessé Pinto Freire.[18] O governador Abreu Sodré advertiu: "Não há lugar para fracos ou covardes na presente situação: ou se está a favor da ordem que constrói ou pela desordem que destrói".[19]

Os responsáveis pelos incêndios das emissoras de televisão nunca foram identificados. Desvendaram-se todos os assaltos e atentados de vulto cometidos em 1969 pelas organizações de esquerda, mas os incêndios das quatro emissoras ficaram na pasta dos crimes insolúveis. Um telegrama do cônsul americano em São Paulo lançou a suspeita de que se destinavam a tomar o dinheiro do seguro.[20] Houve sem dúvida uma relação fraudulenta entre a denúncia das "falanges", a materialidade dos incêndios, as emissoras e as companhias de seguro. Nenhuma televisão se considerou formalmente vítima de um atentado, pois como seus contratos não cobriam sinistros provocados por sabotadores, elas preferiram ficar com a versão bem mais lógica dos acidentes. A TV Record já pegara fogo em 1966, e aquele fora o segundo incêndio do ano.[21] A Globo, onde o incêndio teria começado pela explosão de um frasco de gasolina gelatinosa (explosivo jamais usado pelos grupos de esquerda, quer antes, quer depois de 1969), fez um grande negócio: "Para nós, isso foi simplesmente o melhor que podia acontecer. Com o incêndio, nos livramos de uma só vez de toda a velharia técnica que atrapalhava a nossa produção. Com o dinheiro do seguro — uma bolada de quase sete milhões de dólares — pudemos comprar tudo o que precisávamos, do jeito que queríamos, novo em folha", relembrou anos mais tarde Walter Clark, o diretor-geral da emissora.[22] A maior das mobilizações antiterroristas da plutocracia girara em torno de uma contrafação.

18 *Folha de S.Paulo*, 20, 23 e 26 de julho de 1969, 1º caderno, p. 5, p. 3 e p. 3.

19 Telegrama de Robert Corrigan, cônsul-geral dos Estados Unidos em São Paulo, a Washington, de 25 de julho de 1969. DEEUA.

20 Telegrama de Robert Corrigan ao Departamento de Estado, de 24 de julho de 1969. Corrigan fala em "três incêndios". DEEUA.

21 A TV Record pegou fogo em 29 de julho de 1966, 28 de março e 13 de julho de 1969. Em janeiro de 1969 houve também um pequeno incêndio no prédio onde estava sua antena, com prejuízos irrelevantes. *O Estado de S. Paulo*, 18 de julho de 1970.

22 Walter Clark, com Gabriel Priolli, *O campeão de audiência*, pp. 203-10.

Como sucedera no Rio de Janeiro, o porão paulista se associara à escumalha da Polícia Civil. O DOPS abasteceu-se recrutando quadros na Delegacia de Roubos, símbolo da violência e da corrupção.[23] Um dos ases dessa migração tornara-se peça importante na máquina do major Waldyr. Sérgio Fernando Paranhos Fleury tinha 35 anos. Passara a vida na polícia. Era menino quando seu pai, médico-legista, morreu contaminado por um cadáver. O governo pagara seus estudos, e desde os dezessete anos ele trabalhava em delegacias, engordando o orçamento com bicos. Em 1967 fazia parte do grupo de policiais que cuidava da segurança do cantor Roberto Carlos, o Rei do Iê-Iê-Iê.[24] À sua volta gravitava uma turma de investigadores audaciosa e violenta. Produto da polícia paulista, com sua tradição de torturas e assassinatos, encarnaria o combate ao terrorismo. Vulgar e corrupto, projetava a imagem do machão valente, quando na realidade sua fama derivava da bestialidade do meio em que vivera e sua ascensão ao posto de chefe dos janízaros da ditadura, do declínio dos padrões éticos dos comandantes militares da ocasião. Nunca na história brasileira um delinqüente adquiriu sua proeminência.

Tinha o pé direito na repressão aos movimentos de esquerda e o esquerdo na briga entre quadrilhas de tráfico de drogas. Dividia sua jornada defendendo o regime no porão e os interesses do traficante *Juca* na zona. Nos últimos meses de 1968 *Juca* (José Iglesias) brigara com seu sócio *Miroca* (Waldemiro Maia), e Fleury, no comando dos policiais que lhe vendiam proteção, foi à luta com um objetivo imediato: capturar uma caderneta onde estava a contabilidade das propinas pagas a detetives, comissários e delegados, guardada pelo traficante *Luciano* (Domiciano Antunes Filho), que ficara no bando de *Miroca*.[25]

23 Para uma descrição do ambiente na Delegacia de Roubos, ver Percival de Souza, *Autópsia do medo*, pp. 29-32.

24 Percival de Souza, *Autópsia do medo*, p. 17.

25 Ofício do procurador Hélio Bicudo, de 12 de fevereiro de 1971, em Hélio Bicudo, *Meu depoimento sobre o Esquadrão da Morte*, pp. 177-80.

Na madrugada de 3 de dezembro, Fleury, acompanhado por quatro policiais e um alcagüete, achou *Luciano* em companhia de outro marginal. Levaram-nos para o quilômetro 32 da rodovia Castello Branco e metralharam-nos. Em seguida, abriram a mala do carro e desfizeram-se de outro cadáver. Seriam mais três "presuntos" sem história, se não tivessem soltado o alcagüete *Carioca* (Odilon Marcheroni de Queiróz). Tentando se proteger, contou em juízo e à televisão não só o que vira, mas também o que sabia da relação da polícia com a guerra das quadrilhas de tóxicos.[26]

Duas semanas depois, quando o país estava debaixo do choque da edição do AI-5, *Carioca* foi preso. Entregaram-no a Fleury e levaram-no para a casa do investigador *Fininho* (Adhemar Augusto de Oliveira). No dia seguinte os jornais paulistas publicavam uma entrevista do alcagüete renegando tudo o que denunciara.[27] Nunca mais se ouviu falar dele até que *Fininho* contou a um jornalista que o estrangulou passando-lhe no pescoço uma corda de náilon. Carregava sua língua no chaveiro, como amuleto.[28]

Os comandantes militares que incorporaram Fleury à "tigrada" sabiam que tinham colocado um delinqüente na engrenagem policial do regime. Nos anos seguintes o delegado tornou-se um paradigma da eficácia da criminalidade na repressão política. Um raciocínio que começara com a idéia de que a tortura pode ser o melhor remédio para obter uma confissão, transbordava para o reconhecimento de que um fora-da-lei pode ser o melhor agente para a defesa do Estado. Recompensando-o e protegendo-o, em 1971, por sugestão do CIE, o governo passou-lhe no pescoço a fita verde-amarela com a Medalha do Pacificador.

A associação de oficiais das Forças Armadas com a bandidagem da polícia na construção de um sistema de repressão baseado na tortura foi produto da incompetência. Não era inevitável. A bibliografia do combate ao terrorismo mostra que muitas vezes as forças policiais são insu-

26 Hélio Bicudo, *Meu depoimento sobre o Esquadrão da Morte*, pp. 177-80.

27 Idem, p. 179.

28 Hélio Bicudo, *Do Esquadrão da Morte aos justiceiros*, p. 66.

ficientes para conduzi-lo, mas o que se montou no Brasil foi uma trapalhada onde se juntaram os vícios da "meganha" aos males da militarização das operações.

Na época em que subiam as estrelas de Waldyr Coelho e Fleury, o Centro de Informações do Exército enviou à Grã-Bretanha uma turma de oficiais para um estágio nos serviços antiinsurrecionais ingleses.[29] Lá, num quartel do Herefordshire, funcionava o Special Air Service, unidade que serviu de modelo para toda uma geração de similares, da Delta Force americana ao Police Tactical Team de Cingapura.[30] Tratava-se de uma tropa adestrada, rápida e bem equipada. Em seis semanas de treinamento de tiro seus soldados disparavam de 1200 a 1500 cartuchos, e a unidade vivia num regime de alerta pelo qual era capaz de formar em três minutos. Essa tropa nada tinha a ver com interrogatórios. Destinava-se a vencer os terroristas sempre que dessem oportunidade para um choque armado. Os inquisidores, bem como os analistas de informações, ficavam longe dela. Nenhum desses setores se metia com a carceragem. No Brasil, mesmo utilizando-se unidades de elite de pára-quedistas e fuzileiros em operações antiinsurrecionais, não se administrou o treinamento específico indispensável. As unidades operacionais misturaram-se aos núcleos de informações, e todos se meteram na carceragem. Exemplo disso era a própria atividade do prédio da rua Tutóia. Nela conviviam equipes de busca, torturadores, analistas e carcereiros, como em qualquer delegacia de subúrbio.

O que se apresentava como uma militarização das operações policiais tornou-se uma policialização das operações militares. O delegado Sérgio Fleury não ficou parecido com um oficial do Exército. Eram oficiais do Exército que ficavam parecidos com ele.

29 General Antonio Carlos Muricy, agosto de 1988.

30 Leroy Thompson, *The rescuers*, p. 142.

O barítono se cala

Castello Branco, que se julgara capaz de articular uma eventual resistência ao deslizamento do governo Costa e Silva na direção de uma ditadura, estava no cemitério. Seu grupo dividira-se entre o "canil" e a adesão. As vinganças do presidente, por intermédio do general Portella, tinham sido cruéis. O coronel Moraes Rego, assistente de Castello, fora parar no comando de Tabatinga, na fronteira com o Peru, e o capitão Heitor Ferreira, secretário de Golbery, caiu num regimento de cavalaria em Ponta Porã. Protegidos pelo presidente nas últimas semanas de seu mandato, Geisel e Golbery haviam sido colocados em cargos semivitalícios quanto à pompa e inócuos quanto ao poder. Um no Superior Tribunal Militar, outro no Tribunal de Contas da União.

As duas grandes viúvas de Castello nas Forças Armadas mantiveram-se fora do jogo miúdo da anarquia. Ao contrário do que ensina a regra dos sinais matemáticos, segundo a qual o inimigo do meu inimigo é meu amigo, não se aproximaram dos cacos da linha dura transformados em dissidências do governo. Geisel isolara-se por temperamento e, desde maio de 1969, por imperativo médico. Penara uma pancreatite que quase o matou e uma hepatite renitente que o deixara na cama. Golbery retraíra-se por prático, pois detestavam-no na exata proporção em que ele detestava tanto os militares protegidos pelo governo como a linha dura perseguida.

Como acontece com os fósforos riscados, eles só podiam voltar a brilhar se houvesse fogo por perto. O incêndio começou em maio de 1969, com a reabertura da crise militar encoberta pelo AI-5. O coronel Fiúza de Castro, chefe do CIE, vencera finalmente uma grande batalha. Costa e Silva mandara para a reserva o coronel Francisco Boaventura Cavalcanti Jr. Era uma suprema demonstração de força.

Pela linhagem, Boaventura era irmão do ministro do Interior, José Costa Cavalcanti. Pela biografia, fora primeiro aluno de sua turma. Em 1963, valendo-se apenas de sua decência profissional, abortara o seqüestro de Carlos Lacerda, concebido no gabinete do ministro da Guerra.[1] Pelo prontuário era um dos xamãs da linha dura. Em 1965 tomara uma cadeia por ter divulgado um manifesto desafiando Castello.[2] Durante a crise do AI-5 reunira-se em Brasília com dois deputados do MDB e no Rio de Janeiro com pequenas assembléias de oficiais. Acusaram-no de ter concebido um plano pelo qual depois da negativa da licença do processo contra Marcio Moreira Alves o Congresso, amparado num dispositivo militar, emparedaria Costa e Silva.

Documentado pelo CIE, o caso de Boaventura foi levado à Comissão de Investigações do Exército, formada por três generais. As provas de sua indisciplina eram abundantes. Seu próprio irmão, depois de ler o processo, lavou as mãos e tentou — sem sucesso — convencê-lo a sair à francesa, pedindo passagem para a reserva.[3]

Haviam sido cassados coronéis comunistas e oficiais ladrões, mas nenhum deles fora submetido à execração pública. Boaventura, punido em ato isolado, foi acusado formalmente de ter "assumido uma posição incompatível com a sua condição de oficial superior do Exército e com os padrões básicos da organização das Forças Armadas".[4] Com esse lance Portella e Lyra Tavares destrancaram a porta da crise dentro do Exército. Em defesa do coronel saltou o general Augusto Cezar de Castro Moniz de Aragão, pára-quedista, temperamental, brigão e dado às letras. Chegara a general-de-exército em março porque Costa e Silva não quis arriscar uma

1 Para o seqüestro de Lacerda, John W. F. Dulles, *Carlos Lacerda — A vida de um lutador*, vol. 2: *1960-1977*, p. 176.

2 John W. F. Dulles, *Castello Branco, o presidente reformador*, p. 157.

3 Jayme Portella de Mello, *A Revolução e o governo Costa e Silva*, p. 721.

4 Transmissão da agência Nacional, de 20 de maio de 1969. Texto recolhido em inglês.

manobra que impedisse o Alto-Comando de colocá-lo como primeiro na lista de promoções. O presidente tinha outro interesse na fornada. Queria dar a quarta estrela ao seu amigo Emilio Garrastazú Medici, pois se este não a ganhasse logo, seria atingido pelos mecanismos de aposentadoria compulsória destinados a assegurar a renovação do quadro de generais. Pensaram que Aragão poderia ser neutralizado numa função burocrática e atiraram-no ao Departamento de Provisão Geral.[5]

Três dias depois da punição de Boaventura, o general mandou uma astuciosa carta a Lyra, na qual aceitava em tese o desfecho do caso do coronel mas se agarrava à humilhação adicional: "O ânimo do Exército excitou-se soprado de generoso repúdio à publicidade que acompanhou a sanção imposta". Lyra fez que não ouviu e engavetou a carta, considerando-a um assunto pessoal, apesar de estar dirigida "ao Senhor Ministro".[6] Um mês depois tomaria outra. Pespegou-lhe um carimbo de "secreto" e arquivou-a.[7] Não há registro de que tenha falado do assunto com Costa e Silva ou com o chefe do Gabinete Militar, general Jayme Portella.

Aragão, que estava a fim de criar um caso, deu um passo à frente. No dia 17 de junho reuniu-se com os generais sob seu comando e acusou o presidente de favorecer parentes e amigos na administração pública.

Duas das denúncias eram claras: a nomeação de um irmão de Costa e Silva para o Tribunal de Contas do estado do Rio Grande do Sul e a revisão da reforma do general Severo Barbosa, seu sogro. Na mosca. Emanuel da Costa e Silva, um ignoto funcionário público aposentado, não tinha qualificação formal para o cargo. Faltava-lhe saber jurídico ou financeiro, e mal esquentaria a cadeira, pois estava próximo de completar setenta anos.[8] O pai da mulher do presidente, por sua vez, embolsara 80 mil cruzeiros (perto de 20 mil dólares) por conta de uma revisão do seu processo de transferência para a reserva. A pretensão fora indefe-

5 Jayme Portella de Mello, *A Revolução e o governo Costa e Silva*, p. 723.

6 Carta do general Moniz de Aragão ao ministro Lyra Tavares, de 22 de maio de 1969, em Carlos Chagas, *113 dias de angústia*, pp. 241-2.

7 Carta do general Moniz de Aragão ao ministro Lyra Tavares, de 30 de junho de 1969, em Carlos Chagas, *113 dias de angústia*, pp. 247-50.

8 *O Estado de S. Paulo*, 23 de maio de 1969.

rida, mas depois que o genro dispôs dos poderes do AI-5, seu direito foi percebido.[9]

Esse favorecimento refletia o poder de Yolanda Costa e Silva sobre o marido e até mesmo sobre o governo. Em 1967, numa cena inédita na história nacional, ela se fizera fotografar num dos salões do Laranjeiras, sem o marechal, ladeada pelo seu ministério.[10] A embaixada americana já a definira como "charmosa *brunette*", com "grande influência" sobre o marechal nove anos mais velho e um particular interesse por roupas. (Numa visita a Washington, pedira tempo livre e companhia para as compras.)[11]

Aragão fez outras duas denúncias. Acusava um cunhado de Costa e Silva de traficar influência — sem dizer que interesses defendia — e insinuava que o filho do presidente se beneficiava de negócios na iniciativa privada.[12]

Um dos generais da platéia de Aragão denunciou-o ao chefe-de-gabinete de Lyra Tavares, e em menos de 48 horas o CIE reconstruiu a peroração. Estava criado o caso. A primeira resposta do governo veio por baixo da mesa. O SNI fez circular a informação de que o general empregara uma filha no Grupo Executivo da Política de Transportes, o Geipot, e um genro na estrada de ferro Leopoldina. Mais: teria dado um "carteiraço" no secretário de Segurança do Rio de Janeiro, libertando dois cidadãos detidos numa delegacia da cidade, por "fraude contra terceiros". Um deles seria namorado de sua filha.[13]

No jogo aberto, faltou iniciativa ao governo. Na manhã do dia 19 de junho — uma sexta-feira — Lyra entregou ao general Jayme Portella um relatório sobre a reunião. À tarde teve seu despacho rotineiro com o presidente. Costa e Silva, aborrecido, pediu-lhe que tomasse providências.

9 *Resistência*, 25 de junho de 1969. AA. Ver também o depoimento do general Antonio Carlos Muricy ao CPDOC, vol. 4, fita 51, p. 5.

10 A fotografia está em Hernani d'Aguiar, *Ato 5*, p. 55.

11 Duas folhas marcadas "confidencial", que circularam na Casa Branca por ocasião da visita de Costa e Silva a Washington, em janeiro de 1967. DEEUA.

12 Jayme Portella de Mello, *A Revolução e o governo Costa e Silva*, pp. 765-6.

13 Idem, p. 778. Para as três informações divulgadas pelo SNI, Hernani d'Aguiar, *Ato 5*, p. 269.

Quais, não disse. O ministro garantiu-lhe que resolveria o assunto indo ao Departamento de Provisão Geral responder às críticas diante de Aragão e seus generais. O presidente achou que a manobra não ia dar certo, mas decidiu esperar. Sabia que seu ministro do Exército era ruim de gatilho. Chegara a convidá-lo para uma cadeira no STM, sinal indiscutível de que o queria fora do ministério, mas ele refugara.[14]

O que houve na reunião do DPG, não se sabe, pois apesar de Lyra e Aragão terem descrito o encontro de mais de duas horas, suas narrativas são opostas.

Fala Jayme Portella, a quem Lyra narrou o encontro: "O ministro informou que destruíra todos os argumentos que o general Aragão havia tratado na reunião com os seus generais, não havendo ele contestado ou confirmado qualquer aspecto". Segundo o ministro, "o general Aragão não esboçou qualquer reação, apenas ouvindo".[15]

Fala Aragão: "Repeti um a um, todos os fatos, argumentos e conclusões por mim apresentados aos generais".[16]

Tranqüilizado pela versão de Lyra Tavares, o chefe do Gabinete Militar comunicou o resultado da conversa ao presidente, e todos deram-se por satisfeitos. Eram três homens que gostavam de se mostrar rigorosos em questões de disciplina e reputação. Basta dizer que havia pouco tempo Lyra mandara encarcerar o jornalista Zózimo Barroso do Amaral, do *Jornal do Brasil*, porque ele escrevera que o ministro do Exército fora empurrado por seguranças paraguaios durante um encontro de Costa e Silva com o general Alfredo Stroessner. Para ensinar a Zózimo que ninguém empurra um ministro do Exército ou, se empurra, ninguém deve noticiar o fato, meteu-o numa cela da PE por quase uma semana. Prender jornalista era coisa fácil. Enquadrar um quatro-estrelas, outra conversa. No caso de Aragão, acharam que o incidente tinha chegado a bom termo.

14 Costa e Silva convidou Lyra para o STM no dia 30 de dezembro de 1968. Jayme Portella de Mello, *A Revolução e o governo Costa e Silva*, p. 689.

15 Jayme Portella de Mello, *A Revolução e o governo Costa e Silva*, p. 768.

16 Carta do general Moniz de Aragão ao ministro Lyra Tavares, de 10 de julho de 1969, APGCS/HF. Ver também Carlos Chagas, *113 dias de angústia*, p. 252.

Dera-se a humilhação do ministro do Exército, mas faziam de conta que não viam. Lyra foi ao DPG em vez de chamar Aragão e seus generais à sua sala. Aceitara a lorota de que a reunião em que haviam sido discutidas as acusações fora informal, como se a questão central fosse a coreografia do encontro e não o texto da peça, com um general chamando o presidente de pajé, seu irmão de apaniguado, o sogro de aproveitador e o filho de desenvolto. Passara adiante a balela de ter destruído as acusações quando todos os três sabiam que o general-sogro tinha o dinheiro no bolso e o irmão-aposentado estava na folha do Tribunal de Contas.

Pior. Falharia também a própria manobra de fingir que ia tudo bem. Aragão, sempre a fim de criar o caso, reapareceu dias depois no gabinete de Lyra e enfiou-lhe a terceira carta. Era uma reprise de todas as acusações, arrematada pela advertência emblemática da anarquia de que Costa e Silva e Lyra se haviam servido: "Os oficiais das Forças Armadas, porque se julgam responsáveis pelo regime revolucionário, entendem que têm o direito e o dever não só de fiscalizar e apreciar os atos do governo, que imaginam sua criatura, como até de afastá-lo, se dele discordarem".[17] Dessa vez o ministro teve de passá-la adiante. Remeteu-a a Portella, que passou a noite sem dormir. Costa e Silva estava sorridente quando começou a lê-la, mas ficou pálido quando terminou, a ponto de o chefe do Gabinete Militar ter pedido ao médico do palácio que viesse ao gabinete do presidente.[18] Era uma crise de hipertensão. Em dezembro de 1968 a CIA vira-o com a saúde "relativamente débil".[19] Durante o verão trabalhara meia jornada, sentira dores nas costas antes da Semana Santa e descansara nos feriados. A resposta a Aragão veio em 48 horas. De acordo com uma sugestão de Portella, ele foi demitido do DPG e mandado para o corredor dos generais sem função.

Duas semanas depois, nova carta. Dessa vez Aragão jogou na defesa em relação a Costa e Silva, mantendo-se no ataque a Lyra. Escondeu-se em

17 Carta do general Moniz de Aragão ao ministro Lyra Tavares, de 17 de junho de 1969, em Carlos Chagas, *113 dias de angústia*, pp. 243-6.

18 Jayme Portella de Mello, *A Revolução e o governo Costa e Silva*, pp. 770-1.

19 *Brazil, The Road to Dictatorship*, "Intelligence Memorandum" da CIA, com onze folhas, de 23 de dezembro de 1968.

raciocínios tão ambíguos quanto primários. Apesar de ter listado locupletações de familiares de Costa e Silva, assegurou que "não fiz crítica pessoal ou funcional ao presidente da República". Quanto às denúncias em si, justificou-as dizendo que "os fatos argüidos eram públicos — notícia — cabendo por isso ao governo o ônus do esclarecimento".[20] Era um raciocínio torpe, pois se de fato a aura do presidente ajudara o sogro e o irmão com vantagens publicamente conhecidas, as acusações de Aragão ao filho do marechal estavam desacompanhadas de provas. Como dissera o ministro Jarbas Passarinho durante a celebração da missa negra do AI-5, era melhor atribuir ao acusado o ônus da prova de honestidade. Naquela noite de 13 de dezembro de 1968, esse raciocínio, como a pimenta em olho alheio, parecera refresco. Agora, menos de um ano depois, ardia no marechal.

Costa e Silva planejava outorgar uma nova Constituição, baseada num trabalho coordenado por Pedro Aleixo. Em julho reunira-se em Brasília uma das menores e mais apressadas constituintes da história nacional. Foi composta pelo presidente, pelo vice, três ministros e três sábios do regime.[21] Trabalhou durante quatro dias, em sete sessões que duraram cerca de 21 horas. Produziu uma versão radicalizada da Carta de 1967. Expandiu os poderes do Executivo, reduziu os do Legislativo e incorporou as extravagâncias que o poder militar impusera ao direito brasileiro nos dez meses anteriores. Tornou indiretas as eleições dos governadores marcadas para 1970.[22] O texto chegou a ser enviado à Imprensa Nacional, e lá foram impressas algumas cópias.

No essencial, a nova Carta mantinha o AI-5, mas seu artigo 182 permitia ao presidente suspender, por decreto, quaisquer de seus disposi-

20 Carta do general Moniz de Aragão ao ministro Lyra Tavares, de 10 de julho de 1969, APGCS/HF. Ver também Carlos Chagas, *113 dias de angústia*, pp. 251-4.

21 Eram o ministro da Justiça, Gama e Silva, o chefe do Gabinete Civil, Rondon Pacheco, o ministro do Planejamento, Hélio Beltrão, e os juristas Carlos Medeiros Silva, Themístocles Cavalcanti e Miguel Reale. *A Constituição que não foi*, pp. 13-8.

22 Artigo 187. "Emenda nº 1, de ... de ... de 1969", em *A Constituição que não foi*, p. 296. A data foi deixada em branco, à espera da assinatura de Costa e Silva.

tivos.[23] Segundo três de seus colaboradores, Costa e Silva pretendia valer-se desse poder para decretar o fim do recesso do Parlamento, reabrindo-o no início de setembro. Essa providência, ainda que superficial em relação ao conjunto do AI-5, era condição necessária para qualquer iniciativa de restabelecimento da ordem institucional.[24]

No dia 26 de agosto o presidente reuniu-se no Laranjeiras com os ministros militares e ouviu que eles se opunham à providência.[25] "O Lyra também falou que é contra. Eu queria vê-lo afirmando isso na Associação Brasileira de Imprensa, na frente daqueles jornalistas todos", comentara Costa e Silva.[26] O general Garrastazú Medici, feito comandante do III Exército depois da promoção de março, também achava que o Congresso devia continuar fechado.[27]

Costa e Silva tivera um abalo nervoso enquanto visitava sua cidade natal, no Rio Grande do Sul. Emocionado, não conseguira responder a um discurso de reminiscências infantis feito por um orador local. Padecera uma sucessão de resfriados, continuava hipertenso, e ouviam-no caminhar pelo quarto durante a madrugada.[28] No dia 15 de agosto, despachando com o ministro Costa Cavalcanti, do Interior, o presidente mostrara-se baqueado.

— Tens muitos papéis para examinarmos? — perguntou.

— Não, nenhum. Vim apenas conversar com o senhor — respondeu o ministro.

— Ótimo. Não estou bem. Daqui a pouco vou-me embora para o Alvorada, descansar.[29]

23 O artigo 182 do projeto diz: "O Presidente da República, quando considerar de interesse nacional, fará cessar, mediante decreto, a vigência de qualquer ou de todos os dispositivos constantes do Ato Institucional nº 5, de 13 de dezembro de 1968, e dos demais atos posteriormente baixados". *A Constituição que não foi*, p. 295. Para a discussão do tema na Comissão, idem, pp. 188-9.

24 Carlos Chagas, *113 dias de angústia*, p. 60; Jayme Portella de Mello, *A Revolução e o governo Costa e Silva*, p. 781, e Hernani d'Aguiar, *Ato 5*, p. 300.

25 Hernani d'Aguiar, *Ato 5*, p. 299.

26 Carlos Chagas, *113 dias de angústia*, pp. 25-6.

27 Jayme Portella de Mello, *A Revolução e o governo Costa e Silva*, p. 783.

28 Hernani d'Aguiar, *Ato 5*, p. 304.

29 Carlos Chagas, *113 dias de angústia*, pp. 32-3.

Uma semana depois, Costa Cavalcanti voltou ao despacho. Costa e Silva disse-lhe que estava bom: "Creio que era gripe". Não parecia. Na tarde de 25 de agosto, depois de despachar no palácio da Alvorada, o ministro das Relações Exteriores, Magalhães Pinto, estava no carro com seu chefe-de-gabinete, o diplomata Italo Zappa, e disse-lhe: "O presidente se queixa de uma gripe, mas eu acho que não é gripe. É algo pior".[30]

Às dezessete horas da quarta-feira, 27 de agosto de 1969, um dia depois da reunião com os ministros militares, a anarquia que por cinco anos tivera seus altos e baixos entrou no período mais caótico de sua trajetória. Costa e Silva estava em seu gabinete com o governador Otávio Lage, de Goiás. É do jornalista Carlos Chagas, secretário de Imprensa do Planalto, a narrativa do que sucedeu:

> O presidente ouvia o governador, mas já sem falar. Olhar atento, indicou com a mão o andar de cima, onde se localizava o gabinete do ministro Rondon Pacheco [chefe do Gabinete Civil], com quem ele deveria discutir o problema de natureza política. Otávio Lage fez mais uma pergunta: "Qual o rumo a ser seguido pelos governos estaduais no caso das revisões das aposentadorias em que se constatasse contagem do tempo em dobro relativo ao exercício de mandatos eletivos?".
>
> Ao final da indagação, segundo suas próprias palavras, notou que o presidente sofria algo estranho. Não conseguia atinar para o sentido do assunto que lhe era apresentado. [...] Menos de um minuto se passou assim.
>
> O marechal, consciente do que acontecia, mostrou grande constrangimento. Conseguindo articular algumas palavras, pediu que o governador tratasse da matéria com o ministro da Justiça.[31]

Levou-o à porta e, pouco depois, disse ao seu ajudante-de-ordens: "O Dr. Otávio Lage vai pensar que eu fiquei maluco. Durante algum

30 Italo Zappa, fevereiro de 1988.

31 Carlos Chagas, *113 dias de angústia*, pp. 37-8.

tempo não consegui dizer coisa com coisa e houve até um certo momento em que nem sequer consegui falar".[32]

Lage, na realidade, já estava no quarto andar, avisando a Rondon Pacheco que o presidente não ia bem. O marechal autodiagnosticou-se ("falta de açúcar"), pediu uma bala de mel e despachou doze processos. Desceu à garagem e foi para o Alvorada. Decidiu descansar e foi ver um faroeste italiano, mas sentiu-se tonto e saiu no meio.[33]

O presidente da República, homem de 67 anos, perdera momentaneamente a fala. Um governador percebera seu descontrole e avisara ao chefe do Gabinete Civil. Ele próprio dissera ao ajudante-de-ordens e ao consultor-geral da República que não estivera falando coisa com coisa. Tudo isso resultou no seguinte esforço médico: o capitão Helcio Simões, do serviço de saúde da Presidência, foi mandado ao Alvorada e lá submeteu o marechal a um eletrocardiograma, tirou-lhe a pressão (14 por 9) e concluiu que se tratava de um processo de estafa.[34] A perda da fala, comunicada pelo presidente a Simões, é indicativa — em qualquer idade — de alguma complicação neurológica. Depois do jantar o marechal voltou a sentir-se mal. Faltou-lhe novamente o controle da voz. Fizeram-lhe outro eletro, tomaram-lhe de novo a pressão, e, pela segunda vez, diagnosticou-se estafa.

Na manhã seguinte Costa e Silva disse ao general Portella que estava fatigado, com a cabeça pesada. Combinaram que ficaria em repouso no Alvorada. Fez-se o terceiro eletrocardiograma, e pela terceira vez a pressão do marechal foi considerada satisfatória. Exames neurológicos preliminares fortaleceram no capitão a idéia da estafa, mas o presidente estava inquieto: "Mesmo assim, não estou satisfeito. Imagine, eu que sempre chamo os outros de pessimistas, hoje sou a própria encarnação do pessimismo".[35] A imprensa foi informada de que o presidente estava gripado.

32 Hernani d'Aguiar, *Ato 5*, p. 306.

33 Para a bala e para a tonteira no meio do filme, Hernani d'Aguiar, *Ato 5*, pp. 306-7. Para o filme, Carlos Chagas, *113 dias de angústia*, p. 40.

34 Hernani d'Aguiar, *Ato 5*, p. 307.

35 Carlos Chagas, *113 dias de angústia*, p. 42.

Magalhães Pinto acertara. Era coisa mais grave. O organismo de Costa e Silva acusava uma isquemia cerebral. Ao contrário do derrame, no qual a irrigação do cérebro é prejudicada pelo rompimento de um vaso, e que pode ocorrer em qualquer idade, na isquemia a circulação é interrompida por uma obstrução resultante do processo de arteriosclerose. Esse tipo de acidente neurológico é conseqüência de um processo degenerativo. A conduta médica decidida no palácio era apenas temerária. Iniciada a complicação neurológica, com os recursos da época ela haveria de cumprir seu ciclo mesmo que o marechal tivesse sido levado a um hospital. Resolveram mantê-lo no Alvorada, onde estava vulnerável a pressões emocionais.

O próprio repouso tornou-se falso. Portella foi ao palácio, tratou de assuntos administrativos com o presidente, e, mais uma vez, ele se queixou do general Aragão. Passaram-se 24 horas, nenhum neurologista o examinou, nenhuma providência médica foi sugerida. Costa e Silva contara ao capitão Simões tudo o que sentira. O médico fizera seu relato ao general Portella, e o chefe do Gabinete Militar, em copas, disse-lhe que ficasse de plantão.

Se a saúde do presidente exigia que o capitão ficasse ao seu lado, por que não foi tomada nenhuma providência adicional? Nas suas memórias o general Portella diz dez vezes em cinco páginas que entre a noite de quarta-feira e o fim da tarde de quinta o médico Helcio Simões lhe assegurou que o caso de Costa e Silva não era grave.[36] Só à noite ocorreu a Portella a idéia de discutir o caso com o ministro da Saúde, o neuropsiquiatra Leonel Miranda, dono de um próspero hospital carioca. Essa conversa, segundo revelou mais tarde, levou-o a mexer na rotina da vida do palácio, antecipando a viagem do presidente ao Rio de Janeiro, programada para o dia seguinte. O que assustou o general foi a observação do ministro de que, dada a idade do doente, "poderia tratar-se de algo mais grave". A idade do marechal não era nova nem seu conhecimento

36 Jayme Portella de Mello, *A Revolução e o governo Costa e Silva*, pp. 803-7.

era exclusivo do ministro. O que havia de ameaçador na isquemia era a clareza com que ela sinalizava a arteriosclerose do presidente.

Depois do jantar — passadas pelo menos 27 horas do primeiro aviso — Costa e Silva estava diante da televisão do Alvorada quando se voltou para o capitão-médico e, espantado, apontou para a própria garganta. Era a segunda vez que perdia a fala. Deram-lhe remédios, aplicaram-lhe uma injeção, e minutos depois estava restabelecido.

— Não será derrame o que estou sentindo? — perguntou o presidente.

— Não, senhor. Derrame não é. Mas vamos apurar tudo direitinho — respondeu o médico.[37]

Costa e Silva foi dormir, e Helcio Simões ficou na antecâmara. Às 3h45 da sexta-feira, 29, o capitão teve um sobressalto. A luz do quarto acendera-se. O presidente estava mudo, de vez. "Não houve regressão alguma", rabiscou num bilhete. Voltou para a cama e adormeceu. Haviam-se passado 35 horas desde o primeiro acidente neurológico quando se acionou o dispositivo de emergência do Planalto, a fim de que Costa e Silva pudesse decolar para o Rio de Janeiro o mais depressa possível, ainda pela manhã.

A partir desse momento o general Jayme Portella de Mello assumiu a direção da maior farsa registrada até então na história do Brasil. Ela se deu em dois sentidos. Primeiro pelo ludíbrio, escondendo-se ao país o que sucedia no palácio. A sociedade podia não merecer atenção, mas esconderam-se os fatos também ao governo, que deveria merecer confiança. Ainda que não se confiasse no governo, escondeu-se a verdade até mesmo à família, que merecia piedade. Quando o filho do presidente foi informado de que algo ia mal com seu pai, já se tinham passado mais de 37 horas do primeiro aviso neurológico.[38]

37 Carlos Chagas, *113 dias de angústia*, p. 44.

38 Pela narrativa de Carlos Chagas, Álcio Costa e Silva foi chamado ao Laranjeiras, a pedido de sua mãe, em torno das nove horas da manhã de sexta-feira. Chagas, *113 dias de angústia*, pp. 55-6. Yolanda, que estava no Rio, pode ter sido informada algumas horas antes. Até as onze horas da noite anterior, nada lhe haviam dito. Idem, p. 56.

Mudo e pálido, o marechal chorou quando o carro se afastou do Alvorada. Perdera boa parte da mobilidade do braço direito. Haviam-lhe enrolado um cachecol que cobria até a ponta do nariz, ocultando a deformação provocada pela paralisia de sua face direita e sugerindo a afonia gripal. Nesse simulacro, fizeram papel de bobos o vice-presidente Pedro Aleixo, o ministro Jarbas Passarinho, o general Orlando Geisel e os comandantes militares que foram despedir-se dele no aeroporto. Costa e Silva viajou deitado na sua cabine do BAC One-Eleven, tomando oxigênio. No outro lado do avião, Portella informava ao seu colega Rondon Pacheco, do Gabinete Civil, que a gripe tinha piorado. No aeroporto, Rondon dissera a Pedro Aleixo que o presidente ligara um ventilador perto das costas, tomara um golpe de ar e sofrera um espasmo. Ambos mentiam, mas, à diferença de Rondon, Portella tinha um propósito.

Seu segundo movimento deu-se no sentido da usurpação. Completaram-se 48 horas do primeiro insulto, já estava claro que o presidente sofria as conseqüências da isquemia, e uma junta médica o esperava no Rio de Janeiro. Não num hospital, mas no palácio Laranjeiras. Abraham Ackerman, o mais renomado neurologista do país, examinou Costa e Silva e comunicou a Portella que o caso era grave. Dentro de algumas horas o acidente neurológico haveria de chegar ao clímax, paralisando todo o seu lado direito. Recomendou que o removessem para uma casa de saúde. Leonel Miranda estimou que a recuperação do presidente levaria, na melhor das hipóteses, de um a dois meses. Portella decidiu que o marechal deveria permanecer no palácio.

Ele próprio explica: "Havia uma razão maior para não se tirar o Presidente do Palácio, porque ali, além de ser seu posto, a Nação saberia que ele estava vivo. Quem fosse substituí-lo seria apenas um governante transitório, e aquele Palácio estaria sendo a sede do Governo Federal. E mesmo que o prazo de recuperação demandasse mais tempo, ninguém teria a audácia de afastá-lo do Palácio".[39]

39 Jayme Portella de Mello, *A Revolução e o governo Costa e Silva*, p. 813.

Quando amarrou a trombose política que paralisaria o país à permanência de Costa e Silva no palácio, Portella tinha perfeita compreensão da incapacidade do marechal. Perseguia dois objetivos. Primeiro, queria impedir que o vice-presidente Pedro Aleixo assumisse o cargo. Depois, pretendia que a substituição do presidente fosse declaradamente transitória. Manobra complicada, pois a melhor maneira de manter a provisoriedade da substituição era cumprir a lei e empossar Pedro Aleixo. Portella teve a idéia de proclamar uma junta, composta pelos três ministros militares.

Para discutir tão arrojada manobra, chamou ao Laranjeiras precisamente os três cidadãos que sorteara. Eles acharam a idéia boa. Portella lembrou-lhes o precedente histórico da Regência Trina Provisória de 1831, instalada depois da abdicação de d. Pedro I.[40] Não se sabe se os três aceitaram o paralelo histórico, mas é certo que eles não estavam ali para mostrar que tinham aprendido suas lições do curso primário. Afinal, a Regência Trina se denominava provisória porque seria substituída por outra, permanente. Destinara-se ao oposto do que os quatro oficiais-generais maquinavam. Enquanto no Império se tratava de dirigir o país à espera de que o príncipe Pedro de Alcântara, uma criança de cinco anos, atingisse a maioridade, na ditadura de 1969 tratava-se de proclamar a minoridade do vice-presidente Pedro Aleixo, de 68 anos.

A encenação da normalidade prosseguia. A mulher de Costa e Silva, Yolanda, foi a um jantar na casa do pediatra Rinaldo De Lamare, e Portella foi comer na casa do empresário *Carlô* Marcondes Ferraz. Uma cama de hospital entrou despercebida pela porta dos fundos do Laranjeiras. Às quatro da manhã de sábado, 57 horas depois do primeiro aviso, a isquemia cerebral devastou o presidente. Ele não conseguia mais se levantar. Tinha todo o lado direito paralisado e perdera a capacidade de comunicação, não só pela voz, como também por expedientes como o uso

40 Jayme Portella de Mello, *A Revolução e o governo Costa e Silva*, p. 815.

do teclado de uma máquina de escrever ou a escolha de letras numa folha de papel.[41]

Portella reuniu-se novamente com os três ministros militares. Já haviam combinado duas trapalhadas — impedir a posse do vice-presidente e substituir Costa e Silva por uma trinca — quando se decidiram por uma terceira: ir buscar numa reunião do Alto-Comando das Forças Armadas a legitimidade do mandato. Composto pelos ministros fardados, pelo chefe do EMFA e pelos chefes de estado-maior de cada Força, esse Alto-Comando só se reunira uma vez. Como a Constituição, existia só no papel. Os sete oficiais-generais encontraram-se à noite no palacete Laguna, que no Império hospedava o mordomo de d. Pedro II, a meio caminho entre o Maracanã e a praça da Bandeira. Era uma assembléia bizarra, pois cada ministro, além de beneficiário da deliberação, era superior hierárquico do seu chefe de estado-maior. O único sem chefe nem cargo à vista era Orlando Geisel, do EMFA. Feita a proposta, combateu-a. Não queria a posse de Pedro Aleixo, mas não concordava com a trindade, pois a História lhe ensinara que os triunviratos se esvaem em crises e acabam com o poder empalmado por uma só pessoa. Portanto, sugeria que houvesse um só substituto, fosse quem fosse. Rademaker contestou, o chefe do EMFA insistiu, e foi-se à votação: 6 × 1. Estavam eleitos os três regentes: Augusto Rademaker, Aurelio de Lyra Tavares e Márcio de Souza e Mello.[42]

Na manhã de domingo tocou o telefone guardado numa casinhola do fundo do corredor do apartamento de Ernesto Geisel. Era seu irmão Orlando avisando que "Costa e Silva tivera um troço". Horas depois estava providenciado um fio de extensão, e o 247-8912 foi transferido do nicho em que estivera por quase vinte anos para a mesa-de-cabeceira do general. Assim, ele poderia falar sem sair da cama, onde penava sua hepatite.[43]

41 Carlos Chagas, *113 dias de angústia*, p. 67.

42 Jayme Portella de Mello, *A Revolução e o governo Costa e Silva*, p. 824.

43 Amália Lucy Geisel, julho de 1991. A filha de Geisel não tem certeza a respeito da data do telefonema. Poderia ter sido um dia antes, no sábado. Por falta de outra indicação de que Orlando Geisel tenha sabido da isquemia antes da reunião do palácio Laguna, achei mais provável que o telefonema tenha sido dado no domingo.

Logo depois do café-da-manhã o general Jayme Portella chegou à casa do ex-ministro da Justiça, Carlos Medeiros Silva, a poucos quarteirões de distância de Geisel. A essa altura o boato da morte de Costa e Silva já passara pelo palácio do Planalto, pela embaixada americana e até pela quadra de tênis da Associação Atlética do Banco do Brasil. Medeiros, redator do AI-1, não sabia de nada. Na noite anterior um oficial do Gabinete Militar havia-lhe telefonado, perguntando se estaria em casa no dia seguinte, nada mais. A conversa foi rápida. Portella pediu a Medeiros que redigisse uma justificativa e um ato institucional, o 12º, para empossar a Junta. Deixou uma folha de papel com várias recomendações. Uma delas dizia: "Não tocar no restabelecimento constitucional".[44] Em menos de meia hora, Medeiros redigiu a lápis, com sua letra miúda, arrazoado e ato.[45]

Levado ao quartel-general, o ex-ministro tirou a encomenda de sua pasta preta e entregou-a a Lyra Tavares. Deu-se uma rápida conversa, e Medeiros ponderou: "Esta é a parte fácil. Depois é que virá a difícil, pois poderá ser necessário escolher um substituto definitivo". O ministro do Exército, de charuto em punho, rebateu: "Está tudo muito bem equacionado". Desde 1937, quando datilografara em segredo o texto da Constituição do golpe de 10 de novembro, Medeiros tinha experiência com quarteladas. Achou preocupante a calma de Lyra e ridículo o charuto.[46]

Horas antes o general Affonso de Albuquerque Lima dera ao seu ajudante-de-ordens um texto para ser datilografado, com muitas cópias. Era o primeiro panfleto da crise. Nele o ex-ministro do Interior, líder da linha dura, encarnação da crítica militar à decadência do governo de Costa e Silva, e candidato à sua sucessão, argumentava que "os três ministros militares, se forem integrar o Comando Revolucionário ou a Junta Militar, deverão ser substituídos em suas pastas". Albuquerque Lima era o general com maior liderança sobre a parte politicamente ativa da oficialidade. Isso não fazia dele o general com maior prestígio na tropa, mas lhe dava a primazia na capacidade de criar problemas nos quartéis. Em poucas ho-

44 Uma folha de papel manuscrita pelo general Jayme Portella em papel timbrado do Gabinete Militar. AA.

45 Cinco folhas manuscritas de Carlos Medeiros Silva. AA.

46 Carlos Medeiros Silva, 31 de agosto de 1969.

ras a idéia segundo a qual deveriam ser escolhidos novos ministros militares já tinha o apoio de dois membros do Alto-Comando do Exército: Syseno Sarmento (comandando a guarnição do Rio) e Moniz de Aragão (comandando sua máquina de escrever). Aragão foi ao chefe do Estado-Maior do Exército e recitou seu discurso contra a Junta, mas o extrovertido general Muricy cortou-o: "Aragão, devemos estar preparados para engolir sapos, Aragão, e em posição de sentido!".[47]

A crise começava a corroer a manobra de Portella precisamente no seu ponto mais débil: a legitimidade militar dos ministros. O impedimento de Pedro Aleixo era fava contada. Portella já grampeara seu telefone, vigiara sua casa e remetera a Brasília o avião presidencial com a tarefa de trazê-lo ao Rio, onde poderia escolher entre a resignação em seu apartamento ou o protesto na cadeia.[48] Pedro Aleixo foi levado para o Arsenal de Marinha. Lá, os três ministros militares disseram-lhe que assumiriam o governo no seu lugar. "Lamento", respondeu o vice-presidente, "não pelo que me causará de mal, mas pelo mal que causará ao país."[49] Pediu para voltar a Brasília, os ministros responderam que iam pensar e depois mentiram afirmando que o avião estava em pane. Ele chegou a dizer que poderia tomar um vôo comercial, mas acabou ficando no seu apartamento de Copacabana, cuja portaria estava ocupada por agentes do CIE. Portella, temendo que Pedro Aleixo quisesse ir para a capital, onde suspeitava que poderia ser montada uma cerimônia de posse, mandou vigiar os aeroportos e as estradas, pondo de sobreaviso o comandante militar de Brasília.[50]

Aquele domingo de sol já tinha programação farta. À tarde a companhia do San Carlo de Nápoles cantava a ópera *Nabuco* no teatro Municipal enquanto no Jockey Club corria o Grande Prêmio Brasil. No Maracanã, um gol de Pelé (o 979º) derrotou a seleção do Paraguai e garantiu a ida do Brasil à Copa do México, no ano seguinte. No quartel-general,

47 Carlos Chagas, *113 dias de angústia*, pp. 83 e 94.

48 Jayme Portella de Mello, *A Revolução e o governo Costa e Silva*, pp. 825-6. Para o grampo, Carlos Chagas, *113 dias de angústia*, p. 91.

49 Carlos Chagas, *113 dias de angústia*, p. 92.

50 Jayme Portella de Mello, *A Revolução e o governo Costa e Silva*, p. 832.

o comandante do I Exército, Syseno Sarmento, presidia uma assembléia de oficiais. Ao saber disso, o general Muricy tomou o elevador e foi à toca da onça. Expôs a situação, respondeu a perguntas e ouviu um veredicto de Syseno: "Aceitamos a decisão porque não desejamos criar problemas maiores. [...] no entanto, fica uma palavra: outros fatos consumados não serão aceitos de forma alguma".[51]

À noite o ucasse dos ministros militares foi lido para uma cadeia de rádio e televisão. Nove meses e sete atos depois do AI-5, o barítono saía de cena, deixando o Brasil sob o governo da mais folclórica das figuras do golpismo latino-americano: uma junta militar.

51 Carlos Chagas, *113 dias de angústia*, p. 94.

O grande golpe

"Vamos agarrar esse cara!", disse *Valdir*.[1]

Foi a mais original e bem-sucedida de todas as idéias da esquerda brasileira nos anos 60.

Valdir e *Vitor* caminhavam numa manhã do início de agosto pela pequena rua Marques, em Botafogo. Outrora ela fora Marx, mas na caça às bruxas do Estado Novo mudou-se a grafia, mantendo-se a fonética. Eram da Dissidência Universitária da Guanabara.[2] *Valdir* vinha a ser Franklin Martins, filho do senador Mário Martins, um respeitado udenista que se mantivera ao largo da ditadura. *Vitor* era Cid de Queiroz Benjamin. Ambos estavam nos seus vinte anos e tinham saído da militância radical de uma das melhores escolas do Rio de Janeiro, o colégio de Aplicação, na lagoa Rodrigo de Freitas.

Os dois jovens tinham uma idéia fixa: soltar Vladimir Palmeira, capturado em Ibiúna e condenado a trinta meses de prisão. Haviam pensado num golpe de mão, mesmo num atentado, mas até o início daquela caminhada colecionavam apenas sonhos. Foi quando *Vitor* comentou que todos os dias o "cara" saía de sua mansão tropical a poucos quarteirões, passava pela rua Marques e ia para o centro da cidade.

1 Entrevista de Franklin Martins e Vera Sílvia Magalhães ao *Jornal do Brasil* de 3 de setembro de 1989, pp. 8-9, reportagem de Roni Lima.

2 Segundo Vera Sílvia Magalhães, em entrevista à jornalista Helena Salem, a Dissidência tinha quarenta militantes e trinta simpatizantes. Em Vários Autores, *Versões e ficções*, p. 62.

O "cara" era o embaixador americano Charles Burke Elbrick, um diplomata de 61 anos a caminho da aposentadoria depois de uma carreira modesta. Com seus cabelos gomalinados parecia um médico de filme argentino. Servira em Lisboa no início da década e estimulara um golpe militar fracassado contra a ditadura do professor Antônio de Oliveira Salazar.[3] Falava bem o português e chegara ao Brasil havia dois meses. Procurava costurar uma reaproximação com Costa e Silva, que maltratara o seu antecessor desde o dia em que ele ousara almoçar com Carlos Lacerda. Tinha uma mulher que assombrava festas com seus turbantes coloridos e uma filha que as encantava com blusas diáfanas.

A idéia do seqüestro foi levada a Vladimir Palmeira, na prisão, por Vera Sílvia Magalhães, a *Marta*, estudante de economia, 21 anos, morena de traços tão belos quanto serenos. Ele se assustou: "Seria um genocídio. Vão morrer todos".[4] Ela própria, porém, verificaria que a operação parecia mais fácil do que se supunha. Foi ao portão da casa dizendo-se empregada doméstica à procura de emprego e teve a sorte de achar um Don Juan na chefia da vigilância. De olho na jovem, por três vezes mostrou-lhe os jardins, os carros e os hábitos de Elbrick.[5] O carro do embaixador não tinha escolta nem blindagem. Com as portas destravadas, fazia sempre o mesmo percurso, à mesma hora.

A Dissidência ofereceu parceria à ALN, e uma ficou com o trabalho logístico ao passo que à outra coube o comando da ação em si. No dia 2 de setembro, enquanto a Junta Militar divulgava um boletim médico informando que o estado de saúde de Costa e Silva conservava as "perspectivas favoráveis ontem anunciadas" (no dia anterior não havia sido anunciada perspectiva favorável alguma), três quadros da ALN seguiram de São Paulo para o Rio. No dia seguinte chegou o líder do grupo, Joaquim Câmara Ferreira, o *Velho*, segundo homem do marighelismo, histórico militante do PCB. O seqüestro seria comandado por *Jonas* (Virgílio Gomes da Silva), 36 anos, um operário com o nariz amarrotado de ex-boxeador,

3 Para a relação de Elbrick com o golpe fracassado de 1961, Kenneth Maxwell, *The making of Portuguese democracy*, p. 51.

4 Entrevista de Vera Sílvia Magalhães ao *Jornal do Brasil* de 3 de setembro de 1989, p. 8.

5 Entrevista de Vera Sílvia Magalhães a Helena Salem, em Vários Autores, *Versões e ficções*, p. 66.

veterano da primeira leva enviada a Cuba, chefe do Grupo Tático Armado, o GTA, e instrutor das turmas que a ALN treinava num sítio em Ribeirão Preto.

Na manhã de 4 de setembro, uma quinta-feira, os dez integrantes do comando estavam nos seus postos quando um olheiro percebeu a aproximação de uma limusine preta com placa do corpo diplomático. Fez o gesto combinado e pouco depois, desesperado, sinalizou a sua anulação. No carro ia o embaixador português, quindim da grã-finagem carioca e vizinho do americano. Elbrick saíra mais cedo. Esperaram que reaparecesse na volta do almoço, em torno das 14h30. Uma senhora da vizinhança desconfiou daqueles rapazes rondando a rua e telefonou para a polícia, temendo que fossem ladrões de automóvel. Não foi levada a sério.[6]

Quando o Cadillac de Elbrick entrou na ratoeira, *Vitor* manobrou seu Volkswagen, como se o estivesse tirando da vaga. O motorista do embaixador parou. Quatro integrantes do GTA da ALN saltaram sobre o carro. Espremeram o chofer no banco da frente e Elbrick no de trás. Foram até uma pequena rua próxima, onde trocaram o carrão por uma Kombi. O embaixador tentou fugir durante a baldeação, mas *Jonas* deu-lhe uma coronhada na testa, e enfiaram-no debaixo de uma lona. No Cadillac ficaram o motorista e um manifesto, redigido por *Valdir*. Ele informava: "A vida e a morte do Sr. Embaixador estão nas mãos da ditadura. Se ela atender a duas exigências o Sr. Burke Elbrick será libertado. Caso contrário, seremos obrigados a cumprir a justiça revolucionária".[7]

Pediam a libertação de quinze presos e a divulgação do panfleto pelas principais emissoras e jornais. Davam 48 horas de prazo ao governo para abrir as negociações e permitiam-se uma ironia: "Os quinze companheiros devem ser libertados, estejam ou não condenados. Esta é uma 'situação excepcional'. E nas 'situações excepcionais' os juristas da ditadura sempre arranjam uma fórmula para resolver as coisas, como se viu agora na subida da junta militar".

6 Trata-se de Elba Nizia Cardoso Souto-Maior, mulher de um oficial de Marinha. *O Estado de S. Paulo*, 6 de fevereiro de 1992.

7 Aurelio de Lyra Tavares, *O Brasil de minha geração*, vol. 2, p. 282.

Italo Zappa dividia um bife com o chanceler Magalhães Pinto no Itamaraty quando foi chamado ao telefone. Era o ministro-conselheiro da embaixada americana, William Belton, dizendo que Elbrick fora "roubado". Zappa chegou a pensar que ele estivesse brincando.[8] A essa altura o embaixador continuava debaixo da lona, e a Kombi já fora guardada na garagem de uma casa da rua Barão de Petrópolis, do outro lado dos quatro quilômetros do túnel Rebouças. Menos de um mês depois da idéia de *Valdir*, sem maiores preparativos e numa temerária operação que consumiu vinte minutos entre a hora em que o Cadillac foi invadido e o momento em que a Kombi chegou ao aparelho, o "cara" estava agarrado.

"Meu Deus, seqüestramos o embaixador dos Estados Unidos", disse *Honório*, o suposto inquilino da casa.[9] Era o jornalista Fernando Gabeira, 26 anos, redator do *Jornal do Brasil*, que havia alguns meses desaparecera do serviço, dos bares e dos cinemas da moda.

A Junta, o governo e o país estavam perplexos. A Polícia do Exército viu-se diante do que parecia um lance de sorte. Pelo menos um dia antes do seqüestro, havia sido preso, nas proximidades da casa do embaixador, um suspeito de 28 anos com impressionante prontuário. Era Roberto Cieto, ladrão, viciado em drogas, fugido da penitenciária Lemos de Brito com seis marinheiros, numa operação apoiada por ex-sargentos.[10] Deveria separar-se do grupo, mas preferira acompanhar a aventura dos colegas de fuga. Vivera algum tempo como *Pancho*, num projeto de base guerrilheira nas matas próximas a Angra dos Reis. A sorte o ajudara a sair do mato antes da chegada dos fuzileiros navais que desbarataram o dispositivo do MAR, mas subitamente lhe faltou. Estava na carceragem da PE quando começou a mobilização policial para descobrir a cafua do embaixador e a identidade de seus seqüestradores.

8 Italo Zappa, março de 1990.

9 Fernando Gabeira, *O que é isso, companheiro?*, p. 108.

10 *Dossiê dos mortos e desaparecidos*, p. 31, e Branca Eloysa (org.), *Seminário do Grupo Tortura Nunca Mais*, p. 171. Ver também Nilmário Miranda e Carlos Tibúrcio, *Dos filhos deste solo*, pp. 470-3.

Interrogaram-no durante três horas, no máximo. Às 18h40 ele morreu de pancada. O cadáver tinha o olho direito roxo, com um corte na pálpebra, e ferimentos na testa, no tórax, num braço e numa perna. Foi sepultado como suicida. De acordo com as versões oficiais, era o 17º do regime, o sétimo a se enforcar numa cela, o sexto a fazê-lo num quartel. Segundo o laudo da perícia, asfixiou-se sentado.[11]

Cieto nada tinha a ver com o seqüestro. E se tivesse? E se dissesse onde estava o embaixador?

No dia seguinte ao seqüestro o governo já sabia que Elbrick estava guardado no casarão de número 1026 da rua Barão de Petrópolis, no Rio Comprido. Os serviços de informações da Marinha e do Exército receberam a pista de uma vizinha que estranhara o movimento na casa. Quando o CIE chegou, o Cenimar já estava nos arredores. Não podia haver sorte maior: tinham-se passado pouco mais de 24 horas, e o esconderijo dos seqüestradores fora localizado.

Na noite do dia 5, dois agentes bateram à porta da casa. Lá dentro ouviu-se um assobio. Elbrick, trancafiado num quarto, de cuecas e camiseta, viu um revólver apontado para o seu peito. Três seqüestradores alinharam-se com as armas voltadas para a porta, e outro atendeu os visitantes, ambos corpulentos, cabelos curtos.

> — Boa noite — disse um deles —, o senhor mora aqui?
>
> — Boa noite. Moro sim.
>
> — É que nos convidaram para jantar e nos deram este endereço. O senhor mora sozinho?
>
> — Deve ser engano [...]
>
> — O senhor tem telefone?

11 *Folha de S.Paulo*, 27 de março de 1994. O laudo informa que Cieto foi encontrado no banheiro de uma cela da PE, em "suspensão parcial", "sentado no piso". Segundo as versões oficiais, desde 1964 haviam-se enforcado em celas de quartéis os seguintes presos: Elvaristo Alves da Silva, Severino Elias de Melo, Milton Soares de Castro, Higino João Pio e Severino Viana Colon. Numa cela do DOPS mineiro teria se enforcado João Lucas Alves. Nilmário Miranda e Carlos Tibúrcio, *Dos filhos deste solo*, pp. 462, 572, 467, 573, 297 e 296.

— Não.

— Então está bem. Até a próxima. Desculpe o incômodo...[12]

Descontadas as simulações, esse diálogo entre *Honório* e os visitantes poderia ser refraseado assim:

— Boa noite, nós somos do CIE. Tenente-coronel Iris e major Boscardini. O embaixador dos Estados Unidos está aí?

— Está. Sou o Fernando Gabeira, podem me chamar de Honório.

— Podemos telefonar?

(As chances de um casarão como aquele não ter telefone eram as mesmas de não ter água.)

— Não. Aparelho não tem telefone.

— Então está bem. Vamos esperar aqui por perto.

O tenente-coronel Iris Lustosa telefonara para o chefe do CIE, coronel Adyr Fiúza de Castro, avisando: "A casa é quente". Fiúza foi ao general Lyra Tavares e informou: "Posso vigiar, posso invadir, posso estourar, posso fazer o que o senhor quiser. Agora, o embaixador vai morrer nessa. Vou prender os caras, mas o embaixador vai morrer. Mas o Cenimar já está lá. O senhor não quer se entender com o ministro da Marinha?". Lyra foi típico: "Não, deixe com o Cenimar". Fiúza tirou o CIE da raia.[13]

Que os seqüestradores tenham levado o embaixador para uma casa recém-alugada sem habituar os vizinhos a uma rotina de movimento, vai por conta da temeridade do grupo. Que a Kombi em que Elbrick foi levado para a Barão de Petrópolis tivesse sido vista pelo chofer do embaixador durante o seu transbordo, vai por conta de um planejamento descuidado. Essas foram as imprevidências dos seqüestradores, mas foram bem

12 Fernando Gabeira, *O que é isso, companheiro?*, p. 120.

13 Para a identificação dos dois oficiais e para o telefonema do tenente-coronel, depoimento do general Adyr Fiúza de Castro, em Maria Celina d'Araujo, Gláucio Ary Dillon Soares e Celso Castro (orgs.), *Os Anos de Chumbo*, p. 53.

maiores os erros de seus perseguidores, que agora estavam diante de um caso profissionalmente complexo no qual bater em preso não bastava.

O cerco ao esconderijo mobilizou agentes do Cenimar e uma tropa da Companhia de Polícia do Batalhão de Comando do Corpo de Fuzileiros Navais. Planejou-se um estouro do aparelho com duzentos homens, bazucas, bombas de gás e dois helicópteros, mas essa operação nunca saiu do papel. A passagem do CIE pelo aparelho servira apenas para alertar os seqüestradores de que estavam localizados.

A Junta dispunha de 48 horas para abrir as negociações, mas na noite da quinta-feira, quando mal se esgotara a quinta parte do prazo, autorizou a leitura do manifesto nas rádios e televisões. Antes que o prazo chegasse à metade, o governo anunciou que cedia na troca dos presos. À Junta convinha livrar-se do problema tão rápido quanto lhe fosse possível, pois além do embaixador seqüestrado tinha outra panela queimando no fogão: Costa e Silva, paralítico e mudo, continuava no palácio, diversas guarnições exigiam que o poder fosse passado a um novo mandatário, e os generais estavam metidos num conclave papalino para sua escolha. Além disso, no final da tarde, o ministro-conselheiro William Belton foi ao chanceler Magalhães Pinto com um telegrama do Departamento de Estado em que o governo americano instruía-o a solicitar que fossem tomadas "todas as medidas, repito, todas as medidas" para libertar Elbrick.[14]

O que a Marinha podia fazer? Segundo Cid de Queiroz Benjamin, o *Vitor*, se a casa fosse invadida, assassinar Elbrick "teria sido um grande constrangimento". Ainda assim ele se convenceu de que *Jonas*, o comandante do seqüestro, mataria o embaixador.[15] Essa suposição tem amparo estatístico: de 1970 a 1982, de cada cem pessoas seqüestradas, nove

14 Brian Jenkins, julho de 1990. Jenkins, ex-diretor do Centro de Estudos sobre Terrorismo e Violência Política da Rand Corporation, recebeu essa informação do próprio Belton. Ele se entrevistou com todos os diplomatas seqüestrados por terroristas brasileiros.

15 Entrevista de Cid de Queiroz Benjamin ao *Jornal do Brasil* de 3 de setembro de 1989, pp. 8-9, reportagem de Roni Lima. Em agosto de 1994 Franklin Martins revelou ao autor sua convicção de que numa situação-limite o embaixador seria executado. Fernando Gabeira, em março de 1994, disse ao autor que *Jonas* procurara evitar quaisquer contatos pessoais com Elbrick. Com base nessa observação, acreditava que ele mataria o embaixador.

morreram, a maioria delas durante as operações de resgate.[16] Nos anos seguintes, as forças especiais de diversos países desenvolveram uma técnica de negociação que encerrou inúmeros seqüestros com a libertação dos reféns e a prisão dos criminosos sem um só tiro ou tapa.[17]

O comandante do I Exército, general Syseno Sarmento, que 48 horas antes reunia oficiais para discutir a legitimidade da Junta, reapareceu no papel de porta-voz da anarquia, indo ao Laranjeiras para informar aos ministros militares que seus oficiais não admitiam a troca dos prisioneiros.[18] O comandante da Vila, João Dutra de Castilho, dizia que "o governo não deve ceder às exigências dos raptores. [...] O endurecimento deve ser desde já executado, mesmo com o sacrifício do representante dos Estados Unidos".[19] Na Brigada Pára-Quedista, praticamente rebelada desde o nascimento da Junta, houve quem defendesse a execução dos quinze presos, na Cinelândia, um a cada hora. O adido do exército americano, coronel Arthur Moura, procurou o comandante do Grupo de Artilharia da brigada. Era o coronel Dickson Grael, um voluntarioso veterano da linha dura, e se manteve na posição, argumentando que Elbrick já vivera 61 anos.[20]

A rebelião dos pára-quedistas foi uma amostra do metabolismo da anarquia militar. A inconformidade de generais como Syseno e Dutra de Castilho era produto da indisciplina instalada nas bases de seus comandos. Para não ser ultrapassados, levavam as pressões à Junta, como se delas fossem porta-vozes, quando na realidade eram corretores. É provável que os oficiais descontentes não soubessem que o aparelho de Elbrick fo-

16 Arthur J. Alexander, "An economic analysis of security, recovery, and compensation in terrorist kidnapping", em Brian M. Jenkins (ed.), *Terrorism and personal protection*, p. 298.

17 Paul Wilkinson, *Terrorism and the Liberal State*, p. 135.

18 Jayme Portella de Mello, *A Revolução e o governo Costa e Silva*, p. 844.

19 *Informação 769/69*, do comandante da 1ª Divisão de Infantaria, general João Dutra de Castilho. *Jornal do Brasil*, 17 de setembro de 1989.

20 *Jornal do Brasil*, 3 de setembro de 1989. Quando essa informação foi publicada, Grael estava morto. Moura, vivo, não a desmentiu. O *The New York Times* de 10 de setembro de 1969 publicou uma narrativa de uma discussão havida com um dos defensores da execução (por enforcamento) dos presos. O oficial brasileiro, não identificado, teria dito que se o governo brasileiro devia ceder para salvar a vida de um americano, os Estados Unidos deviam sair do Vietnã para salvar a vida de duzentos a cada dia. A execução de prisioneiros foi defendida publicamente no ano seguinte pelo ex-chanceler Vasco Leitão da Cunha. *Veja*, 15 de abril de 1970.

ra localizado, mas é difícil que um hierarca como Syseno Sarmento também estivesse no escuro, quer pelo acesso que tinha à Junta, quer pelas conexões existentes entre o seu estado-maior e o Centro de Informações do Exército. Descontados os oficiais e sargentos da Marinha que rondavam a casa fotografando seus ocupantes, ninguém se aventurou no vespeiro da Barão de Petrópolis.

Os oficiais indisciplinados orientavam astuciosamente sua valentia. Na Aeronáutica, o brigadeiro Burnier chamou ao seu gabinete o major Murillo Santos, comandante do 1º Esquadrão do 1º Grupo de Transporte, da base aérea do Galeão. Disse-lhe que temia um acidente com os presos durante o vôo que deveria levá-los ao México. O major fez que não ouviu. Ex-ajudante-de-ordens do presidente Castello Branco, Murillo selecionou uma tripulação de sua confiança e improvisou um código baseado em nomes de equipamentos de vôo. Se o rádio do Hercules C-130 recebesse ordens de qualquer fonte que não fosse a central de comunicações da base do Galeão, seu comandante abriria o envelope com as novas instruções: deveria comunicar a interferência ao comando do esquadrão e navegar pelo código do major. Se alguém o mandasse mudar a rota, deveria seguir em frente.[21]

Os pára-quedistas que ameaçaram tomar a base aérea do Galeão acabaram tomando um objetivo militarmente mais modesto: a estação transmissora da rádio Nacional, em Parada de Lucas, onde a guarda não somava dois faxineiros. Interferiram na transmissão e leram um "comunicado à nação brasileira" em nome da "tropa pára-quedista e outras tropas rebeladas" chamando a libertação dos quinze presos de "medida impatriótica" e dizendo-se "dispostos a fazer o maior dos sacrifícios, em nome de Deus e do Brasil, acima de tudo".[22] Puro teatro. Nem insurretos estiveram, visto que no dia seguinte todos foram ao quartel.

O mau humor dos pára-quedistas resultou numa reunião em cujo término, por unanimidade, os oficiais da infantaria aeroterrestre resolveram que no dia seguinte não desfilariam na parada de Sete de Setem-

21 Brigadeiro Murillo Santos, maio de 1991.

22 Carlos Chagas, *113 dias de angústia*, p. 131. Para o texto do comunicado, transmissão da rádio Nacional, de 7 de setembro de 1969. Texto recolhido em inglês.

bro. Dickson, com o apoio dos oficiais da artilharia, solidarizou-se com a indisciplina e manteve seus soldados no quartel. Foi de lá que assistiu ao desfile onde viu a tropa da infantaria pára-quedista, unânime e garbosa, marchando pela avenida Presidente Vargas em continência à Junta.[23] A invasão de um próprio federal, a transmissão pirata, o descumprimento de ordens e o desacato às autoridades custaram ao coronel quinze dias de prisão e uma transferência para o Rio Grande do Sul. Saiu barato, sobretudo sabendo-se que um mês antes o Superior Tribunal Militar condenara a um ano de prisão um frei capuchinho acusado de ter insultado as Forças Armadas durante um sermão na sua pequena igreja do interior nordestino.[24]

Haviam-se passado dois dias da captura de Elbrick, e faltavam quinze minutos para o final do Fluminense × América. Os seqüestradores tinham visto as fotografias dos quinze presos depois de seu desembarque na Cidade do México. Haviam vencido. Faltava apenas o último lance da aventura, que, pelas circunstâncias, tornara-se o mais arriscado. Tratava-se de cumprir o compromisso, libertando o embaixador, mas sabiam que estavam cercados. O prisioneiro barbeou-se, *Honório* deu-lhe uma gravata nova porque a sua se manchara com o sangue da coronhada, e vendaram-no. Desceu a escadaria da casa e sentou-se no banco de trás de um Volkswagen. Nele iam dois seqüestradores. Atrás, no Volks de escolta, mais três, uma submetralhadora e uma granada. O terceiro carro, que deveria se desligar do cortejo logo que lhe fosse possível, levava uma tripulação que se espalharia pela cidade.

A Barão de Petrópolis estava esquisita, com diversas camionetes Rural Willys estacionadas. O comboio saiu, e as camionetes também. O trânsito ia lento, e ainda não havia sido percorrido o primeiro quilômetro quando uma Rural fez a manobra perfeita e se interpôs entre o carro onde ia Elbrick e aquele que lhe dava cobertura, seccionando o cortejo. Os seqüestradores que iam atrás estavam isolados, com a Marinha de

23 *Jornal do Brasil*, 17 de setembro de 1989.

24 Telegrama da agência France Presse, de 5 de agosto de 1969. Para o caso, Fernando Prandini, Victor A. Petrucci e frei Romeu Dale, O. P. (orgs.), *As relações Igreja-Estado no Brasil*, vol. 2, p. 125.

Guerra à frente e às costas. Tentando recuperar a posição perdida, os ocupantes do segundo Volks prepararam suas armas.

Há duas versões para a cena em que se resolveu esse pastelão. Segundo *Valdir*, que estava na escolta, o líder do grupo ordenou que abrissem caminho a bala: "Aí eu pensei que ia morrer. A granada ia destruir o carro deles, o nosso e metade do quarteirão. Não houve, porém, o confronto armado. Era dia de grande jogo e o trânsito na Tijuca estava tumultuado. Na confusão a Rural perdeu o carro do embaixador e [a escolta] se perdeu do carro dos agentes. [...] Estávamos todos salvos".[25] A segunda versão, fornecida por dois oficiais de Marinha, é de que a Rural sofreu uma avaria mecânica ou teve um pneu furado.[26] As duas versões convergem numa só realidade. O carro do embaixador seguiu em paz, até o local onde viriam a desová-lo. Os demais, que se separaram do cortejo, seguiram seus cursos sem ser molestados.

É razoável supor que a Marinha tenha campanado o aparelho de Elbrick durante cerca de 24 horas sem varejá-lo por acato à decisão do governo. Isso explicaria por que a casa não foi invadida e até mesmo por que o comboio não foi atacado antes que a Rural cortasse o caminho da escolta. A partir desse momento qualquer patrulha da PM seria capaz de perseguir os outros dois veículos, ou pelo menos um (aquele que logo se separou do grupo), sem ameaçar o carro que libertaria o embaixador numa rua escura da Tijuca. Mas na noite de sábado, 6 de setembro de 1969, durante aqueles quinze minutos em que os seqüestradores e o Cenimar dividiram a pista da Barão de Petrópolis, a "tigrada" miou.

O seqüestro de Elbrick foi a mais espetacular das ações praticadas pela luta armada brasileira. Seu efeito político foi desmoralizante para o regime, tanto pela publicidade que a audácia do lance atraiu como pela humilhação imposta aos chefes militares, que, tendo atropelado a Cons-

25 Depoimento de Franklin Martins ao *Jornal do Brasil* de 3 de setembro de 1989.

26 Comandante Francisco Sérgio Bezerra Marinho, chefe da seção de operações do 1º Distrito Naval, 1975. Capitão-de-mar-e-guerra João Batista Torrens Gomes Pereira, 1970 e março de 2001.

tituição, viram-se encurralados por alguns jovens de trabuco na mão. Para a Junta, porém, o episódio foi um bálsamo. Pusera em plano secundário a discussão da sua origem mambembe. Olhada de fora, ela parecia tão forte que só uma ação audaciosa e atrevida como o seqüestro a abalaria. Olhada por dentro, ela estava tão fraca que o seqüestro lhe deu forças e até mesmo o mandato para presidir a troca. Mais: ofereceu-lhe o papel maternal de mediadora entre a ameaça terrorista e a intransigência teatral dos pára-quedistas. Transformou-a na única fonte legítima de poder num país perplexo, sem presidente nem Congresso.

A vitória dos seqüestradores é um divisor na história do surto terrorista brasileiro. De um lado, marca o seu ápice. De outro, revela na sua própria finalidade os ingredientes do desgaste que o corroía. Manobra ofensiva bem-sucedida em relação ao efeito externo, a ação foi concebida como instrumento de defesa, destinada a libertar militantes presos. A audácia dos seqüestradores indicava o desassombro do grupo, mas a razão que os moveu estava ligada à luta pela sobrevivência.

Tanto Marighella como Lamarca acenavam aos seus militantes com a próxima abertura dos focos rurais, mas seus grupos estavam a cada dia mais presos nos estratagemas da luta urbana. Suas ações dividiam-se em duas grandes categorias. Numa, ofensiva, geradora de publicidade, estavam os atentados pessoais (dois), seqüestros de aviões (dois), atentados a bomba, depredações e atos de sabotagem. Outra, logística, destinava-se a prover as organizações com dinheiro e armas.

Do atentado do aeroporto dos Guararapes, em 1966, ao seqüestro de Elbrick, em 69, quatro em cada dez ações da esquerda armada tiveram uma natureza ofensiva.[27] Algumas foram espetaculares, como o atentado a Costa e Silva, o desmanche do comício de Abreu Sodré, o ataque ao QG do II Exército e a própria captura do embaixador. Outras foram banais, como a colocação de bombas em repartições do governo americano. Num caso, o do cofre de Adhemar de Barros, uma operação destinada a coletar fundos revelou-se prodigiosamente eficaz tanto no aspecto ofensivo (pela publicidade) como no logístico (pelo faturamento). Quando El-

27 Levantamento do autor.

brick foi apanhado, as ações ofensivas e os assaltos tinham passado a marca da centena, levando para a esquerda armada algo em torno de 3,8 milhões de dólares (2,6 dos quais estavam no cofre de Adhemar).[28]

A ALN beneficiara-se com o retorno da primeira turma que enviara a Havana. Reconstruíra o seu GTA, subdividindo-o em dois grupos. Logo depois, organizou um segundo grupo de fogo.[29] Assaltara bancos, casas de armas e farmácias, estocando dinheiro, armas e remédios. O grupo de Lamarca adquirira desenvoltura com seu quinhão do cofre. Tivera cinco baixas, mas praticara perto de vinte "expropriações" e contava com trezentos militantes.[30] O ex-capitão alvejara a cabeça de um guarda-civil durante um assalto simultâneo a dois bancos na rua Piratininga, em São Paulo. A operação rendeu muita publicidade, sobretudo para a mitologia do renegado, mas acabou em prejuízo. Um dos bancos tinha o cofre trancado e o outro, a caixa vazia. Fechada a conta, arrecadaram-se menos de duzentos dólares.[31] Lamarca fizera uma plástica da qual saíra com o nariz menor. Entrevistado pela revista chilena *Punto Final*, anunciava: "Estamos dando os primeiros passos numa guerra que será longa e dolorosa". Concluía repetindo o mote da organização: "Ousar lutar, ousar vencer".[32]

A Dissidência Universitária limpara bancos, um carro-forte e um bar em Ipanema. Em pequena escala, reproduzira o ataque ao cofre de Adhemar, mandando à casa do ex-deputado Edgar de Almeida um crítico de arte e uma equipe de supostos fotógrafos da revista *Realidade*. Fariam uma

28 Segundo *Veja* de 13 de agosto de 1969, nos primeiros sete meses do ano já teriam ocorrido 53 assaltos. Em outubro de 1969 a Secretaria de Imprensa da Presidência da República divulgou uma nota oficial informando que de 1968 a setembro de 69 os assaltos a bancos e casas comerciais tinham rendido 4,9 milhões de cruzeiros, equivalentes a 1,2 milhão de dólares. Omitiu o assalto ao cofre do ex-governador.

29 Jacob Gorender, *Combate nas trevas*, p. 167.

30 Panfleto com balanço das atividades da VAR-VPR, cópia existente em 1987 no Departamento de Documentação (Dedoc) da Editora Abril. Nesse documento Lamarca diz que a organização praticou 21 "expropriações" no ano de 1969. Para o número de militantes, Jacob Gorender, *Combate nas trevas*, p. 148.

31 *Veja*, 14 de maio de 1969, e Ariston Lucena, agosto de 1988.

32 *Punto Final* de 30 de setembro de 1969, citada em despacho da agência Prensa Latina de 3 de outubro de 1969. "Ousar vencer" era também o mote do Special Air Services, esquadrão antiterrorista da Força Aérea Inglesa.

reportagem com a sua coleção de quadros. Havia perto de vinte pessoas em casa, e foram todas alinhadas para uma foto quando das caixas de equipamento saíram revólveres. O ex-deputado passou mal, e um dos visitantes, acadêmico de medicina, teve a gentileza de chamar o Prontocor antes de ir-se embora. O novo cofre, mais magro, valeu 78 mil dólares.[33]

O governo também tivera seus sucessos. Recapturara 350 quilos de dinamite, duzentos de munição e 46 armas. Em agosto já identificara 370 pessoas ligadas de uma maneira ou outra a organizações armadas, 112 estavam sendo processadas (só cinco tinham mais de trinta anos), e perto de duzentas haviam sido presas.[34] As notícias trazidas dos cárceres determinaram uma nova conduta para a esquerda armada. A guerrilha, a tomada do poder e a construção do socialismo passaram para segundo plano, ofuscadas pela tortura. O manifesto dos seqüestradores de Elbrick refletia essa ansiedade: "Queremos advertir a todos aqueles que torturam, espancam e matam nossos companheiros que não vamos aceitar a continuação dessa prática odiosa. Quem prosseguir torturando, espancando e matando, ponha as barbas de molho. Agora é olho por olho, dente por dente".[35]

A tortura amedrontava quem estava de fora, inibindo o recrutamento e os simpatizantes. Ao mesmo tempo, impunha um sentimento de covardia aos quadros que, mesmo tendo decidido sambar, começavam a pensar em ir embora. Afinal de contas, uma coisa seria saltar de uma organização em colapso, outra mudar de vida enquanto o companheiro de aparelho estava pendurado num pau-de-arara. "Vingar esses crimes, eliminar os torturadores. A sua maldade não pode ficar impune", pensava Alfredo Sirkis, o *Felipe* da VPR.[36]

Acabara-se o tempo em que assaltar um banco era quase tão fácil quanto descontar um cheque. Terminara também a época em que se captu-

33 Entrevista de Cid de Queiroz Benjamin ao *Jornal do Brasil* de 3 de setembro de 1989.

34 *Veja*, 13 de agosto de 1969, pp. 17-8.

35 Aurelio de Lyra Tavares, *O Brasil de minha geração*, vol. 2, p. 283.

36 Alfredo Sirkis, *Os carbonários*, p. 169.

rava esquerdista com voz de prisão. O resultado dessas duas inversões refletiu-se no número de mortos produzido pela violência política. Em 1968, o governo matara onze pessoas desarmadas na repressão às passeatas, enquanto a esquerda fizera oito cadáveres, seis fardados, dois dos quais em atentados pessoais.[37] O ano de 1969 haveria de ser o único de todo o período ditatorial em que o número de mortos da esquerda empataria com o de policiais e guardas privados. Morreram dezenove de cada lado.[38] Isso nunca havia acontecido, nem voltaria a acontecer.

As circunstâncias das mortes de 1969 tinham a marca da ferocidade dos choques. Dos dezessete mortos no ano anterior, catorze foram assassinados sem perceber que corriam risco de vida. Em 1968, nem a estudante Maria Ângela Ribeiro poderia supor que seria morta quando entrou numa passeata, no centro do Rio, nem o capitão Chandler julgava-se em perigo ao sair de sua casa, em São Paulo. Em 1969, esse quadro mudara: 29 das 38 vítimas viram-se em situações violentas antes de ser assassinadas. Tanto Marco Antônio Brás de Carvalho, o comandante do GTA da ALN, sabia que arriscava a vida ao ir procurar seu colega num aparelho, como os guardas bancários sabiam que corriam riscos quando tentavam impedir os assaltos.

O manifesto dos seqüestradores de Elbrick pretendera amedrontar a "tigrada", mas o efeito da vitória dos terroristas foi um previsível fortalecimento do aparelho de segurança do regime. Os descuidos passaram a custar mais caro. Em menos de uma semana caíram três raios.

37 Foram vítimas de atentados pessoais o capitão Charles Chandler e o major Von Westernhagen. O soldado Mário Kozel morreu no atentado ao QG do II Exército. Dois soldados da PM paulista (Antonio Carlos Jeffery e Eduardo Custódio de Souza) morreram em furtos de armas, e um sargento da PM carioca (Nelson de Barros) foi atingido por um objeto atirado do alto de um edifício durante uma passeata. Agostinho Ferreira Lima morreu no Amazonas, num roubo de lancha. Estanislau Inácio Correa, quando lhe roubavam o carro.

38 Para esse cálculo vali-me do *Dossiê dos mortos e desaparecidos*; do livro de Nilmário Miranda e Carlos Tibúrcio, *Dos filhos deste solo*, para as vítimas do governo, e de *Rompendo o silêncio*, de Carlos Alberto Brilhante Ustra, para as vítimas do terrorismo. Aos dezenove policiais e guardas somaram-se outros dez mortos. Eram pessoas que não trabalhavam na segurança do Estado ou de empresas. Aí incluem-se três comerciantes, três bancários e um cobrador de ônibus. Da lista de Ustra excluí uma policial, Estela Borges Morato, e um protético, que morreram num tiroteio durante o qual só a polícia atirou, bem como uma parente de terrorista que inadvertidamente detonou uma bomba.

O primeiro bateu na trave. Já na manhã de 7 de setembro apareceu um encanador no aparelho de um dos seqüestradores, uma kitchenette na Glória. Lá estava hospedado *Jonas*, o comandante da captura de Elbrick. Desconfiado, passou o dia na rua. Na mosca. Ninguém foi preso. Varejou-se o apartamento, e apreenderam-se os documentos tirados da pasta do embaixador, as gravações de suas conversas com os seqüestradores e os dólares roubados ao ex-deputado Edgar de Almeida.[39]

Os dois outros raios foram certeiros. Antonio Freitas Silva, o *Baiano*, falso jardineiro da Barão de Petrópolis, recortara um anúncio de quarto de aluguel da edição do *Jornal do Brasil*. A Marinha vasculhou o aparelho, achou o jornal velho, viu o buraco, descobriu o anúncio cortado, foi à pensão onde ele se abrigara e apanhou-o. Claudio Torres da Silva, o *Pedro*, que participara do seqüestro e dirigira o carro na operação de desova do embaixador, deixara um paletó no aparelho. Era roupa feita, com etiqueta. O alfaiate tinha registro de sua clientela, e no dia 9 *Pedro* estava preso. Em menos de uma semana outros sete (seis dos quais da Dissidência) haviam sido identificados.[40] O *Jonas* da ALN ainda era um mistério.

Ele estava em São Paulo, envolvido no planejamento de um novo golpe. Reuniria os dois subgrupos do GTA da ALN numa só operação, em que depenaria simultaneamente quatro bancos da avenida Alfonso Bovero. Tarefa para trinta atiradores, quarenta militantes na rede de apoio e dez automóveis. Feito isso, terminaria a fase urbana daquele grupo de combatentes. Embarcariam para o sul do Pará, onde começariam a trabalhar o foco rural. Receberiam o reforço de 28 quadros treinados em Cuba e, logo que possível, tomariam a cidade maranhense de Imperatriz.[41] Marighella preparava a remessa de uma terceira turma de estagiários a Havana.

Ia tudo muito bem até que dois militantes da ALN, cada um por sua conta, roubaram uma placa e um carro. Um tirou uma placa de um Volkswagen branco. Outro roubou um Volkswagen branco e jogou a sua

39 Jacob Gorender, *Combate nas trevas*, pp. 184-5. *Jornal do Brasil*, 3 de setembro de 1989.

40 Jacob Gorender, *Combate nas trevas*, p. 185. *Jornal do Brasil*, 14 de setembro de 1969.

41 Do depoimento de Washington Mastrocinque Martins, em Luís Mir, *A revolução impossível*, p. 408.

placa fora, colocando no lugar a nova. A troca, destinada a impedir a identificação do veículo, transformara um Volks branco em outro Volks branco.[42] No dia 24 de setembro o carro estava estacionado na alameda Campinas quando alguém desconfiou e a sorte faltou à ALN. A alguns passos, à mesma hora, achou-se outro veículo roubado. Dezenas de policiais, entre eles o delegado Fleury, espalharam-se pela vizinhança, e quatro militantes da ALN caíram na arapuca. Manoel Cirilo de Oliveira Neto, o *Sérgio* da equipe do seqüestro de Elbrick, abriu caminho a bala. Luiz Fogaça Balboni, 24 anos, estudante da PUC, morreu com um tiro no pulmão. Terminado o tiroteio, a polícia limpou a cena e horas depois capturou mais dois combatentes.

Pela primeira vez a ALN levava um golpe do tamanho daquele sofrido pela VPR em janeiro, quando foram capturados os pintores do caminhão do sítio de Itapecerica da Serra. Os resultados seriam semelhantes. A ofensiva da Oban rendeu 26 prisões, treze aparelhos e o esclarecimento de trinta ações ocorridas em São Paulo.[43] Em pouco mais de uma semana o GTA estava desestruturado.

A Oban chegou a *Jonas* em três dias e três lances.[44] Ele entrou na rua Tutóia no dia 27 de setembro e lá desapareceu. Virgílio Gomes da Silva foi o primeiro preso a sumir após a edição do AI-5. A partir dele alterou-se no léxico do idioma o significado da palavra *desaparecido*. Deixou de designar algo que se perde de vista para qualificar os cidadãos assassinados em guarnições e valhacoutos militares cujos cadáveres sumiam. Do que lhe aconteceu na Tutóia restam os depoimentos de dois presos.

Seu irmão, Francisco Gomes da Silva, capturado dois dias antes, contou em juízo que viu Virgílio "com as mãos algemadas para trás, enfrentando cerca de quinze pessoas, dando-lhes pontapés e cuspindo neles ao mesmo tempo em que era cuspido e agredido por todas aquelas pessoas, até que uma delas lhe deu um pontapé na cabeça, produzindo um ferimento bastante grave". Outro preso revelou que estava numa sala da Oban quando Virgílio foi trazido, arrastado, sangrando. Descreveu a

42 Francisco Carlos de Andrade, agosto de 1988.

43 *O Globo*, 24 de março de 1970.

44 *Quedograma*, item 11.

cena: "Viu baterem com a cabeça de *Jonas* no chão diversas vezes, presumindo que quando *Jonas* saiu daquela sala estivesse morto".[45]

Horas depois o major Benoni de Arruda Albernaz, chefe da equipe A de interrogadores da Oban, disse na carceragem que Virgílio fugira. Albernaz tinha 36 anos, saíra aspirante no último terço de sua turma e fizera toda a carreira em São Paulo. Na tarde de 31 de março de 1964 servia no CPOR e declarou-se fiel à legalidade.[46] No dia seguinte, e por muito tempo, mudou de idéia. Divertia-se dizendo aos presos que, por ser muito burro, precisava ouvir deles respostas muito claras. Tinha na sala um telefone de magneto que era usado para "falar com Fidel Castro", metáfora para a aplicação de choques elétricos.[47] "Quando venho para a Oban, deixo o coração em casa", explicava às vítimas.[48]

Na manhã de 29 de setembro, quando os assassinos de *Jonas* sumiram com o seu cadáver, o Alto-Comando do Exército reuniu-se no Rio de Janeiro. Depois de um mês de anarquia, os generais de quatro estrelas acabaram com a Presidência de Costa e Silva. Seu Arthur, paralítico e mudo, continuava recluso nos seus aposentos do Laranjeiras. De seu poder nada sobrara. Os colegas mandaram que o Tesouro lhe garantisse um salário de ministro do Superior Tribunal Militar e pagasse as contas médicas. Teria o palácio por *ménage* e honras de chefe de Estado. Terminara o segundo governo da Revolução.

45 Declarações em juízo de Francisco Gomes da Silva e Celso Antunes Horta. *Projeto Brasil: nunca mais*, tomo V, vol. 4: *Os mortos*, p. 351.

46 General Rubens Resstel, setembro de 1988.

47 Fernando Gabeira, *O que é isso, companheiro?*, pp. 156-7.

48 Depoimento de frei Tito de Alencar Lima, em Frei Betto, *Batismo de sangue*, p. 261.

Caos de estrelas

Na segunda-feira, 1º de setembro de 1969, houve duas estréias no Brasil. À tarde, no palácio Laranjeiras, começou o espetáculo da rotina de despachos dos "ministros militares no exercício temporário da Presidência da República". (A imprensa estava proibida de usar a expressão "junta militar".) À noite, foi ao ar a primeira edição do *Jornal Nacional*, da Rede Globo.

Eram 19h56 quando o locutor Hilton Gomes anunciou: "O *Jornal Nacional* da Rede Globo, um serviço de notícias integrando o Brasil Novo, inaugura-se, neste momento: imagem e som de todo o país".

O "Brasil Novo" tinha a informar que Costa e Silva apresentara "o primeiro sinal da crise circulatória [na] quinta-feira" da semana anterior. (Foi na quarta.) "Sentiu dor de cabeça e tonteira." (Perdeu a voz.) "Na sexta, chegou ao Rio passando mal." (Chegou com um quadro clássico de isquemia cerebral.) "Passou bem a noite e está em recuperação." (Estava prostrado na cama, tão paralítico e mudo quanto no sábado. Escondia o braço debaixo do travesseiro quando via que iam lhe aplicar mais injeções. Alimentava-se de líquidos e papas.)[1]

1 Script da primeira edição do *Jornal Nacional*, transcrito na revista *Imprensa*, em reportagem de Gabriel Priolli, agosto de 1989, p. 53. Para a situação de Costa e Silva, Jayme Portella de Mello, *A Revolução e o governo Costa e Silva*, pp. 839 e 841. Para a alimentação e para a reação às injeções, Carlos Chagas, *113 dias de angústia*, pp. 111-2. Registre-se aqui o valor histórico do trabalho desse jornalista que na época servia como secretário de Imprensa da Presidência da República. Publicado pouco depois dos acontecimentos, passou anos proibido pela Censura. A narrativa de Chagas, depois de superar as dificuldades criadas pelos mistérios da época, sobreviveu também ao tempo.

O general Jayme Portella, instalado no palácio Laranjeiras, manipulava a "rigorosa censura" imposta aos meios de comunicação para construir duas fantasias.[2] Numa, Costa e Silva melhorava. Tentara obter dos neurologistas Paulo Niemeyer e Abraham Ackerman um boletim anunciando que o marechal ficaria bom em uma semana, mas fora mandado passear.[3] Noutra, a Junta deveria ser aceita como solução perfeita e acabada. O chefe do Gabinete Militar impressionara-se com os boatos em circulação, acima de tudo com um deles: o presidente tinha morrido, havia sido embalsamado, e se queria fazer crer ao público que ele ainda vivia.[4] Entre o boato da rua e o noticiário da imprensa, sedada pelo governo, a mumificação de Costa e Silva estava mais próxima da verdade do que sua recuperação.

O embuste fazia nexo para Portella, com sua teoria da regência trina, e para a Junta, que dela se beneficiava. A presença dos ministros militares no palácio só se justificava enquanto Costa e Silva estivesse em "recuperação". Se ele ficasse bom, tinham de ir embora. Caso seu quadro fosse irreversível, teriam de dar o lugar a um substituto. O general Portella, de cujo audacioso comportamento resultara a própria usurpação, era o virtual governante do país. Os três ministros comportavam-se como figuras eventuais e transitórias, e ele, amigo do presidente entrevado, único estranho à família que ia diariamente ao pé de sua cama, era a ponte que os ligava à continuidade administrativa. Acompanhava pessoalmente os despachos de todos os outros ministros.

Fizera a mágica de tirar uma junta do quepe, mas sua capacidade de iniciativa se reduzira. Já no dia 2 começaram a chegar más notícias ao Laranjeiras. O chefe do Estado-Maior do Exército, general Antonio Carlos Muricy, defendia a escolha de um novo vice-presidente e propunha a reabertura do Congresso para sacramentá-lo.[5] É verdade que comandava uma mesa, mas o *Capitão* Muricy, além de popular entre os colegas, tinha abertas as portas dos "canis" onde Costa e Silva atirara os generais

2 Para "rigorosa censura", telegrama do ministro Lyra Tavares aos comandos do Exército, de 31 de agosto de 1969. AACM/CPDOC.

3 Informação prestada ao autor por um dos médicos que atendiam Costa e Silva.

4 Jayme Portella de Mello, *A Revolução e o governo Costa e Silva*, p. 841.

5 Idem, p. 842.

mais ligados a Castello Branco. Era dos poucos que tratavam Ernesto Geisel por *Alemão*. Tropa, quem tinha era Syseno Sarmento, comandante do I Exército. Brigara com Portella nas horas seguintes à edição do AI-5 e chegara a proibir que unidades sob seu comando recebessem presos mandados pelo Gabinete Militar.[6] Articulava a redação de um manifesto de parlamentares pedindo a eleição imediata de um vice-presidente. O texto estava pronto quando o seqüestro de Elbrick deu fôlego à Junta.

No dia 5 de setembro, enquanto o chanceler Magalhães Pinto anunciava no Itamaraty que o governo aceitara as condições dos seqüestradores, o Alto-Comando do Exército estava reunido do outro lado da rua, no antigo Ministério da Guerra, no Rio. Lyra dominou a pauta. A doença de Costa e Silva, bem como sua eventual substituição, foi tratada de forma inconclusiva. Não se decidiu se o novo presidente receberia um mandato integral, de quatro anos, ou se cumpriria apenas os dezessete meses que restavam ao marechal. Ficou entendido que a escolha seria feita pelo Alto-Comando das Forças Armadas, mas nessa reunião só o general Canavarro Pereira defendeu a reabertura do Congresso para "normalizar a situação institucional".[7] Os boletins médicos e os comunicados do palácio eram róseos. Na véspera o Laranjeiras informara que "a recuperação do presidente está ultrapassando as expectativas".[8] Discutiram-se o terrorismo em São Paulo e o seqüestro. Um item, porém, mostrava a verdadeira crise: "Documento que trata da articulação da candidatura do general Affonso de Albuquerque Lima à Presidência da República (trepidação e clima de agitação existentes no meio militar)".[9]

Ex-ministro do Interior de Costa e Silva, o general-de-divisão Affonso Augusto de Albuquerque Lima tinha biografia exemplar. Revol-

6 Jayme Portella de Mello, *A Revolução e o governo Costa e Silva*, p. 661, e Carlos Lacerda, *Depoimento*, p. 366.

7 Ata da 43ª reunião do Alto-Comando do Exército. AACM/CPDOC.

8 *A Voz do Brasil*, 4 de setembro.

9 *Aspectos Históricos do Alto Comando do Exército*, de 26 de julho de 1979. Súmula da 43ª reunião. APGCS/HF.

toso em 1930, reprimira o levante comunista de 35 no Recife e fizera a Segunda Guerra no 9º Batalhão de Engenharia de Combate, primeira unidade brasileira a trocar tiros com as tropas alemãs. Aos 21 anos, como tenente, comandara a abertura da estrada Macapá—Clevelândia, na Amazônia. Aos trinta, como capitão, abrira a Joinville—Curitiba.[10] Metera-se em todas as conspirações dos últimos vinte anos, mas guardava uma característica freqüente entre os oficiais da arma de engenharia: era a um só tempo radical nas questões políticas e nacionalista nos assuntos econômicos. Participara da criação da Sudene, dirigira o Departamento Nacional de Obras Contra as Secas e chefiara a Divisão de Assuntos Econômicos da Escola Superior de Guerra. Colocado como interventor na Rede Ferroviária Federal por Castello Branco, abandonara o cargo denunciando a corrupção impune e retornara à tropa. Por conta de seus hábitos frugais e de uma enorme paciência para receber oficiais dispostos a discutir política em clima de assembléia permanente, erigira-se em ícone da linha dura. Exercia considerável influência sobre majores e capitães. Fora o mais destacado corretor do apoio dos radicais a Costa e Silva, de quem recebeu o Ministério do Interior como plataforma de lançamento para a sucessão presidencial. Um de seus principais colaboradores civis participara do metralhamento do Congresso da UNE no hotel Quitandinha, em 1963.

Expressão do voluntarismo militarista, quase sempre falava em nome de um ente vago denominado "nosso grupo". Era exacerbado e, muitas vezes, desconexo. Propagava aquele palavrório pomposo que, na anarquia militar, confunde-se com enunciado de propósitos. Em 1967, numa conferência na Pontifícia Universidade Católica do Rio de Janeiro, anunciou que "a Revolução é responsável pela criação de um modelo brasileiro de democracia, que deve ser calcada no Nacionalismo, que reprime o comunismo internacional e as ideologias fascistas, colocando o interesse nacional acima de tudo".[11] Dias antes da edição do AI-5, atacara "padres e bispos da esquerda festiva que incutem determinados problemas se-

10 *Dicionário histórico-biográfico brasileiro pós-1930*, coord. de Alzira Alves de Abreu e outros, vol. 3, pp. 3125 e segs.

11 Recorte de jornal, sem data, encontrado em APGCS/HF.

xuais nos jovens para acabar com a família" e os estudantes "que fazem o jogo dos grandes grupos econômicos".[12] Enaltecia o AI-5 como instrumento "para promover a reforma das estruturas superadas que resistiam aos esforços de atualização pelos caminhos normais". Sugeria o aprofundamento da ditadura, sustentando que as duas sucessões presidenciais seguintes — em 1970 e 74 — deveriam ser travadas "fora do setor político tradicional ou convencional".[13] Esse enunciado grandiloqüente era um jogo de palavras a serviço de sua própria candidatura. Em 1970, no fim do mandato de Costa e Silva, Albuquerque Lima já teria ganho a quarta estrela, habilitando-se a disputar a Presidência, de acordo com a tradição militar de remeter ao Planalto oficiais do último grau da hierarquia. A isquemia do marechal, antecipando a sucessão, apanhara-o no contrapé, com uma estrela a menos no ombro.

Deixara o governo brigando com o ministro da Fazenda, Delfim Netto, e despedira-se denunciando a existência de um clima político que "propicia e coonesta uma verdadeira escalada dos grupos econômicos poderosos, em detrimento mesmo das empresas nacionais sobre as áreas de influência e decisão na formação da política econômico-financeira do país".[14] Remeteram-no à diretoria geral do Material Bélico, posição influente, mas sem tropa. Sua retórica nacionalista chegara a empolgar alguns pedaços da velha esquerda, encantados com a fantasia de aproveitar a forma da ditadura para trocar-lhe o conteúdo. O jornal clandestino *Resistência* chegou a proclamar: "O general Albuquerque Lima é um patriota e um homem honrado".[15]

Costa e Silva via-o à sua maneira. Sabedor das divergências que o separavam de Delfim, aproveitou um despacho com o ministro da Fazenda e aconselhou-o: "Olha, ele não é tão difícil assim. Você pode empurrar. Empurra que ele vai". Delfim aceitou a receita: "Daí em diante dei

12 *Veja*, 4 de dezembro de 1968.

13 Idem, 25 de dezembro de 1968, pp. 14 e 18-21, e *O Globo*, 6 de janeiro de 1969. Para declarações semelhantes, ver Hernani d'Aguiar, *Ato 5*, pp. 235-6.

14 *Dicionário histórico-biográfico brasileiro pós-1930*, coord. de Alzira Alves de Abreu e outros, vol. 3, p. 3127.

15 *Resistência*, 9 de fevereiro de 1969. AA.

uns cotovelaços no Albuquerque Lima, e ele sempre se retraiu. Sempre".[16] Para o Alto-Comando, a questão era saber se o general podia ou não ser empurrado.

Na noite de 6 de setembro, enquanto Elbrick era libertado pelos seus seqüestradores e os pára-quedistas faziam sua transmissão pirata através da rádio Nacional, a trepidação era tamanha que o Laranjeiras foi mais uma vez aterrorizado pela idéia de um golpe de mão. O coronel encarregado da segurança do palácio distribuiu submetralhadoras e espalhou sua guarda no meio dos arbustos dos jardins com ordem para abrir fogo ao primeiro movimento suspeito. À meia-noite o céu da Zona Sul do Rio de Janeiro foi tomado por um foguetório. Aviões faziam manobras rasantes sobre Botafogo, Flamengo e Laranjeiras. Era o júbilo pirotécnico pelos primeiros minutos do Sete de Setembro, e o palácio só teve paz quando um telefonema ao Ministério da Aeronáutica determinou a aterrissagem dos aviões, pertencentes à Esquadrilha da Fumaça. Mesmo assim, o general Portella dormiu com um revólver debaixo do travesseiro.[17]

No Alto-Comando falara-se em "trepidação", e o palácio se defendia como se fora uma fortaleza de bicho, mas a Junta dirigia-se à nação informando que dispunha "do apoio patriótico das Forças Armadas, unidas e coesas". Cumpria-se assim a escrita da desordem militar. Em todos os idiomas, países e tempos, sempre que os quartéis proclamam sua unidade e coesão, isso significa que carecem de ambas. Pode parecer que esse ardil seja produto da falta de imaginação de generais assombrados, mas há nele uma recôndita sutileza. Quando a hierarquia reitera uma unidade militar que não existe, está enviando um sinal de paz àqueles que a desafiam, oferecendo-lhes a impunidade em troca de uma trégua.

O Grupo de Artilharia dos Pára-Quedistas mantinha-se em "ordem de marcha", e o Estado-Maior do Exército distribuía envelopes lacrados para que os comandantes de unidades indiscutivelmente fiéis se puses-

16 Antonio Delfim Netto, maio de 1988.

17 Carlos Chagas, *113 dias de angústia*, pp. 132 e 173.

sem em movimento na hipótese de uma tentativa de golpe. O próprio Lyra Tavares procurara costurar um acordo com Albuquerque Lima. Mandou-lhe uma carta amável, pedindo-lhe que a amizade dos dois fosse preservada das intrigas da crise. No dia seguinte veio a resposta, respeitosa no tom, devastadora no conteúdo. Albuquerque Lima lastimava que o general Moniz de Aragão (que insultara o ministro) continuasse sem comissão e defendia a "reabilitação" do coronel Francisco Boaventura (a quem o ministro insultara). Até aí o diálogo de Lyra com um três-estrelas refletia as grandes linhas do caos militar presidido pela Junta. Nos demais tópicos a carta indicava o clima de lavanderia a que se havia chegado. Albuquerque Lima denunciava que diversos generais vinham sendo xeretados pela escuta telefônica e vigiados por policiais. Protestava contra a censura à imprensa em geral e em particular contra a supressão do seu nome no noticiário. Sem a reformulação desses pontos, dizia, dificilmente se conseguirá a unidade do Exército.[18]

Todos os grupos metidos na disputa eram a favor de alguma forma de censura à imprensa. Tanto para que fossem publicadas as mentiras que lhes convinham, como para que fossem suprimidas as verdades que os incomodavam. O problema estava no fato de que as mentiras eram conflitantes. A maior de todas, nutrida pela Junta e pelo general Portella, continuava a ser o estado de saúde de Costa e Silva. No dia 10, os ministros militares divulgaram uma nota informando ao país que "o restabelecimento da saúde do Excelentíssimo Senhor Presidente [...] será definido em curto prazo".[19] O ministro da Agricultura, Ivo Arzua, anunciava que Costa e Silva estaria apto para reassumir o governo em sessenta dias.[20]

A teoria da regência trina, pela qual a Junta poderia ficar no poder por vários meses, precisava de duas condições. Numa, Costa e Silva deveria dar sinais progressivos de melhora. Noutra, era necessário que não progredisse no Exército uma forte candidatura à sucessão do marechal. Não aconteceu nem uma coisa nem a outra. O estado de Costa e Silva manteve-se estacionário. Albuquerque Lima avançava. Diante disso, a so-

18 Carlos Chagas, *113 dias de angústia*, pp. 134-5.

19 Aurelio de Lyra Tavares, *O Brasil de minha geração*, vol. 2, p. 222.

20 Transmissão da agência Efe, de 13 de setembro.

brevivência da Junta passou a ter um custo adicional: paralisava os generais ligados ao palácio e deixava espaço para as articulações do ex-ministro do Interior. Aos poucos o Alto-Comando percebeu que para manter o poder, e cortar o caminho de Albuquerque Lima, era necessário jogar na água os três ministros militares.

O secretário de Imprensa do governo, jornalista Carlos Chagas, ouviu um pedaço de conversa entre os ministros Mário Andreazza e Delfim Netto nos corredores do Laranjeiras. Dizia Andreazza:

> — Não tenho dúvidas de que ele não poderá reassumir. Mas devemos lutar para que dentro de algum tempo possa participar das decisões sucessórias. Ele não merece ver instalado à sua revelia um governo que comece contestando o seu.
>
> — As repercussões econômico-financeiras de um governo desses seriam as piores possíveis. O país iria à garra, para não falarmos nas repercussões internacionais — respondeu Delfim.[21]

À garra talvez não fosse, mas sem dúvida Andreazza seria mandado à rede de vôlei de praia dos coronéis da reserva e Delfim, devolvido à sua cátedra na Universidade de São Paulo. Circulavam até mesmo alguns nomes do novo governo: Syseno Sarmento, o comandante do I Exército, ficaria com o Ministério do Exército que Costa e Silva lhe negara; Carlos Lacerda seria anistiado e receberia o Planejamento; o coronel Boaventura, reabilitado, ganharia o do Interior.[22] A campanha de Albuquerque Lima ameaçava desbordar a ditadura. O general Rodrigo Octavio Jordão Ramos (cotado para ministro dos Transportes) escreveu a Lyra Tavares pedindo "a reconstitucionalização integral do país" e o "restabelecimento das franquias democráticas". *R. O.*, como era conhecido, queria que fosse rapidamente indicado um vice-presidente. Propunha que os generais de quatro estrelas e o comandante militar da Amazônia (ele próprio) encaminhassem uma lista tríplice à Junta. Ela, com a partici-

21 Carlos Chagas, *113 dias de angústia*, p. 140.

22 Idem, p. 156.

pação do chefe do Estado-Maior das Forças Armadas, selecionaria um dos três e submeteria o seu nome aos Altos-Comandos.[23]

A essa altura o general Portella já havia abandonado os regentes e articulava a substituição da Junta por um vice-presidente com mandato até 15 de março de 1971, dia do fim do governo de Costa e Silva. "O pessoal do Laranjeiras queria ficar. Para isso defendiam o mandato-tampão, porque nesse caso eles continuariam mandando indiretamente e usufruindo as mordomias. Ele garantiria a sobrevivência do pessoal do palácio", explicaria o general Muricy.[24] O candidato era o general Emilio Garrastazú Medici, ex-chefe do SNI, comandante do III Exército.[25] De todos os quatro-estrelas Medici era o que se ligava a Costa e Silva pelos mais afetuosos laços de amizade.

A manobra do palácio para produzir o vice de dezessete meses naufragou na manhã de 15 de setembro, durante nova reunião do Alto-Comando do Exército. Tinham-se passado dez dias desde o último conclave. O debate duraria cinco horas. Lyra Tavares, que havia pedido aos generais opiniões escritas, entrou atirando. Opôs-se ao impedimento de Costa e Silva sustentando que "ele mesmo, que é o chefe da nação, decidirá se terá condições de exercer plenamente os árduos e complexos encargos". Como isso poderia ser feito por um ancião mudo, neurologicamente destituído da capacidade de expressão, o ministro não explicou. "Não cabe ao Exército nem às Forças Armadas, por si sós, tomarem, imediatamente, decisões sobre um assunto naturalmente sujeito a especulações e objeto da ansiedade geral. Nem é para esse fim que estamos reunidos", arrematou Lyra.[26]

Deu-se mal. Todos os generais mostraram-se favoráveis ao impedimento. Os mais cautelosos, como Medici, queriam que essa decisão fos-

23 Carta do general Rodrigo Octavio Jordão Ramos ao ministro Lyra Tavares, de 12 de setembro de 1969, transcrita em *Aspectos Históricos do Alto Comando do Exército*, de 26 de julho de 1979. Anexo 2, referente à ata da 44ª reunião, de 15 de setembro de 1969. APGCS/HF.

24 General Antonio Carlos Muricy, agosto de 1988.

25 Jayme Portella de Mello, *A Revolução e o governo Costa e Silva*, p. 868.

26 *Aspectos Históricos do Alto Comando do Exército*, de 26 de julho de 1979. Anexo à ata da 44ª reunião, de 15 de setembro de 1969. APGCS/HF.

se tomada com base num parecer da junta médica. Outros foram mais explícitos. Syseno Sarmento atirou a seco: "O presidente Costa e Silva não poderá reassumir suas funções". Dava um mês de prazo para que a substituição do marechal estivesse concluída. Canavarro Pereira, do II Exército, foi mais didático: "Será menos prejudicial e muito mais honesto considerar-se o marechal Costa e Silva incapacitado para exercer suas funções do que tentar aguardar o seu restabelecimento, arriscando o futuro da nação". Muricy pediu pressa: "Há necessidade de se considerar vago, no mais curto prazo, tanto o cargo de presidente como o de vice-presidente".[27] Também foi a pique a idéia do mandato-tampão amparado na escolha de um vice-presidente. Todos os generais mostraram-se favoráveis a um mandato novo, de quatro anos.

Faltava o principal: quem e como. Dos oito generais só três — Muricy, Syseno e Isaac Nahon — apresentaram propostas específicas para o processo de escolha. Nahon, obscuro chefe do Departamento-Geral do Pessoal, trouxe a que mais convinha a Albuquerque Lima: cada um dos 239 oficiais-generais do Exército, Marinha e Aeronáutica votaria em três nomes, e aquele que tivesse recebido mais indicações levaria a Presidência. Syseno e Muricy propuseram que o eleitorado ficasse restrito aos onze quatro-estrelas e, com algumas diferenças, fixaram-se num ritual papalino de votações sucessivas até que um nome conseguisse 51% das preferências.[28]

Quatro anos antes, os generais haviam retirado aos brasileiros o direito de escolher o presidente da República. Ora se dizia que isso era conveniente para evitar processos eleitorais em que a escolha acaba limitada a dois demagogos, ora se sustentava que o brasileiro não tinha o discernimento político necessário para decidir coisa tão importante. No fundo, a questão era bem mais simples: os brasileiros não votavam nos candidatos dos generais. Transformado em colégio eleitoral para a escolha de um presidente da República, o Alto-Comando do Exército fizera uma surpreendente descoberta. Pelos seus critérios, os generais também não sabiam votar, e se uma proposta como a de Nahon fosse

27 *Aspectos Históricos do Alto Comando do Exército*, de 26 de julho de 1979. Votos dos generais Syseno Sarmento, Canavarro Pereira e Antonio Carlos Muricy. APGCS/HF.

28 Idem. Votos dos generais Isaac Nahon, Syseno Sarmento e Antonio Carlos Muricy. APGCS/HF.

aceita, corria-se o risco de que Albuquerque Lima levasse a Presidência da República.

Eram poucos os oficiais das Forças Armadas capazes de aceitar a idéia de que o voto de um mendigo vale a mesma coisa que o de um general. Da mesma forma, eram poucos os generais em comando de tropa dispostos a admitir que o seu voto valesse a mesma coisa que o de um colega sem comissão que dividia o ócio entre manhãs na praia e dedos de prosa nas ante-salas do quartel-general. Esse conflito era agravado pela hipertrofia da máquina militar baseada no Rio de Janeiro. Lá viviam 79 dos 118 generais, cinqüenta dos sessenta almirantes e 49 dos 61 brigadeiros.[29] Muitos deles comandavam mesas. Como havia mais comandantes de mesas que de tropas, o Alto-Comando percebia que seria temerário entregar a escolha do presidente da República a um cenáculo de generais. A sessão terminou com uma decisão: "[A] escolha será feita pelos Oficiais-Generais das Forças Armadas". Como? Isso não resolveram. Limitaram-se a nomear uma comissão para tratar do assunto. Integravam-na os generais Muricy, Medici e Mamede. Tornou-se conhecida como 3M.

Quando chegou ao Laranjeiras a informação de que o Alto-Comando do Exército se decidira pelo impedimento de Costa e Silva, bem como pela sua substituição por um presidente com mandato de quatro anos, o general Portella enfureceu-se. Para sua surpresa, o general Medici, a quem vinha oferecendo a Vice-Presidência, votara pelo mandato integral. Percebera que a Junta era insustentável, que Lyra Tavares perdera o controle do Alto-Comando e que a idéia do vice se carbonizara, mas combatia com o que tinha à mão. No meio da tarde os jornalistas credenciados no Laranjeiras foram surpreendidos pelo aparecimento da mulher do presidente, Yolanda. Ela informava que nos últimos três dias o marido melhorara muito. Diria a mesma coisa ao jornalista Heron Domingues, principal locutor do noticiário noturno da TV Tupi.[30] Em seguida o ministro Mário Andreazza divulgou uma nota à imprensa dizendo que "qualquer solução precipitada, sem se ouvir o presidente, será simples traição". Acrescentava: "O Brasil não poderá passar à História como um país

29 *Veja*, 8 de outubro de 1969, pp. 25-6, na reportagem "Um clima de outubro".

30 Para Heron Domingues, Carlos Chagas, *113 dias de angústia*, p. 154.

que depôs o seu presidente porque ficou doente. É preciso aguardar a possibilidade do seu restabelecimento. A ele caberá a oportunidade de definir. Ele dirá sobre poder ou não continuar".[31]

O general Syseno atirou de volta. Através do comando da 1ª Região Militar, expediu uma rajada de ordens à imprensa. "Nada sobre Costa e Silva, sua recuperação e as possibilidades de seu retorno ao governo." "Nenhuma declaração de D. Yolanda sobre o marido." "Andreazza só pode falar sobre pontes, estradas e portos. Nada sobre política." Heron Domingues queria ir ao ar com sua entrevista e telefonou ao I Exército:

> — Mas não tem nada de mais no que vou ler! E eu estou coberto pelo general Jayme Portella, que me autoriza a dar estas notícias na televisão!
>
> — O general Portella não manda nada, nem aqui nem na... — respondeu o oficial encarregado da censura.[32]

Heron insistiu. Telefonou ao Laranjeiras e contou o caso a Yolanda. Ela falou com Syseno Sarmento, ficou com a impressão de que sua entrevista estava liberada, e o jornalista foi ao ar. Mal o programa terminou, o sinal da TV Tupi extinguiu-se. O I Exército desligara sua chave geral. O general João Dutra de Castilho, comandante da poderosa Vila Militar, associara-se à candidatura de Albuquerque Lima.[33] Acabara o vice-reinado do general Portella.

No dia seguinte, preparando-se para uma nova deliberação do Alto-Comando, reuniram-se na residência oficial de Lyra Tavares as juntas militar e médica. (O Laranjeiras não servia porque não se desejava ter Portella por perto.) Os ministros traziam três perguntas e tiveram três respostas:

> — Há relação de causa e efeito entre os encargos do presidente da República e o mal que o acometeu?

31 Jayme Portella de Mello, *A Revolução e o governo Costa e Silva*, p. 884.

32 Carlos Chagas, *113 dias de angústia*, p. 154.

33 Idem, p. 195.

— A tensão nervosa, o trabalho exaustivo e as fortes emoções que antecederam ao acidente vascular foram, sem dúvida, uma das causas desencadeantes do acidente agudo — responderam os médicos.

— Qual o prognóstico para uma recuperação completa? Em que prazo?

— Ela poderá ocorrer, mas não é possível, no momento, com base científica, prevê-la nem avaliar o tempo em que a mesma se processará.

— O presidente poderá reassumir plenamente as responsabilidades do governo até 15 de março de 1971 sem comprometer a consolidação da sua saúde?

— Se eventualmente, lúcido como está, ele vier a atingir a recuperação completa, poderá reassumir suas funções, ficando, porém, novamente exposto a situações de *stress* que contribuíram para sua enfermidade atual.[34]

No dia 17 de setembro, pela segunda vez em 72 horas, reuniu-se de novo o Alto-Comando. Apesar de ser um órgão colegiado de composição legalmente definida, Lyra Tavares teve de acrescentar três cadeiras à mesa, para generais que nele não tinham assento. Um, Arthur Candal Fonseca, ainda não assumira o comando do IV Exército. Outro, Rodrigo Octavio, nem sequer tinha a quarta estrela. O terceiro, Moniz de Aragão, fora enxotado da sala havia menos de três meses. Com base nas respostas dos médicos, o impedimento de Costa e Silva tornou-se matéria pacífica. As questões centrais, porém, persistiam: quem? como?

Quem, já se sabia. Duas semanas de conciliábulos permitiram que a poeira assentasse. O candidato do Alto-Comando seria um dos onze generais de quatro estrelas. Não podia ser tão ligado a Costa e Silva a ponto de perder o apoio dos generais descontentes com o governo, nem tão ligado aos descontentes a ponto de parecer um candidato de oposição ao marechal. Até porque candidato de oposição já havia, e forte. Era Albuquerque Lima.

34 Carta de Lyra Tavares anexa à ata da reunião do Alto-Comando do Exército de 17 de setembro de 1969. Em *Aspectos Históricos do Alto Comando do Exército*, de 26 de julho de 1979. APGCS/HF.

Descontando-se Lyra Tavares por desgastado, Candal Fonseca por calouro e Alfredo Souto Malan por estar com um pé na compulsória e outro na candidatura oposicionista, restavam oito.

Moniz de Aragão e Syseno Sarmento brigaram com o governo. Sobravam seis.

Isaac Nahon e Canavarro Pereira eram inexpressivos. Ficavam quatro.

Jurandyr de Bizarria Mamede, Muricy e Orlando Geisel, com suas raízes castelistas, estavam longe do palácio.

Como o general Portella percebera havia mais de uma semana, restava só um: Garrastazú Medici, comandante do III Exército.

Desde o início do ano, quando o presidente facilitara sua promoção e o transferira da chefia do SNI, havia sinais de que ele era a escolha militar do marechal. Cerca de três meses antes o colunista Ibrahim Sued, amigo de Costa e Silva, indicara numa entrevista que Medici seria o próximo presidente da República.[35]

Como? A questão continuava do mesmo tamanho. A comissão dos 3M concebeu um expediente eleitoral. Cada membro do Alto-Comando deveria recolher três nomes entre seus subordinados através de um processo de "auscultação". Não se definiram quais oficiais seriam auscultados, muito menos a metodologia pela qual se faria isso. Nem sequer se esclareceu o que se faria com a lista tríplice. Segundo a exposição feita na reunião do dia 17 pelo general Muricy, relator da comissão, uma vez conseguidos os três nomes, "[o] alto-comando do Exército decidiria quanto à indicação ao alto-comando das forças armadas, ficando claro que não se trataria de uma eleição".[36]

Os registros dessa eleição presidencial resumem-se a pouco mais de uma dezena de folhas, a maioria manuscritas com os garranchos do general Muricy, todas guardadas por ele e posteriormente doadas ao Centro de Pesquisa e Documentação Contemporânea da História do Bra-

35 Entrevista de Ibrahim Sued a *O Pasquim*, nº 1, 26 de junho de 1969.

36 Exposição do general Antonio Carlos Muricy na reunião do Alto-Comando do Exército de 17 de setembro de 1969. Em *Aspectos Históricos do Alto Comando do Exército*, de 26 de julho de 1979. APGCS/HF.

sil, o CPDOC da Fundação Getulio Vargas. Permitem apenas uma visão incompleta do processo. No Exército funcionou um bizarro mecanismo de escolha. Os 118 generais foram divididos em onze distritos eleitorais capazes de assombrar os políticos ingleses do século XIX. O Comando Militar da Amazônia (onde o general Rodrigo Octavio apoiava Albuquerque Lima) ficou na cota de votos do gabinete do ministro. Os dezesseis generais do I Exército foram agrupados num só distrito. Já os catorze do Estado-Maior das Forças Armadas produziram duas urnas, pois a Escola Superior de Guerra, que fazia parte de sua estrutura, tornou-se autônoma.[37] Houve generais que votaram em três nomes e outros que votaram num só. O Departamento de Provisão Geral, com dezessete generais auscultados, teve mais eleitores que qualquer dos quatro Exércitos. Somando-se os seus votantes aos do Departamento de Produção e Obras, esses dois arsenais de móveis tiveram mais peso (32 auscultados) que todas as tropas do Rio de Janeiro, São Paulo e Rio Grande do Sul combinadas (27).[38] No III Exército Medici deixou que seus generais votassem. No Rio, Syseno Sarmento tomou o voto dos generais e ainda permitiu que os comandantes reunissem seus oficiais em caráter consultivo. Muricy espantou-se com o voto dos coronéis: "Nesse caso vamos acabar no cabo. Vamos ouvir o cabo".[39] Uma tabela deixada pelo general Muricy, na qual faltam os dados referentes a dois distritos eleitorais (o gabinete do ministro e o IV Exército), informa que Medici obteve 77 referências na oitiva de 102 generais. Albuquerque Lima ficou com 38 eleitores renitentes.[40]

O sacro colégio do Exército encontrou-se no dia 29. A reunião ia pela metade. Muricy narrou alguns episódios da trepidação militar da última semana e advertiu da possibilidade de insubordinações entre os capitães

37 Carlos Chagas, *113 dias de angústia*, p. 182, e *A guerra das estrelas* (*1964/1984*), p. 170.

38 Uma folha manuscrita, com a tabela de resultados da auscultação dos generais. AACM/CPDOC.

39 Depoimento do general Antonio Carlos Muricy ao CPDOC, vol. 4, fita 53, p. 5.

40 Uma folha manuscrita, com a tabela de resultados da auscultação dos generais. AACM/CPDOC.

e majores partidários de Albuquerque Lima. Os quatro-estrelas tomaram mais uma decisão eleitoral: os nomes seriam recebidos a seco, "sem indicação de prioridade ou preferência entre eles".[41]

Depois de duas horas e meia o Exército produziu seu candidato: Emilio Garrastazú Medici. Havia várias semanas o comandante do III Exército avisava que não aceitaria o cargo. Voltou a insistir. Segundo a ata, "o Sr. General Medici solicitou que se transmitisse ao Alto-Comando das Forças Armadas que, por sua vontade, não desejaria aceitar essa indicação". Pela narrativa de Muricy, a cena não teve tanta solenidade: "O Medici disse que só aceitaria 'como o embaixador americano, cloroformizado e amarrado'. Então, a certa altura, interrompi os debates e disse-lhe: '*Milito*: é você o presidente, nem que para isso eu tenha que amarrá-lo e cloroformizá-lo'".[42]

Na Marinha e na Aeronáutica estabeleceu-se o critério de dar voto a todos os oficiais-generais. O ministro Rademaker assegurava aos seus colegas de junta que levaria o almirantado para o candidato do Alto-Comando do Exército. Garantia precipitada. Ofendida desde o início da República pelo advento da superioridade política do Exército, a velha Marinha Imperial estava aborrecida com a idéia do ministro. Uma parte de sua cúpula preferia Albuquerque Lima. Um almirante de quatro estrelas convocara à sua sala o comandante do Corpo de Fuzileiros Navais, Heitor Lopes de Souza, que tinha apenas três, e comunicara-lhe que a Armada apoiaria o ex-ministro.

— Só se você quiser apoiar. Os fuzileiros ficam com Medici — respondeu Heitor.

— Isso não é uma consulta. É uma ordem — insistiu o almirante.

— Ordem coisa nenhuma. Você comanda uma mesa, e eu comando quinze mil homens.

— Nesse caso, mando prendê-lo.

41 Ata da 46ª reunião do Alto-Comando do Exército, de 29 de setembro de 1969. Em *Aspectos Históricos do Alto Comando do Exército*, de 26 de julho de 1979. APGCS/HF.

42 General Antonio Carlos Muricy, agosto de 1988.

Estava na sala o almirante Azambuja, chefe do estado-maior de Heitor. Era gago, mas foi breve:

— E eu dou-...lhe u...ma...ma ra...rajada de de me...metra...lhadora.[43]

Reunido o almirantado, Rademaker viu a extensão do seu erro. Albuquerque Lima teve o voto de 37 dos 65 presentes. O impasse foi rompido quando o comandante dos fuzileiros repetiu seu argumento diante de todos os colegas.[44] Fez-se entender, pois numa nova votação, por dois votos de diferença, Rademaker recebeu carta-branca para tratar do caso. Na Aeronáutica, Medici ganhou por pequena vantagem.

Costa e Silva tinha razão. Albuquerque Lima podia ser empurrado. Ao longo de três semanas vagara de reunião em reunião tentando o impossível: sair candidato da anarquia, dentro da disciplina. Só reagiu depois que a escolha tornou-se matéria vencida. Escreveu a Lyra Tavares dizendo que "observei um sentimento de repúdio profundo e generalizado de contestação aos métodos adotados e [...] às irregularidades que se caracterizaram". Ameaçava: "Caso os responsáveis pela decisão final não se disponham a ouvir e atender, com realismo e patriotismo, os anseios da maioria das Forças Armadas, não saberemos avaliar os riscos em que a Nação estará incorrendo, quando outros líderes, talvez mais audaciosos e menos precavidos contra as tentações do poder, ousarem ultrapassar os chefes militares".[45]

A malícia de Albuquerque Lima resumiu-se aos truques das vivandeiras do radicalismo militar, por meio dos quais o coronel, general ou ministro vai à tropa, insufla a anarquia, toma o carro e sobe ao palácio pedindo que se faça isso ou aquilo para pacificar os granadeiros. O cor-

43 Episódio contado ao autor pelo almirante Heitor Lopes de Souza em novembro de 1969, na presença do almirante Azambuja.

44 Para o resultado numérico, Carlos Chagas, *A guerra das estrelas* (*1964/1984*), p. 180. Para a interferência do almirante Heitor, Jayme Portella de Mello, *A Revolução e o governo Costa e Silva*, p. 903.

45 Carta de Albuquerque Lima a Lyra Tavares, de 2 de outubro de 1969, em Carlos Chagas, *113 dias de angústia*, pp. 189-91.

retor da indisciplina raramente pede ao governo tudo o que ensinou a tropa a exigir. Busca uma parte, volta aos bivaques, pede compreensão, esfria os ânimos e fatura a crise sem ter corrido nenhum risco, pois, afinal, subiu ao palácio como amigo, para preservar a unidade do Exército.

Esse metabolismo bondoso existiu para consumo interno daquele pedaço da corporação cujas transgressões se davam dentro das disputas da ditadura, mas não vigorou para quem atacava seus crimes. No dia 30 de setembro, a caminho da porta de saída, a Junta liquidou a conta do caso Para-Sar e expulsou da Aeronáutica o capitão Sérgio Miranda de Carvalho. "Sérgio Macaco" não aceitara as sugestões para aquietar-se em nome da unidade da FAB.

Uma semana depois de ameaçar o Alto-Comando com uma rebelião, Albuquerque Lima anunciou seu apoio a Medici, pois dizia-se convencido de que seu programa coincidia com trechos dos documentos propostos por ele e outros oficiais nacionalistas.[46] Estava fechado o círculo, faltavam só os arremates.

Muricy recebeu um apelo da família de Costa e Silva e passou a noite de 5 de outubro em claro. No início da manhã do dia 6 ele chegou ao palácio Laranjeiras. Conforme combinara, ia contar ao marechal que seu governo acabara. Ele relata:

> O Alcio, filho do presidente, estava me esperando na entrada. Subimos aos aposentos. Na ante-sala estava a mulher, Yolanda, e o irmão, Riograndino. A certa altura a Yolanda disse que era preciso fazer um mandato-tampão. Eu respondi: "Yolanda, você esquece que se vier o tampão, virá o Affonso, e você vai ver. [...] A tua vida ficará infernal". No quarto ao lado estavam o médico com dois enfermeiros e injeções, prontos para acudirem caso o Costa e Silva passasse mal. O meu medo era que ele tivesse uma coisa enquanto conversava comigo e morresse. Iam dizer que eu o tinha matado. Ele estava sentado na poltrona. O seu olhar mostrava que compreendia o que lhe era dito. Eu entrei dizendo: "Ô, cabo-de-guerra. Nós queremos ver

46 *Veja*, 15 de outubro de 1969, pp. 18-25.

você recuperado, e para se recuperar, não pode ter preocupações. Continuando presidente, você não se recupera. Estamos pensando muito em poupar você com alguém que seja seu amigo, que seja a sua continuação. Um amigo seu: *Milito*". Ele começou a chorar. As lágrimas corriam do seu rosto. Pegou minha mão e me fez sair do quarto. Voltei para a ante-sala até que o médico reapareceu e disse para eu entrar de novo. Entrei, falei-lhe umas coisas da Revolução de 32 e disse que precisava sair para ir à missa. Quando saí do quarto, disse ao Alcio: "Está feito, vocês agora me dispensem porque eu não agüento mais isso".[47]

O general Golbery escrevia ao seu amigo Heitor Ferreira: "O homem é o Medici mesmo. [...] Com João a bordo, o que é uma garantia enorme". João era o general-de-brigada João Baptista de Oliveira Figueiredo, o *Figa*, ex-chefe da Agência Central do SNI, velho colaborador de Golbery. Chefiava o estado-maior de Medici no III Exército e viria com ele para a chefia do Gabinete Militar, arrastando consigo parte do núcleo de oficiais com que trabalhara no Serviço. "Convenhamos que isso dá um gosto tamanho...", orgulhava-se o *Satânico Dr. Gol.* Arrematava com a grande notícia da temporada: "*Alemão* de pé no estribo". O general Ernesto Geisel tinha sido tirado do STM e nomeado presidente da Petrobrás, a maior empresa do país.

Os dois fósforos riscados estavam novamente acesos, e Golbery prevenia Heitor: "É bom não espalhar que há muita gente da antiga turma por lá (Brasília) e por cá. Já não agüento de pedidos a encaminhar".[48]

O Alto-Comando das Forças Armadas indicou o general Emilio Garrastazú Medici para ocupar a Presidência da República. Terminara a mais longa crise de anarquia militar da história do país. Na hora do jantar do dia 7 de outubro os brasileiros, que mal conheciam aquele rosto, ouviram-no por vinte minutos nas rádios e televisões: "Quem semear a violência colherá fatalmente a violência".[49]

47 General Antonio Carlos Muricy, agosto de 1988.

48 Cartas de Golbery a Heitor Ferreira, de 7 de outubro, 10 e 25 de novembro de 1969. APGCS/HF.

49 Emilio Garrastazú Medici, *O jogo da verdade*, p. 17.

Na tarde do dia seguinte, na 1ª Companhia do Batalhão da PE, na Vila Militar, os "rapazes" do Colina foram tirados das celas, postos em fila e escoltados até um auditório. No caminho ouviram uma piada de um cabo: "São esses aí os astros do show?". Era a aula do "tenente Ailton".

Milito, Medice, Medici

Todos os presidentes da ditadura militar repetiram que chegaram ao palácio sem terem desejado o cargo. Em todos os casos, em graus variáveis, isso foi uma falsidade. Deles, o que menos se mexeu para vestir a faixa foi Emilio Garrastazú Medici. Quando seu amigo Costa e Silva perdeu a fala, ele estava no comando do III Exército. Apesar de ser visto desde alguns meses como uma nítida alternativa militar para a sucessão de 1971, era improvável que se impusesse num quadro normal. Na anarquia de setembro de 1969, pareceu talhado para o cargo.

Retraído por temperamento, era um completo desconhecido. Assinava-se Medici, mas o *Almanaque do Exército* listava-o como Medice havia mais de trinta anos. Até chegar à Presidência, era o general Garrastazú, Emilio para os amigos e *Milito* para um punhado de íntimos. Alto e um pouco curvado, nele combinavam-se um rosto sem expressão, olhar atento e voz grave, segura. Tinha 65 anos e a biografia típica de militar do chamado "exército do Rio Grande", turma formada por oficiais que raramente deixam aquele estado e com freqüência servem na cidade em que nasceram e se casaram. A vida desse grupo nada tem a ver com a agitação da Vila e as futricas de Brasília. Desde o Império, a quem deu generais como o marquês do Herval e o visconde de Pelotas, o "exército do Rio Grande" é aquele pedaço da corporação onde o oficial melhor se integra na sociedade civil. Não fica na cobertura, como em alguns estados do Nordeste, nem no térreo, como em São Paulo.

Medici nascera em Bagé em dezembro de 1905, filho de um comerciante de origem italiana e de uma rica herdeira de família basca.[1] Era um gaúcho abastado de hábitos simples, caso raro de militar rico. Passara metade de sua carreira no Rio Grande e servira duas vezes em Bagé.[2] Enquanto seus colegas tinham a biografia marcada pelas crises dos anos 50 e pela grande fratura de 1961, Garrastazú era o silêncio da orquestra. Sua única atribulação foi burocrática. Como capitão, respondera a um processo por falta de zelo no cumprimento do dever e saíra limpo por conta de um habeas corpus.[3]

Ainda que taciturno, era estimado por calmo e solícito. Bom de bola, falava muito de futebol, nada de política. Tinha a seu favor o contraponto com um primo detestado, o general Rafael Danton Garrastazu. Levava uma vida modesta e, com sua mulher Scylla (ela também filha de prósperos estancieiros), mantinha uma família exemplar. Chegara a general-de-brigada em 1961. Na tumultuada divisão de 1964 prenunciava-se o fim de sua carreira. Dificilmente receberia a quarta estrela. Cumprira uma escrita regular e desembocaria em breve na paz do varandão da querência. Não há um só relato de conspirador dos anos 60 que mencione envolvimento de Medici na fermentação antijanguista. De um lado, estava na "Lista de Distribuição Especial de Material de Esclarecimento" que Golbery mantinha no IPÊS.[4] De outro, ganhara do "dispositivo" o prestigioso comando da Academia Militar das Agulhas Negras. Lá estava na manhã de 31 de março de 1964, quando Mourão Filho resolveu descer a tropa.

Não se aproximara dos conspiradores, nem os conspiradores, dele.[5] Desde 1922, quando o comandante da Escola de Cadetes permitiu que

1 Segundo o embaixador Pio Corrêa, Medici nasceu do lado uruguaio da fronteira. Corrêa, *O mundo em que vivi*, p. 984.

2 *Dicionário histórico-biográfico brasileiro pós-1930*, coord. de Alzira Alves de Abreu e outros, vol. 3, pp. 3678-80.

3 *Voz Operária*, março de 1970.

4 Lista manuscrita, de Heitor Ferreira, datada de outubro de 1963. APGCS/HF.

5 Hernani d'Aguiar, *A Revolução por dentro*, p. 102. Em seu depoimento a Maria Celina d'Araujo, Gláucio Ary Dillon Soares e Celso Castro (orgs.), *A volta aos quartéis*, p. 211, o brigadeiro João Paulo Burnier classifica o general Medici como "revolucionário de última hora".

os alunos se rebelassem e provocou uma expulsão em massa que resultou em grossa confusão burocrática depois da anistia de 30, o planejamento das sublevações passou a excluir a garotada. O coronel que comandava o corpo de cadetes tinha um plano para levantar a academia, mas até as altas horas da noite do dia 31 Medici manteve as Agulhas Negras longe do tumulto. Geograficamente a meio caminho entre o Rio e São Paulo, politicamente lá permaneceu. Perto da meia-noite, quando as rádios transmitiam o manifesto de Kruel, Medici conversara com ele por telefone. Um queria saber a posição da AMAN. O outro perguntava pela autenticidade do que se lia nas rádios. Kruel confirmou o texto do manifesto: "Dê as ordens, chefe", respondeu Medici.[6] Por volta dessa hora veio um chamado de Costa e Silva. Medici lhe disse que não estava entendendo nada, pois se falava de uma sublevação, mas nada sabia de real. (O manifesto de Mourão Filho pedindo a deposição de Jango já fora ao ar havia mais de seis horas.) Seu amigo e comandante anunciou-lhe que participava de um movimento para depor o presidente. "Dê as suas ordens, chefe", respondeu Medici.[7]

Além de telefonemas, o comandante da AMAN disparou no dia 1º de abril um manifesto de veia poética — "que a bandeira do Brasil nos cubra a todos" — e essência cautelosa. Se Kruel atacava "o cerco do comunismo", Medici nem isso. Defendeu "a validade eterna dos princípios da disciplina e da hierarquia", advertiu do risco de um enfrentamento no vale do Paraíba e anunciou que "nossa atitude significa, também, a tentativa de evitar o desperdício de energias".[8] Era um manifesto capaz de sobreviver a um acordo. No fim da tarde a posição de Medici não deixava dúvidas. Tinha cadetes com roupas de combate entrincheirados na direção do Rio e em uniforme de gala para receber Kruel, que vinha de São Paulo. O comandante da Academia cedeu a sua sala para que o comandante do I Exército conferenciasse com Kruel e nos dias seguintes retomou

6 Depoimento de Amaury Kruel a John W. F. Dulles, em Dulles, *Castello Branco — O caminho para a Presidência*, p. 347, e discurso do deputado Amaury Kruel na Câmara dos Deputados, 12 de dezembro de 1968.

7 Jayme Portella de Mello, *A Revolução e o governo Costa e Silva*, p. 128.

8 Hernani d'Aguiar, *A Revolução por dentro*, p. 141.

a rotina da escola. Enquanto a imprensa transbordava de depoimentos de generais que se atribuíam o triunfo do levante, Medici, no alto da serra fluminense, voltou a ser o silêncio da orquestra.

A nova ordem remeteu-o a Washington como adido militar junto à embaixada. Lastimava-se do salário, sofria da coluna e, por monoglota, mantinha-se retraído.[9] Voltou ao Brasil antes de completar dois anos no posto. Costa e Silva levou-o de uma subchefia do Estado-Maior do Exército para a direção do Serviço Nacional de Informações. Sempre de terno escuro, carregando uma pasta preta e com um cigarro Minister pendurado na boca, Medici foi um chefe do SNI mais reservado que Golbery, pois enquanto este dizia que era o "ministro do silêncio" e conversava à esquerda e à direita, seu sucessor limitava-se a ouvir. Só um tema o estimulava e descontraía: futebol, Flamengo e Grêmio. Raramente saía de casa, onde consumia o ócio jogando biriba. Sua única atividade social regular era a ida aos estádios, sempre com um rádio colado ao ouvido. Era tão reservado que a simples posse do seu cartão de visita — indicativo de uma audiência concedida ou até mesmo de um encontro social — era um troféu para os políticos. O ex-ministro Armando Falcão, que conseguira um, carregava-o na carteira dentro de uma capa de plástico.[10]

No ministério, Medici foi um duro. Na noite de 13 de dezembro, quando Costa e Silva reuniu o Conselho de Segurança Nacional para assinar o Ato Institucional nº 5, seu voto fora claro:

> Senhor presidente, senhores conselheiros. Eu me sinto perfeitamente à vontade [...] e, por que não dizer?, com bastante satisfação, em dar o meu aprovo ao documento que me foi apresentado. Isto porque, senhor presidente, em uma reunião do Conselho de Segurança Nacional, no desempenho das funções que vossa excelência me atribuiu, como chefe do SNI, tive oportunidade de fazer minucioso relato da situação nacional brasilei-

9 Para a queixa sobre o salário, carta de Medici a Geisel, de 24 de julho de 1964. APGCS/HF. Para as dores da coluna e para a dificuldade com o inglês, Roberto Nogueira Médici, *Medici — O depoimento*, p. 18.

10 Armando Falcão mostrou seu cartão ao autor em 1973.

> ra e demonstrar aos conselheiros que por fatos e por ações o que estava na rua era a contra-revolução. Acredito, senhor presidente, que com a sua formação democrática, foi vossa excelência tolerante demais, porque naquela oportunidade eu já solicitava [...] que fossem tomadas medidas excepcionais para combater a contra-revolução que estava na rua. Era só o que eu tinha a dizer.[11]

Havia na sua natureza reservada uma surpreendente vocação para a força. Quando os estudantes tomaram as ruas do Rio de Janeiro, ele defendeu a pronta adoção do estado de sítio. Quando o general Moniz de Aragão atacou as ligeirezas da família do presidente e o ministro Lyra Tavares levou o caso ao Alto-Comando, defendeu o amigo. Semanas depois, ao ver que a punição do general ficara apenas na perda da comissão, foi a Costa e Silva reclamar. Queria mais.[12] Quando o Alto-Comando do Exército se transformou em consistório, foi o último quatro-estrelas a admitir a reabertura do Congresso para a sagração do novo presidente. Sua proposta era mais simples: "Proceder à escolha de um presidente da República, ouvido o Alto-Comando das Forças Armadas e das Forças Singulares, nomeando-o e empossando-o pela edição de um Ato Institucional". Admitiu que o recesso parlamentar fosse suspenso, "se for o caso e no momento oportuno", para ratificar a votação dos generais, mas advertiu: "Caso o Congresso não referende as decisões que lhe foram submetidas, dissolvê-lo".[13]

A Castello Branco a ditadura parecera um mal. Para Costa e Silva, fora uma conveniência. Para Medici, um fator neutro, instrumento de ação burocrática, fonte de poder e depósito de força. Não só se orgulhou de ter namorado o AI-5 desde antes de sua edição, como sempre viu nele um verdadeiro elixir: "Eu posso. Eu tenho o AI-5 nas mãos e, com ele, posso

11 Registro da sessão do Conselho de Segurança Nacional de 13 de dezembro de 1968. APGCS/HF.

12 Jayme Portella de Mello, *A Revolução e o governo Costa e Silva*, p. 782. Para a posição de Medici no Alto-Comando, resumo da ata da 42ª reunião do Alto-Comando, em *Aspectos Históricos do Alto Comando do Exército*, de 26 de julho de 1979. APGCS/HF.

13 Voto do general Medici, anexo à ata da 44ª reunião do Alto-Comando do Exército, em *Aspectos Históricos do Alto Comando do Exército*, de 26 de julho de 1979. APGCS/HF.

tudo", disse certa vez a um de seus ministros. "Eu tinha o AI-5, podia tudo", rememorou na única entrevista que concedeu.[14] Teve uma relação natural com a ditadura, como se ela fizesse parte de um manual de instrução. Nos dias inquietos do conclave militar, apresentou-se ao país com um discurso suave, anunciando que "chegou a hora de fazermos o jogo da verdade" e prometendo que, "ao término do meu período administrativo, espero deixar definitivamente instaurada a democracia em nosso país".[15] Menos de dois meses depois, numa reunião secreta do ministério, explicou-se: "Para fazermos o jogo da verdade dispomos de órgãos especializados: o presidente da República, de seu SNI, e os senhores ministros, de suas divisões de segurança e informações".[16]

Tinha tudo para virar general de piada. O Conselho de Segurança Nacional americano estimava que "os atributos de Medici e sua imagem relativamente boa não lhe garantem o sucesso". "Suas limitações conhecidas e a debilidade da situação que herdou podem muito bem impedi-lo de cumprir suas promessas iniciais e, talvez, de terminar o seu mandato."[17]

Faltavam-lhe a liderança de Albuquerque Lima, a audácia de Muricy e a militância política de Mamede. Sua biografia não oferecia atrativo. Ninguém o conhecia por preparado ou audacioso, nem sequer por trabalhador. Em compensação não tinha inimigos a chamá-lo de politiqueiro, pavio-curto ou pernóstico. Era um perfeito mínimo múltiplo comum, numa corporação onde a linha média demarca a virtude. Firmou-se como favorito do Alto-Comando quando sua candidatura se tornou barreira eficaz contra Albuquerque Lima, estuário das esperanças dos hierarcas de Costa e Silva, que desejavam continuar no poder, e dos castelistas, que a ele pretendiam voltar.

Medici sabia o tamanho da anarquia que o gerara. Conhecia a desordem vinda de baixo e sempre se referiu à ausência dos pára-quedis-

14 Antonio Carlos Scartezini, *Segredos de Medici*, p. 61.

15 Emilio Garrastazú Medici, *O jogo da verdade*, p. 11.

16 Discurso de Medici na reunião ministerial de 6 de janeiro de 1970. APGCS/HF.

17 *Precis of Brazil Program Analysis*, marcado "secret", do National Security Council, anexo ao memorando encaminhado em 18 de março de 1970 por Laurence E. Lynn Jr. a Henry Kissinger, p. 7. DEEUA.

tas no desfile de Sete de Setembro de 1969 como "greve de militares".[18] Conhecia também a que vinha de cima. Ele mesmo contou:

> Quando me convidaram, eu apontei o dedo para cada um deles e fui perguntando: "Muricy, você aceita qualquer missão que eu lhe der? Lyra, você aceita qualquer missão que eu lhe der?". Fiz a pergunta com o dedo apontado, a cada um. Todos concordaram. Então aceitei. Então o Lyra — o Lyra é meio falante — perguntou: "Medici, você já pensou no vice?".
>
> — Já — respondi. — [...] É o Rademaker. [...]
>
> — Ah, não pode... — disse o Lyra.
>
> — O problema é de vocês — respondi. [...]
>
> — Não pode porque nós fizemos um acordo para ninguém aceitar nada — disse o Lyra.
>
> Peguei o meu quepe, me despedi e saí:
>
> — O problema é de vocês. Eu vou embora para mostrar a vocês como escolheram o homem errado. [...] Na primeira missão que eu dei, vocês recusaram.[19]

Dias depois Rademaker ficou com a Vice-Presidência. Em seguida o brigadeiro Márcio de Souza e Mello aceitou continuar como ministro da Aeronáutica, e, finalmente, o general Lyra Tavares recebeu a embaixada do Brasil em Paris. Medici teve exata compreensão daquela cena onde se contrapôs no papel de temperamental a uma cúpula militar que recitava o papel de desprendida: "Se eu não fizesse aquilo, não nomearia nem o meu ajudante-de-ordens".[20]

A Junta despediu-se outorgando uma nova Constituição, que se tornou conhecida pelo nome de Emenda nº 1. Produto de um poder usurpado, viveu até 1988, sob a maldição da origem militar. É verdade que ela resultou de um momento de radicalização institucional da ditadura na qual

18 Antonio Carlos Scartezini, *Segredos de Medici*, p. 25.

19 Idem, p. 60.

20 Idem.

os militares se atribuíram a prerrogativa de desenhar (sem consegui-lo) o Colégio Eleitoral que escolheria o presidente da República. Apesar disso, a comparação entre o texto da Carta que Costa e Silva pretendeu assinar em setembro e aquele que os três ministros baixaram quarenta dias depois informa que foram seis as mudanças relevantes feitas ao projeto original da comissão coordenada por Pedro Aleixo, composta apenas por civis.[21] Todas as mudanças foram para pior, avançando sobre as liberdades públicas. Mesmo assim, comparados os conjuntos, a Emenda nº 1, assinada pela Junta, tornou-se um caso de atribuição exagerada de autoria.

O dispositivo que permitia a revogação total ou parcial do AI-5 por decreto foi mudado.[22] Com a nova redação do artigo 182 a providência demandaria a audiência do Conselho de Segurança Nacional, composto por ministros e oficiais-generais demissíveis *ad nutum* pelo presidente da República. O Congresso acabou reaberto no final de outubro de 1969, para sacramentar a escolha de Medici, sem que ninguém se lembrasse de reunir formalmente o Conselho de Segurança.

À natureza ditatorial do regime, Medici acrescentou a blindagem da máquina de comando da Presidência. Já na primeira reunião do ministé-

21 Caetano Ernesto Pereira de Araújo e Eliane Cruxên Barros de Almeida Maciel, "A Comissão de Alto Nível: história da Emenda Constitucional nº 1, de 1969", em *A Constituição que não foi*, pp. 41-7. A comparação dos dois textos revela as seguintes diferenças relevantes:

1) O projeto dos juristas vedava "publicações" contrárias à moral e aos bons costumes. A Junta ampliou o conceito: "publicações e exteriorizações" e restringiu genericamente o direito de associação.

2) Permitiu a prorrogação por tempo indeterminado do estado de sítio, que estava limitado a sessenta dias (artigo 156).

3) Transformou em prerrogativa exclusiva do presidente da República a iniciativa de leis que concedessem anistia relativa a crimes políticos (artigo 57, inciso V).

4) Restringiu fortemente as imunidades parlamentares (artigos 32 e 119, inciso I).

5) Tornou mais rigoroso o mecanismo da fidelidade partidária. No projeto perderia o mandato o parlamentar que "reiteradamente" se opusesse às decisões dos partidos. A emenda suprimiu o advérbio (artigo 152, parágrafo único).

6) Estabeleceu a pena de morte e a prisão perpétua para casos de guerra "psicológica adversa, ou revolucionária ou subversiva" (artigo 153, parágrafo 11).

22 Ficou com a seguinte redação: "Continuam em vigor o Ato Institucional nº 5, de 13 de dezembro e os demais Atos posteriormente baixados. Parágrafo único: O Presidente da República, ouvido o Conselho de Segurança Nacional, poderá decretar a cessação da vigência de qualquer desses Atos ou de seus dispositivos que forem considerados desnecessários".

rio informou aos seus colaboradores que o SNI funcionaria como supervisor ostensivo da administração. Todas as nomeações tinham de passar primeiro pelo seu crivo, e todas as denúncias encaminhadas ao Planalto seriam antes remetidas ao Serviço. Só depois, já analisadas, chegariam ao conhecimento dos ministros. Nenhum ato administrativo podia ser levado diretamente ao presidente. Tinha que passar primeiro pelo Gabinete Civil, a quem o general atribuiu também funções de arbitragem e coordenação de quaisquer assuntos que envolvessem mais de uma pasta. Nos despachos com Medici os ministros deviam tratar apenas de questões de suas áreas e estavam dispensados de apresentar-lhe atos de rotina.[23] Dava pouco tempo aos papéis e economizava as próprias idéias. Desprezava os parlamentares e os manteve longe do palácio. Guardava consigo poucos papéis históricos, mas entre eles estavam dois telegramas recebidos por Costa e Silva. Um contra o AI-5, assinado por dezesseis senadores. Outro, a favor, assinado por 33. Seis senadores assinaram os dois.[24]

Presidiu o país em silêncio, lendo discursos escritos pelos outros, sem confraternizações sociais, implacável com mexericos. Passou pela vida pública com escrupulosa honorabilidade pessoal. Da Presidência tirou o salário de Cr$ 3439,98 líquidos por mês (equivalentes a 724 dólares) e nada mais.[25] Adiou um aumento da carne para vender na baixa os bois de sua estância e desviou o traçado de uma estrada para que ela não lhe valorizasse as terras.[26] Sua mulher decorou a granja oficial do Riacho Fundo com móveis usados recolhidos nos depósitos do funcionalismo de Brasília.[27]

Antes e depois de Medici os presidentes brasileiros chegaram ao governo com planos perfeitos e acabados para nortear suas administrações. Em todos os casos, moldaram-se às circunstâncias e mudaram métodos e rotinas. Só ele, com suas normas tão simples quanto o cotidiano de um

23 Discurso de Medici na reunião do ministério de 6 de janeiro de 1970. APGCS/HF.

24 Para as duas listas de signatários, Jayme Portella de Mello, *A Revolução e o governo Costa e Silva*, pp. 664 e 682.

25 Contracheque de Medici relativo ao mês de março de 1970. APGCS/HF.

26 Antonio Delfim Netto, outubro de 1990. Ver também Antonio Carlos Scartezini, *Segredos de Medici*, p. 39.

27 Informação dada a Heitor Ferreira por Clóvis Magalhães Teixeira, ajudante-de-ordens de Medici, em 15 de dezembro de 1973.

esquadrão de cavalaria, governou até o último dia exatamente como anunciou que faria na primeira semana.

No dia 21 de outubro de 1969, já eleito, Medici sentou-se à mesa do almoço com Jayme Portella. Ofereceu-lhe continuar ao lado de Costa e Silva, como seu secretário. O general, que vivia o ocaso do seu vice-reinado, recusou a sugestão humilhante e, entendendo o recado nela embutido, demitiu-se da chefia do Gabinete Militar. Horas antes, Medici estivera reunido com o general Orlando Geisel. O comandante da 1ª Divisão de Infantaria exonerado no dia 2 de abril de 1964, quando Costa e Silva se impôs como chefe militar da nova ordem, acabava de ser convidado para o Ministério do Exército. Orlando merecera 44 referências na auscultação que elegera Medici, ficando em segundo lugar. Refletindo a diferença de estilos de cada um, tivera 39 indicações nos distritos sem tropa e apenas cinco nos três Exércitos cuja voz foi preservada por Muricy. Já Medici tivera 34 indicações nessa mesma tropa.[28]

Pela primeira vez um presidente militar escolhia para ministro um oficial da ativa de quem fora subordinado. Três meses mais moço, Medici batera continência para Orlando durante 34 anos, até março de 1967, quando saiu da subchefia do Estado-Maior e foi para o SNI. Orlando Geisel tinha 64 anos e as feições de uma coruja depauperada. Embora tivesse 1,86 m, era fisicamente irrelevante. Os ombros pequenos, atirados para trás, ressaltavam-lhe a barriga no corpo magro. Vaidoso, consumia o tempo nos palanques de desfiles alisando a túnica, corrigindo a posição do punho da camisa e ajeitando o nó da gravata. Alzira, sua mulher, fora Miss Cachoeira do Sul nos anos 30.[29] A passagem de Orlando Geisel pela ESAO e pela ESCEME dera-lhe o conceito de grande instrutor de oficiais. Tinha fama de inteligente e preguiçoso. "É uma inteligência privilegiada", dizia dele o presidente Castello Branco.[30] "Orlando é malandro,

28 Uma folha manuscrita, com a tabela de resultados da auscultação dos generais. AACM/CPDOC.

29 Para Alzira Geisel, Amália Lucy Geisel, julho de 1991.

30 *Diário de Heitor Ferreira*, 26 de janeiro de 1971, citando o coronel Gustavo Moraes Rego. APGCS/HF.

não estuda", acrescentava o marechal Cordeiro de Farias.[31] Ainda na juventude, seu irmão Ernesto apelidara-o *Barão*.

Estivera ao lado do golpe na grande divisão militar de novembro de 1955, quando o ministro da Guerra, general Henrique Lott, depôs dois presidentes, defenestrando Carlos Luz e impedindo o retorno de Café Filho ao palácio do Catete. Nessa crise, combateu como auxiliar do comandante da censura à imprensa.[32] Na de 1961, como chefe-de-gabinete do ministro Odylio Denys, adquirira notoriedade nacional mandando ao comandante do III Exército uma ordem para bombardear o palácio Piratini, onde o governador Leonel Brizola dirigia as transmissões radiofônicas da "Rede da Legalidade", que defendia a posse de João Goulart na Presidência da República.[33] O bombardeio nunca foi além do disparo telegráfico, e Jango promoveu-o a general-de-divisão no dia 25 de março de 1964, depois de obrigá-lo a amargar onze caronas. Três meses antes, quando Muricy, seu colega de turma, contou-lhe que Mourão o convidara para comandar a vanguarda das tropas com que pretendia descer de Juiz de Fora para depor Jango, Orlando advertiu-o: "Você é louco, Muricy. Amanhã o Jango sabe que você está conspirando".[34] Chegou ao levante no início da madrugada de 1º de abril.[35] Como chefe do Estado-Maior do Exército, opusera-se à criação do CIE, brigara com Lyra Tavares e vira-se remetido para a pomposa desimportância política do EMFA.[36]

No dia 2 de abril de 1964, quando se recusou a trocar o comandante do 1º Grupo de Obuses 105, Orlando Geisel pareceu acreditar que o levante seria digerido como uma quartelada convencional. Pagou caro, mas aprendeu a lição. Em fevereiro de 1969 o Conselho de Segurança Nacional estava reunido num salão do palácio Rio Negro, em Petrópolis, celebrando uma sessão de sacrifícios. Um coronel do Gabinete Militar lia em voz alta os nomes dos cidadãos que teriam seus direitos políticos suspen-

31 *Diário de Heitor Ferreira*, 25 de janeiro de 1972. APGCS/HF.

32 Maria Celina d'Araujo e Celso Castro (orgs.), *Ernesto Geisel*, p. 122.

33 Amir Labaki, *1961 — A crise da renúncia e a solução parlamentarista*, p. 91.

34 General Antonio Carlos Muricy, agosto de 1988.

35 Hernani d'Aguiar, *A Revolução por dentro*, p. 149.

36 Para a oposição de Orlando Geisel à criação do CIE, *História do Estado-Maior do Exército*, p. 171.

sos ou seus mandatos cassados. Depois que esse meirinho fazia um sumário das culpas da vítima, os ministros votavam, rápido e em aberto. Cada cassação tomava apenas alguns minutos, mas dada a teatralidade da situação, visto que ninguém conseguia escapar ileso, a leitura do prontuário acabava tornando-se enfadonha. Chegou a vez de Simão da Cunha, um deputado federal da direita moderada que começara a fazer política na resistência estudantil ao Estado Novo. O coronel ainda não tinha dito do que ele era acusado, ia terminando a leitura dos seus dados pessoais:

— Mineiro, bacharel...

— Basta — cortou Orlando Geisel.

O Conselho de Segurança caiu numa grande gargalhada.[37]

Detestava jornalistas, falava pouco, mas expressava-se com uma clareza chocante. Em 1966, ao assumir o comando do III Exército, voltou-se para os repórteres que acompanhavam a cerimônia e informou: "Tenho apenas duas declarações a fazer: primeiro — fiz boa viagem; segundo — não me procurem nunca mais para fazer declarações, pois não as faço. Se quiserem viver bem comigo, terá que ser assim".[38]

Ao presidir sua primeira reunião do Alto-Comando, tendo à frente o céu de estrelas que nos últimos meses havia defenestrado Pedro Aleixo, dispensado Costa e Silva e celebrado uma eleição presidencial, Orlando demarcou as linhas de atuação dos granadeiros:

> Queiramos ou não, estamos metidos na política. O general muitas vezes é obrigado a aparentar que não está metido em coisa alguma, que cuida apenas da parte profissional, mas o general, evidentemente, tem que se meter na parte política; mete-se pelos bastidores. Em princípio, desejo que seja nos bastidores. O presidente já disse, eu já disse, o general Muricy já disse: a nossa gente precisa se dedicar à profissão. Capitão, major, coronel e o próprio general-de-brigada devem deixar de fazer política; política é só nos

37 Antonio Delfim Netto, maio de 1988. Nessa reunião, segundo Jayme Portella de Mello, *A Revolução e o governo Costa e Silva*, p. 707, foram cassados três senadores e dezoito deputados federais. O único bacharel mineiro era o deputado Simão da Cunha.

38 *Jornal da Tarde*, 15 de outubro de 1969.

altos escalões. Comandante de Exército faz política; faz menos que eu, ministro, faço; e eu, menos que o presidente, mas faz política. É preciso dar a impressão de que nós não estamos cogitando da política.[39]

Com o patrimônio de uma antiga amizade e diante da ruína da unidade militar, Medici e Orlando se juntaram para restabelecer a ordem nas Forças Armadas. Conseguiram enquadrar os quartéis. A astúcia desrespeitosa de Costa e Silva e a abulia marota de Lyra Tavares foram substituídas por uma inédita relação de lealdade e confiança entre o presidente e seu ministro do Exército. Tratavam-se pelo primeiro nome, mas respeitavam-se como estranhos.[40] Nem sequer mexericos de divergências entre os dois se conseguiu fabricar. Passaram cinco anos sem um só dia de prontidão militar, uma só página de manifesto ou carta pública de general. Diversos na origem, na formação e no desempenho profissional, Medici e Orlando Geisel tiveram a uni-los a paixão pela força, a naturalidade no arbítrio e a confiança na ditadura como forma de governo. Ordenaram o regime de 1964 em torno da anomalia institucional do AI-5.

39 Fala do ministro Orlando Geisel na 48ª reunião do Alto-Comando do Exército, em *Aspectos Históricos do Alto Comando do Exército*, de 26 de julho de 1979. APGCS/HF.

40 Para um caso em que Orlando Geisel chama Medici de Emilio na presença de terceiros, ver Mario Gibson Barboza, *Na diplomacia, o traço todo da vida*, p. 164.

PARTE II A derrota

Marighella, início e fim

Enquanto o Brasil ainda chamava o presidente Medici de general Garrastazú, o regime parecia inerte diante de sua nêmesis: ela era Carlos Marighella, o *Menezes*. Tinha-se a impressão de que ele estava em todos os lugares, na capa da revista *Veja*, nos cartazes amarelos espalhados pelo governo com os retratos dos terroristas mais procurados, nas páginas do *Les Temps Modernes*, a mais prestigiosa publicação da esquerda francesa. Fora ouvido nas ondas curtas da rádio Havana e nas médias da rádio Nacional de São Paulo, tomada por um comando de doze homens da ALN que o pôs no ar com protofonia do *Hino nacional* e da *Internacional comunista*.[1] Era procurado em todo o país. Em agosto uma rádio de Florianópolis dera-o por morto, vítima de um ataque cardíaco, enquanto o coronel Erasmo Dias, comandante do 6º Grupo de Artilharia de Costa Motorizado, em Santos, desafiava-o para um duelo "numa luta de homem para homem, em campo aberto".[2] Atribuíam-lhe quase todos os assaltos por dinheiro, armas ou munições e até mesmo o comando do seqüestro de Elbrick, do qual nem sequer soubera o dia.[3] Desde junho circulavam cópias mimeografadas do seu *Manual do guerrilheiro urbano*, em que avi-

1 Jacob Gorender, *Combate nas trevas*, p. 178. O episódio da tomada do transmissor da rádio Nacional de São Paulo, em Piraporinha, está em Antonio Caso, *A esquerda armada no Brasil — 1967/1971*, p. 324.

2 Foi a rádio Diário da Manhã de Florianópolis, em 23 de agosto de 1969. Para o desafio, telegrama da agência France Presse, de 16 de agosto de 1969.

3 Jacob Gorender, *Combate nas trevas*, p. 186.

sava: "A acusação de terrorista já não tem o sentido pejorativo que se lhe dava antes".[4] O veterano agitador conseguira seu primeiro objetivo: firmara-se a idéia de que havia uma guerra revolucionária no Brasil e que Carlos Marighella era o seu comandante.

Por mais que a ALN estivesse ativa, com algumas dezenas de assaltos e explosões de bombas, nem ela nem Marighella eram do tamanho da fama que se lhes dava.[5] A organização tinha perto de trezentos militantes. Salvo o assalto ao trem pagador da ferrovia Santos—Jundiaí, cuja autoria fora atribuída a delinqüentes comuns, nenhuma ação espetacular do surto terrorista saíra de sua iniciativa. No assassinato do capitão Chandler, fora caudatária dos sargentos e estudantes que mais tarde criariam a VPR. No seqüestro de Elbrick, mesmo tendo fornecido o comando da operação, entrara a reboque da idéia audaciosa e da logística precária da Dissidência Universitária. Tivera a chance de atacar o cofre de Adhemar de Barros, mas retraíra-se.

O *Manual*, um opúsculo de cinqüenta páginas dividido em catorze capítulos, era um trabalho voltado mais para a propaganda de um novo mito heróico do que para a didática sugerida no título. Seu sucesso foi espetacular. Tornou-se o texto político brasileiro mais citado na literatura internacional da época e deu a Marighella, nas décadas seguintes, a qualificação de "ideólogo", "teórico", "patrono da guerrilha urbana" e "estrategista do terror".[6] O *Manual* cumpriu uma singular trajetória no mundo da propaganda política. Circulou na esquerda pretendendo ser uma obra didática que não era e, na direita, como se tivesse sido aquilo que não foi: um tratado de terrorismo.

Era um documento triunfalista, desordenado. Sua grandiloqüência escondia uma concepção primária de organização. Propunha a formação

4 Carlos Marighella, *Manual do guerrilheiro urbano e outros textos*, p. 54.

5 Em março de 1970 o DOPS paulista viria a atribuir-lhe três assassinatos de policiais, três bombas e uma sucessão de assaltos que renderam meia tonelada de dinamite e 270 mil cruzeiros, equivalentes a 60 mil dólares. Relatório do delegado Valter Fernandes, do DOPS, em Percival de Souza, *Autópsia do medo*, pp. 136-45.

6 Walter Laqueur, *The age of terrorism*, p. 185, e Carlos Alberto Brilhante Ustra, *Rompendo o silêncio*, p. 40. Paul Wilkinson, *Terrorism and the Liberal State*, pp. 62 e 112. Masud Ansari, *International terrorism*, p. 105. Claire Sterling, *The terror network*, pp. 8 e 21.

de grupos de cinco pessoas, capazes de atuar como unidades autônomas, recebendo da direção só as grandes linhas políticas ou a coordenação para lances de maior envergadura. Na feliz definição de Jacob Gorender, era o "anarcomilitarismo".[7] O guerrilheiro urbano de Marighella é algo mais que um super-homem. Ei-lo, em sua estatuária moral: "Revolucionário político e ardente patriota, ele luta para a libertação do seu país, é um amigo do Povo, e da Liberdade. [...] Deve ser um grande tático e um bom atirador. Deve possuir iniciativa, mobilidade e desembaraço".[8]

Mais, nas características de seu vigor de combatente:

> Ser capaz de longas marchas, suportar a fadiga, a fome, a chuva, o calor. Saber esconder-se e saber ser vigilante. Conhecer a fundo a arte de se disfarçar. Não ter nunca medo do perigo. Agir tão bem de noite como de dia. [...] Também deve aprender a praticar as diferentes espécies de luta de ataque e de defesa pessoal. Outras formas de preparação física útil são as excursões a pé, o campismo e os exercícios de perseguição na floresta, escalar montanhas, o remo, a natação, mergulhar, o treino de homem-rã, a pesca, a caça submarina, a caça às aves e aos animais grandes e pequenos. É muito importante aprender a conduzir um automóvel, pilotar um avião, dirigir um barco a motor ou a vela, compreender a mecânica, o rádio, o telefone, a eletricidade e possuir conhecimento de técnicas eletrônicas. É igualmente muito importante ter conhecimento de topografia, saber orientar-se por intermédio de meios práticos e de instrumentos, saber calcular segundo uma escala, cronometrar, trabalhar com um aparelho de medida de ângulos e arcos, com uma bússola, etc. Conhecimentos de química e de combinação de cores, fabricação de carimbos, o perfeito conhecimento de caligrafia e de imitação das escritas e outras técnicas, fazem parte da preparação técnica do guerrilheiro urbano, que é obrigado a falsificar documentos para viver numa sociedade que ele pretende destruir.[9]

7 Jacob Gorender, *Combate nas trevas*, p. 107.

8 Carlos Marighella, *Manual do guerrilheiro urbano e outros textos*, pp. 55-6.

9 Idem, pp. 57 e 61.

A construção desse personagem radical, mistura de escoteiro e agente secreto, era um adereço propagandístico, mas ainda assim Marighella cometeu no *Manual* erros e omissões incompreensíveis num comandante de operações paramilitares. Ensinou que os helicópteros são inúteis para perseguir a guerrilha, pois têm dificuldades em pousar na malha urbana, como se a sua missão fosse de captura e não de observação. Sugeriu que as perseguições policiais poderiam ser paralisadas com engarrafamentos, minas, sinais de trânsito trocados e metralhamento de pneus, quando cada uma dessas operações exigiria uma mobilização logística própria, às vezes mais complexa que a atividade-padrão de seu grupo: o assalto. Não há em todo o *Manual* uma só lição sobre esconderijos. Quando a apostila começou a circular, a ALN já perdera dois comandantes de seu Grupo Tático Armado — a maior patente na hierarquia militar da organização — por conta da temeridade e de aparelhos inseguros.[10]

Na concepção de Marighella, o terrorismo urbano destinava-se antes de tudo a produzir tensão política, "levando a insegurança e a incerteza às classes dominantes, desgastando e desmoralizando as forças militares dos gorilas".[11] Na segunda metade de 1969, os militares estavam desgastados e, sob certos aspectos, desmoralizados, da mesma forma que os políticos, banqueiros e empresários brasileiros viveram um de seus piores períodos de incerteza. Disso, porém, não resultaram benefícios para a guerrilha urbana. Pelo contrário, fechadas em si próprias, numa blindagem onde se auto-alimentavam exigências de segurança e radicalizações ideológicas, as organizações armadas isolavam-se.

O Partido Comunista, irredutível na sua reação à guerrilha, contribuía para conter até mesmo os gestos de simpatia que velhas camaradagens poderiam estimular. A ALN fizera um aceno de cortesia ao Partidão,

10 Marco Antônio Brás de Carvalho foi morto depois de ter cometido a imprudência de ir procurar em casa um militante que faltara a um "ponto". Virgílio Gomes da Silva, que o sucedeu, foi preso quando estava escondido na casa de familiares de um militante que estivera em Cuba, cujo endereço era conhecido por pelo menos outros dois membros da ALN. *Quedograma*, itens 3 e 11.

11 Carlos Marighella, "O papel da ação revolucionária na organização", em *Manual do guerrilheiro urbano e outros textos*, p. 38.

incluindo no resgate de Elbrick o nome de Gregório Bezerra, o mais famoso e sofrido dos seus presos políticos. Levou de volta uma nova condenação. Ao partir para o exílio, o próprio Gregório informou: "Discordo das ações isoladas que nada adiantarão ao desenvolvimento do processo revolucionário e somente servirão para agravar, ainda mais, a vida do povo brasileiro e de motivação para maiores crimes contra todos os patriotas". "Só acredito na violência da massa", concluiu o septuagenário militante comunista, cuja primeira cadeia remontava ao fracassado levante de 1935.[12]

Ao lado da guerrilha urbana, Marighella tentava plantar bases rurais para sua organização. Na pior das hipóteses, serviriam também de refúgio para quadros "queimados", mantendo-os em atividade e economizando os custos das fugas para o exterior. Depois dos momentos fáceis de 1968 e das perdas dos primeiros meses de 69, a ALN ia para o teste da adolescência dos grupos armados. Mesmo sem começar uma guerrilha, caso conseguisse botar o pé no campo, teria pelo menos ampliado sua base de manobra. Do contrário, continuaria no cotidiano do gato-e-rato.

Envolto na mística de combatente audacioso e invisível, Carlos Marighella transformara-se no próprio foco revolucionário. Atraía a esquerda européia, sempre disponível para construir mais um mito revolucionário latino-americano. O cineasta Jean-Luc Godard chegou a destinar à ALN uma parte do dinheiro que ganhou com o filme *Vento do leste*.[13] O pintor catalão Joan Miró vendeu alguns desenhos para custear a movimentação de um guerrilheiro que passava por Roma.[14] Em meados de 1969, numa entrevista à publicação francesa *Action*, Marighella anunciou que a luta armada provocaria uma intervenção americana no país e ofereceu uma conclusão retumbante: "O Brasil será um novo Vietnã".[15]

12 *Resistência*, 13 de setembro de 1969.

13 Marcelo Paiva, em *Folha de S.Paulo* de 5 de maio de 1996, *mais!*, pp. 5-6.

14 Denise Rollemberg, *O apoio de Cuba à luta armada no Brasil*, p. 46.

15 A entrevista de Marighella à *Action* foi transmitida pela rádio Havana no dia 29 de novembro de 1969. Seu conteúdo indica que ela foi concedida em torno do mês de agosto, provavelmente antes da isquemia de Costa e Silva e certamente antes do seqüestro de Elbrick.

Via pela frente o futuro que lhe convinha, quando tinha consigo um agrupamento de passado precário e presente arriscado.

Desde o assassinato do capitão Chandler, em outubro de 1968, era elementar que, além do aparelho policial brasileiro, os terroristas tinham no seu encalço a máquina de informações americana. Por conta da morte do capitão, três meses depois desembarcou em São Paulo o subchefe do programa de segurança pública da Agency for International Development para o Brasil. Chamava-se Peter Ellena, e sua missão era acompanhar as investigações policiais do caso de Chandler.[16]

Na segunda metade de 1968, o consulado americano em São Paulo teve dois contatos que lhe permitiram estabelecer uma conexão entre Marighella e os dominicanos. Cada contato resultou num telegrama. Seus textos são ainda desconhecidos. Sabe-se apenas que o primeiro é de 14 de agosto e se refere a uma conversa "com...". Na cópia liberada pelo Departamento de Estado, a identidade desse interlocutor está protegida por um trecho censurado que equivale a vinte batidas de telex. O segundo, de 30 de dezembro, trata de um contato com um "frei". Seguem-se dezoito ou dezenove batidas censuradas. Esse telegrama, o *Memcom 68-12-30*, foi redigido por John Blacken, responsável pela seção política do consulado.[17] Passados 21 anos, ele recordou:

> Em 1968, creio que depois do AI-5, o consulado recebeu a indicação de que Marighella passara três ou quatro dias escondido pelos dominicanos no convento de Perdizes. Afora essa informação, que foi considerada boa na ocasião, não lembro de termos recebido informações de boa qualidade a respeito das ligações de Marighella com os dominicanos. Em geral, porém,

16 Depoimento de Richard Helms, diretor da Central Intelligence Agency, à Subcomissão de Assuntos Hemisféricos da Comissão de Relações Exteriores do Senado dos Estados Unidos, 5 de maio de 1971, p. 7. Transcrição, parcialmente liberada pela Comissão em fevereiro de 1987.

17 Telegrama do consulado americano em São Paulo ao Departamento de Estado, de 6 de novembro de 1969, onde se lê: "[...] (para maiores detalhes sobre as atitudes dos dominicanos, ver São Paulo Memcom 68-08-14 com (censurado) — e Memcom de 68-12-30, com frei (censurado)". DEEUA.

> falava-se de uma ligação entre eles. Tínhamos alguns contatos com gente da AP. Na época em que se caçava Marighela, um deles nos disse que ele estivera escondido debaixo do nariz da polícia, no convento.[18]

"Debaixo do nariz da polícia" estava o convento dos dominicanos da rua Caiubi, no bairro de Perdizes. Fazendo-se chamar *Professor Menezes*, Marighella estivera em contato com alguns de seus frades desde meados de 1967.[19] Um ano depois dera a cinco deles a tarefa de organizar um levantamento na região da estrada Belém—Brasília.[20] Outro frade cuidava de conseguir casas onde o "professor" pudesse se hospedar e, em pelo menos um caso, chegou ao convento com uma mala de dinheiro tomado num assalto.[21]

Os cem religiosos e seminaristas da Ordem dos Dominicanos espalhados pelo Brasil tinham uma conhecida relação com os movimentos clandestinos. A CIA identificara neles uma base de apoio da AP, "tanto com dinheiro como com locais para reuniões clandestinas".[22] Por duas vezes a polícia invadira o convento de Belo Horizonte. Em São Paulo, o prior fora preso em agosto de 1967, no rastro de capturas por conta da realização de um congresso da UNE num mosteiro de Vinhedo. Soltaram-no em quatro horas, depois que todos os seus frades, vestindo os hábitos brancos, desfilaram em frente ao DOPS e ao quartel da PM onde o haviam encarcerado. O jornal *O Estado de S. Paulo*, porta-voz do integrismo católico, pediu em editorial que a Ordem dos Dominicanos fosse expulsa do país.[23] Na Sexta-Feira Santa de 1968 os frades de Perdizes encenaram um ato litúrgico intitulado

18 John Blacken, janeiro de 1990. Apesar da referência a um frei no *Memcom 68-12-30*, Blacken sustentou nessa conversa com o autor que o militante da AP com quem o consulado conversara era laico.

19 Frei Betto, *Batismo de sangue*, p. 57.

20 *Atividade Delituosa dos Dominicanos na Ação Libertadora Nacional*, denúncia do Ministério Público da 2ª Auditoria do Exército, em Mario Simas, *Gritos de justiça — Brasil 1963-1979*, p. 90.

21 Para o caso da mala de dinheiro, narrativa de Frei Betto, em Luís Mir, *A revolução impossível*, p. 289.

22 *The Catholic Church in Brazil*, *Special Report* da Central Intelligence Agency, de 13 de setembro de 1968. DEEUA.

23 *O Estado de S. Paulo*, 3 de agosto de 1967, citado em Charles Antoine, *L'Église et le pouvoir au Brésil*, p. 106.

"A Paixão segundo Cristino", em que Edson Luis de Lima Souto, o estudante assassinado no Calabouço, era comparado a Jesus Cristo. O escritor Gustavo Corção, um convertido ultramontano para quem o mundo estava tomado por uma "onda de violência que parece promovida e comandada pelo Inimigo do gênero humano", denunciara a "imbecilidade paralitúrgica" e reclamara da falta de reação "contra esse crime mais grave e mais odioso do que o tiro que, na confusão produzida pelos provocadores, atingiu um estudante".[24] Apesar de a idéia de convento sugerir uma aura de insuspeição e silêncio, Perdizes não era propriamente um lugar discreto.

Por baixo da militância retumbante, os dominicanos amparavam clandestinos de todas as denominações, tanto da ALN como da VPR e do MR-8. Nos primeiros dias de fevereiro de 1969, a prisão de um quadro da VPR permitiu à polícia descobrir que um de seus militantes, ferido pelas torturas do DOPS, fora escondido e medicado no convento.[25] Por volta dessa época dois misteriosos vendedores de produtos farmacêuticos bateram num prédio da Boca do Luxo, zona decadente do centro de São Paulo onde se misturavam pequenos apartamentos e grandes bordéis. Procuravam Carlos Alberto Libânio Christo, chefe de reportagem na *Folha da Tarde*, o noviço Betto no convento de Perdizes e o *Vitor* na ALN. Era a polícia, e ele passou para a clandestinidade, onde se tornou também *Ronaldo Mattos* e *Olavo Borges*.[26] A meada dominicana já tivera pelo menos três fios puxados: o consulado americano sabia que Marighella freqüentava o convento, a polícia sabia que um de seus seguidores havia sido abrigado pelos frades, e um noviço desaparecera.

Entre janeiro e março de 1969 a ALN levara sobras da ofensiva contra a VPR. Em abril, depois de um assalto a um carro pagador, a organização sofreu um novo golpe, e dezoito pessoas foram presas. Por pouco não capturaram o próprio Marighella, em maio, quando um dirigente do grupo foi apanhado enquanto o esperava num "ponto".[27] Salvou-o um

24 Gustavo Corção, *O Globo*, 25 de abril de 1968.

25 *Quedograma*, item 3, e nota oficial do secretário de Segurança de São Paulo, de 10 de dezembro de 1969, em Frei Betto, *Batismo de sangue*, pp. 191-2.

26 Frei Betto, *Batismo de sangue*, pp. 66, 75 e 137. Ver também entrevista a *Playboy* de junho de 1992.

27 *Quedograma*, item 4.

pequeno atraso. Circulava por São Paulo com uma peruca mal aparada que lhe dava uma curiosa aparência de índio. Era um disfarce que chamava atenção. Numa noite do inverno de 1969, Salomão Malina, o dirigente do PCB responsável pelos serviços mais secretos da organização, caminhava pelo jardim do Trianon para cobrir um "ponto", quando reconheceu Diógenes Arruda, o segundo homem do PC do B. Ao lado de Arruda ia um estranho personagem que, ao cruzar com o velho amigo, piscou o olho. Malina reconheceu Marighella mais pela piscadela do que pela estampa.[28] Desde esse encontro, por muitos anos, recusou-se a marcar "pontos" na área do Jardim Paulista, pois por lá encontrara comunistas de mais e escuridão de menos.

Quando a Dissidência Universitária do Rio mandou à ALN a proposta de parceria no seqüestro de Elbrick, Marighella dedicava-se à montagem de cinco colunas guerrilheiras e esperava unir-se a uma delas antes do fim do ano.[29] Pelo seu projeto, partiriam do Paraná, São Paulo, Mato Grosso e Bahia, destruindo cartórios, saqueando latifúndios e distribuindo comida aos pobres, até juntarem-se no sul do Pará, onde procurariam assentar-se num pedaço da mata amazônica.[30] Mesmo que não conseguisse as cinco, bastaria pôr de pé uma ou duas para que a ALN chegasse à adolescência. Faltavam apenas alguns assaltos.

No início de outubro, menos de um mês depois do seqüestro de Elbrick, estava quebrada a estrutura com que a ALN sobrevivera desde 1968. Num novo arrastão, as prisões foram perto de trinta e devastaram sobretudo a cúpula e o braço armado da organização. *Jonas*, o chefe da operação de seqüestro do embaixador, estava morto. Os dois subcomandantes do seu GTA, presos, junto com os demais marighelistas que capturaram Elbrick. A três militantes mortos pela polícia, somavam-se outros dois, carbonizados numa avenida de São Paulo quando explodiu a carga de dinamite que transportavam em seu automóvel.

28 Salomão Malina, 1989.

29 Entrevista de Clara Charf, em *Rememória — Entrevistas sobre o Brasil do século XX*, p. 147. Charf informou que Marighella pretendia viajar para o Norte no dia 9 de novembro.

30 Jacob Gorender, *Combate nas trevas*, pp. 169-70.

Marighella entendera que "nós não vamos agüentar a repressão que vem pela frente".[31] Semanas depois, quando a situação piorara, apareceu armado com o otimismo dos agitadores experimentados, dizendo ao jornalista belga Conrad Detrez que "a ALN praticamente não foi tocada". Numa longa entrevista, apresentava a futura frente rural como um salto qualitativo da guerra revolucionária.[32] No dia seguinte os contatos clandestinos de Detrez em São Paulo aconselharam-no a deixar o país tão logo lhe fosse possível.[33]

A ALN pareceria forte em Paris, para onde seguiu Detrez, mas outro personagem, sentado a uma mesa do refeitório comunitário do seminário jesuíta Cristo Rei, na cidade gaúcha de São Leopoldo, mostrava-se preocupado. Era o *Professor Cavalcanti*. Vestia um *clergyman* cinza-escuro e tinha uma pequena cruz na lapela. Cabelos grisalhos cortados rentes, expressão alegre e gestos suaves. Ele disse a frei Betto: "A repressão aprendeu a lidar com a guerrilha urbana". Aquele "professor" não correspondia às descrições que se faziam do *Velho*, ou Joaquim Câmara Ferreira, regente do seqüestro de Elbrick. Estava a caminho do Uruguai, de onde seguiria para a Europa. Betto vivia semi-recluso no seminário, operando a pedido de Marighella uma rede de proteção a militantes clandestinos e fugitivos do regime. O "professor" explicou-lhe que a ofensiva do governo exigia uma rápida transferência de quadros para o campo, onde se poderia trabalhar com mais calma.[34]

O convento paulista continuava pipocando nos interrogatórios. Um preso contou que recebera a tarefa de procurar um frade de nome Fernando na livraria Duas Cidades, no centro de São Paulo. Outro, membro da direção regional da ALN e do seu GTA, teve capturado um talão de cheques onde anotara o telefone de Perdizes.[35] Pior: a Oban e o DOPS tinham em

31 Emiliano José, *Carlos Marighella*, p. 61.

32 Carlos Marighella, *Pour la libération du Brésil*, p. 75.

33 Segundo Frei Betto em seu *O Paraíso perdido*, p. 78, Detrez entrevistou Marighella na última semana de outubro.

34 Frei Betto, *Batismo de sangue*, pp. 75-6.

35 Para o preso, *Quedograma*, item 7. Para o caso do talão de cheques, Jacob Gorender, *Combate nas trevas*, pp. 198-9. Ver também a nota da Secretaria de Segurança de São Paulo, de 10 de dezembro de 1969, em Frei Betto, *Batismo de sangue*, pp. 191-2.

suas celas três testemunhas da ligação entre a ALN e os dominicanos: o militante do setor logístico da VPR, medicado no convento; o ex-prisioneiro que levara o recado a frei Fernando, e o membro do GTA, que conhecia as relações orgânicas com o grupo. No final de uma das muitas sessões de tortura a que um deles foi submetido, na última semana de outubro, Fleury sabia da conexão direta dos dominicanos com Marighella. É possível que isso tenha acontecido nas primeiras horas do dia 29 de outubro.

Na noite de 1º de novembro dois frades — Ivo e Fernando — tomaram um ônibus para o Rio, onde tratariam do esquema de apoio para a chegada dos militantes que haviam saído de Cuba e cujo destino era o foco do Pará. Ivo acabava de voltar de Porto Alegre, para onde transportara Câmara Ferreira. Na manhã seguinte, estavam no Catete quando foram agarrados, metidos numa camionete e levados para o quinto andar do edifício do Ministério da Marinha, onde o Cenimar tinha a sua central de torturas. Lá, eram esperados pelo delegado Fleury. Ele os separou.

De cuecas, frei Fernando foi pendurado no pau-de-arara. Deram-lhe choques nas mãos e nos pés, molharam-lhe o corpo para aumentar a intensidade das descargas. Deslocaram-lhe o maxilar. Enfiaram-lhe um fio na uretra.[36] À noite, quando ele perdeu a consciência, Fleury sabia como Marighella marcava seus encontros com os frades. Telefonava para a livraria Duas Cidades, identificava-se como *Ernesto* e anunciava que visitaria a gráfica. Isso significava que eles se encontrariam às vinte horas daquela mesma noite, na altura do número 800 da alameda Casa Branca, no Jardim Paulista.[37]

Nu, frei Ivo foi pendurado no pau-de-arara. Deram-lhe choques no corpo e na uretra. Lanharam-no com um cano de borracha, socos e chutes. À noite, quando o mandaram tomar banho, Fleury sabia que o último encontro fora duas semanas antes.[38] Depois de confrontar os dois de-

36 Para a tortura de frei Fernando, Frei Betto, *Batismo de sangue*, pp. 171-2.

37 Frei Betto, *Batismo de sangue*, pp. 143 e segs.

38 Idem.

poimentos, Fleury sabia também que Marighella deveria telefonar na terça-feira seguinte, dia 4 de novembro.

Os frades foram levados para outra sala, onde os obrigaram a recitar uma confissão para uma câmera de TV. O serviço estava completo. Na manhã seguinte Fleury levou os dois dominicanos para o DOPS de São Paulo. Às três da madrugada de 4 de novembro, invadiu espalhafatosamente o convento de Perdizes e prendeu mais cinco religiosos. Congestionaram-se as salas de tortura da delegacia.

Marighella estava em São Paulo. Entre o início da tarde e a hora em que tomou o rumo da alameda Casa Branca, soube por duas fontes diferentes que alguns padres tinham sido presos. Uma informação vinha de Porto Alegre e sinalizava prisões "no Rio e talvez em São Paulo". A outra vinha de São Paulo e mencionava a prisão de dominicanos no Rio. Ele foi em frente. Afinal de contas, às 16h30 um emissário seu telefonara para a livraria Duas Cidades e dera o recado: "Aqui é o Ernesto (ou da parte do Ernesto). Esteja hoje na gráfica".[39]

Às vinte horas, conforme o combinado, Marighella caminhava pela alameda Casa Branca. Carregava uma pequena pasta preta. Fora antecedido por um olheiro que nada notara de anormal. Um Volkswagen azul, com os freis Ivo e Fernando a bordo, estava estacionado em frente ao número 806. No quarteirão da alameda Casa Branca que vai da Lorena à rua Tatuí havia 29 policiais e um cão, distribuídos em sete automóveis.[40]

O delegado Fleury saiu da noite, atirando. Começou uma fuzilaria, estimulada pela certeza dos outros policiais de que a guarda do chefe terrorista estava respondendo ao fogo.

Marighella levou cinco tiros. Um, disparado à queima-roupa, seccionou-lhe a aorta.[41] Sua peruca ficou no chão. Na pasta, que não chegou a

39 Jacob Gorender, *Combate nas trevas*, pp. 192-4.

40 *Folha de S.Paulo*, 20 de maio de 1996, Caderno Brasil, p. 7, reportagem de Cristina Grillo, com base no relatório do delegado Ivair Freitas Garcia, do DOPS, de novembro de 1969.

41 Para os ferimentos, *Laudo Médico-Legal nº 36 229*, de 11 de novembro de 1969, assinado pelos médicos Harry Shibata e Abeylard de Queiroz Orsini. Para a distância do tiro fatal, Conclusão Final do *Parecer Médico-Legal* do legista Nelson Massini, de 8 de maio de 1996, encaminhado à Comissão Especial da Câmara dos Deputados que estudou os casos dos desaparecidos políticos.

abrir, havia um revólver Taurus calibre 32 com cinco balas e duas cápsulas de cianeto de potássio. Quando acabaram os disparos, a polícia matara também um dentista alemão que passava num Buick, ferira mortalmente uma investigadora que fingia namorar num carro próximo e baleara um delegado.[42]

Menos de uma hora depois, as emissoras que transmitiam o jogo Corinthians × Santos deram a notícia. No intervalo, o serviço de alto-falantes do estádio do Pacaembu pediu a atenção das torcidas e informou: "Foi morto pela polícia o líder terrorista Carlos Marighella".[43] Num aparelho de Vila Formosa, Carlos Lamarca chorava diante da televisão.[44] Como na cena final de *Deus e o diabo na terra do sol*, morria Corisco, e surgia Antonio das Mortes, "matador de cangaceiros". À figura mítica do chefe guerrilheiro, morto numa trama banal, impunha-se a força de Fleury, seu assassino. A esquerda perdera o patrono da luta armada, elo entre o pensamento radical do PCB e a ilusão armada do final dos anos 60. A ditadura ganhara no delegado um símbolo para a repressão.

Como o suicídio de Getulio Vargas em 1954 e a agonia de Tancredo Neves em 85, o assassinato de Marighella está entre as mortes espetaculares da história brasileira. Por mais que sejam estudadas, é comum aparecer um novo detalhe sugerindo a hipótese de que as coisas se passaram de outra maneira. Isso deriva de uma saudável curiosidade, mas também de emoções que remexem os acontecimentos na esperança de alterar aquilo que parece ser pouco mais que uma seqüência de fatos insuficientes para conter o episódio histórico.

A principal peça revisionista da narrativa oficial da morte de Marighella é de autoria de frei Betto, o *Vitor*. Em 1982 ele publicou o seu *Batismo de sangue*. Sua tese central é a de que na ALN se infiltrara al-

42 Jacob Gorender, *Combate nas trevas*, pp. 190 e segs.

43 Frei Betto, *Batismo de sangue*, p. 4.

44 Judith Lieblich Patarra, *Iara*, p. 344.

guém que, em conluio com a polícia, produziu a arapuca da alameda Casa Branca de forma a incriminar os dominicanos. Sua suposição amparou-se na revelação feita em 1974 por Victor Marchetti e John Marks, ex-funcionários da Central Intelligence Agency e do Departamento de Estado. Eles informaram, no livro *A CIA e o culto da inteligência*, que no início de outubro de 1969 a espionagem americana soube que um "grupo de radicais" brasileiros pretendia seqüestrar um avião, levando-o para Cuba. Ao contrário do que determinava a política do governo dos Estados Unidos, a agência não tentou impedir a ação. Depois da morte de Marighella a CIA justificou a sua conduta, comunicando ao Departamento de Estado que ficara de fora para proteger sua infiltração e o cerco à ALN.[45] A CIA estava certa na previsão. Os seqüestros foram dois. No dia 8 de outubro o MR-8 capturou um Caravelle da Cruzeiro do Sul, e no dia 4 de novembro, quando Marighella estava a caminho da armadilha, a ALN seqüestrou um avião da Varig que partira do Rio com destino a Santiago.[46]

Colocada no campo das conjecturas, a versão apresentada por frei Betto ganha densidade quando se juntam informações que o tempo tornou públicas. Desde 1964, um acordo oral entre a CIA e o SNI estabelecia que o serviço americano passaria ao seu similar nacional "informações disponíveis a respeito de atividades subversivas no Brasil".[47] A colaboração entre os dois serviços está documentada na vigilância, pela CIA, a exilados brasileiros e nos seus freqüentes contatos com Golbery. Funcionários do governo americano deram ao DOPS paulista os nomes e as fotografias de quadros do PC do B que faziam cursos de capacitação militar na China.[48] Peter Ellena, o funcionário americano enviado a São Paulo em novembro de 1968 para acompanhar as investigações do assassinato do capitão Chandler, estivera numa turma de policiais americanos que nos

45 Frei Betto, *Batismo de sangue*, pp. 206-7, transcreve o trecho de Marchetti e Marks.

46 *Jornal da Tarde*, 13 de dezembro de 1969.

47 Uma folha sem data nem assinatura, carimbada "secret", de 1964, intitulada *Suggestions for Oral Agreement. Liaison Relationship between the Brazilian National Intelligence Service and the American Intelligence Service.* APGCS/HF.

48 Depoimento de Renato d'Andrea a Percival de Souza, em Souza, *Autópsia do medo*, p. 384.

primeiros tempos do regime ensinara técnicas de combate à subversão aos calouros do DOPS paulista.[49]

Além disso, no dia 6 de novembro, Robert Corrigan, o refinado cônsul americano em São Paulo que no final dos anos 30 vivera no Rio de Janeiro as delícias da grã-finagem do Estado Novo, telegrafou a Washington:

> Embora algumas pessoas possam se mostrar chocadas e incrédulas ante o fato de que padres estivessem envolvidos em atividades terroristas, essa descoberta não foi surpresa para observadores políticos de São Paulo. O consulado geral tinha recebido numerosas informações de que esse fenômeno estava ocorrendo (ver Memcom "Igreja e Estado", de 12 de maio, e A-154, de 9 de julho de 1969). A explicação básica do envolvimento dos padres é a convicção, proclamada em declarações de militares, de que existe um estado de guerra e, portanto, a violência é necessária. Embora essa justificativa seja simplista e infeliz, ela parece suficiente para aqueles que acreditam estar vivendo sob uma ditadura brutal.[50]

Prisioneiro do DOPS no dia 4 de novembro de 1969, o historiador Jacob Gorender escreveu oito páginas sobre o episódio em seu livro *Combate nas trevas*. Elas formam o capítulo "Assim mataram Marighella", baseado em dezesseis entrevistas com militantes da ALN encarcerados a partir da ofensiva de setembro. Gorender demonstra que Fleury chegou a Marighela naquele dia e naquele lugar ao cabo da diligência que começou com a prisão dos frades, no Rio.

Na ótica do regime, provocando conseqüências que haveriam de influenciá-lo nos anos seguintes, a tortura dos dois frades foi um triunfo da sua funcionalidade, mas debaixo do triunfo de Fleury estava a de-

49 Depoimento do delegado Paulo Bonchristiano a Percival de Souza, em Souza, *Autópsia do medo*, p. 401. Nesse depoimento Bonchristiano refere-se a Richard Helena. Posteriormente, corrigiu o equívoco. Paulo Bonchristiano, dezembro de 2000.

50 Telegrama do consulado geral dos Estados Unidos em São Paulo ao Departamento de Estado, de 6 de novembro de 1969. DEEUA.

monstração do primitivismo de seus métodos. A atividade dos frades era quase temerária. Dois deles haviam sido presos e fichados na captura do Congresso da UNE, em Ibiúna.[51] Levantavam rotas para a guerrilha, remetiam documentos ao exterior, cobriam fugas, providenciavam refúgios e chegavam a abrigar foragidos na casa da rua Caiubi. Em meados de outubro frei Ivo encontrara-se com Marighella em São Paulo, transportara Câmara Ferreira a São Leopoldo e voltara ao convento a tempo de cobrir o "ponto" marcado do dia 4. Frei Fernando dava plantão na livraria Duas Cidades e dela saía para seus contatos com *Ernesto*. Os arranjos eram simplórios. A senha, sempre a mesma, falava numa gráfica. Fixava o encontro para o mesmo dia, no mesmo lugar, numa região que anos antes, quando o veterano capa-preta ainda fazia parte do PCB, era conhecida como o "escritório do Marighella".[52] O dispositivo de segurança da relação da ALN com os dominicanos estava abaixo da qualificação média do aparelho policial paulista. Qualquer foragido que se movesse em semelhantes condições teria fortes chances de ser capturado.

As organizações de esquerda e a máquina repressiva do governo tinham um interesse comum: assegurar a continuidade da ameaça terrorista negando que a morte de Marighella fosse resultado do abalo da estrutura da ALN. Senão, uns ficariam sem revolução e os outros, sem ocupação. O debate obsessivo sobre as circunstâncias que cercaram o fim de *Menezes* desviou a atenção do fenômeno mais amplo — o impacto que atingiu primeiro o marighelismo e a seguir se espalhou pelas outras siglas. Antes do "ponto" da alameda Casa Branca a ALN perdera algo em torno de trinta quadros. Um mês depois, outros tantos. De cada dez de seus militantes dois haviam sido capturados. De seus combatentes vindos de Cuba um morrera, quatro estavam presos, e um deles trabalhava ostensivamente para a polícia.[53] Faltavam-lhe aparelhos, meios de transporte e dinheiro.

51 Frei Betto, *Batismo de sangue*, p. 63.

52 Armênio Guedes, outubro de 1991.

53 Estava morto Virgílio Gomes da Silva. Estavam presos Aton Fon Filho, Otávio Ângelo e José Nonato Mendes. Trabalhava para a polícia Hans Rudolf Manz. Restava Adilson Ferreira da Silva.

Às seis horas da tarde de 6 de dezembro de 1969, Marighella voltou a ser ouvido no Brasil:

> A primeira fase da guerra revolucionária, que está quase concluída, não deve significar o fim ou o amortecimento do ritmo da guerra psicológica. [...] Quando a insurreição no campo chegar ao apogeu, partiremos para a guerra de guerrilhas. A partir dela formaremos o Exército Revolucionário de Libertação Nacional. O núcleo fundamental desse exército será a aliança armada dos camponeses, trabalhadores e estudantes. O último período da guerra de guerrilhas será a fase de manobras operacionais; a ditadura militar será derrubada; os americanos serão expulsos do país; será instalado um governo popular e revolucionário; a máquina burocrático-militar do Estado brasileiro será destruída.[54]

Pelas ondas curtas da rádio Havana, Carlos Marighella, o mestre da propaganda, continuava seu combate.

54 Rádio Havana, transmissão de 6 de dezembro de 1969.

A história dos mortos

A tortura quebrou o terror. A destruição das organizações armadas começou em julho de 1969, a partir da centralização das atividades de polícia política dentro do Exército. Enquanto em São Paulo o general Ayrosa polia as engrenagens da *Operação Bandeirante*, no Rio de Janeiro o general João Dutra de Castilho reestruturava a máquina de informações da Vila Militar. Formou combinados que trabalhavam sob a coordenação do CIE. Suas equipes tinham tropas das mais diversas unidades, da Polícia do Exército ao Batalhão Escola de Engenharia. No dia 16 de outubro de 1969, uma semana depois da aula de tortura na 1ª Companhia da PE, ele anunciava: "Passamos à ofensiva".[1]

No final de junho de 1970 estavam desestruturadas todas as organizações que algum dia chegaram a ter mais de cem militantes. A unificação de esforços colaborou para o trabalho da "tigrada", mas foi o porão que lhe garantiu o sucesso. Entre 1964 e 1968 foram 308 as denúncias de torturas apresentadas por presos políticos às cortes militares. Durante o ano de 1969 elas somaram 1027 e em 70, 1206.[2] De 1964 a 1968 instauraram-se sessenta IPMs contra organizações de esquerda; só em 69 abriram-

1 *Boletim da 1ª Divisão de Infantaria*, 16 de outubro de 1969, *Processo nº 4896*, STM, vol. 3, p. 1383. Nas operações de outubro de 1969 entraram equipes das seções de operações da 1ª Companhia da PE, Batalhão Escola de Engenharia, Regimento Escola de Cavalaria, 1º e 2º Regimentos de Infantaria, 1º Regimento de Obuses 105 e do Esquadrão Tenente Amaro.

2 *Projeto Brasil: nunca mais*, tomo V, vol. 1: *A tortura*, p. 114.

se 83 novos inquéritos.[3] O da ALN formou doze volumes, com 3 mil páginas e 143 indiciados.[4] Em apenas cinco meses, de setembro de 1969 a janeiro de 70, foram estourados 66 aparelhos, encarceradas 320 pessoas e apreendidas mais de trezentas armas.[5]

Num discurso feito na Escola Superior de Guerra, Medici festejava: "Estamos vencendo o terrorismo da minoria enganada pela falácia de sistemas de vida incompatíveis com a índole de nossa gente".[6] Falando à oficialidade da Vila Militar, foi mais didático e reiterou seu compromisso de "aprimorar a prática dos princípios democráticos consagrados na constituição brasileira, sobretudo os referentes à dignidade da pessoa humana — no bom sentido do humano — aos direitos, deveres e liberdade do homem brasileiro; — mas não do pseudobrasileiro, isto é, daquele que está a serviço de outra pátria".[7] "Haverá repressão, sim. E dura, e implacável", arrematou em março de 1970.[8] Não podia ser mais claro.

No comando do II Exército, o general Canavarro Pereira garantia: "Não esmoreceremos na nossa luta contra a subversão e a corrupção no país".[9] A verdade é que, no combate à corrupção, as coisas não iam tão bem. O general Oscar Luiz da Silva, presidente da Comissão Geral de Investigações (organismo sobre o qual também pairara a esperança da eficácia pela centralização), admitia que em cinco anos ela só concluíra seis dos 1500 processos que abrira. Justificava a produção minguada: "A morosidade se deve ao cuidado com que são feitas as investigações. O sigilo, cuidado que temos para não comprometer antes do tempo, e às vezes indevidamente, a pessoa física ou jurídica processada. Quando iniciamos uma investigação, já o fazemos com quase total segurança de que estamos numa pista real de enriquecimento ilícito. Mas podemos nos enganar".[10] Não podia ser mais claro.

3 *Brasil: nunca mais*, pp. 114-6.

4 *Jornal da Tarde*, 1º de março de 1970.

5 *Veja*, 4 de fevereiro de 1970, p. 25.

6 Emilio Garrastazú Medici, *Nova consciência de Brasil*, pp. 80-1. Discurso de 10 de março de 1970.

7 Idem, p. 29.

8 Idem, p. 91. Mensagem pelo 6º aniversário da Revolução.

9 Telegrama da agência France Presse, de 26 de agosto de 1970.

10 *Veja*, 4 de fevereiro de 1970.

Em maio de 1970, a Central Intelligence Agency registrou que "dois dos quatro membros do comando nacional da VPR foram capturados, e outro matou-se. Só o capitão renegado Carlos Lamarca, líder do grupo, continua foragido".[11] A organização perdera três dos cinco dirigentes que a controlavam no ano anterior.[12] Herbert Eustáquio de Carvalho, o *Daniel*, um dos poucos chefes a escapar, registraria: "Os mais experimentados quadros urbanos foram presos ou mortos. [...] O desastre. Do que sobrara no Rio: uma dezena de militantes [...]".[13] "Estavam todos perdidos entre si, descontatados, clandestinos e sem dinheiro. Matando cachorro a grito", acrescentou Alfredo Sirkis, o *Felipe*, *Gabriel* ou *Vitor*.[14] Talvez não chegassem a trinta. O temido "grupo de ação", responsável pelos principais atentados de todo o surto, dissolvera-se, quase todo preso. Um de seus integrantes, sem contato com a organização, dormia na rua e vivia a médias e pão com manteiga.[15] Na ALN a situação era ligeiramente melhor. Numa contagem feita durante uma reunião na Pedra de Guaratiba, a malha da organização no Rio de Janeiro reduzira-se a catorze pessoas.[16] Somando-se a ela a militância paulista, é provável que tivesse pouco mais de cinqüenta.[17] Um de seus militantes recordaria: "A partir de maio de 1970 ficou-nos cada vez mais difícil sobreviver. Os poucos tamboretes que fazíamos rendiam um milhão, um milhão e meio [...] mal davam para o sustento".[18]

Pode-se ter uma visão do que aconteceu ao terrorismo brasileiro nos 23 meses que vão de agosto de 1968 ao fim do primeiro semestre de 70 buscando-se o paradeiro dos militantes envolvidos nas cinco principais ações terroristas do período, a saber:

11 *Weekly Summary*, Central Intelligence Agency, 8 de maio de 1970. DEEUA.

12 Antonio Roberto Espinosa, *Mário Japa* e Fernando Mesquita Sampaio. Sobraram Lamarca e Cláudio de Souza Ribeiro.

13 Herbert Daniel, *Passagem para o próximo sonho*, pp. 53 e 55.

14 Alfredo Sirkis, *Os carbonários*, pp. 198-9.

15 Entrevista de Massafumi Yoshinaga a *Veja* de 15 de julho de 1970, p. 18.

16 Reinaldo Guarany, *A fuga*, p. 10. Athos Magno Pereira, em sua entrevista a Luís Mir, *A revolução impossível*, p. 537, estima que fossem menos de trinta.

17 Essa estimativa baseia-se no fato de que entre o início do segundo semestre de 1970 e maio de 75 foram assassinados 37 quadros da organização.

18 Reinaldo Guarany, *A fuga*, p. 28.

1. o assalto ao trem pagador da ferrovia Santos—Jundiaí (10 de agosto de 1968), pela ALN;

2. o ataque ao QG do II Exército (26 de junho de 1968), pela VPR;

3. o assassinato do capitão Chandler (12 de outubro de 1968), pela VPR;

4. o roubo do cofre de Adhemar de Barros (11 de maio de 1969), pela VAR-Palmares, derivada da VPR e do Colina, e

5. o seqüestro de Elbrick (4 de setembro de 1969), pelo condomínio da Dissidência Universitária com a ALN.

Essas cinco ações foram organizadas por quatro grupos, e delas participaram 46 militantes. Um levantamento do destino de 44 deles mostra que no final de junho de 1970, menos de um ano depois do seqüestro de Elbrick, seis estavam mortos, 21 presos e dez haviam deixado o país. Dos sete restantes, dois morreriam e um seria capturado antes do final de 1970. Sobravam quatro. Dois estavam desconectados das organizações e outro exilou-se em 1971. Vivo e atuante, só um, que seguira para Cuba. Retornou ao Brasil e foi assassinado em 1972.[19]

Da explosão da bomba no aeroporto dos Guararapes ao seqüestro de Elbrick as organizações armadas têm uma narrativa de ações. Depois da morte de Marighella, começou uma crônica de cadáveres. Nela, escreveram-se duas histórias: a dos vencedores e a dos vencidos. Uma não existe sem a outra, e a forma como elas se encontraram retrata ao mesmo tempo o fim de uma aventura política e a ferocidade de uma ditadura.

Aqui vão contadas duas mortes.

1. As 53 marcas de Chael

Chael Charles Schreier, estudante da Faculdade de Ciências Médicas da Santa Casa de Misericórdia, em São Paulo, abandonara o curso em 1968 e tornara-se o *Joaquim*, da VAR-Palmares. Tinha 23 anos e partici-

19 Levantamento do autor.

para de pelo menos um assalto a banco.[20] Era um homem gordo e corpulento, com 120 quilos, vistoso demais para circular pelas ruas sabendo que a polícia o procurava. Vivia trancado.

Às nove horas da noite da sexta-feira, 21 de novembro de 1969, estava num aparelho da rua Aquidabã, 1053, no bairro do Lins de Vasconcelos, no Rio. Na casa de dois andares, sala e três quartos, fazia alguns meses morava o casal *Mauro Cabral* e *Maria Carolina Montenegro* (e Chael, que chegara no chão de um carro). Pagavam quatrocentos cruzeiros de aluguel e fingiam viver a rotina dos casais jovens do bairro, mas alguma coisa neles chamava atenção. Alugaram a casa, oferecendo um depósito de três meses (preferência genérica das pessoas que não conseguem fiador e específica dos locatários de aparelhos, dos contraventores e dos caloteiros). Na época, a VAR tinha grandes planos; o maior deles era o seqüestro do ministro da Fazenda, Delfim Netto.[21] No aparelho havia uma submetralhadora, uma espingarda, diversas pistolas e 3 mil cartuchos.[22] A casa estava sendo observada. Àquela hora onze policiais do DOPS a rodeavam.[23]

Mauro foi logo capturado, mas Chael e a jovem enfrentaram a polícia a bala e bombas feitas com canos de ferro recheados de pregos. Quando o aparelho estava tomado de gás lacrimogêneo, renderam-se e saíram da casa com os braços para cima. *Mauro* não teve tempo de abrir a tampa de caneta onde guardava uma cápsula de veneno.[24] Chegaram ao DOPS com as roupas em frangalhos e algumas escoriações. Apanharam até o início da madrugada, quando os mandaram para a 1ª Companhia da PE, base operacional do CIE na Vila Militar. Com 23 anos, *Mauro* era Antonio Roberto Espinosa, o *Bento*, um dos seis comandantes nacionais da VAR, veterano dos primeiros assaltos. *Maria Carolina* era Maria Auxi-

20 *Informação 17/69-IPM-OPM*, do tenente-coronel Ary Pereira de Carvalho à seção de informações da 1ª Divisão de Infantaria, 10 de dezembro de 1969. AA. *Veja*, 10 de dezembro de 1969, pp. 20-7. *The Tragic Death of Chael Charles Schreier*, em *Terror in Brazil, a Dossier*.

21 Alfredo Sirkis, *Os carbonários*, p. 180.

22 *Correio da Manhã*, 23 de novembro de 1969.

23 Luiz Maklouf Carvalho, *Mulheres que foram à luta armada*, p. 126.

24 Depoimento de Antonio Roberto Espinosa, em Judith Lieblich Patarra, *Iara*, p. 244.

liadora Lara Barcelos, a *Francisca*. Linda mulher, de olhos imensos, quintanista de medicina, tinha 25 anos.

No quartel, foram entregues a dois capitães, um tenente, dois sargentos e um cabo.[25] Era um combinado do CIE com a 2ª Seção da Companhia da PE. Os capitães João Luiz de Souza Fernandes e Celso Lauria eram do CIE. O tenente Ailton Joaquim e os sargentos Paulo Roberto de Andrade e Atilio Rossoni serviam na 1ª Companhia da PE. Fazia pouco mais de um mês nela se realizara a aula de tortura para a "tigrada". Dos seis, três tinham a Medalha do Pacificador. Ailton e o sargento Andrade haviam-na recebido oito dias antes, com palma, por serviços "à manutenção da ordem, da lei e das Instituições Democráticas brasileiras".[26]

Despiram-nos, e a primeira sessão de tortura foi coletiva. Chael foi obrigado a beijar o corpo de Maria Auxiliadora. Espinosa teve a cabeça empurrada entre os seus seios. Levaram os dois rapazes para outra sala. *Francisca* foi deitada no chão molhado, e assim aplicaram-lhe os primeiros choques elétricos.[27] Tinha começado aquilo que anos depois ela relembraria como os "intermináveis dias de Sodoma".[28] Recebia golpes de palmatória nos seios, e uma pancada abriu-lhe um ferimento na cabeça.[29] Espinosa tomou choques com fios ligados à corrente elétrica de uma tomada de parede, amarraram-lhe a genitália numa corda e fizeram-no correr pela sala.[30] A pancadaria cessou no fim da madrugada, quan-

25 Antonio Roberto Espinosa, em *Projeto Brasil: nunca mais*, tomo V, vol. 1: *A tortura*, p. 407, lista na recepção os capitães João Luiz (de Souza Fernandes) e (Celso) Lauria, o tenente Ailton (Joaquim), os sargentos (Paulo Roberto de) Andrade e (Atilio) Rossoni, além do cabo (Edson Antonio) Mendonça. Tanto Espinosa como Maria Auxiliadora se referem à participação do capitão Ailton Guimarães Jorge nas sessões de tortura por que passaram.

26 Certidão de Assentamentos do Terceiro-Sargento Paulo Roberto de Andrade, fl. 11, vol. 5, p. 1907 do *Processo nº 4896*, STM. Para o capitão Celso Lauria, *Almanaque do pessoal militar do Exército*, 1972.

27 Declarações de Maria Auxiliadora Lara Barcelos à Justiça Militar, em *Projeto Brasil: nunca mais*, tomo V, vol. 4: *Os mortos*, p. 85.

28 Maria Auxiliadora Lara Barcelos, "Continuo sonhando", em *Memórias do exílio — Brasil 1964/19??*, de Pedro Celso Uchôa Cavalcanti e Jovelino Ramos, p. 317.

29 Segundo uma carta manuscrita de Adail Ivan de Lemos, preso em 8 de agosto de 1969, na PE denominavam Carinhosa e Vem Cá Meu Bem à palmatória furada. Luciana, à lisa. *Projeto Brasil: nunca mais*, tomo V, vol. 1: *A tortura*, p. 142.

30 Depoimento de Antonio Roberto Espinosa, em *Projeto Brasil: nunca mais*, tomo V, vol. 1: *A tortura*, pp. 404 e 407.

do Chael parou de gritar. Lauria mandou que Maria Auxiliadora vestisse sua roupa e acompanhou-a à enfermaria, onde lhe deram um ponto no ferimento da cabeça.[31] O soldado que tomava conta de Espinosa disse-lhe: "Mataram seu amigo".[32]

Amanhecia o sábado quando tocou o telefone do oficial de plantão do CIE, no quartel-general. Era o tenente-coronel Luiz Helvecio da Silveira Leite.[33] Havia um cadáver na 1ª Companhia da PE. Em casos anteriores esse tipo de problema fora resolvido com um procedimento rotineiro. Fechava-se o caixão, proclamava-se o suicídio e sepultava-se o morto. O método já dera certo duas vezes, naquele mesmo quartel. Em maio, com Severino Viana Colon, e em setembro, com Roberto Cieto. Tratava-se de seguir o manual, e Helvecio despachou para a PE de Deodoro o tenente-coronel Murilo Fernando Alexander, do CIE.[34]

O cadáver de Chael foi levado por Alexander para o Hospital Central do Exército. "Não concordaram em aceitá-lo como se tivesse entrado vivo", contou o tenente-coronel Helvecio.[35] A decisão fora tomada pelo próprio diretor do hospital, general Galeno da Penha Franco. Pior: o general reteve o morto e determinou que se procedesse à autópsia. O CIE tinha dois problemas. O tiroteio e as prisões da rua Aquidabã eram públicos, pois haviam sido noticiados pelas rádios.[36] Ademais, os presos foram três, e dois estavam vivos. Isso excluía a fórmula do sumiço do corpo, usada dois meses antes na *Operação Bandeirante*, depois do assassinato de Virgílio Gomes da Silva. O atestado de óbito excluía a versão do suicídio. A origem social de Chael, um ex-estudante de medicina saído de uma família judia da classe média paulista, cortava o caminho ao funeral de indigente que ajudara a abafar a morte de Severino Colon.

31 Depoimento de Maria Auxiliadora Lara Barcelos, em *Projeto Brasil: nunca mais*, tomo V, vol. 3: *As torturas*, p. 70.

32 Judith Lieblich Patarra, *Iara*, p. 351. Ver também Nilmário Miranda e Carlos Tibúrcio, *Dos filhos deste solo*, pp. 447-8.

33 Coronel Luiz Helvecio da Silveira Leite, maio de 1985.

34 Para a identificação de Alexander, coronel Luiz Helvecio da Silveira Leite, maio de 1985.

35 Coronel Luiz Helvecio da Silveira Leite, maio de 1985.

36 A agência de notícias espanhola Efe transmitiu de Madri, às 12h30 GMT, a informação segundo a qual haviam sido presos *Joaquim Mauro* e *Carolina Montenegro*.

Restava um só caminho, e antes do meio-dia foi posta a circular sua versão: um dos presos fora ferido durante o tiroteio. No domingo, o *Jornal do Brasil* informou que os três terroristas da rua Aquidabã estavam sendo interrogados na PE.[37] Na segunda-feira, o II Exército informou ao DOPS paulista que Chael morrera de ataque cardíaco no HCE, quando era medicado.[38] Na terça, o cadáver foi entregue à família. Na quarta, enquanto o *Correio da Manhã* publicava que os três presos "continuam sendo interrogados", finalmente a notícia de sua morte foi liberada pelos oficiais encarregados da repressão à VAR-Palmares. O DOPS anunciou que ele morrera por conta de dois tiros recebidos durante o cerco ao aparelho.[39] Como essa versão estava desamparada pelo atestado de óbito e pela necropsia, firmou-se a lorota que o tenente coronel Ary Pereira de Carvalho, com sua torturada gramática, faria circular no Exército: "Dos três terroristas o que mais violentamente reagiu foi Chael Charles Schreier, que mais tarde, apesar dos curativos recebidos, veio a falecer em conseqüência de ferimentos internos, por ele mesmo praticados durante sua prisão".[40]

Faltara calar a autópsia e o atestado de óbito. O major-médico Oswaldo Caymmi Ferreira, chefe do serviço legista do HCE, e o capitão Guilherme Achilles de Faria Mello, amparados na autoridade do taciturno professor de medicina legal da Faculdade de Medicina da UFRJ Rubens Pedro Macuco Janini, assinaram a mais detalhada necropsia do regime. Contando-se apenas dois ferimentos para cada vez que os legistas usaram o plural na descrição das lesões existentes no cadáver, Chael Charles Schreier tinha 53 marcas de pancada. Bastava olhá-lo. Estava todo lanhado, com um corte no queixo suturado por cinco pontos. Examinado, tinha uma hemorragia na cabeça e sangue "em todos os espaços" do ab-

37 *Jornal do Brasil*, 23 de novembro de 1969, p. 42.

38 Relatório do II Exército, de 24 de novembro de 1969, em Nilmário Miranda e Carlos Tibúrcio, *Dos filhos deste solo*, p. 433.

39 *Correio da Manhã*, 26 e 23 de novembro de 1969.

40 *Informação 17/69-IPM-OPM*, do tenente-coronel Ary Pereira de Carvalho à seção de informações da 1ª Divisão de Infantaria, 10 de dezembro de 1969. Sintaxe do tenente-coronel Ary Pereira de Carvalho. AA.

dômen. O intestino fora extensamente rompido. O tórax estava deprimido, dez costelas quebradas.[41]

No final de novembro, o jornalista Luiz Gutemberg encontrou-se no Rio de Janeiro com o coronel Octavio Costa, chefe da Assessoria de Relações Públicas da Presidência da República. Ambos alagoanos, conheciam-se havia tempo. O coronel, veterano da FEB, tinha um fraco pelas letras. Colaborava eventualmente no *Jornal do Brasil* e escrevera o discurso de posse de Medici. Tinha um estilo de compota: "Homens do meu país! Neste momento eu sou a oferta e a aceitação", mas tinha também uma idéia própria do que deveria ser o governo: "Creio necessário consolidar e dignificar o sistema representativo, baseado na pluralidade dos partidos e na garantia dos direitos fundamentais do homem".[42] O resultado da conversa de Gutemberg com o coronel chegou às bancas na segunda-feira, dia 8 de dezembro. Em sua capa, *Veja* anunciava: "O presidente não admite torturas".[43]

A reportagem atribuía a "um porta-voz da Presidência" a grande notícia do ano: "Medici determinou aos órgãos responsáveis pela segurança pública e combate à subversão — vários deles acusados de torturar presos políticos e até simples suspeitos depois inocentados — que devem rever imediatamente seus esquemas de repressão e pôr fim ao uso de métodos violentos". O ministro da Justiça, Alfredo Buzaid, foi além: "Nesse período [em um mês de governo] eu não tive conhecimento de nenhum fato inequívoco que reclamasse a imediata intervenção do ministério. Todavia, o pensamento do ministério é o de intervir dentro de seus limites para preservar a ordem jurídica interna e a segurança nacional".[44] Dois dias depois, foi mais claro: "Se tivermos conhecimento — o que ainda

41 Necropsia de Chael Charles Schreier, em *Projeto Brasil: nunca mais*, tomo V, vol. 4: *Os mortos*, p. 81. "[...] encontra-se fratura com infiltração hemorrágica na junção das terceira, quarta, quinta e sexta costelas direitas com a respectiva cartilagem costal, e fratura da segunda, terceira, quarta, sexta, sétima e oitava costelas esquerdas com infiltração hemorrágica, percebe-se infiltrado hemorrágico no tecido subcutâneo da metade superior da região esternal na altura da região epigástrica." Esse documento não foi divulgado na ocasião.

42 Emilio Garrastazú Medici, *O jogo da verdade*, pp. 33 e 39.

43 *Veja*, 3 de dezembro de 1969.

44 Entrevista de Alfredo Buzaid a Dirceu Brisola, *Veja*, 3 de dezembro de 1969, p. 21.

não aconteceu — da execução de atos de tortura em qualquer região do país, o ministério da Justiça saberá aplicar as medidas tendentes à punição dos responsáveis".[45]

Na segunda-feira seguinte a revista *Veja* publicou a certidão de óbito de Chael, na qual se registrava uma "contusão abdominal com rupturas do mesocólon transverso e mesentério, com hemorragia interna".[46] Para quem queria saber, o caso era perfeito e acabado. Chael fora preso vivo e chegara ao HCE morto. O coronel Ary Pereira de Carvalho dificilmente conseguiria explicar como ele teria sido capaz de autoflagelar-se a ponto de romper seu intestino. O atestado de óbito conduzia à necropsia, mas ela estava guardada no arquivo do HCE. A descrição dos ferimentos de Chael e a explicação do coronel tinham uma coisa em comum: em ambas estavam apostas as assinaturas de oficiais do Exército. Poucos dias depois, o tenente-coronel Helvecio mandou uma carta a Buzaid.[47] Era parte do contra-ataque do porão. Dele conhece-se o desfecho, mas não a manobra. Quando o ministro voltou a tratar do tema, soou diferente, ecoando sua militância integralista da mocidade, em Jaboticabal, no interior de São Paulo: "Aqueles que matam guardas e agentes de segurança, que roubam metralhadoras para guerrilhas escondendo-se atrás de uma ideologia comunista, devem sofrer punição exemplar".[48] O tenente-coronel prevalecera.

Na galeria aberta em 1966 pelo sargento Manoel Raimundo Soares com suas mãos amarradas, Chael tornou-se mais uma daquelas vítimas do regime que morreram diversas vezes. Na primeira, quando o mataram. Nas demais, quando a toda iniciativa no sentido de elucidar o crime e levar os acusados ao processo legal, correspondeu uma resposta do regime, calando-a. No dia 6 de dezembro de 1969, o comando do I Exército informou aos proprietários de órgãos de comunicação que deveriam esquecer o noticiário relacionado com as torturas. Quanto à revista *Veja*,

45 *O Globo*, 3 de dezembro de 1969.

46 Certidão de Óbito de Chael Charles Schreier, de 26 de novembro de 1969.

47 Coronel Luiz Helvecio da Silveira Leite, dezembro de 1969.

48 *Noticiário Diplomático Brasileiro*, 10 de dezembro de 1969. Para a militância integralista, Hélgio Trindade, "O radicalismo militar em 64 e a nova tentação fascista", em *21 anos de regime militar*, organizado por Gláucio Ary Dillon Soares e Maria Celina d'Araujo, p. 134.

com sede em São Paulo, concebeu-se um plano cruel. A cada fim de semana um exemplar deveria ser levado ao Rio de Janeiro antes que a edição chegasse às bancas. Seria examinado pelo general Carlos Alberto Cabral Ribeiro, chefe do estado-maior da 1ª Região Militar. Se ele não gostasse, a circulação daquele número poderia ser suspensa. Medici não tentou sequer o acordo obtido por Geisel durante sua visita aos quartéis do Nordeste, em 1964, quando se firmou no governo Castello a doutrina segundo a qual as torturas praticadas nos primeiros meses do regime seriam esquecidas em troca de um futuro bem-comportado. Houvera um engano: o presidente admitia torturas. E de onde o coronel Octavio Costa tirou a idéia de dizer que ele não admitia? O coronel conta: "Quando eu disse ao Gutemberg que o presidente não admitia torturas, não estava mentindo. Eu realmente achava que o presidente não admitia torturas. Não sabia de nada. Eu vinha do Centro de Aperfeiçoamento, no Leme, a imprensa estava censurada. Do lado de lá os presos falavam muito. Do lado de cá o pessoal não falava".[49]

2. O último "ponto" de Mário Alves

Passava pouco das cinco da tarde de 16 de janeiro de 1970 quando Mário Alves, o *Vilas*, secretário-geral do Partido Comunista Brasileiro Revolucionário, saiu de sua casa no bairro da Abolição, no Rio de Janeiro, para um "ponto" em Cascadura. Sua biografia parecia-se com a de Marighella. Era baiano, militara no PCB desde os tempos do Estado Novo, fora preso e torturado em 1964. Expulso do Partidão em 1967, buscara apoio cubano e dirigia uma organização disposta a derrubar o regime através de uma insurreição armada. Apesar dessas semelhanças, *Vilas* pouco tinha em comum com *Menezes*. Retraído e atencioso, impressionava mais por ouvir do que por falar. Aos 56 anos, vivia como um asceta. Só as suas maneiras polidas traíam a origem abastada de filho de fazendeiros. Cultivando sua própria lenda, Marighella fazia um gênero que o transfor-

49 General Octavio Costa, maio de 1985.

mava naquilo que os seus simpatizantes gostariam que fosse: um guerrilheiro carismático. Mário Alves raramente falava de si, encarnava o típico capa-preta da hierarquia do Partidão.

Era a quarta vez que *Vilas* saía em busca do contato que haveria de levá-lo a uma reunião do comitê central. Nas três saídas anteriores esperara em vão. O PCBR estava sendo implodido.[50] Uma fuga desastrada depois do assalto a uma agência do banco Sotto Mayor, na Vila da Penha, tivera como conseqüência uma fieira de prisões que desarticulara a base da organização no Rio de Janeiro.[51] Os militantes ainda estavam num restaurante festejando o butim (79 mil cruzeiros, equivalentes a 17 mil dólares) quando seus aparelhos começaram a ser varejados.[52] O golpe mais fundo resultou da prisão de um veterano militante comunista. Chamava-se Salatiel Teixeira Rolim. Fazia parte da direção nacional da organização, mas afastara-se havia vários meses para meter-se na ALN. Sabia muito, inclusive a localização de inúmeros esconderijos. Transgredindo as normas da segurança, a direção do PCBR não os desativou.[53]

Preso, Mário Alves foi levado para o quartel do 1º Batalhão de Polícia do Exército, aquele que em 1964 a Divisão de Relações Públicas do gabinete do ministro da Guerra dissera não ter "masmorras", "pois seu presídio, relativamente novo, é limpo e seco e dispõe de luz direta".[54] Era um prédio branco, enfeitado, na rua Barão de Mesquita, 425. Nos anos 30 abrigara a elite do Exército, servindo de sede à Escola de Estado-Maior. No fundo do pátio ficava uma edificação de dois andares. Modesta no tamanho, equivalia a um distrito policial. À esquerda de quem entrava, havia uma sala grande, iluminada. Era a central de operações. Num painel, registravam-se as informações de "pontos" e aparelhos recebidas pelos interrogadores. Lá decidiam-se as saídas das equipes de busca. À direita havia um corredor, e nele ficava a Sala Roxa, ou ainda a Boate. Tinha

50 Jacob Gorender, *Combate nas trevas*, p. 201.

51 Para esse episódio, com alguns aspectos rocambolescos, Avelino Bioen Capitani, *A rebelião dos marinheiros*, pp. 152-7.

52 Álvaro Caldas, *Tirando o capuz*, pp. 117 e segs.

53 Jacob Gorender, *Combate nas trevas*, p. 202.

54 *Correio da Manhã*, 8 de julho de 1964.

um globo de luz azulada colocado acima de sua porta de entrada. Quando estava aceso, só podia entrar quem estivesse relacionado com a investigação. Um vidro espelhado permitia que da sala ao lado se acompanhasse a movimentação da Boate.[55]

No fundo do corredor havia cinco pequenas celas, cada uma com um colchão de palha no chão, um buraco sanitário no fundo e uma janela gradeada perto do teto. Nelas ficavam os presos que a qualquer momento poderiam ser levados para a Sala Roxa. Não porque houvesse tanta pressa em trazê-los, mas para que ouvissem o que acontecia ao lado.[56] Numa dessas masmorras estava Antônio Carlos de Carvalho. Noutra, Raimundo Teixeira Mendes. Eles ouviram:

— Teu nome completo é Mário Alves de Souza Vieira?

— Vocês já sabem.

— Você é o secretário-geral do comitê central do PCBR?

— Vocês já sabem.

— Será que você vai dar uma de herói?[57]

Mário Alves ficou oito horas na Sala Roxa. No início da manhã seguinte o cabo da guarda chamou quatro prisioneiros para limpá-la. Num canto, havia um homem ferido. Sangrava pelo nariz e pela boca.[58] Tinha sido empalado com um cassetete.[59] Dois outros presos, militantes do PCBR, reconheceram-no, deram-lhe de beber e limparam-lhe o rosto.[60]

55 Álvaro Caldas, *Tirando o capuz*, p. 71. Alcir Henrique da Costa, novembro de 1990.

56 Álvaro Caldas, *Tirando o capuz*, p. 74.

57 Reinaldo Cabral e Ronaldo Lapa (orgs.), *Desaparecidos políticos*, pp. 95 e segs. Raimundo Teixeira Mendes revelou a *O Globo* de 21 de dezembro de 1996 que entre os primeiros torturadores de Mário Alves estavam os tenentes Armando Avólio Filho, Correia Lima, Magalhães e Duque Estrada.

58 Reinaldo Cabral e Ronaldo Lapa (orgs.), *Desaparecidos políticos*, p. 96, e Jacob Gorender, *Combate nas trevas*, p. 203.

59 Jacob Gorender, *Combate nas trevas*, p. 203. Declarações de Renê de Carvalho e Salatiel Rolim, em *Projeto Brasil: nunca mais*, tomo V, vol. 4: *Os mortos*, pp. 279-80.

60 Mário Alves foi reconhecido pelo ex-tenente Augusto Henrique Maria Olivier, membro do comitê central do PCBR, e pelo ferroviário Manoel João da Silva, caseiro de um aparelho onde se reunira a cúpula do partido. Em Maria Helena Malta, *Brasil, um sonho intenso*, p. 148.

Vilas não voltou a ser visto. Tornou-se um "desaparecido", o primeiro a colocar no cenário político brasileiro o personagem da viúva que cobra o cadáver do marido. Sua mulher, Dilma, com quem se casara fazia trinta anos, viveria outros vinte lembrando ao governo e às Forças Armadas o assassinato de Mário Alves, mas em 1970 parecia fácil enxotá-la: "Escrevi uma carta ao comandante do I Exército e fui entregar pessoalmente. Era o Syseno Sarmento. Voltei para saber a resposta e me submeteram a um interrogatório, me ameaçaram alegando que eu estava caluniando o Exército. Onde estão as testemunhas? — diziam".[61]

Tanto o caso de Chael como o de Mário Alves eram, na origem, produto de um acontecimento perturbador do mundo da tortura funcional: a morte do prisioneiro. A racionalidade que associava a imposição da dor à extorsão de informações não tinha alcance para admitir a morte de um acusado indefeso.

Dentro do raciocínio funcional, a morte do preso chegava a ser um inconveniente para as investigações. O próprio Medici narrou ao repórter Antonio Carlos Scartezini um diálogo que teve com o general Orlando Geisel depois que um oficial foi assassinado num tiroteio: "Tive uma conversa com o ministro do Exército e falei: 'Só os nossos estão morrendo'. Ele respondeu: 'Nós não podemos matar, precisamos desfazer a cadeia'". Quando Medici concluiu sua lembrança, o coronel Clóvis Magalhães Teixeira, que fora seu ajudante-de-ordens, esclareceu: "Desfazer a cadeia é romper a ligação entre os terroristas. [...] Por isso surgiu a tortura, pela necessidade de arrancar informações rapidamente".[62]

O cadáver expunha a relação farsesca do governo, que negava a tortura nos salões e condecorava a "tigrada" no porão. Um preso com dez costelas quebradas poderia ser mantido incomunicável num hospital até que se recuperasse. Podia ainda ser ameaçado, tanto com novas torturas

61 Depoimento de Dilma Borges Alves, em Reinaldo Cabral e Ronaldo Lapa (orgs.), *Desaparecidos políticos*, p. 100.

62 Antonio Carlos Scartezini, *Segredos de Medici*, p. 36.

como com desconfortos carcerários. Além disso, para efeitos de propaganda, um terrorista vivo sempre poderia ver expostos os seus próprios crimes. O cadáver, porém, tolhia a onipotência dos torturadores, obrigando-os a buscar cumplicidades que, se em certos momentos poderiam ser tomadas como favas contadas, em outros poderiam faltar, como faltou a do general Galeno da Penha Franco no caso de Chael.

A inimputabilidade dos militares envolvidos na repressão política passava a exigir mais que silêncio ou tolerância. Tratava-se de encobrir homicídios por meio de versões insustentáveis, pondo em funcionamento uma nova engrenagem. De um lado o porão demonstrava sua força impondo sua mordaça à oficialidade e ao aparelho judiciário. De outro, ampliava seu contencioso com a sociedade e transformava a tortura numa linha demarcatória entre o repúdio e o apoio ao regime.

Aos olhos dos oficiais da máquina de repressão, o desfecho do assassinato de Chael tornou-se um problema, mas o de Mário Alves, uma solução. O seu desaparecimento encerrava a discussão acerca do que lhe fizeram na Sala Roxa. Os presos que o ouviram durante a madrugada e o reconheceram pela manhã, juraram contar o que acontecera, mas em 1970 nem sequer a viúva julgou prudente expor a identidade do jovem que lhe fez as revelações logo depois de sair da rua Barão de Mesquita.[63] Antes que o ano de 1970 acabasse, quatro outros cidadãos desapareceriam. Todos foram vistos vivos em dependências do Exército. Três na Sala Roxa.[64]

63 Depoimento de Dilma Borges Alves, em Reinaldo Cabral e Ronaldo Lapa (orgs.), *Desaparecidos políticos*, p. 100.

64 São eles: Joel Vasconcelos Santos, do PC do B, preso em fevereiro, foi levado para a rua Barão de Mesquita, de onde sumiu em maio (Reinaldo Cabral e Ronaldo Lapa (orgs.), *Desaparecidos políticos*, p. 109); Jorge Leal Gonçalves Pereira, da Ação Popular Marxista-Leninista, a APML, preso no dia 20 de outubro, levado para a PE, foi acareado com outro militante da organização (idem, p. 156); Celso Gilberto de Oliveira, da VPR, preso no dia 10 de dezembro, foi acareado com outro militante no quartel da PE (*Dossiê dos mortos e desaparecidos*, p. 95); José Maria Ferreira Araújo, da VPR, foi preso no dia 23 de setembro e levado para São Paulo, onde o viram quando era interrogado pelo capitão Benoni Albernaz (idem, p. 99).

DOI

Seria muita ingenuidade acreditar que os generais Emilio Medici e Orlando Geisel criaram os DOIS (destacamentos de operações de informações) sem terem percebido que a sigla se confundia com a terceira pessoa do singular do presente do indicativo do verbo *doer.*[1] Por mais de dez anos essas três letras foram símbolo da truculência, criminalidade e anarquia do regime militar.

Há um enigma no nascimento do monstro. Antes de chegar ao Ministério do Exército, o general Orlando Geisel fora um franco adversário da criação do CIE. Nessa e noutras questões, jamais deixara sua opinião sair do círculo de confidencialidade dos debates da cúpula militar. Mal sentou-se na cadeira, surgiram informações de que Medici decidira entregar-lhe a coordenação do aparelho repressivo.[2] Em novembro de 1969 Orlando Geisel queria manter algum tipo de distância entre o Exército e a repressão. Ainda não completara um mês no cargo quando presidiu pela primeira vez uma reunião do Alto-Comando. Cada general falou de sua área. Na sua vez, o comandante interino do III Exército, José Campos de Aragão, informou que havia um capitão acompanhando os depoimentos de frei Betto na Secretaria de Segurança do Rio Grande do Sul. Orlando esperou o término

1 Segundo o general Adyr Fiúza de Castro, primeiro chefe do CIE, batizando-se assim o destacamento, "ficou uma sigla muito interessante para ele, porque 'dói'". Em Maria Celina d'Araujo, Gláucio Ary Dillon Soares e Celso Castro (orgs.), *Os Anos de Chumbo*, p. 52.

2 *O Estado de S. Paulo*, 7 de novembro de 1969, "A Orlando Geisel caberá o setor segurança", e *Folha de S.Paulo*, 12 de novembro de 1969, "Geisel coordena segurança", primeira página.

da rodada de relatórios verbais e foi ao tema: "Capitão não tem que saber nada disso. A secretaria de segurança é subordinada ao governador. Senão, daqui a pouco ninguém mais segura este exército".[3]

No dia seguinte, dois capitães participaram do assassinato de Chael, numa unidade a pouco mais de meia hora de distância do salão onde estivera reunido o Alto-Comando. Orlando Geisel morreu em 1979 sem deixar reminiscências. Se em algum momento o novo ministro do Exército pretendeu afastar a sua tropa das tarefas de repressão política ou, pelo menos, mantê-la fora da rotina policial, isso jamais resultou em medidas concretas. As providências que tomou nos meses seguintes foram na direção oposta, trazendo o radicalismo para dentro da hierarquia.

Durante o governo de Castello a linha dura pressionava o presidente pedindo-lhe liberdade de ação para combater os subversivos. Era uma reivindicação mistificadora, pois o que se pretendia era mutilar as liberdades públicas em benefício dos projetos políticos de oficiais indisciplinados. O novo ministro do Exército liberou a fúria repressiva, demarcando na ação policial o limite de sua atuação política. Na reunião seguinte do Alto-Comando, em março de 1970, Orlando Geisel pôs em movimento a codificação da militância policial do Exército. Era mais uma "cristalização" do que formulação, mais um "respaldo" que doutrina.[4] Ela se expressou num documento intitulado *Diretriz de Segurança Interna*.[5] Em julho de 1970, comunicou aos seus generais que, por determinação do presidente da República, o Exército assumiria o comando das atividades de segurança, prevalecendo sobre a administração civil e também sobre a Marinha e Aeronáutica.[6] Dois meses depois estavam criados os DOIS.[7]

Medici consolidou esse arcabouço centralizador por meio de uma Diretriz Presidencial e de um expediente secreto denominado Planeja-

3 *Aspectos Históricos do Alto Comando do Exército*, de 26 de julho de 1979, ata da 48ª reunião. APGCS/HF.

4 Para os dois termos, depoimento do general Ivan de Souza Mendes, em Maria Celina d'Araujo, Gláucio Ary Dillon Soares e Celso Castro (orgs.), *Os Anos de Chumbo*, p. 170.

5 Essa diretriz foi baixada em 17 de março de 1970, segundo a *Informação nº 017/70/AC/76*, de 20 de fevereiro de 1976, da Agência Central do SNI. APGCS/HF.

6 *Aspectos Históricos do Alto Comando do Exército*, de 26 de julho de 1979, ata da 50ª reunião. APGCS/HF.

7 Carlos Alberto Brilhante Ustra, *Rompendo o silêncio*, p. 125.

mento de Segurança Interna, criando o Sistema de Segurança Interna, Sissegin, na gíria burocrática, o Sistema, no jargão do regime. Nele, todos os órgãos da administração pública nacional ficavam sujeitos às "medidas de coordenação" do comando unificado da repressão política.[8]

Armara-se a moldura administrativa que ratificava a multiplicação de centrais repressivas semelhantes à *Operação Bandeirante*. Estabeleceu-se que o CIE era o órgão central do Exército para assuntos de informações, e arquivaram-se décadas de discussões doutrinárias em torno da utilidade do Estado-Maior. A onipotência do Sistema traía os conflitos produzidos pela policialização das Forças Armadas.

O primeiro conflito resultava da primazia concedida ao Exército não só sobre os poderes da República, mas também sobre as outras duas Forças Armadas. Esse predomínio foi legalizado através de um engenhoso ardil burocrático. Nenhuma lei poderia permitir que um comandante militar dirigisse operações policiais dentro de um estado sem que lhe tivesse sido imposta intervenção federal.

Os governadores, nomeados pessoalmente por Medici, aceitavam a interferência como parte do pacto político a que se haviam vinculado. O carioca Chagas Freitas, amigo de Orlando Geisel e único governador filiado ao partido oposicionista, patrocinou a aprovação, pela Assembléia Legislativa, de um projeto que autorizou o governo do estado da Guanabara a financiar a construção de uma sede para a nova central de repressão política.[9] Em São Paulo, o governador Laudo Natel pagou a obra de um prédio de dois andares (onde estavam as novas salas de interrogatório) e a reforma da delegacia que a Oban recebera em 1968.[10]

Já os comandantes militares estavam em situação diversa. Se o comandante de um distrito naval ou zona aérea tivesse patente superior à do general da guarnição local, teria sobre ele indiscutida precedência, tanto para comandar uma operação conjunta como para sentar-se mais

8 *Planejamento de Segurança Interna — Extrato*, de 29 de outubro de 1970. AA.

9 *O Globo*, 13 de agosto de 1970. O governo da Guanabara construiu e equipou parcialmente a sede do DOI, vizinho lindeiro do quartel da PE da Barão de Mesquita, com entrada pela avenida Maracanã.

10 Carlos Alberto Brilhante Ustra, *Rompendo o silêncio*, p. 139.

próximo ao anfitrião num jantar de lugares marcados. A precedência vigora até mesmo para dois oficiais com a mesma patente. Se um coronel foi promovido em março e o outro em agosto do mesmo ano, o primeiro é mais "antigo" e o outro, mais "moderno".

Para contornar essa dificuldade, elaborou-se um novo mapa político para o Brasil, baseado em Zonas de Defesa Interna, ou ZDIs. Dividiam o país em quatro, fixando limites de jurisdição idênticos aos que separavam o I, II, III e IV Exércitos. Dessa maneira, o Rio de Janeiro, Minas Gerais e o Espírito Santo constituíam uma ZDI entregue ao general-comandante do I Exército. Ele podia ser mais moderno que o comandante do 1º Distrito Naval e poderia até ser um general de três estrelas no exercício temporário da função. Nada tiraria a sua autoridade sobre a ZDI. Assegurada a primazia do Exército nas formalidades hierárquicas, criou-se um organismo colegiado, o Centro de Operações de Defesa Interna, CODI. Cada ZDI tinha o seu, sempre chefiado pelo comandante do Exército. Nele tinham assento representantes dos governos estaduais, da Marinha e da Aeronáutica, mas sua importância operacional era nula.

A entrega da repressão política ao Exército, objetivo desse minueto burocrático, ocorrera de fato em meados de 1969, mas um ano de trabalho fora tempo suficiente para expor fraturas. A maior delas sucedera na própria instituição modelar de repressão, a Oban. O major Waldyr Coelho, artífice da central de operações e da doutrina do esforço unificado, desentendera-se com o delegado Fleury, chefe das operações da Polícia Civil no DOPS. Waldyr inquietava-se com a existência do que denominava de "duplo comando". Descobrira uma rede de extorsões articulada por policiais que vendiam segurança a empresários paulistas.[11]

Dava-se também um choque de personalidades, no qual o exibicionismo do delegado ofendia o egocentrismo napoleônico do major. Estabeleceu-se entre eles uma competição cujos resultados favoreciam Fleury. A Oban do major conseguira desbaratar um pedaço da VPR no início de 1969 e meses depois tirara um naco da ALN. O delegado, contudo, não só matara Marighella, como o fizera passando ao largo da máquina do Exér-

11 Paulo Sawaya, janeiro e outubro de 1990.

cito. Conduzira as investigações com a ajuda do Cenimar, torturara os dominicanos no prédio do Ministério da Marinha e levara-os para o DOPS. Não havia um só agente da Oban na alameda Casa Branca quando *Menezes* foi fuzilado. Pior: o delegado fizera circular a informação de que descobrira a conexão da ALN com os frades explorando uma pista desprezada pela Oban. O major Waldyr Coelho tivera nos seus calabouços um preso em cujo talão de cheques estava anotado um número de telefone. Torturaram-no a ponto de deixá-lo em coma, mas nada lhe perguntaram do número. Era o telefone do convento de Perdizes.[12]

Perseguindo terroristas, o major e o delegado perseguiam-se. Na noite de 28 de fevereiro de 1970 um policial fazia ronda na avenida das Lágrimas e correu em socorro de um nissei cujo carro capotara. Era Chizuo Osava, o *Mário Japa* do comando da VPR. Tinha 25 anos e curso em Cuba. Estava desacordado e transportava no carro armas e documentos políticos. Entregue a Fleury, ficou no DOPS, a despeito das ordens de Waldyr Coelho para que o recambiassem à Oban. Suspeitava-se — e era certo — que ele soubesse onde estava o capitão Carlos Lamarca. Sabia também das ligações da VPR com os argelinos.[13] Fleury foi obrigado a entregar *Mário Japa* a uma patrulha comandada pelo major, disposta a levá-lo à força. O delegado passara da conta. Dias depois, Fleury foi posto para fora do DOPS, transferido para o humilhante 41º Distrito, na Vila Rica, um bairro perdido da Zona Leste de São Paulo.

A nova ordem de ZDIS e CODIS criava um arcabouço administrativo capaz de conjurar alianças como a que Fleury fizera com a Marinha. Faltava, contudo, o braço operacional. Ele viria com os DOIS. Os destacamentos de operações de informações surgiram ainda em 1970 no Rio de Janeiro, São Paulo, Recife e Brasília. Um ano depois, em Curitiba, Belo

12 *Quedograma*, item 11. Sobre a rivalidade, ver também Antonio Carlos Fon, *Tortura*, pp. 51 e segs. Para a tortura de Paulo de Tarso Venceslau, reportagem de Fabrício Marques, *Jornal do Brasil*, 11 de janeiro de 1995, Caderno Brasil, p. 5.

13 Chizuo Osava foi banido para o México três semanas depois, junto com outros quatro presos, depois que a VPR organizou às pressas o seqüestro do cônsul japonês em São Paulo, Nobuo Okuchi.

Horizonte, Salvador, Belém e Fortaleza.[14] Tinham por comandantes tenentes-coronéis ou majores. Seus efetivos militares eram recrutados quase sempre nas fileiras dos soldados profissionais e nas Polícias Militares, até mesmo no corpo de bombeiros. Os DOIs de São Paulo e do Rio de Janeiro foram, de longe, os mais ativos. Produziram 697 denúncias de torturas.[15] O de São Paulo herdou a estrutura da Oban com 112 homens. Deles, dezoito vinham do Exército: quatro oficiais, doze sargentos e dois cabos.[16] O do Rio, de tamanho semelhante, instalou-se no quartel da PE da Barão de Mesquita.

Repetia-se no DOI o defeito genético da Oban, misturando-se informações, operações, carceragem e serviços jurídicos. O destacamento formava uma unidade policial autárquica, concebida de forma a preencher todas as necessidades da ação repressiva sem depender de outros serviços públicos. Funcionou com diversas estruturas e na sua derradeira versão tinha quatro seções: investigação, informações e análise, busca e apreensão, e administração. Dispunha ainda de uma assessoria jurídica e policial.[17]

Na seção de investigação trabalhavam agentes que deveriam seguir suspeitos, observar esconderijos e farejar pistas. Em princípio, não se meteriam em capturas e estouros de aparelhos. Baseava-se numa estrutura celular, formada por turmas de duas pessoas. Cada uma delas tinha direito a um automóvel, em geral um Volkswagen, equipado com radiotransmissor. O número de duplas variava segundo o tamanho do DOI, e num deles chegou a haver doze.

As prisões e o trabalho pesado de rua cabiam à seção de busca e apreensão, dividida em três grupamentos, formados por quatro turmas de três a cinco agentes cada uma. Moviam-se em camionetes ou carros

14 Carlos Alberto Brilhante Ustra, *Rompendo o silêncio*, p. 126.

15 *Projeto Brasil: nunca mais*, tomo V, vol. 1: *A tortura*, pp. 76 e segs. Somando-se às denúncias as 344 existentes contra a Oban, o prédio da rua Tutóia fica com 726. Já o quartel da PE da rua Barão de Mesquita, onde em 1970 se instalou o DOI do Rio, teve 735 denúncias.

16 Carlos Alberto Brilhante Ustra, *Rompendo o silêncio*, p. 131.

17 A mais detalhada descrição da estrutura de um DOI encontra-se num documento intitulado *Sistema de Segurança Interna — Sissegin.* Classificado como "secreto", foi produzido no CIE nos primeiros meses de 1974. AA. Há ainda um organograma do DOI do II Exército em Carlos Alberto Brilhante Ustra, *Rompendo o silêncio*, p. 140.

de quatro portas. Essa seção abrigava ainda quatro equipes de coleta de dados, cada uma com três pessoas: um oficial da Polícia Militar, um delegado e um motorista. Tinham por tarefa vigiar universidades, colégios e órgãos do governo. Era a maior das seções e em geral agrupava mais de cinqüenta funcionários.

Dentro do porão, estava a razão de sua existência: a seção de informações e análise. Esta tinha dois braços. Um, de análise, recebia informações, mantinha fichários, estudava interrogatórios e documentos. Cada organização perseguida transformava-se numa pasta onde se colecionavam dados históricos, arrolavam-se as ações por ela praticadas, e atualizavam-se listas de nomes de militantes. A subseção de análise cuidava também de álbuns com fotografias e dados biográficos de cada suspeito. Ela alimentava o coração do DOI: a subseção de interrogatórios, que era composta por 36 pessoas, divididas em seis turmas. Três chamavam-se turma de interrogatório preliminar. A cada uma delas estava apensa uma turma auxiliar, encarregada das minudências burocráticas do cotidiano da prisão, cuidando da carceragem e da versão datilografada dos interrogatórios. Cada turma tinha seis pessoas. Portanto, nos DOIs de São Paulo e do Rio de Janeiro havia, a qualquer momento, pelo menos seis funcionários prontos para interrogar um preso.

Os critérios de preenchimento das chefias de seções e subseções dos DOIs indicavam as prioridades atribuídas pelos comandantes militares da época aos diversos serviços do porão. Salvo no caso da seção administrativa, todas as chefias e subchefias tinham de ser ocupadas por oficiais das Forças Armadas. Daí para baixo, no terceiro nível hierárquico do destacamento, onde estavam tanto os grupamentos de busca como o setor de análise, a origem do chefe era indiferente. Numa só subseção, a de interrogatórios preliminares, exigia-se que os chefes de turma fossem oficiais. Além de oficial, devia ser capitão, de preferência com o curso de aperfeiçoamento e, se possível, diploma de administração de empresas ou economia.[18]

O chefe da equipe de interrogadores devia ser um oficial qualificado. Nos anos 70 tornou-se obrigatório o uso de codinome. Alguns des-

18 A estrutura do DOI está em *Sistema de Segurança Interna — Sissegin*, pp. 30 e segs. AA.

ses militares foram identificados. O *Nagib* do DOI carioca de 1970 era o capitão Freddie Perdigão Pereira, que na manhã de 1º de abril de 1964 guarnecera o palácio de Jango e à tarde se passara ao de Carlos Lacerda.[19] *Wagner* era o sargento Guilherme Pereira do Rosário, especialista em explosivos.[20] O *Apolo* da PE do Rio era o tenente Armando Avólio Filho.[21] No DOI paulista, chamava-se *Tibiriçá* o major Carlos Alberto Brilhante Ustra, seu comandante. O *Capitão Lisboa* era civil, o delegado David dos Santos Araújo.[22] Os interrogatórios preliminares seguiam uma metodologia. Era velha para a "meganha", mas nova para os oficiais do Exército nela metidos. Marcelo Paixão de Araújo, tenente e torturador do 12º RI de Belo Horizonte de 1968 a 1971, descreve o método:

> A primeira coisa era jogar o sujeito no meio de uma sala, tirar a roupa dele e começar a gritar para ele entregar o *ponto* (lugar marcado para encontros), os militantes do grupo. Era o primeiro estágio. Se ele resistisse, tinha um segundo estágio, que era, vamos dizer assim, mais porrada. Um dava tapa na cara. Outro, soco na boca do estômago. Um terceiro, soco no rim. Tudo para ver se ele falava. Se não falava, tinha dois caminhos. Dependia muito de quem aplicava a tortura. Eu gostava muito de aplicar a palmatória. É muito doloroso, mas faz o sujeito falar. Eu era muito bom na palmatória. [...] Você manda o sujeito abrir a mão. O pior é que, de tão desmoralizado, ele abre. Aí se aplicam dez, quinze bolos na mão dele com força. A mão fica roxa. Ele fala. A etapa seguinte era o famoso telefone das Forças Armadas. [...] É uma corrente de baixa amperagem e alta voltagem. [...] Não tem perigo de fazer mal. Eu gostava muito de ligar nas duas pontas dos dedos. Pode ligar numa mão e na orelha, mas sempre do mesmo lado do corpo. O sujeito fica arrasado. O que não se pode fazer é deixar a corrente passar pelo coração. Aí mata. [...] O último estágio em que che-

19 Lista dos funcionários do *Projeto Brasil: nunca mais*, tomo II, vol. 3: *Os funcionários*, p. 43.

20 Para a identificação do sargento Rosário, Termo de Inquirição de Testemunha Wilson Luiz Chaves Machado no IPM nº 28/81, presidido pelo coronel Job Lorena de Sant'Anna, vol. 2, p. 221.

21 Em 1995, já coronel, Avólio foi retirado do posto de adido militar do Brasil na Grã-Bretanha quando organizações de direitos humanos o identificaram.

22 *Projeto Brasil: nunca mais*, tomo II, vol. 3: *Os funcionários*, lista de torturadores, p. 14.

guei foi o pau-de-arara com choque. Isso era para o queixo-duro, o cara que não abria nas etapas anteriores. Mas pau-de-arara é um negócio meio complicado. [...] O pau-de-arara não é vantagem. Primeiro, porque deixa marca. Depois, porque é trabalhoso. Tem de montar a estrutura. Em terceiro, é necessário tomar conta do indivíduo porque ele pode passar mal.[23]

As escolas de oficiais haviam absorvido profundas mudanças de currículo. Na ESCEME, para cada hora de aula relacionada com os aspectos profissionais clássicos de defesa territorial davam-se dezesseis de segurança interna e guerra insurrecional.[24] Para polir a mão-de-obra dos DOIS, surgiu em 1970 uma escola de repressão. Nasceu da mudança de comando e da reforma do currículo do Centro de Estudos de Pessoal, no forte do Leme. Seu antigo comandante, o coronel Octavio Costa, transferira-se para o palácio do Planalto, onde supunha que Medici não admitia torturas. Seu sucessor, o coronel Manoel Moreira Paes, ensinava como interrogar.

Era um cavalariano polido, típico representante da ala dos cavalheiros que, com a dos grosseirões, produzem o folclore da arma. Tinha alguma fortuna e era figura fácil no Hipódromo da Gávea.[25] A fraternidade da cavalaria impulsionara-lhe a carreira, e, no final do governo Castello, tornara-se chefe do estado-maior da Força Pública de São Paulo, comandada pelo coronel João Baptista Figueiredo. De volta ao Rio de Janeiro, subira à posição de chefe da Assessoria de Relações Públicas do ministro Lyra Tavares. Orlando Geisel entregou-lhe o Centro de Estudos de Pessoal.

Sob influência doutrinária e funcional do CIE, o CEP oferecia um cardápio de currículos e recebia as mais diversas levas de alunos. Em alguns casos, as matrículas eram compulsórias. Havia cursos para oficiais, programas de extensão para sargentos, bem como estágios para quadros das polícias militares. De maneira geral, duravam um semestre. No curso de

23 Entrevista de Marcelo Paixão de Araújo a Alexandre Oltramari, *Veja*, 9 de dezembro de 1998, pp. 42-53.

24 Alfred Stepan, *The military in politics*, p. 181. Em 1968 davam-se na ESCEME 222 horas de aulas de segurança interna, 129 de guerra insurrecional e 21 de defesa territorial clássica. Em 1956 o currículo não tinha uma só hora de aula relacionada com segurança interna, guerrilha ou comunismo.

25 Para o cavalheirismo, a fortuna e a paixão pelo prado, Octavio Costa, junho de 1991.

informações lecionavam-se, entre outras, as seguintes cadeiras: técnica de interrogatório, vigilância, técnica de abordagem de aparelhos, técnica de transporte de presos, operações especiais, criptologia e produção de informações.

Pobre em quadros, transformava em professores oficiais que no semestre anterior haviam sido alunos. No fim do período letivo, Moreira Paes emitia minidiplomas onde lembrava que seu discípulo estava "em muito boas condições para desempenhar as funções de oficial de informações". Surgia uma nova arma dentro do Exército. À divisão tradicional, em que se destacam a infantaria, cavalaria e artilharia, juntava-se, poderosa, a arma de informações. Era razoável que um oficial saído da AMAN como infante corrigisse sua qualificação em documentos oficiais, intitulando-se "oficial de informações".[26]

A comunidade dava a alguns de seus quadros militares uma espécie de carreira suplementar, com sobreposição de rendimentos. No *Dr. Nagib* do DOI carioca fixa-se um exemplo. Oficial combatente do CIE, ferido numa perna e militante da rede terrorista da "tigrada", Freddie Perdigão Pereira migrou para o SNI e chegou a coronel nos anos 80. Para ser promovido a general-de-brigada, ganhando quase a mesma coisa, deveria comandar tropa. Ofereceram-lhe um comando de primeira, em São Paulo. Como não queria sair do Rio, pediu transferência para a reserva. Recontratado como celetista pelo Serviço, continuou onde estava, na seção de operações. Ficou perto da praia e acumulou os proventos de coronel aposentado, compondo, com o salário do SNI, uma receita superior à de general-de-exército.[27] Havia ainda o pagamento de diárias de alimentação sempre que o militar saía em tarefas sigilosas e prolongadas. Em muitos casos essas missões envolviam riscos e desconfortos. Em outras, significavam um reforço salarial. Em maio de 1973, as diárias dos capitães

26 *Processo nº 17/74*, da 2ª Auditoria do Exército, vol. 3, pp. 1311, 1313, 1386, 1388, 1392 e 1199. Diz o capitão Ailton Joaquim: "[...] quando ingressei nesta unidade da Polícia do Exército, como Oficial de Infantaria, digo, como Oficial de informações [...]" (p. 1199).

27 José Amaral Argolo e outros, *A direita explosiva no Brasil*, p. 249.

mandados ao Araguaia numa operação de combate sigilosa rendiam 6960 cruzeiros mensais — pouco mais de mil dólares. Somando-se a isso 1500 cruzeiros que recebiam a título de manutenção pessoal, acrescentavam aos seus contracheques o equivalente a 50% do salário de um general-de-divisão.[28]

A "tigrada" desenvolveu gíria própria, com termos tomados às organizações de esquerda e à "meganha". Os encontros chamavam-se "pontos", as prisões, "quedas". A tortura era conhecida por "pau"; o magneto dos choques elétricos, por "maricota", e os alcagüetes, por "cachorros".

No papel, tratava-se de uma estrutura asséptica, moralizadora, até mesmo enxuta. O total de oficiais do Exército lotados numa mesma época nos DOIs e no CIE talvez tenha ultrapassado de pouco a centena.[29] O número de militares das três Forças e de todas as patentes classificados nesses destacamentos girava em torno do milhar, o que não vinha a ser muita coisa, levando-se em conta que o efetivo militar brasileiro era de 220 mil homens.[30]

Na vida real, aquilo que parecia idéia simples, quase óbvia, era um fator de perturbação nas linhas de comando militares. Tratava-se da última e consagradora fase de um processo iniciado em 1967, com a criação do CIE. O metabolismo dessa anarquia deu-se em duas etapas.

Até 1967, quando Costa e Silva conseguiu criar o CIE, as linhas de comando da tradição militar buscavam um ponto de equilíbrio entre a natureza política do cargo de ministro e a essência profissional da chefia do

28 Nos quatro primeiros meses de 1971 o capitão Luiz Fernandes de Brito, do DOI-RJ, recebeu 27 diárias de alimentação por movimentações "em caráter sigiloso". *Processo nº 17/74*, da 2ª Auditoria do Exército, vol. 2, p. 1309. O DOI de São Paulo pagava regularmente cinco diárias por mês ao seu pessoal do Exército. Equivaliam a 1641 cruzeiros em moeda de dezembro de 1986. Para as diárias do Araguaia, *Plano de Informações Sucuri, nº 1*, de abril de 1973, fl. 12.

29 Um documento numerado como 06/GAB, da chefia de gabinete do SNI, de 1975, informa que na época havia nos DOIs doze tenentes-coronéis, 24 majores e 46 capitães. A tropa do Exército neles lotada somava 708 homens. *O Estado de S. Paulo*, 6 de dezembro de 1987, em reportagem de Ayrton Baffa. Carlos Alberto Brilhante Ustra, *Rompendo o silêncio*, p. 126, calculou em quatrocentos o total de militares lotados nos DOIs e em cinqüenta os do CIE.

30 Em 1968 o efetivo militar era de 217 300 homens: 150 mil no Exército, 39 200 na Marinha e 28 100 na Força Aérea. *The military in Brazil, Special Report* da *Weekly Review* da Central Intelligence Agency, de 29 de novembro de 1968. DEEUA.

Estado-Maior do Exército. Nunca houve um período em que o Estado-Maior, como instituição, prevalecesse sobre o gabinete do ministro, nem mesmo em questões essencialmente militares, mas a mudança fez que, embora subalterno, perdesse a pouca importância que tinha.

O relacionamento direto do CIE com as seções de informações dos estados-maiores das grandes unidades produziu diversas anomalias. Além do esvaziamento do EME, iniciou também um processo de hipertrofia das 2ªs Seções dentro das diferentes unidades. Em tese, eram iguais às outras. Na prática, enquanto o coronel que chefiava a seção de operações do estado-maior do II Exército poderia levar meses para fazer chegar ao gabinete do ministro uma opinião (ou um pleito), seu colega da 2ª Seção, por sua linha direta com o CIE, tinha um pé no centro do poder. Dependendo da personalidade do comandante do Exército e das relações que com ele cultivasse, o chefe da seção de informações dispunha de uma autonomia dificilmente concedida a oficiais em situação semelhante.

Com a criação dos DOIS, o CIE passou a coordenar as questões de segurança dentro das grandes unidades. A subordinação dos DOIS aos coronéis que chefiavam as seções de informações era pouco mais que uma recomendação. Ou esse coronel estava de tal forma envolvido nas atividades de repressão a ponto de ser o virtual comandante do DOI, ou o chefe do destacamento operava diretamente com o CIE.

A força da máquina repressiva distorceu a estrutura da corporação. Virou-a de cabeça para baixo. O general-de-brigada que comandava o CIE estava acima dos quatro-estrelas que chefiavam departamentos. Ademais, o chefe do CIE de Orlando Geisel acumulava essa função com a de chefe de seu gabinete. O major do DOI reinava no aparelho repressivo. Às vezes, trabalhava em condomínio com o coronel da 2ª Seção, e ambos viviam num ambiente de confraternização com os generais. Em outros casos, a "tigrada" fazia seu serviço, e os generais fingiam que não viam. Houve DOIS que converteram generais à causa do porão. Não se conhece registro formal de uma só queixa de general contrafeito com as técnicas de interrogatório dos DOIS durante o governo Medici.

Em São Paulo, a autonomia obtida por Waldyr Coelho levara-o a sucessivos desentendimentos com o general Ayrosa, que concedia discreta proteção a Fleury. O major jogou tudo: "Ou Fleury ou eu".[31] Parada dura. Em seu desterro burocrático, o delegado mantivera uma dupla militância. Articulara-se com o Cenimar, fizera uma prisão espetacular no Rio e torturava presos num aparelho montado por oficiais de Marinha, em São Conrado.[32] Tinha a ajuda do chefe do Esquadrão da Morte carioca.[33] Waldyr Coelho perdeu o jogo e foi para a chefia da seção de informações da 2ª Divisão de Infantaria. Sérgio Fleury voltou ao DOPS.

O DOI paulista foi entregue ao major Carlos Alberto Brilhante Ustra, um gaúcho de 38 anos. Desde a tarde de 31 de março de 1964, quando subira a serra do Rio de Janeiro com os obuses de seu grupamento, Ustra tivera uma carreira banal. Promovido havia menos de dois anos, tinha a vida típica do jovem oficial: mulher professora pública, duas filhas, orçamento apertado, quarto-e-sala e um Volkswagen.[34] Mandado para o QG do II Exército, viu-se na seção de informações, apesar de sugestão contrária do resultado de seu exame psicotécnico. No primeiro semestre de 1970 cobriu trinta dias de férias do major Waldyr, que o devolveu ao QG com a qualificação de "oficial incompetente". Homem calmo, de hábitos simples, raramente elevava a voz. Saíra da Escola de Estado-Maior convencido de que havia uma guerra e jamais mudaria de idéia. Recebeu o comando do DOI no dia 28 de setembro de 1970. Achou que trocara um Exército em que o major Ustra "nunca combatera de verdade" por outro onde, como *Major Tibiriçá*, teria sua "guerra sem uniformes".[35] Na sua tropa estavam *Peludo, Pé-de-Porco, Chico Farinhada, Catatau, Cabeção, Turcão* e *El Cid*.[36] Até dezembro de 1974, quando foi transferido para Brasília, Ustra teve em seu DOI cerca de 2 mil presos.[37]

31 Paulo Sawaya, outubro de 1990.

32 Em agosto de 1970 a equipe de Fleury capturou Eduardo Leite, o *Bacuri*, um dos quadros mais procurados da VPR. Jacob Gorender, *Combate nas trevas*, p. 218. Para o aparelho de São Conrado, Auto de Qualificação de Ottoni Fernandes Jr., em *Projeto Brasil: nunca mais*, tomo V, vol. 3: *As torturas*, p. 405.

33 Era o policial Euclides Nascimento. Ver Percival de Souza, *Autópsia do medo*, p. 71.

34 Carlos Alberto Brilhante Ustra, *Rompendo o silêncio*, p. 70.

35 Idem, pp. 130 e 71. Coronel Carlos Alberto Brilhante Ustra, setembro de 1988.

36 Carlos Alberto Brilhante Ustra, *Rompendo o silêncio*, p. 177.

37 *Relatório Periódico de Informações* do DOI de São Paulo, de junho de 1975. Entre setembro de 1970 e junho de 75 o DOI paulista teve 2335 presos. *Folha de S.Paulo*, 15 de outubro de 2000.

Levadas a sério, coisas como as Diretrizes de Segurança Interna, o Sissegin, as ZDIs e os DOIs seriam parte de um conjunto de idéias e ações que se afunilavam numa doutrina. Eram apenas grandiloqüências burocráticas do policialismo. Poucos pensadores captaram a essência mistificadora desse aparato com a argúcia do jesuíta francês Michel de Certeau. Conhecedor superficial da política brasileira, Certeau classificou a chamada Política de Segurança Nacional de "pensamento extraordinariamente pobre": "É uma tática sem estratégia [...] uma concepção destinada a transformar-se em vítima dos seus pressupostos impensados e de sua própria lógica". Para ele, o regime tentava criar uma "ordem sem política". Via na "tigrada" um agrupamento de interesses que "se tornam difíceis de controlar [...] seja porque esse corpo tão bem montado segue a lei do seu próprio crescimento, seja sobretudo porque faltam critérios para ações mais políticas". Concluía com uma indagação: "Será que a máquina militar atraiçoará seus criadores, revelando o que lhes falta?".[38] Escreveu isso em 1970.

À falta de um sentido político que inibisse as práticas ilegais e as operações semiclandestinas da máquina de repressão, os militares que nela caíram aproximaram-se daquela área cinzenta onde a "meganha" e o crime se confundem em personagens que vivem da delinqüência num mundo de folclore cafajeste. À pobreza do pensamento político do regime viria a se somar a vulgaridade de sua guarda pretoriana.

No Rio de Janeiro, a superposição da tortura à delinqüência deu seus primeiros sinais de vida através da Escuderie Jason, cabala onde oficiais, sargentos e cabos da 1ª Companhia de PE se juntavam a contraventores e policiais das delegacias da Zona Norte.[39] Tinha entre seus membros algumas estrelas do combate ao terrorismo, como o capitão Luiz Fernandes de Brito, da seção de informações do DOI, treinador do time de futebol de sa-

38 *Politique d'Aujourd'hui*, nº 11. Esse trabalho foi publicado também na revista *Mensaje*, órgão mensal dos jesuítas chilenos, em seu número 186, de janeiro-fevereiro de 1970, pp. 11-2.

39 Para a presença de contraventores, Termo de Perguntas a José Renato da Silva, *Processo nº 17/74*, da 2ª Auditoria do Exército, vol. 1, p. 506.

lão do I Exército.[40] Ou ainda o tenente Ailton Joaquim, chefe da seção de informações da 1ª Companhia da PE, que seguiria depois para o DOI de Brasília. Também fazia parte da escuderia o capitão Ailton Guimarães Jorge, do DOI carioca, primeiro oficial do Exército ferido em combate com terroristas.

Os métodos da "meganha" prevaleceram até mesmo quando foram confrontados com novas modalidades de suplícios. Em 1968 viera ao Brasil uma equipe britânica especializada em técnicas de interrogatório.[41] Dois anos depois oficiais do I Exército viajaram a Londres para estudar aquilo que o comandante da Brigada Aeroterrestre, general Hugo Abreu, denominava de "o sistema inglês".[42] Buscava-se a "tortura limpa".

Em 1971 o tenente Amilcar Lobo, psiquiatra por formação, foi chamado ao quartel-general para uma reunião com dois especialistas em interrogatórios. Falavam português com sotaque e explicaram-lhe o projeto: "Salas refrigeradas, totalmente escuras, sem janelas e com um ruído sonoro de alta freqüência".[43] O andar térreo do Pelotão de Investigação Criminal (PIC) da Barão de Mesquita entrou em obras. Caminhões militares descarregaram caixas misteriosas. Construíram-se quatro novos cubículos. Um, forrado de isopor e amianto, era uma geladeira. Outro, uma câmara de ruídos. O terceiro era todo branco e o último, preto.[44] Cada cubículo era vigiado por meio de um sistema de escuta capaz de

40 As Alterações de Brito informam que ele foi para o DOI em abril de 1970, *Processo nº 17/74*, da 2ª Auditoria do Exército, vol. 3, p. 1305; mesma página para a condição de técnico do time de futebol de salão.

41 General Antonio Carlos Muricy, agosto de 1988.

42 Antonio Carlos Fon, *Tortura*, p. 72. Para o sistema de interrogatório que mais tarde o governo inglês condenaria, *Report of the Enquiry into Allegations against the Security Forces of Physical Brutality in Northern Ireland*, HM Stationery Office, Londres, 1971, também conhecido como *Compton Report*. A colaboração dos serviços de informações militares ingleses com o Exército brasileiro começou no governo Kubitschek, quando o coronel Humberto de Souza Mello, servindo no Conselho de Segurança Nacional, viajou a Londres para uma visita de intercâmbio. Ernesto Geisel, maio de 1994.

43 Amilcar Lobo, *A hora do lobo, a hora do carneiro*, p. 41. Há uma descrição superficial dessas celas no artigo "Grim torture tales emerging in Brazil", de Leonard Greenwood, publicado no *Los Angeles Times* de 24 de abril de 1973 e transcrito no *Brazilian Information Bulletin* de junho de 1973.

44 Entrevista de Marco Aurélio Magalhães à *Folha de S.Paulo* de 19 de setembro de 1986. Para a descrição de uma dessas celas, ver o depoimento de Aldo Arantes, em Pedro Estevam da Rocha Pomar, *Massacre na Lapa*, p. 50. Para uma descrição da cela negra, ver o depoimento de Marco ▶

registrar alterações no ritmo respiratório do prisioneiro. Eram variantes das técnicas usadas pelo exército inglês contra os terroristas irlandeses.[45] Destinavam-se a desestruturar a personalidade dos presos sem que fosse necessário tocá-los. Um manual de interrogatórios da CIA ensinava, desde 1963, que, privadas dos estímulos sensoriais, as pessoas passavam por alucinações, desenvolviam superstições e afeiçoavam-se a qualquer coisa viva.[46] A tortura que não tocava o prisioneiro humilhou a Coroa britânica, obrigada publicamente a aboli-la.

Destinadas a transmitir uma idéia de civilização do suplício, as celas serviram como um anexo, não como substituto às práticas da Sala Roxa. Desestruturavam prisioneiros que não havia pressa em submeter, mas no cotidiano prevaleceram o pau-de-arara e os choques elétricos. Eram uma modalidade asséptica de suplício capaz de quebrar a vontade das vítimas mantendo-lhes a incolumidade física. Contrariavam a cultura da "meganha", privavam os torturadores da sensação de poder físico sobre suas vítimas, diluíam o terror sobre o qual se edificara a máquina repressiva do governo. Foram um luxo, nada mais. Nem sequer se cogitou instalá-las fora do Rio de Janeiro.[47]

A centralização das atividades de polícia política pelo CIE e pelos DOIs feriu a estrutura da Forças Armadas e subverteu a hierarquia no Exército. As conexões com o submundo corromperam alguns de seus quadros e obrigaram ministros, generais e juízes a acumpliciar-se com bandidos. A adoração da funcionalidade da tortura envolveu a máquina repressiva num mito de eficiência, escondendo fracassos e inépcias, ao mesmo tempo que se passou a exagerar o tamanho da ameaça para adaptá-la ao tamanho da cobiça liberticida. Ao nascer, o DOI apropriava-se do mote marighelista: "A ação faz a vanguarda".

Antônio Coelho, "Memórias de um comunista", na revista *Estudos Avançados*, da USP, nº 37, setembro-dezembro de 1999, São Paulo, p. 48.

45 Para o uso do capuz, privação do sono, ruídos e alimentação errática aplicados aos presos irlandeses, J. Bowyer Bell, *The Irish troubles*, pp. 212-26.

46 Manual de treinamento, *KUBARK Counterintelligence Interrogation*, da Central Intelligence Agency, julho de 1963, pp. 87-8.

47 Para uma observação de um torturador mineiro a respeito dessas celas, entrevista do ex-tenente Marcelo Paixão de Araújo a André Petry, *Veja*, 7 de dezembro de 1998.

A ratoeira

O porão respondeu à crise da esquerda armada transformando-se em seu empresário. A máquina montada pelos generais atacava duas frentes: numa, o que restava do inimigo. Na outra, combatia quem dizia que desse inimigo restava pouco. Assim como à esquerda se desenvolvera a idéia segundo a qual o dever do revolucionário era fazer a revolução, criou-se à direita o entendimento de que os revolucionários de 1964 tinham o dever de erradicar o terrorismo, a subversão e até mesmo aquilo que denominavam (sem terem conseguido jamais definir) de "contestação ao regime".

As organizações envolvidas na luta armada, com suas teorias de focos, guerrilhas urbanas e vanguardas combatentes, entraram em colapso porque tinham a repressão atrás e nada pela frente. Até o início do segundo semestre de 1970 assaltaram cerca de trezentos bancos, carros-fortes e empresas. Conseguiram graus variáveis de prosperidade. As "expropriações" renderam-lhes por volta de 1,7 milhão de dólares, e a VAR-Palmares ficou milionária com os 2,6 milhões do cofre de Adhemar de Barros.[1] Valiam-se de conexões externas, ora em Cuba, ora na Argélia, e também na China. A ALN mandou a Havana o equivalente a um terço de seus quadros.[2] Tiveram o dinheiro, o suporte e o sonho comum do foco rural.

1 Discurso do deputado Clovis Stenzel na Câmara dos Deputados, 11 de agosto de 1970. Stenzel não se referiu ao cofre de Adhemar.

2 Denise Rollemberg, *O apoio de Cuba à luta armada no Brasil*, p. 40, informa que a ALN mandou a Cuba 92 quadros. Minha estimativa é de que tivesse trezentos militantes na linha de ação.

Enquanto chineses e cubanos estabeleceram suas bases rurais tomando a terra em combates, as siglas brasileiras estabeleceram-se no campo pela via legítima da propriedade fundiária, comprando fazendas com o dinheiro arrecadado nos assaltos. Fora desse padrão, ficaram apenas o brizolismo, em Caparaó, e o PC do B, no Araguaia.[3] Nele ficaram o MR-8 no Paraná, a VAR no vale do Ribeira, e a ALN no sul do Pará, Goiás e Maranhão. Chegou a haver um engarrafamento de projetos guerrilheiros na região do Bico do Papagaio, para onde confluíram o PC do B, a ALN e a VAR-Palmares. Essa coincidência, com todos os tumultos e dificuldades que produziu, levou o PC do B a atravessar o rio Araguaia, afastando-se da sua margem goiana e do entroncamento rodoviário de Imperatriz, no Maranhão. Por essa cidade passaram pelo menos quatro organizações com seus projetos de foco rural.[4] Com exceção de algo como setenta quadros que o PC do B manteve espalhados na região, todas as outras bases foram desbaratadas ou neutralizadas pela simples chegada das tropas. Entre maio de 1970 e agosto de 71, sem um tiro, três expedições dissolveram pelo menos seis bases da ALN e da VAR, prendendo, por baixo, 39 pessoas.[5]

Seria exagero atribuir exclusivamente aos torturadores o fechamento do caminho rural. Pelo medo que espalhou, a tortura seccionou a solidariedade que o radicalismo chique do Rio de Janeiro e São Paulo oferecera ao movimento estudantil em 1968 e aos primeiros ativistas armados, mas ele é insuficiente para explicar por que todo o movimento armado caiu prisioneiro da rotina do gato-e-rato. Como escreveu Renato Tapajós, da Ala Vermelha do PC do B: "O gesto ficou congelado".[6]

3 Os quadros do PC do B compravam pequenas posses, levando a vida dos moradores do lugar.

4 O PC do B estava na região desde 1966. A VAR tinha terras em Imperatriz (MA) e Iguaratins (GO, na época). A ALN, em Marabá e Conceição do Araguaia (PA), Imperatriz (MA) e São Geraldo (GO). (*O Globo*, 5 de abril de 1998.) O MNR de Brizola projetou um foco em Imperatriz em 1965. (Ver Flávio Tavares, *Memórias do esquecimento*, pp. 191 e segs.) A ALN de Marighella, em 1968. O PC do B manteve seu projeto até 1969. A VAR-Palmares estava na região em 1971. (Ver *O Globo* de 5 de abril de 1998.) Para o Bico do Papagaio, entrevista de Elza de Lima Monnerat a Romualdo Pessoa Campos Filho. APRPCF. O Colina planejou estabelecer-se no eixo Imperatriz-Araguaia. Ver Agnaldo del Nero Augusto, *A grande mentira*, p. 254.

5 *O Globo*, 5 de abril de 1998.

6 Renato Tapajós, *Em câmara lenta*, p. 56.

ABRIL IMAGENS

Setembro de 1969. A única cena fotografada de Costa e Silva depois da isquemia cerebral. Ele está em seu quarto do palácio Laranjeiras, com o médico da Presidência. Apesar de a fotografia sugerir alguma normalidade, o marechal está mudo e com o lado direito do corpo paralisado.

AGÊNCIA O GLOBO

Diante do ministério e sob o olhar do general Jayme Portella (fardado), os ministros militares assumem o exercício da presidência. Costa e Silva, entrevado, está no andar de cima do palácio. Afora a família, só Portella o vê. O general acompanhará todos os despachos da Junta.

ICONOGRAPHIA

A Junta Militar patética: general Lyra Tavares, almirante Augusto Rademaker e brigadeiro Márcio de Souza e Mello.

ICONOGRAPHIA

O fim do seqüestro do embaixador americano: treze dos quinze presos que iriam para o México, na base aérea do Galeão. Agachado, no centro, está Vladimir Palmeira. Com os punhos levantados, mostrando as algemas, José Dirceu.

AGÊNCIA JB

Charles Burke Elbrick e sua mulher, Elvira (Elfie).

Setembro de 1969. O Alto-Comando do Exército tornou-se um sacro colégio de generais. Reuniu-se quatro vezes para discutir a crise e escolher o sucessor de Costa e Silva.

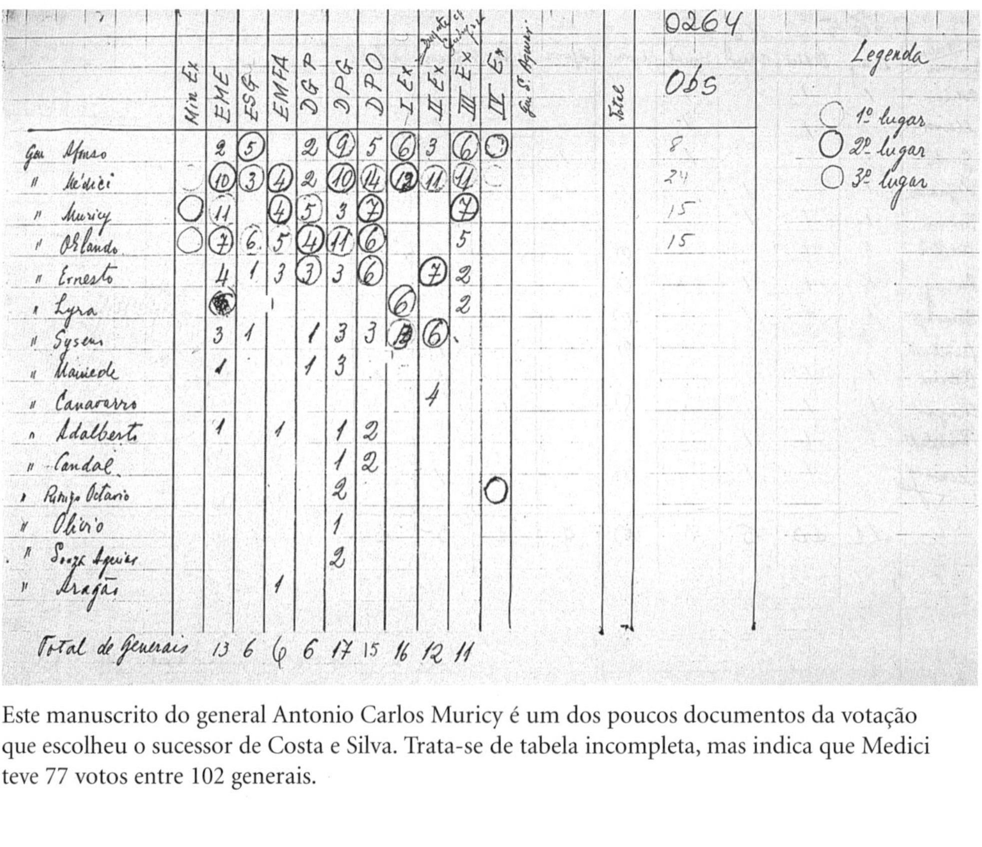

0264

	Min Ex	EME	ESG	EMFA	DGP	DPG	DPO	I Ex	II Ex	III Ex	IV Ex	Gen Sº Aguiar	Total	Obs
Gen Afonso		2	(5)		2	(9)	5	(6)	3	(6)	◯			8
" Médici		(10)	(3)	(4)	2	(10)	(14)	(12)	(11)	(11)				24
" Muricy	◯	11		(4)	(5)	3	(7)			(7)				15
" Orlando	◯	(7)	6	5	(4)	(11)	(6)			5				15
" Ernesto		4	1	3	(3)	3	(6)		(7)	2				
" Lyra		[illegible]						(6)		2				
" Syseno		3	1		1	3	3	(13)	(6)					
" Mamede		1			1	3								
" Canavarro									4					
" Adalberto		1		1		1	2							
" Candal						1	2							
" Rodrigo Octavio						2					◯			
" Olivio						1								
" Souza Aguiar						2								
" Aragão				1										
Total de Generais		13	6	6	6	17	15	16	12	11				

Legenda
◯ 1º lugar
◯ 2º lugar
◯ 3º lugar

Este manuscrito do general Antonio Carlos Muricy é um dos poucos documentos da votação que escolheu o sucessor de Costa e Silva. Trata-se de tabela incompleta, mas indica que Medici teve 77 votos entre 102 generais.

AGÊNCIA O GLOBO

Medici (de óculos escuros) e Orlando Geisel, seu ministro do Exército, tiveram a uni-los a paixão pela força, a naturalidade no arbítrio e a confiança na ditadura como forma de governo.

ABRIL IMAGENS / AMILTON VIEIRA

O delegado Sérgio Fleury, da polícia paulista, tornou-se o símbolo da repressão política da ditadura.

ABRIL IMAGENS / SERGIO SADE

Rua Tomás Carvalhal, esquina com Tutóia, em São Paulo: a sede da Oban e, depois, do DOI.

Brasil: 1970.

ABRIL IMAGENS/ ASSIS HOFFMAN

AGÊNCIA ESTADO

Os dominicanos de Marighella. Da esquerda para a direita, frei Fernando, frei Betto e frei Ivo.

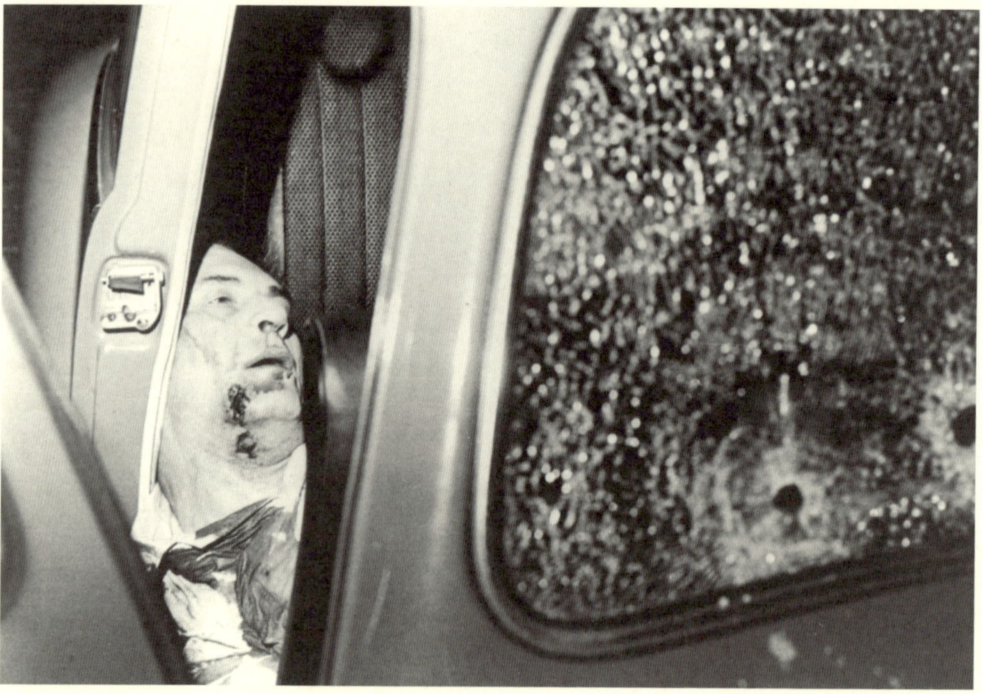

ICONOGRAPHIA

4 de novembro de 1969. O delegado Fleury saiu de noite, disparando. Marighella levou cinco tiros. Um, à queima-roupa, seccionou-lhe a aorta. Sua peruca ficou no chão. Na pasta, que não chegou a abrir, havia um revólver Taurus calibre 32 com cinco balas e duas cápsulas de cianeto de potássio.

ARQUIVO DO AUTOR

34 Pol 23-8 Braz

Department of State **TELEGRAM**

62

CONFIDENTIAL 756

PAGE 01 SAO PA 01109 062031Z

85
ACTION ARA 20

INFO OCT 01,AID 28,PC 04,CU 04,CIAE 00,DODE 00,PM 05,H 02,INR 07,L 03,
NSAE 00,NSC 10,P 03,RSC 01,PRS 01,SS 20,USIA 12,NIC 01,RSR 01,
/123 W

088725

R 062000Z NOV 69
FM AMCONSUL SAO PAULO
TO SECSTATE WASHDC 1751
INFO AMEMBASSY BRASILIA
AMEMBASSY RIO DE JANEIRO

C O N F I D E N T I A L SAO PAULO 1109

SUBJECT: PRINCIPAL TERRORIST LEADER KILLED

REF: [censurado]

1. SUMMARY: DEATH OF TERRORIST LEADER CARLOS MARIGHELLA NOVEMBER 4, THE FLIGHT INTO EXILE OF MARIGHELLA'S SECOND IN COMMAND AND SMASHING BY SECURITY AUTHORITIES OF MARIGHELLA'S SUPPORT AND ACTION GROUPS HAVE APPARENTLY VIRTUALLY WIPED OUT PRINCIPAL TERRORIST ORGANIZATION SAO PAULO. FACT THAT PRIESTS INVOLVED WAS NO SURPRISE.

NEW ATTACKS IN ORDER PROVE TERRORISM NOT FINISHED.

5. WHILE SOME PEOPLE HAVE EXPRESSED SHOCK AND BEWILDERMENT THAT PRIESTS COULD BE INVOLVED IN TERRORIST ACTIVITY THEIR EXPOSURE WAS NO SURPRISE TO SAO PAULO POLITICAL OBSERVERS. CONGEN HAS RECEIVED NUMEROUS REPORTS THAT THIS PHENOMENON WAS OCCURRING (SEE MEMCON "CHURCH AND STATE" MAY 12 AND A-154 JULY 9, 1969). BASIC EXPLANATION OF PRIEST INVOLVEMENT IS CONVICTION, BOLSTERED BY FREQUENT CONFIRMING STATEMENTS BY MILITARY MEN, THAT STATE OF WAR EXISTS AND THEREFORE VIOLENCE IS JUSTIFIED. WHILE THIS JUSTIFICATION IS SIMPLISTIC AND UNFORTUNATE IT SEEMS TO SUFFICE FOR THOSE WHO BELIEVE THEY ARE LIVING IN BRUTAL DICTATORSHIP (FOR FURTHER INSIGHT INTO ATTITUDES DOMINICANS SEE SAO PAULO MEMCON AUGUST 14, 1968, WITH [censurado] AND MEMCON DECEMBER 30, 1968, WITH FREI [censurado]
GP-4
CORRIGAN

CONFIDENTIAL

O consulado americano em São Paulo informa Washington. A possibilidade de envolvimento dos freis “não foi surpresa”. Sabiam de alguma coisa graças a conversas “com [vinte batidas censuradas]” e “com frei [dezoito ou dezenove batidas censuradas]”. Um dos contatos era da AP.

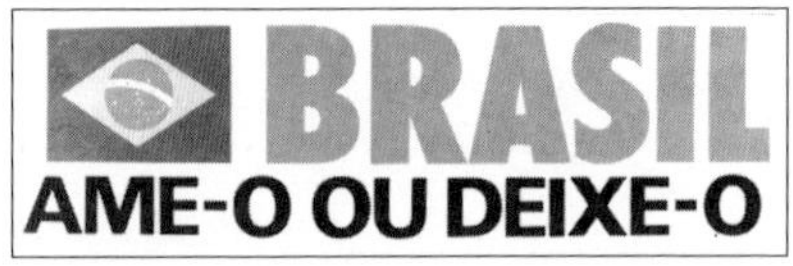

ICONOGRAPHIA

ICONOGRAPHIA

ICONOGRAPHIA

Medici comemorou o tri batendo bola no palácio da Alvorada. Esta é uma das poucas fotografias do general numa cena informal.

AGÊNCIA JB/JAIR CARDOSO

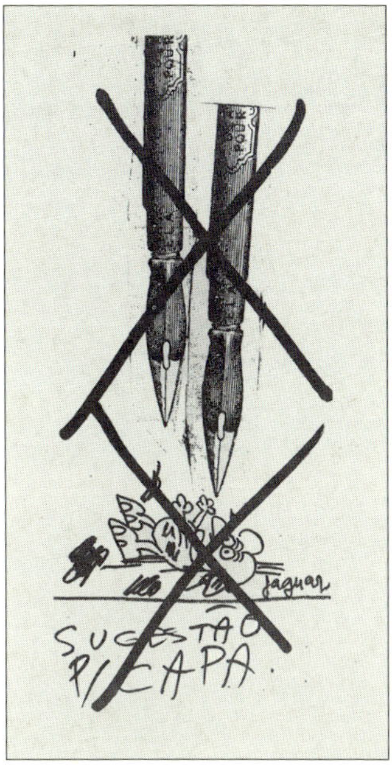

ARQUIVO O PASQUIM

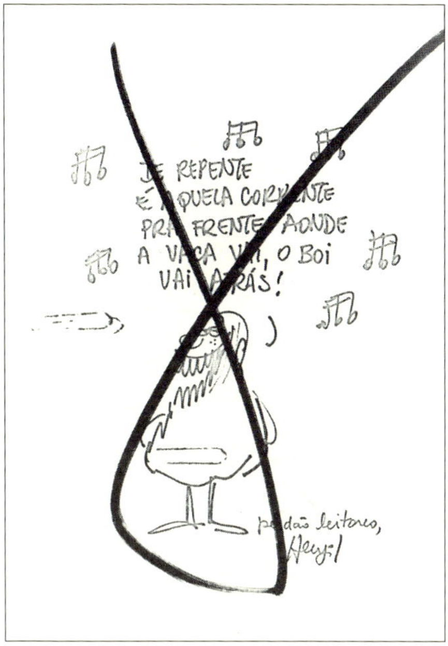

ARQUIVO O PASQUIM

Charges de Jaguar e Henfil para *O Pasquim*, riscadas e vetadas pela Censura.
Na outra página, lances da propaganda oficial. O slogan "Brasil, ame-o ou deixe-o" foi propagado pelo CIE.

O empresariado costumava associar-se às campanhas patrióticas do governo, e o ufanismo chegou aos sapatos.

REPRODUÇÃO DE *50 ANOS DE VIDA E PROPAGANDA BRASILEIRAS*

ARQUIVO NACIONAL

Dois momentos na vida de Niomar Moniz Sodré Bittencourt, dona do matutino carioca *Correio da Manhã*, entre 1968 e 1969.
Novembro. A bordo do iate real *Britannia*, acompanhada pelo advogado Luiz Gonzaga do Nascimento e Silva, ex-ministro do Trabalho de Castello Branco, ela cumprimenta a rainha Elisabeth. Poucos meses depois, Niomar foi levada para um depósito de presas, mantida em regime de prisão domiciliar e interrogada pela Justiça Militar.

ICONOGRAPHIA

ABRIL IMAGENS/CRISTIANO MASCARO

O ministro da Fazenda, Antonio Delfim Netto, era pouco mais que um desconhecido quando assumiu o cargo. Com as altas taxas de crescimento da economia, passou a encarnar o Milagre Brasileiro. Atrás dele vai o presidente da FIESP, Theobaldo de Nigris.

D. Helder Câmara discursa em Paris: "A tortura é um crime que deve ser abolido. Os culpados de traição ao povo brasileiro não são os que falam, mas sim os que persistem no emprego da tortura. Quero pedir-lhes que digam ao mundo todo que no Brasil se tortura. Peço-lhes porque amo profundamente a minha pátria e a tortura a desonra".

ARQUIVO DO ESTADO DE SÃO PAULO

D. Eugênio Sales

ARQUIVO DO ESTADO DE SÃO PAULO

D. Jaime Câmara

ABRIL IMAGENS/ORLANDO BRITO

D. Agnello Rossi

ABRIL IMAGENS

ABRIL IMAGENS/NIRLANDO BEIRÃO

D. Geraldo Sigaud: "Confissões não se conseguem com bombons".

ICONOGRAPHIA

D. Paulo Evaristo Arns: "Padre Giulio e a Sra. Yara Spadini foram torturados de uma maneira ignominiosa pela polícia política (Deops) da nossa capital, como o vigário episcopal da região sul e nós próprios pudemos verificar pessoalmente".

ABRIL IMAGENS/IRMO CELSO

Indisciplina no CIE não havia. Seu chefe era o general Milton Tavares de Souza, o *Miltinho*. Vivia como um monge, sem férias nem vida social. Fisicamente frágil, nem sequer fazia o tipo do general buliçoso. Como chefe do CIE foi um mudo. É dele a marca de ferocidade da repressão.

O obstáculo que barrou o progresso das organizações armadas foi político. A violência do aparelho do Estado pode destroçar seus adversários, mas não destroça necessariamente seus objetivos. Os pára-quedistas do general Massu venceram a Batalha de Argel, mas a França perdeu a Guerra da Argélia, entregando o poder aos combatentes que encarcerara. A "tigrada" brasileira ganhou tanto as batalhas do Rio de Janeiro e São Paulo como a guerra. Primeiro, porque os trabalhadores não se alistaram na revolução popular. Marcelo Ridenti mostrou que mais da metade das 2592 pessoas com ocupação conhecida processadas judicialmente por quaisquer tipos de relação com organizações armadas vinham das camadas médias intelectualizadas da sociedade. Na ALN, para 237 estudantes, professores e cidadãos com diplomas de curso superior, havia apenas 68 trabalhadores manuais urbanos. Na VPR havia catorze professores para treze trabalhadores manuais urbanos.[7]

A luta armada fracassou porque o objetivo final das organizações que a promoveram era transformar o Brasil numa ditadura, talvez socialista, certamente revolucionária.[8] Seu projeto não passava pelo restabelecimento das liberdades democráticas. Como informou o PCBR: "Ao lutarmos contra a ditadura devemos colocar como objetivo a conquista de um Governo Popular Revolucionário e não a chamada 'redemocratização'".[9] Documentos de dez organizações armadas, coletados por Daniel Aarão Reis Filho e Jair Ferreira de Sá, mostram que quatro propunham a substituição da ditadura militar por um "governo popular revolucionário" (PC do B, Colina, PCBR e ALN). Outras quatro (Ala Vermelha, PCR, VAR e Polop) usavam sinônimos ou demarcavam etapas para chegar àquilo que, em última instância, seria uma ditadura da vanguarda revolucio-

7 Marcelo Ridenti, *O fantasma da revolução brasileira*, pp. 68-70. Subtraí do total de Ridenti os processados do PCB, Grupos dos Onze e AP.

8 A esse respeito, ver Daniel Aarão Reis Filho, *Ditadura militar, esquerdas e sociedade*, pp. 53-4 e 70, bem como *A revolução faltou ao encontro*, pp. 109-10. Ver também entrevista de Aarão Reis, *Folha de S.Paulo* e *O Globo*, 23 de setembro de 2001.

9 Daniel Aarão Reis Filho e Jair Ferreira de Sá (orgs.), *Imagens da revolução*, p. 175.

nária. Variavam nas proposições intermediárias, mas, no final, de seu projeto resultaria um "Cubão".[10]

Ao contrário do que sucedeu nas resistências francesa e italiana ao nazismo e até mesmo na Revolução Cubana, onde conservadores e anticomunistas se integraram na luta contra a tirania, as organizações armadas brasileiras não tiveram, nem buscaram, adesões fora da esquerda. A sociedade podia não estar interessada em sustentar a ditadura militar, mas interessava-se muito menos pela chegada à ditadura do proletariado ou de qualquer grupo político ou social que se auto-intitulasse sua vanguarda. A natureza intrinsecamente revolucionária das organizações armadas retirou-lhes o apoio, ainda que tênue, do grosso das forças que se opunham ao regime. Elas viam na estrutura da Igreja católica e na militância oposicionista de civis como Tancredo Neves e Ulysses Guimarães um estorvo no caminho da revolução. Eles, por seu lado, viam na luta armada um estorvo para a redemocratização.

Ainda em 1969 produziram-se na constelação do radicalismo esquerdista os primeiros sinais de um processo de revisão política. Na VPR, dois veteranos do ataque ao quartel-general do II Exército e um dos membros do tribunal que condenou à morte o capitão Chandler deram baixa por discordarem da ênfase nas ações militares. Dois meses depois do seqüestro de Elbrick, a Ala Vermelha, cujos assaltos remontavam ao amanhecer do surto, já iniciava a rediscussão do terrorismo: "Partindo da afirmação justa de que a principal forma de luta estratégica é a armada, no plano da tática muitos camaradas quiseram reduzir tudo à luta armada. [...] Daí o desejo de transformar o Partido em 'exército', em 'unidades de combate'".[11] No início de 1970, quando foi implodido, o PCBR achava-se às vésperas de uma cisão. Na defesa do refluxo estava a legendária figura de Apolonio de Carvalho, oficial republicano na Guerra Civil Espa-

10 Termo usado pelo general Leonidas Pires Gonçalves em seu depoimento, no livro *Histórias do poder*, de Alberto Dines, Florestan Fernandes Jr. e Nelma Salomão (orgs.), vol. 1: *Militares, Igreja e sociedade civil*, p. 353.

11 Daniel Aarão Reis Filho, "As organizações comunistas e a luta de classes — 1961-68", vol. 1, p. 278. Esse trabalho foi posteriormente publicado, numa versão resumida, em forma de livro: *A revolução faltou ao encontro — Os comunistas no Brasil* (São Paulo: Brasiliense, 1990).

nhola, cavaleiro da Legião de Honra da França pelo seu desempenho de *maquisard* durante a Segunda Guerra.[12]

As cisões que marcaram a história da esquerda armada funcionaram como um processo de separação de graus de radicalismo. A cada divisão correspondia o nascimento de uma nova sigla, quase sempre composta por um grupo extremado de vinte a trinta pessoas. Ao se isolarem, esses grupos beneficiavam-se das facilidades de sobrevivência inerentes ao nanismo. Foram muitos os casos de militantes que nos cinco anos de duração do surto terrorista atuaram em mais de uma das dezoito organizações que pegaram em armas. Lamarca esteve em três (VPR, VAR-Palmares e MR-8). A proliferação de siglas deu ao Brasil o recorde mundial de organizações envolvidas em atos terroristas contra estrangeiros. Um estudo publicado pela Rand Corporation calculou em trinta as siglas em operação no mundo. Só no Brasil, houve sete.[13]

Enquanto a mobilidade concedida pelo raquitismo mascarava a crise à esquerda, a eficácia da tortura escondia a inépcia operacional da máquina repressiva sempre que o antagonismo se dava fora dos porões. Isso se verificou tanto em casos em que foi testada a qualidade profissional dos comandos militares, como em episódios onde se requereu o adequado planejamento de medidas de informações e segurança. Assim como Marighella mobilizava sua máquina de propaganda para cobrir o encurralamento da ALN, os comandantes militares reciclavam fracassos, transformando-os em ameaças. Em agosto de 1969 uma tropa do Corpo de Fuzileiros Navais, estimada em 2 mil homens (com seguro exagero), cercou sete ex-marinheiros escondidos nas matas da serra do Mar, nas vizinhanças de Angra dos Reis. Em uma semana de operações, prenderam dois e perderam cinco.[14] O melhor exemplo des-

12 Jacob Gorender, *Combate nas trevas*, p. 202.

13 Para as organizações existentes no mundo, Brian Jenkins e Janera Johnson, *International Terrorism: a Chronology, 1968-1974*, Rand Corporation, março de 1975, Santa Mônica, p. 5. Dessa lista constam quatro grupos brasileiros (ALN, VAR, VPR e MR-8). Devem-se acrescentar outros três: Colina (pela morte de Von Westernhagen), MRT (pelo seqüestro de Holleben) e a REDE (pelos seqüestros de Holleben e do cônsul japonês em São Paulo).

14 Avelino Bioen Capitani, *A rebelião dos marinheiros*, pp. 139-47. Segundo Agnaldo del Nero Augusto, *A grande mentira*, p. 304, prenderam só um.

sa manipulação da incompetência deu-se em 1970, quando se descobriu a existência de uma base de treinamento de guerrilheiros da VPR nas matas de Jacupiranga, na zona montanhosa e miserável do vale do Ribeira, em São Paulo.

Em abril fora capturado no Rio de Janeiro um militante da VPR que tinha uma surpresa para o CIE: Carlos Lamarca estava em algum lugar nas proximidades do quilômetro 250 da BR-116, ensinando tática, tiro ao alvo, desenhando uniformes e construindo armadilhas. Onde, precisamente, não sabia. (O capitão estava numa pirambeira de oitenta alqueires, cerrada e longínqua.)[15] O II Exército finalmente tinha uma guerra nas mãos. Os generais Canavarro Pereira e Ernani Ayrosa armaram-se para um grande combate. A partir do dia 21 de abril lançaram 1500 homens sobre o vale. Com velhos polígrafos americanos, mobilizaram tropas de dez unidades diferentes.[16] Eram quase todos recrutas com três meses de instrução, sem prática de tiro, muitos carregando mosquetões.[17] Fecharam-se estradas, prenderam-se 120 pessoas, varreu-se a serra com helicópteros, e bombardeou-se a floresta.[18] Os guerrilheiros eram dezessete, e Lamarca, já informado do perigo, desativara as duas bases. Oito foram embora de ônibus, misturados à população. Para a guerra, restavam nove. Dois foram capturados na estrada.[19]

Restavam sete. Marcharam pela mata por três semanas, até que no dia 8 de maio, dizendo-se caçadores, entraram num vilarejo para alugar o caminhão de um comerciante. Ele fechou negócio, ofereceu-lhes comida e despachou um cavaleiro para avisar a polícia. Alertado, o dispositivo militar montou uma barreira de PMs na praça central de Eldorado Paulista. Às sete

15 Jacob Gorender, *Combate nas trevas*, pp. 210-1.

16 General José Canavarro Pereira, *Relatório da Operação Registro*, fl. 2. AA.

17 Carlos Alberto Brilhante Ustra, *Rompendo o silêncio*, p. 83. Jacob Gorender, *Combate nas trevas*, p. 213. *Coojornal* de fevereiro de 1980. *Relatório da Operação Registro*, fls. 14 e 20.

18 *Coojornal* de fevereiro de 1980, "Os relatórios do Exército sobre a guerrilha", por Osmar Trindade e Elmar Bones.

19 Jacob Gorender, *Combate nas trevas*, p. 211, e Ariston Lucena, agosto de 1988.

da noite, quando o caminhão da VPR parou, um policial pediu aos seus sete passageiros que descessem com os documentos na mão. Eles desceram atirando, dispersaram a barreira, feriram dois policiais e foram em frente.[20]

Às dez e meia da noite, a pouco mais de um quilômetro da cidade de Sete Barras, os fugitivos foram interceptados por uma nova tropa da PM. Eram cerca de trinta homens, divididos entre um caminhão e uma camionete. Antes que os comboios se cruzassem, Lamarca parou o seu e abriu fogo. Quando o tiroteio acabou, oito PMs tinham-se enfiado na mata, catorze estavam feridos, e dezoito renderam-se.[21] O pelotão era comandado por um tenente disfarçado de soldado. Acertou-se uma trégua, e Lamarca conduziu os feridos até um ponto da estrada onde pudessem ser resgatados. O tenente da PM, Alberto Mendes Junior, de 23 anos, sem nenhuma experiência de combate, depois de alojar os seus comandados feridos, voltou ao encontro dos prisioneiros. Temia que os tivessem matado.[22] Não revelou que no grupo havia outro oficial. Transformaram-no em refém e fizeram-no marchar à frente da coluna. Num corte da estrada os guerrilheiros viram-se diante de um comboio, abandonaram o caminhão e meteram-se no mato. Dali, assistiram a uma fuzilaria resultante de um choque acidental das tropas do 6º RI e do Destacamento Logístico, que se tomaram por inimigas. Saíram feridos um tenente-coronel e um soldado.[23] Na confusão, dois guerrilheiros perderam-se. Buscaram ajuda, foram delatados e capturados.

Restavam cinco e o tenente Mendes. No dia 10 selou-se a sua sorte. Resolveram matá-lo. Nada lhe foi dito, e talvez ele nem sequer tenha percebido que, às suas costas, Yoshitane Fujimori, o *Joel*, segurava um fuzil pelo cano. Com uma coronhada na cabeça, o tenente caiu como um fardo.[24]

20 Para o rompimento do cerco, Ariston Lucena, agosto de 1988. Para o número de feridos, *Relatório da Operação Registro*, general Canavarro Pereira, fl. 5.

21 Para o número de feridos, *Relatório da Operação Registro*, general Canavarro Pereira, fl. 5. Para o número de prisioneiros, Ariston Lucena, outubro de 1988.

22 Para a inexperiência do tenente Alberto Mendes Junior, *Relatório Sucinto da Operação Registro*, fl. 6.

23 *Relatório Sucinto da Operação Registro*, fl. 6.

24 Ariston Lucena, outubro de 1988.

Morreu a pauladas, com o crânio esfacelado, porque os seus assassinos temiam que tiros revelassem o esconderijo. Sepultaram-no na mata.

O assassínio do tenente foi um crime. Tropas combatentes não matam seus prisioneiros. Tropas guerrilheiras também não. O argumento segundo o qual Mendes devia ser executado para evitar-se que revelasse a posição do grupo não tem consistência. Ao levá-lo consigo, em vez de deixá-lo com a tropa desarmada, Lamarca cruzou a linha que separa o guerrilheiro do bandido, transformando o prisioneiro num refém. Para ficar dentro da historiografia dos rebeldes, um exemplo é a captura pela guerrilha do Che Guevara, em duas ocasiões diferentes, de um total de trinta militares bolivianos. O Che interrogou dois oficiais que "falaram como papagaios" e deixou todos os prisioneiros no mato. Seis meses depois, feito prisioneiro, foi assassinado. Disso derivou em boa parte sua lenda heróica.[25]

Os cinco fugitivos passaram os quatro dias seguintes escondidos debaixo de uma rocha, abrigados da chuva, aproveitando a noite para roubar abacaxis e bananas de um pomar. Famintos, maltrapilhos e com as armas enferrujadas, vagavam pelas cercanias de Sete Barras.

Fora das matas do Ribeira a guerrilha era outra. Em Brasília o líder do governo na Câmara dos Deputados, Raimundo Padilha, falava de sete soldados mortos e um oficial aprisionado.[26] A TV Globo informava que fora descoberto outro campo de treinamento na fronteira com a Argentina.[27] De Havana a agência Prensa Latina descrevia a vida miserável dos bananeiros da região e arriscava: "Os dois mil soldados e oficiais que estão no vale do Ribeira talvez tenham de combater também contra esses homens".[28]

Três vezes os guerrilheiros tentaram comprar comida, três vezes foram delatados.[29] Um sitiante informou à tropa que tinha um encontro

25 Che Guevara, *Diário*, pp. 77 e 87-8.

26 *Jornal do Brasil*, 22 de maio de 1970, p. 3.

27 Telegrama da agência Prensa Latina, de 8 de maio de 1970.

28 Telegrama da agência Prensa Latina, de 15 de maio de 1970.

29 Segundo o *Relatório Sucinto da Operação Registro* essas tentativas deram-se no dia 23, num sítio perto da estrada do Banco, no dia 25, na Xiboca, e no dia 31, num laranjal.

marcado com Lamarca. Tudo certinho. O dia: 26 de abril. A hora: sete da manhã. O lugar: um coqueiro à margem do rio Dois Irmãos. A informação viera rica como o "ponto" de Marighella com os padres. O coronel Erasmo Dias, que montou a emboscada, não foi para o mato. Mandou uma patrulha comandada por um tenente, que, por sua vez, mandou na frente um mateiro e um soldado vestido de camponês. Só o tenente sabia que estavam atrás de Lamarca. Apareceu um guerrilheiro, suspeitou da cilada e gritou: "Olha a força". O soldado correu, e o tenente escondeu-se num arrozal. O coronel haveria de encontrá-lo, "branco que nem cera, gaguejando: 'É ele, o Lamarca'". Ao contrário de Fleury, que foi pessoalmente à caça de Marighella, Erasmo não foi para a emboscada. Ao contrário dos policiais que foram para a armadilha da alameda Casa Branca, os soldados enviados pelo coronel não sabiam o que estavam fazendo no mato. O tenente que fugiu foi acusado de covardia, mas viu-se absolvido pela Justiça Militar, que concluiu pela covardia do mateiro.[30]

Os cinco fugitivos escapuliam havia 41 dias, tinham os pés feridos, e a fome os debilitara. Decidiram que um deles arriscaria a estrada. Escolheram o mais jovem, sem ficha na polícia. Ele fez sinal para um ônibus da linha Sete Barras—São Miguel e foi-se embora. Deveria voltar no dia seguinte, com uma equipe de resgate de São Paulo. Não apareceu. Na noite de 31 de maio os quatro mosqueteiros resolveram arriscar tudo num só lance. Desceram à estrada dispostos a atacar o primeiro carro que passasse. Pois veio um caminhão do Regimento de Obuses de Itu. Saíra para buscar a água do rancho numa fonte próxima.[31] Pararam-no, renderam a tropa e mandaram que seus cinco ocupantes ficassem de cuecas. *Joel*

30 Marcelo Paiva, *Não és tu, Brasil*, pp. 182 e segs. Trata-se de um romance em que Paiva inseriu documentos oficiais, entre eles, o *Relatório do Comandante do 2º RO 105*, sobre a patrulha do rio Dois Irmãos, e a sentença do Conselho Permanente da 2ª Auditoria de Guerra de São Paulo, de julho de 1981. Para a emboscada e o encontro de Erasmo Dias com o tenente, "Como a guerrilha, cercada, escapou do vale do Ribeira", reportagem de Luís Padovani, *Folha de S.Paulo*, 27 de agosto de 1979, e *Folha de S.Paulo*, 28 de agosto de 1979.

31 *Relatório Sucinto da Operação Registro*, fl. 13, e *Episódio do Seqüestro da Viatura em que se Evadiram Lamarca e Outros, Anexo nº 3 da Operação Registro*, assinado pelo general José Canavarro Pereira, fl. 1.

foi na boléia, vestido de sargento, e Ariston Lucena, o *Rogério*, tomou o volante, como soldado. Poucos quilômetros à frente, perto de Taquaral, havia uma barreira do Exército. Os guerrilheiros tinham descoberto a senha de tráfego da tropa, mas ela era inútil: não se podia passar. Bastaria que o caminhão permanecesse alguns minutos ali para que se descobrisse debaixo de sua lona uma tripulação vestindo cuecas, mas *Rogério* teve uma idéia: "É ordem do coronel". A barreira abriu-se.[32]

Às 22h30 Lamarca e os três fugitivos dispersaram-se na Marginal do Tietê. A notícia do sumiço do caminhão com um cabo e quatro soldados só chegaria ao posto de comando à uma da madrugada do dia seguinte, oito horas depois da partida do grupo para um percurso de oito quilômetros.[33] Ainda fardado, *Rogério* resolveu realizar um desejo que o perseguia nas jornadas de fome enganada com palmitos e foi atrás do sanduíche e do suco de abacaxi da lanchonete Rex, numa esquina da avenida São João. Vagou alguns quarteirões e deteve-se na praça da Sé, onde um sistema de som transmitia o início da Copa do Mundo de futebol. Jogavam México e União Soviética; Ariston Lucena continuou seu combate torcendo pelos russos.[34]

Terminara a maior mobilização da história do II Exército. Iniciada numa situação vantajosa, com algum conhecimento das posições adversárias, acabou em fiasco. Numa campanha em que os fugitivos jamais tiveram a solidariedade da população, a tropa, inexperiente, desmotivada, malvestida e mal calçada, chegou tarde e saiu cedo. Faltou-lhe comida, serviram-lhe rações vencidas, os uniformes descosturaram-se, os coturnos não prestavam. Faltaram gasolina, munição e até códigos de comunicações.[35] Abundaram binóculos, pois atendeu-se a um pedido de cinqüenta deles, sem que se tenha sabido a quem deveriam ser entregues.[36]

32 Ariston Lucena, outubro de 1988.

33 Para a hora da partida do caminhão, *Episódio do Seqüestro da Viatura em que se Evadiram Lamarca e Outros*, fl. 1. Para a hora da chegada da notícia ao posto de comando, *Relatório Sucinto da Operação Registro*, p. 13, e *Relatório da Operação Registro*, do general Canavarro Pereira, fl. 10.

34 Ariston Lucena, agosto de 1988.

35 Relatório do general José Canavarro Pereira, em *Coojornal*, fevereiro de 1980, pp. 15-26, ou *Relatório da Operação Registro*, fls. 12-3.

36 Análise do general Dale Coutinho, em Percival de Souza, *Autópsia do medo*, p. 371.

O coronel Erasmo Dias registrou mais tarde que "o grupo de Lamarca, bem armado, disposto a não aceitar o confronto, teve sempre como objetivo capital a fuga".[37] A cada guerrilheiro correspondiam oitenta soldados. Mesmo assim Lamarca aceitou o combate em duas ocasiões e em ambas levou a melhor. Enfrentava uma tropa tão mal adestrada que pedia documentos a suspeitos numa zona de operações antiguerrilha e dava passagem a motoristas que se diziam autorizados "pelo coronel".

Lamarca vagou por São Paulo procurando esconderijos, com a organização desmantelada, enquanto o general Orlando Geisel reciclava o desastre, convertendo-o em ameaça: "Continuaremos, com redobrada eficiência e firme decisão, a aperfeiçoar nosso treinamento para combater os ataques dos inimigos de nosso país".[38]

Excluídas as aulas de técnica de interrogatório do Centro de Estudos de Pessoal, o treinamento de pouco servia. Em abril de 1970, depois de um tiroteio, o CIE capturou com uma militante da VAR-Palmares o cronograma do seqüestro de uma personalidade que passava diariamente pela rua Cândido Mendes, nas fraldas do morro de Santa Teresa, no Rio. Descobriu-se até mesmo a localização de um sítio em Jacarepaguá, pronto para receber o hóspede.[39] Três embaixadores viviam em Santa Teresa: o núncio apostólico, o argelino e o alemão. Ehrenfried von Holleben, 61 anos, veterano da Segunda Guerra, alto, magro e reservado, era a bola da vez.

Às 19h55 da quinta-feira, 11 de junho, as seleções de futebol da Inglaterra e Tchecoslováquia tinham empatado em 0 × 0. A seleção brasileira já se classificara para as oitavas-de-final da Copa de 70. Batera os ingleses por 1 × 0 (gol de Jairzinho) e, na véspera, passara pela Romênia por 3 × 2. O Brasil estava com o coração no México. Na Barão de Mes-

37 Erasmo Dias, *Reflexões de uma vida*, p. 41.

38 Telegrama da agência France Presse, de 25 de agosto de 1970.

39 O cronograma estava com Maria do Carmo Brito, presa no tiroteio que resultou na morte de seu marido, Juarez Guimarães de Brito. Judith Lieblich Patarra, *Iara*, pp. 382-3. *Veja*, 15 de julho de 1970, e Alfredo Sirkis, *Os carbonários*, p. 213.

quita, um torturador avisava: "Se não falar em dez minutos, vai morrer hoje. Eu não quero perder o jogo".[40] *Daniel*, dirigente da VPR, encontrava-se numa camionete, numa curva da rua Cândido Mendes. Eduardo Collen Leite, o *Bacuri*, veterano do ataque ao hospital do Cambuci, postara-se a poucos metros de distância. Sonia Lafoz, veterana do assalto ao cofre de Adhemar de Barros, era a moça que parecia estar namorando. Tinha consigo uma pistola Luger.[41] Von Holleben vinha num Mercedes. Seu dispositivo de segurança compunha-se de dois agentes da Polícia Federal num carro de cobertura e de um terceiro, que viajava no banco da frente do automóvel do embaixador.

Nessa época, o cônsul americano no Rio de Janeiro, Clarence Boonstra, já circulava num carro blindado, com escolta do FBI. Os generais dispunham de segurança da Polícia do Exército e os almirantes, de fuzileiros navais. Apesar de se saber havia dois meses que a VAR planejava um ataque na rua Cândido Mendes, o reforço da segurança de Holleben limitara-se a uma escolta de agentes federais, quase todos saídos anos antes dos quadros da polícia e da falecida companhia de bondes.

A camionete abalroou o Mercedes, e os terroristas identificaram-se atirando. Varridos por uma rajada de submetralhadora INA, os agentes do carro de cobertura não responderam ao fogo. "Chega, chega", gritou um deles antes de abrir a porta, rendido. O guarda-costas de 54 anos que viajava com o embaixador tentou sacar a arma, e mataram-no com um tiro no peito. Holleben, que se deitara no chão do carro, foi levado para uma rua do Rio Comprido. Lá, puseram-no dentro de uma caixa e embarcaram-no numa Kombi. A viagem terminou numa casa de subúrbio, onde *Helga*, uma guerrilheira encapuzada, serviu-lhe chá, salgadinhos e Valium 5.[42]

O seqüestro do embaixador alemão recolocou o terrorismo na ribalta, sugerindo, como sucedera menos de um ano antes com a captura de Elbrick, a existência de uma forte estrutura clandestina. Era o contrá-

40 Maria Helena Malta, *Brasil, um sonho intenso*, p. 144.

41 Luiz Maklouf Carvalho, *Mulheres que foram à luta armada*, p. 380.

42 Alfredo Sirkis, *Os carbonários*, p. 221.

rio. A direção da VPR fora dissolvida, e o comando das operações ficara com *Daniel*, um mineiro de 23 anos que escapara do vale do Ribeira, em cuja mata marchava com um exemplar de *Grande sertão, veredas* na mochila. Ele próprio explicaria aos comandados: "Eu sou um cara despreparado demais da conta, pra esse negócio de comando. Mas sobrei, eu".[43] A base da organização passava pouco de uma dezena de pessoas, mobilizada em torno de uma única idéia: um seqüestro para soltar presos. Sem estrutura, a VPR abandonara um plano grandioso em que seqüestraria um ministro, um embaixador e um milionário em troca de duzentos presos, e se associara a uma pequena confederação de siglas para objetivo mais modesto.[44]

Para o seqüestro de Holleben, o comando dispunha de uma camionete (para abalroar o Mercedes), um Opala (para transportar o embaixador) e uma Kombi (para levá-lo, dentro do caixote, ao esconderijo). Nada mais. A camionete e o Opala seriam "queimados" na operação. Restava a Kombi para a cena final da dispensa do embaixador. Os seqüestradores exigiram a libertação de quarenta presos, o governo aceitou e embarcou-os para a Argélia. Entre o tiroteio da rua Cândido Mendes e o desembarque do Boeing da Varig no aeroporto de Argel passaram-se quatro dias. A seleção vencera as quartas-de-final na Copa do México: Brasil 4, Peru 2. Faltava só libertar o embaixador, mas a Kombi fora deixada num local de estacionamento proibido e, rebocada, estava no depósito do Detran. Durante o cativeiro de Holleben, a maior preocupação de seus seqüestradores foi conseguir um automóvel para tirá-lo do esconderijo. *Bacuri* pensou em trazer um carro de São Paulo. Os poucos contatos do Rio de Janeiro negaram fogo.[45]

Na segunda-feira, dia 16, o embaixador já sabia que os presos estavam na Argélia. Vestiu o terno, gravata de seda, sentou-se na cama e esperou o fim do expediente. Houve uma tentativa pela manhã, outra à tarde e uma terceira à noite, mas nada de carro. A Kombi prometida por *Bacuri* podia demorar ainda alguns dias. Chegou-se a admitir a hipótese de os

43 Herbert Daniel, *Passagem para o próximo sonho*, p. 55.

44 Para o triplo seqüestro, Judith Lieblich Patarra, *Iara*, p. 406.

45 Alfredo Sirkis, *Os carbonários*, pp. 231-2.

terroristas abandonarem o esconderijo com o prisioneiro dentro, mas a idéia foi descartada, por desmoralizante. "Somos uns guerrilheiros de merda", reclamava Alfredo Sirkis, o *Felipe*.[46] Não houve jeito, e a desova ficou para o dia seguinte, anunciando-se ao mundo que, devido a "problemas técnicos", o embaixador continuava preso. Holleben mantivera a compostura durante o cativeiro, recusando-se a autografar manifestos dos captores, e agora exigia que o soltassem. O embaixador saiu do aparelho num Volkswagen azul de codinome Natália. O carro não tinha documentação, e era tão perigoso utilizá-lo que na véspera do seqüestro decidiram incendiá-lo, mas não havia nada melhor à mão. Libertado 23 horas depois da chegada dos presos a Argel, Holleben despediu-se com uma constatação: "Pensei que vocês estivessem melhor organizados".[47]

O regime tinha cerca de quinhentas pessoas nos seus cárceres. Mais da metade delas eram estudantes, com idade média de 23 anos.[48] Havia mais militantes presos do que soltos. Além disso, mudara a natureza das ações. Do atentado de Guararapes, em julho de 1966, a setembro de 69, para cada seis assaltos a bancos, casas de armas e garagens, pode-se estimar que se deram outras quatro ações ofensivas, sem propósitos financeiros ou logísticos. Da captura de Elbrick, em setembro de 1969, à de Holleben, em junho de 70, o percentual de operações ofensivas caiu à metade. De cada dez ações pelo menos oito buscavam dinheiro, armas, papéis de identidade ou mesmo perucas.[49] As ações ofensivas mais espetaculares, três seqüestros de diplomatas e de oito aviões, tiveram luminosidade publicitária, mas, na essência, destinavam-se a tirar gente da cadeia ou do país.

Mesmo na caça aos fundos a safra ia mal, pois o reforço da guarda dos bancos dificultara as "expropriações". De março a abril de 1970 as-

46 Alfredo Sirkis, *Os carbonários*, p. 239.

47 Idem, p. 241.

48 Para o total de quinhentas e a percentagem de jovens, entrevista do general Antonio Carlos Muricy ao *Jornal do Brasil* de 19 de julho de 1970.

49 Levantamento do autor.

saltaram-se 36 deles, mas entre junho e julho esse número caiu para onze. O mesmo sucedeu com os ataques a carros pagadores, doze entre janeiro e março e seis entre abril e julho. Para contornar os obstáculos, os roubos foram redirecionados para casas comerciais (três de janeiro a março e dezenove de abril a julho). Em maio a preferência foi para os supermercados, e em julho dez deles haviam sido "expropriados", com um rendimento geralmente pouco superior a mil dólares.[50] Roubavam-se inclusive depósitos de sorvetes e postos telefônicos.

Contidas, as falanges da luta armada entraram numa fase de regressão típica do metabolismo do gênero. Nela, as organizações fecham-se em torno de poucas dezenas de quadros e trocam grandes idéias políticas por audaciosos lances armados. Seus militantes resistem, unidos pela perseguição, graças à leveza do grupo, à experiência militar e a uma nova forma de compromisso político: a ratoeira do traidor.[51] Trata-se de uma situação em que cada tentativa de moderação é confundida com deserção e covardia. Disso resulta o predomínio da militância extremada, inibindo e expulsando as concepções mais moderadas. As tinturas românticas que acompanhavam a idéia de luta armada em 1968 estavam substituídas por cores apocalípticas.

Numa reunião em Pedra de Guaratiba, em maio de 1970, quando a ALN se resumira a catorze militantes no Rio de Janeiro, um de seus dirigentes pediu aos companheiros um juramento: "Como disse o Mariga, temos de continuar até o fim, até o último homem, mesmo sabendo que isso pode não dar em nada".[52] "A idéia era lutar 'até o fim'. Que fim?", escreveria mais tarde o *Daniel* da VPR.[53]

Havia duas ratoeiras no Brasil do presidente Medici. Numa caíra a esquerda. Na outra, a direita. Em ambos os casos a pergunta era a mesma: que fim?

50 *Jornal do Brasil*, 14 de dezembro de 1970, p. 15.

51 Expressão cunhada por Brian Jenkins, ex-diretor do Centro de Estudos sobre Terrorismo e Violência Política da Rand Corporation. Brian Jenkins, dezembro de 1989.

52 Reinaldo Guarany, *A fuga*, p. 37.

53 Herbert Daniel, *Passagem para o próximo sonho*, p. 75.

O Milagre e a mordaça

Gérson passou a Pelé pelo alto, e o *Rei* cabeceou para Jairzinho. Ele enfiou a bola na rede, correu para a lateral, saudou a torcida, ajoelhou-se e fez o sinal-da-cruz. Faltavam nove minutos para o fim do segundo tempo, mas com o placar de 3 × 1 no estádio Azteca da Cidade do México a parada estava decidida. A Copa do Mundo era brasileira. O caneco de ouro maciço que vinte anos antes, em 1950, o uruguaio Obdulio Varela erguera no Maracanã diante de 200 mil brasileiros acabrunhados, acabava de ser literalmente conquistado pelos canarinhos. Três vezes campeão mundial de futebol, o Brasil ficara com a taça. O país cantava:

Noventa milhões em ação,
pra frente, Brasil
do meu coração. [...]
Salve a seleção.

Nunca se vira algo igual. Fora a primeira Copa transmitida ao vivo, e as multidões vitoriosas iam às ruas com os versinhos patrióticos que empanturravam as transmissões dos jogos. Medici abriu os jardins do palácio da Alvorada e saiu em mangas de camisa, com uma bandeira na mão e uma bola no pé.[1] Militantes da ALN atiravam de Winches-

1 *Veja*, 1º de julho de 1970, "A imagem do sucesso", p. 20.

ter das janelas de um aparelho em Copacabana, confundindo os disparos com os estouros de rojões.[2] Falava-se de um "Brasil Grande", "Brasil Potência". Distribuíam-se adesivos com a inscrição "Brasil, ame-o ou deixe-o". País, futebol, Copa, seleção e governo misturavam-se num grande Carnaval de junho.

Vivia-se um ciclo de crescimento inédito na história nacional. Desde 1968 a economia mostrara-se não só revigorada, mas também reorientada. O ano de 1969 fechara sem deixar margem a dúvidas: 9,5% de crescimento do Produto Interno Bruto, 11% de expansão do setor industrial e inflação estabilizada pouco abaixo dos 20% anuais. Depois de quinze anos de virtual estagnação, as exportações chegaram a 1,8 bilhão de dólares, com um crescimento de 23% em relação ao ano anterior. A taxa de poupança bruta ficara em 21,3%, índice jamais atingido e jamais igualado.[3] A indústria automobilística estava a pleno vapor, e a construção civil entrara em tal atividade que faltou cimento. Os números do primeiro semestre de 1970 indicavam que a prosperidade prosseguiria (fechou o ano com um crescimento de 10,4%). O Brasil tornara-se a décima economia do mundo, oitava do Ocidente, primeira do hemisfério sul.[4]

A oposição, que fora às passeatas de 1968 com faixas pedindo "Democracia e desenvolvimento", o que sugeria que sem uma não haveria o outro, vira-se diante de um governo que oferecia ditadura e progresso. A consistência da explosão econômica podia ser aferida também por indicadores como o aumento das importações de máquinas e equipamentos (23%) e do consumo de energia elétrica (10%).[5] As montadoras do ABC paulista haviam posto na rua 307 mil carros de passeio, quase o triplo de sua marca em 1964.[6] Os trabalhadores tinham em suas casas 4,58 milhões de aparelhos de televisão, contra 1,66 milhão em 1964.[7] Um em

2 Reinaldo Guarany, *A fuga*, p. 15.

3 *Estatísticas históricas do Brasil.*

4 Para uma visão desses resultados, José Pedro Macarini, "Um estudo da política econômica do 'Milagre' Brasileiro (1969-1973)", pp. 38-42.

5 *Anuário estatístico do Brasil — 1971.*

6 Helen Shapiro, "A primeira migração das montadoras: 1956-1968", em *De JK a FHC — A reinvenção dos carros*, organizado por Glauco Arbix e Mauro Zilbovicius, p. 66.

7 Sérgio Mattos, *A televisão no Brasil: 50 anos de história (1950-2000)*, p. 95.

cada dois brasileiros achava que o seu nível de vida estava melhorando, e sete em cada dez achavam que 1971 seria um ano de prosperidade econômica superior a 70.[8] Era o Milagre Brasileiro. O século XX terminaria sem que o país passasse por semelhante período de prosperidade.

O governo festejava o progresso associando-o ao imaginário do impávido colosso, gigante pela própria natureza. Potência nuclear? O Ministério de Minas e Energia revelara a descoberta de excepcionais jazidas de urânio no Nordeste e anunciara a compra de uma usina atômica, a ser montada em Angra dos Reis. Integração nacional? Medici determinara a construção da rodovia Transamazônica, que rasgaria 2280 quilômetros de mata tropical, ligando o Maranhão ao Acre. Gigante soberano? Estendeu-se a duzentas milhas da costa o limite das águas territoriais brasileiras. Tecnologia nacional? A Embraer recebera 230 milhões de dólares para fabricar o primeiro jato brasileiro. Obras históricas? Acelerou-se a abertura dos metrôs do Rio de Janeiro e de São Paulo, e anunciou-se o início da construção da ponte que atravessaria a baía de Guanabara, ligando a praia do Caju a Niterói.

Beneficiadas por uma sucessão de estímulos fiscais e tributários, as bolsas de valores pareciam fábricas de dinheiro. Num só mês de 1970 as transações feitas no pregão do Rio — cerca de 2 bilhões de cruzeiros — foram dez vezes superiores a todo o movimento do ano de 68.[9] O índice Bovespa triplicou em apenas dez meses e fechou o ano de 1971 com um incremento real de 124,7%.[10] Havia ações cujo valor dobrava num só dia. Cotas de fundos de investimento chegavam a render 50% ao mês. Um cidadão que tivesse aplicado 1600 cruzeiros novos em ações do Banco do Brasil no mês de agosto de 1968, chegara a setembro de 69 com uma carteira cotada a 5 mil cruzeiros novos.[11]

8 *Veja*, 6 de janeiro de 1971, p. 20, pesquisa do Instituto Gallup. Nessa pesquisa, só 7% dos entrevistados diziam que seu nível de vida estava caindo.

9 Para o movimento de 1968, *Veja* de 22 de julho de 1970, pp. 30-7. Para o movimento de junho de 1970, *Veja* de 22 de julho de 1970. Ver também *Anuário estatístico do Brasil — 1971*, p. 447.

10 Em 1971 o crescimento real do IBV (bolsa do Rio) foi de 180,9%, e o do Bovespa (bolsa de São Paulo) ficou em 124,7%. John H. Welch, *Capital markets in the development process — The case of Brazil*, pp. 93-4.

11 *Veja*, 20 de agosto de 1969, p. 16, e 22 de julho de 1970, pp. 30 e 70.

Os dados do censo de 1970, que acabavam de ser coletados, informariam que a renda nacional passara por uma profunda modificação nos últimos dez anos. A faixa dos 5% mais ricos aumentara sua participação na renda em 9% e detinha em suas mãos 36,3% da renda nacional. Já a faixa dos 80% mais pobres diminuíra sua participação em 8,7% em relação ao que tinha em 1960 e ficara com 36,8% da renda.[12] Dada a expansão da economia, isso indicava que os ricos ficaram mais ricos, mas não significava que os pobres ficaram mais pobres. Depois de uma queda vertiginosa ocorrida entre 1964 e 1967, o salário mínimo declinara suavemente, enquanto a renda dos trabalhadores na indústria se mantivera em alta sensível e contínua.[13] Além disso, em 1971 Medici criara o Prorural, estruturando o sistema de aposentadoria dos trabalhadores no campo. Concedia meio salário mínimo mensal a todo lavrador ou pequeno proprietário que completasse 65 anos.[14] Ampliado nos governos seguintes, haveria de se transformar no maior programa de renda mínima do país, um dos maiores do mundo. Tudo isso num regime de pleno emprego.

Ao êxito econômico não correspondeu progresso político algum. Pelo contrário, entendeu-se que a ditadura era, se não a causa, indiscutivelmente a garantia da prosperidade. O controle da imprensa desempenhou um papel essencial na cantata desse "Brasil Grande" e na supressão dos conflitos que abrigava. Quando Pelé cabeceou para Jairzinho, esse processo de controle já estava concluído, depois de seis anos de truculências, manhas e seduções.

Desde 1964, a imprensa fora o único setor de atividade econômica contra o qual o regime praticou e permitiu agressões patrimoniais. O jornal *Última Hora* (110 mil exemplares de tiragem, no Grande Rio, onde concentrava sua circulação), único diário a defender o governo Goulart na edição de 1º de abril, teve as suas sedes do Rio e do Recife invadidas

12 Paul Singer, "O Milagre Brasileiro — Causas e conseqüências", *Cadernos Cebrap*, nº 6, 1972, São Paulo.

13 Donald V. Coes, *Macroeconomic crises, policies, and growth in Brazil — 1964-90*, p. 134.

14 Lei Complementar nº 11, de 25 de maio de 1971, artigo 4º.

e depredadas. Seu fundador, o jornalista Samuel Wainer, ainda estava asilado na embaixada do Chile quando recebeu a primeira proposta de compra do jornal, vinda de um grupo de empreiteiros de obras públicas.[15] Todos os semanários esquerdistas foram fechados, e em 1966 fracassou até a costumeira tática do Partido Comunista de reaparecer com um novo título e diretores notáveis. A *Folha da Semana*, seu semanário de fachada liberal, foi fechada pela Marinha.

Durante o governo Castello Branco a coerção do regime teve a marca da ambigüidade do marechal. Através dos instrumentos da ditadura, jornalistas foram cassados e perseguidos em inquéritos intimidadores. Ainda assim, a soma de todas as pressões que exerceu sobre jornais e emissoras é insuficiente para eliminar o fato de que preservou uma liberdade de imprensa seletiva, graças à qual o *Correio da Manhã* conduziu a campanha contra a tortura. O mesmo se pode dizer do marechal Costa e Silva, em cujo governo Carlos Marighella publicara o texto "Algumas questões sobre as guerrilhas" na solene edição dominical do *Jornal do Brasil*.[16] A ambigüidade terminou na noite de 12 de dezembro de 1968, quando o general Jayme Portella de Mello determinou à Polícia Federal que se preparasse para calar as emissoras de rádio e televisão e enviar censores aos jornais do Rio e de São Paulo.[17] Era o prelúdio da missa negra que decretaria o AI-5.

Em Brasília, a blitz do general Portella resultou na prisão de jornalistas, como Carlos Castello Branco, do *Jornal do Brasil*, o maior cronista político do país. No Rio a "meganha" do DOPS invadiu a redação do *Correio da Manhã* e levou, algemado, seu diretor.[18] Foram atos de violência destinados muito mais a garantir o sucesso do golpe do que a assegurar a permanência do regime. No dia seguinte, no Rio de Janeiro e em São Paulo, os oficiais e delegados remetidos às redações carregavam consigo pequenos manuais de serviço nos quais se podia ler o que o re-

15 Samuel Wainer, *Minha razão de viver*, p. 262.

16 *Jornal do Brasil*, 15 de setembro de 1968.

17 Jayme Portella de Mello, *A Revolução e o governo Costa e Silva*, p. 644 para a censura às emissoras e p. 647 para os censores nas redações.

18 Pery Cotta, *Calandra*, p. 22.

gime queria da imprensa. O manual carioca, assinado pelo general Cesar Montagna de Souza, da 1ª Região Militar, informava que o objetivo da censura era "obter da imprensa falada, escrita e televisada o total respeito à Revolução de Março de 1964, que é irreversível e visa a consolidação da democracia". Para isso, determinava:

> Não deverão ser divulgadas notícias que possam:
>
> — propiciar o incitamento à luta de classes [...]
>
> — comprometer no exterior a imagem ordeira e econômica do Brasil,
>
> — tumultuar os setores comerciais, financeiro e de produção [...]
>
> — veicular atividades subversivas, greves ou movimentos operários.[19]

O manual paulista informava: "[...] as notícias devem ser precisas, versando apenas sobre fatos consumados [...]. Não publicar notícias sobre atos terroristas, explosão de bombas, assaltos a bancos, roubos de dinamite, roubos de armas, existência, formação ou preparação de guerrilhas em qualquer ponto do território nacional, ou sobre movimentos subversivos, mesmo quando se trate de fato consumado e provado".[20]

A primeira vítima da censura fora *O Estado de S. Paulo*. Quase vinte horas antes da assinatura do AI-5, o chefe da Polícia Federal, general Silvio Correia de Andrade, entrou nas oficinas do velho matutino e, depois de ler o seu editorial, intitulado "Instituições em frangalhos", mandou parar as máquinas. Era um texto fatalista, indignado. Punha um dedo na ferida e outro na direção de Costa e Silva. Constatava a caducidade do "artificialismo institucional que pela pressão das armas foi o País obrigado a aceitar" e lastimava que as coisas fossem piorar, "não porque elas se tenham em si mesmas deteriorado, mas em conseqüência dos erros praticados por S. Exa.". Acusava o marechal de ter tentado governar o país como se comandasse um quartel, vivendo num mundo irreal, de

19 *Resistência*, 21 de janeiro de 1969, p. 3.

20 Idem.

falsa euforia.[21] Seu texto saíra da pena de Julio de Mesquita Filho. Típico representante do conservadorismo paulista, o *Dr. Julinho* dirigia o jornal de sua família desde 1927. Estivera na Revolução de 1930 (ganhando) e na de 32 (perdendo). A ditadura de Vargas o levara ao presídio da ilha Grande e ao exílio. Em 1964, repassara aos militares o primeiro projeto de supressão das liberdades públicas, com o título de Ato Institucional.[22] Conspirara contra João Goulart tomando mais riscos pessoais e patrimoniais que todos os generais de 1968. Vendo-se calado, decidiu não escrever mais. Morreria sete meses depois, aos 77 anos, sem se reencontrar com a liberdade de imprensa.

No *Jornal do Brasil* os censores — oficiais inexperientes da ESAO — viram-se ludibriados por um estratagema concebido pelo editor-chefe Alberto Dines. O noticiário informava que "ontem foi o dia dos cegos", e a previsão meteorológica, no canto superior esquerdo da primeira página, dizia: "Tempo negro. Temperatura sufocante, o ar está irrespirável, o país está sendo varrido por fortes ventos".[23] Toda a edição do jornal refletia um clima de regresso, de absurdo. O governo respondeu no dia seguinte. Evitou brincadeiras com o tempo proibindo que as agências internacionais transmitissem boletins meteorológicos para o exterior.[24] Pressionou o *Jornal do Brasil* prendendo um de seus diretores, o embaixador José Sette Câmara, ex-governador do estado da Guanabara, que nada tinha a ver com a história. Em sinal de protesto a condessa Pereira Carneiro, uma católica fervorosa que raramente se envolvia com o cotidiano político do jornal, decidiu suspender a sua circulação enquanto durasse a prisão do embaixador. Sette foi solto, e o JB foi às bancas. Na primeira semana de janeiro os censores começaram a se retirar das redações.[25]

21 *O Estado de S. Paulo*, 13 de dezembro de 1968, em *O Estado de S. Paulo*, 12 de dezembro de 1998.

22 José Stacchini, *Março 64*, pp. 22-4.

23 Zuenir Ventura, *1968 — O ano que não terminou*, pp. 288-9. A esse respeito, ver os depoimentos de Alberto Dines, Carlos Lemos e M. F. do Nascimento Brito, em *Jornal do Brasil* de 13 de dezembro de 1998, Caderno Especial.

24 Claude Erbsen, diretor do escritório da Associated Press no Brasil, dezembro de 1992.

25 Heleno Cláudio Fragoso, *Advocacia da liberdade*, p. 62, para a retirada dos censores do *Correio da Manhã*.

Melhor notícia não havia, e no prédio do velho centro da cidade onde funcionava o *Correio da Manhã*, Niomar Moniz Sodré Bittencourt, sua proprietária, determinou que a edição do dia 7 de janeiro de 1969 saísse com a manchete "Abolida a censura à imprensa". Tinham-se rodado 20 mil jornais quando foram apreendidos a tiragem, Niomar e, novamente, o redator-chefe Osvaldo Peralva.[26] Enquanto o governo prendeu jornalistas como Peralva, Carlos Castello Branco e Alberto Dines (detido ao paraninfar uma turma de jornalistas da PUC), funcionaram mecanismos de pressão insólitos, porém lógicos: havendo um conflito entre um poder ditatorial e um jornal, usava-se força sobre aqueles que o escreviam ou o editavam. A prisão de Niomar sinalizava uma mudança de comportamento do governo: a intimidação física dos proprietários.

Niomar fora a criadora do Museu de Arte Moderna do Rio de Janeiro. O romancista Guimarães Rosa chamava-o de "niomarium", e o poeta Manuel Bandeira, apelidara-a de "Niomartemoderna".[27] Até 1963, passara a maior parte do tempo em Paris, onde vivia com o marido. Aos 52 anos, era uma mulher temperamental e inexperiente. Pagava melhor à cozinheira de sua casa do que ao poeta Carlos Drummond de Andrade.[28] Administradora inepta, colheu na luta pelas liberdades públicas amarguras pessoais que lhe deram grandeza política.[29] Em novembro de 1968, acompanhada por um ministro do governo Castello, estivera na recepção que a rainha Elisabeth da Inglaterra oferecera a bordo do iate *Britannia*, ancorado na baía de Guanabara. Vestia um longo bordado, sem cintura, como a época pedia. No dia seguinte à sua prisão, Niomar foi levada para o depósito São Judas Tadeu, cárcere de ladras, toxicômanas e prostitutas. Lá, quiseram obrigá-la a vestir o uniforme de presidiária.[30] Tomaram-lhe

26 Heleno Cláudio Fragoso, *Advocacia da liberdade*, p. 62, e *Resistência*, 21 de janeiro de 1969.

27 Para Guimarães Rosa, Jeferson de Andrade e Joel Silveira, *Um jornal assassinado*, p. 51. Para Bandeira, "Mafuá do malungo", *Manuel Bandeira — Poesia e prosa*, p. 438.

28 Ruy Castro, *O Anjo Pornográfico*, p. 362.

29 Dois ex-redatores-chefes do *Correio* deram suas opiniões sobre Niomar a Jeferson de Andrade e Joel Silveira, *Um jornal assassinado*, pp. 108 e 118. Luiz Alberto Bahia: "[...] Niomar não tinha capacidade para dirigir o jornal". Janio de Freitas: "Não sou adepto da teoria segundo a qual foi o regime militar que fechou o *Correio da Manhã*. [...] Foi má administração mesmo".

30 Jeferson de Andrade e Joel Silveira, *Um jornal assassinado*, pp. 46 e 283.

os direitos políticos, cortaram-lhe a propaganda oficial (equivalente a mais de um terço do conjunto do mercado publicitário) e suspenderam a circulação do *Correio* por cinco dias.[31] Colocada em regime de prisão domiciliar, foi libertada em março, um dia depois de a empresa ter pedido concordata preventiva.[32] Niomar cedeu o controle do jornal, arrendando-o a um empreiteiro, e despediu-se com um artigo em que dizia: "Condenada ou posta em liberdade, não tenho, no momento, mais lugar neste país para continuar a minha missão. Viramos todos máquinas — que pensam? — mas só podendo transmitir o que nos é permitido. Do contrário, é expor-se a todas as torturas físicas e morais, como as que passei".[33] Estava quebrada a espinha do *Correio*, o jornal que por cinqüenta anos confundira-se com a elite liberal do Rio de Janeiro.

A mão que apedrejava também afagava. Em março o ministro Delfim Netto levara ao presidente Costa e Silva um decreto isentando as empresas de rádio e televisão do pagamento de impostos sobre equipamentos importados. Essa franquia foi concedida ao mesmo tempo que se renovava o parque de telecomunicações do país. Havia sido inaugurada a estação receptora de sinais de satélites de Itaboraí, e em fevereiro de 1970 o país praticamente interligava-se por um sistema de transmissão por microondas. O benefício estava ao alcance de todas as emissoras, mas para a TV Globo, surgida em 1965, foi um duplo incentivo. Tecnicamente, significou um pulo-do-gato, pois permitiu que ela se modernizasse, transformando-se na primeira rede nacional de televisão. Financeiramente, além de reequipá-la ao dólar oficial, permitiu que a diferença cambial atenuasse o custo da liquidação de um contrato com o grupo americano Time-Life.[34]

No mesmo dia da concessão da graça fiscal às emissoras de rádio e televisão, a polícia deteve no aeroporto do Galeão o proprietário do *Jor-*

31 Para o valor do corte da publicidade oficial, "Retirada", editorial do *Correio da Manhã* de 11 de setembro de 1969.

32 Jeferson de Andrade e Joel Silveira, *Um jornal assassinado*, pp. 284 e 287.

33 *Correio da Manhã*, 11 de setembro de 1969, em Paolo Marconi, *A censura política na imprensa brasileira — 1968/1978*, p. 41.

34 José Bonifácio de Oliveira Sobrinho, janeiro de 1991. Para essa transação, ver também a entrevista de Joe Wallach, diretor da TV Globo, à revista *Imprensa* de março de 1990, pp. 46-50.

nal do Brasil, Manoel Francisco do Nascimento Brito, que voltava de uma reunião da Sociedade Interamericana de Imprensa, na Cidade do México, onde criticara suavemente a censura.[35] Interrogaram-no por quatro horas. No dia seguinte seu jornal não registrou o episódio. Mais tarde ele diria: "Ninguém bota a cabeça de fora porque os perigos são grandes".[36]

Cada um a sua maneira, todos os proprietários de empresas jornalísticas captaram os sinais de sanções e isenções que o regime enviou. A imprensa que gritara "Basta" e "Fora" a Jango, denunciara torturas no governo de Castello e se opusera ao AI-5 em 1968, foi sedada através da reformulação dos termos do tradicional processo que regia suas relações com o poder. Abriram-se as portas do céu e do inferno. O ministro da Fazenda exercitava a capacidade de negociar isenções e financiamentos, enquanto o da Justiça ganhava poderes para "determinar investigações sobre a organização e o funcionamento de empresas jornalísticas [...] especialmente quanto à sua contabilidade, receita e despesa".[37]

Samuel Wainer, transformado pela propaganda do regime em arquétipo da pena janguista, negociara em Paris a venda da *Última Hora* paulista ao proprietário da *Folha de S.Paulo*, Octavio Frias de Oliveira. Aos 57 anos, o *Profeta*, como era chamado por Getulio Vargas, regressara ao Brasil pensando em recuperar a *Última Hora* do Rio de Janeiro. Batalhou o quanto pôde para conquistar a confiança dos comandantes militares, até que foi chamado ao I Exército e um coronel lhe pediu que publicasse na primeira página de seu jornal um poema vencedor de um concurso de aspirantes, réplica a "Caminhando", de Geraldo Vandré. Ele dizia:

Tu, Vandré, que andas pela noite
No chopinho do Castelinho,
Que sabes de nossa Pátria?[38]

35 Telegrama da agência Reuters, de 5 de maio de 1969.

36 Paolo Marconi, *A censura política na imprensa brasileira — 1968/1978*, p. 58, citando o *Jornal do Brasil* de 27 de janeiro de 1971, p. 13.

37 Lei de Segurança Nacional, decreto-lei nº 898, de 29 de setembro de 1969, artigo 79.

38 Samuel Wainer, *Minha razão de viver*, p. 278.

Samuel voltou à redação, publicou o poema e decidiu vender o pedaço que lhe restava do império da *Última Hora*. Compraram-no os mesmos empreiteiros que haviam arrematado o *Correio da Manhã*. Protegido por Frias, foi trabalhar na redação da *Folha de S.Paulo*, onde permaneceu até sua morte, em 1980.

Ao ocaso do *Correio* e da *Última Hora* correspondia a alvorada do que viria a ser o maior império de comunicações da história do Brasil: o Sistema Globo de Comunicações. Em 1969 seu proprietário, Roberto Marinho, ainda não era um dos homens mais ricos do mundo, com uma fortuna avaliada, nos anos 90, em mais de 1 bilhão de dólares. Pelo contrário, a TV Globo estava amarrada a uma dívida de 3,75 milhões de dólares com o grupo americano Time-Life. Marinho sairia dela tomando um empréstimo ao National City Bank, cuja engenharia financeira o obrigaria a empenhar bens pessoais, inclusive sua mansão do Cosme Velho. Vira falhar uma busca de amparo num consórcio de empresários.[39] Mais tarde, lembraria: "Se fracassasse, teria de recomeçar a minha vida da estaca zero".[40] Com maneiras gentis e um senso de lealdade fora do comum na política brasileira, era um adversário feroz pela astúcia, um aliado insuperável pelo sentido de oportunidade. A ditadura transformava-se em milagre e a televisão em cores, em seu ícone. Em 1969 a Rede Globo era formada por três emissoras (Rio de Janeiro, São Paulo e Belo Horizonte). Em 1973 seriam onze.[41]

Quando o *The New York Times* atacou a censura brasileira com um editorial intitulado "As notícias encarceradas na América Latina", citando as prisões de jornalistas e pedindo que o governo americano pressionasse Brasília, *O Globo* respondeu em 72 horas: "A campanha de imprensa nos EUA destina-se a criar problemas diplomáticos com Washington, mas essa pressão não afeta os brasileiros na sua decisão de resolver os seus problemas domésticos sem pedir as bênçãos do *The New York Times* ou

39 Antonio Gallotti, dezembro de 1984.

40 Carta de Roberto Marinho ao presidente João Figueiredo, de 14 de agosto de 1980.

41 Para o número de emissoras, Alzira Alves de Abreu e Fernando Lattman-Weltman, "Momentos de decisão: os anos 70 e a mídia no Rio de Janeiro", em *Um estado em questão — Os 25 anos do Rio de Janeiro*, organizado por Américo Freire, Carlos Eduardo Sarmento e Marly Silva da Motta, pp. 352-3.

do *Le Monde*, que abençoaram Fidel Castro, Guevara e outros paladinos dos 'direitos humanos'".[42]

A mordaça imposta à imprensa a partir de dezembro de 1968 era confusa, onipotente e errática. Passada a blitz do AI-5, os censores foram dispensados, e a tesoura foi instrumentalizada através de sucessivos encontros de autoridades com proprietários de empresas jornalísticas. Criou-se, assim, uma rotina de comunicações entre a Censura e as empresas, quase sempre telefônica, informal. Duas tentativas de codificação das proibições fracassaram pela megalomania de seus objetivos. Uma delas vetava notícias que pudessem "tumultuar o comércio", e outra determinava que não se divulgasse "notícia falsa ou fato verdadeiro, parcialmente ou de maneira deformada".[43] Depois dos dias de tumulto da Junta Militar, durante os quais a censura foi manipulada pelo interesse dos comandantes de guarnições, estabeleceu-se um relativo equilíbrio, em que havia graus variáveis de tolerância para com as transgressões. Nos primeiros meses de governo do general Medici só a tortura e as prisões haveriam de se tornar um tema incontornavelmente proibido.

Aos poucos essa situação mudaria. Aquilo que pretendera ser uma ação defensiva do Estado tornou-se, a partir do final de 1969, a principal peça de sua máquina de desmobilização e de supressão do dissenso. Quando foi retirada, em 1978, a mordaça tinha superado a duração do controle da imprensa na ditadura de Vargas, transformando-se no mais prolongado período de censura da história do Brasil independente.

Durante a presidência do general Medici foram expedidas 360 proibições, uma das quais determinava que se esquecesse uma declaração pública do senador Filinto Müller, presidente do partido do governo, de que não existia censura no país.[44]

Dois jornais — *O Estado de S. Paulo* e o *Jornal da Tarde*, pertencentes a uma única família — haveriam de se recusar (a partir de agosto de

42 *The New York Times*, 4 de janeiro de 1969. *O Globo*, 7 de janeiro de 1969.

43 *Resistência*, 21 de janeiro de 1969, para o caso do comércio. *Ordem 716*, do Departamento de Polícia Federal, de 10 de junho de 1969, em Paolo Marconi, *A censura política na imprensa brasileira — 1968/1978*, p. 226.

44 Paolo Marconi, *A censura política na imprensa brasileira — 1968/1978*, pp. 227-76. Para a proibição de Filinto, p. 244, com a ordem de 19 de setembro de 1972.

1972) a cumprir ordens telefônicas ou papeletas trazidas por policiais, obrigando o governo a remeter censores às suas redações. Somente neles podia-se ver diariamente o efeito da tesoura, pois, no lugar dos textos vetados, foram publicadas receitas culinárias e, posteriormente, poemas. A partir de julho de 1973, os espaços vazios foram ocupados por trechos d'*Os lusíadas*, de Luís de Camões. Em seu estudo sobre a censura do *Estadão* a professora Maria Aparecida de Aquino contou 314 supressões só no ano de 1973.[45] O diário mais massacrado foi a *Tribuna da Imprensa*, do Rio de Janeiro. Sofreu mais de vinte apreensões, e teve censores dentro de seu prédio por dez anos e dois dias. Antes mesmo que Medici chegasse ao Planalto, o jornalista Helio Fernandes, seu proprietário e alma panfletária, passara por quatro cadeias e dois desterros, um na ilha de Fernando de Noronha, outro em Mato Grosso. Voltaria a ser preso em 1973, para uma permanência de seis dias no quartel da PE da Barão de Mesquita.[46]

O controle dos principais órgãos de comunicação fez florescer uma imprensa alternativa, denominada "nanica". Os dois semanários impressos em papel de jornal que mais se destacavam, *O Pasquim* e *Opinião* (lançado no final de 1972), vendiam em torno de 100 mil exemplares, quase todos nas bancas.[47] Era uma circulação superior às das revistas *Veja* e *Manchete* somadas.[48] Podiam ser frugais, não nanicos. Deram ao debate cultural uma inédita característica renovadora. O príncipe e precursor desse fenômeno fora *O Pasquim*. Lançado em junho de 1969 com uma tiragem de 28 mil exemplares, chegara a 250 mil em seis meses.[49] Glorificação da ironia, intitulara-se "um jornal de oposição ao governo grego", "corajoso como um rato": "Na terra de cego, quem lê *O Pasquim* é rei".[50]

45 Maria Aparecida de Aquino, *Censura, imprensa, Estado autoritário (1968-1978)*, pp. 99 e 60.

46 Helio Fernandes, abril de 2002. Helio Fernandes foi preso pela primeira vez em julho de 1963, por ordem do ministro da Guerra de João Goulart, o general Jair Dantas Ribeiro. Depois de onze dias, quatro dos quais incomunicável, foi libertado por ordem do Supremo Tribunal Federal.

47 Para a tiragem dos semanários alternativos, Bernardo Kucinski, *Jornalistas e revolucionários*, p. 90.

48 Em 1977, *Veja* vendia nas bancas em torno de 60 mil exemplares e *Manchete*, 25 mil.

49 Para as tiragens d'*O Pasquim*, entrevista de Sérgio Cabral, em *Histórias do poder*, de Alberto Dines, Florestan Fernandes Jr. e Nelma Salomão (orgs.), vol. 1: *Militares, Igreja e sociedade civil*, p. 285.

50 José Luiz Braga, *O Pasquim e os anos 70*, pp. 32, 140 e 49. Para uma crônica da vida d'*O Pasquim*, ver também Norma Pereira Rego, *Pasquim*.

Suas entrevistas projetaram pioneiros de um novo comportamento, como o de Leila Diniz ("Na minha caminha, dorme algumas noites, mais nada. Nada de estabilidade").[51] Num artigo sobre a *Cannabis sativa*, seu colunista Luiz Carlos Maciel descreveu-lhe a estrutura, os efeitos, as virtudes, e listou 33 sinônimos da palavra *maconha*.[52] *O Pasquim* generalizou expressões da gíria de Ipanema ("dica", "sifu", "duca") e revolucionou a técnica de redação jornalística. Depois dele, vereador nunca mais foi edil, e entrevistado deixou de "tecer considerações".[53] Sobreviveu a boicotes econômicos, censura, duas bombas e à prisão de toda a sua redação.[54] Fazia medo por engraçado. Fez-se vanguarda, quando era apenas plural.

Sem o ar moleque d'*O Pasquim*, foi o semanário *Opinião* que entrou mais fundo na cabeça da juventude universitária. Circulava com um encarte do jornal francês *Le Monde* e publicava regularmente artigos do *The New York Review of Books*. Tinha 80% de seus leitores nas classes A e B.[55] Mais que isso, ia buscar numa nova esquerda mundial projetos de militância desligados da velha proposição marxista, na qual todas as atividades revolucionárias deveriam confluir para o grande projeto da tomada do poder.[56] Em *Opinião* havia espaço para as mulheres, os negros e os homossexuais como tais, sem que fizessem parte de uma marcha da humanidade em direção ao socialismo. Ao cosmopolitismo e à boa qualidade de seus articulistas (entre os quais estava o sociólogo Fernando Henrique Cardoso), somara uma seção cultural que vocalizava a hostilidade ao dogma do nacional-popular, base do prestígio dos intelectuais da esquerda tradicional. Enquanto viveu (de 1972 a abril de 77), *Opinião* publicou 5 mil páginas e teve outras 5 mil vetadas. Cinco edições foram apreendidas e uma, proibida de rodar. Seu diretor, Fernando Gasparian, foi detido, e explodiu-se uma bomba em sua sede.[57]

51 João Baptista M. Vargens, *Nos bastidores d'O Pasquim*, p. 40.

52 *O Pasquim*, nº 30, 15 a 21 de janeiro de 1970, em Luiz Carlos Maciel, *Negócio seguinte:*, pp. 64-8.

53 José Luiz Braga, *O Pasquim e os anos 70*, p. 32.

54 A primeira bomba, com cinco quilos de dinamite, foi colocada no semanário em março de 1970. A segunda, em maio. Ver José Amaral Argolo e outros, *A direita explosiva no Brasil*, pp. 260 e segs.

55 Bernardo Kucinski, *Jornalistas e revolucionários*, p. 261.

56 Heloisa Buarque de Hollanda, *Impressões de viagem*, p. 94.

57 José Antonio Pinheiro Machado, *Opinião* × *Censura*, pp. 5, 65 e 97.

O Brasil d'*O Pasquim* e *Opinião* pouco tinha a ver com aquele dos grandes jornais, revistas e emissoras de televisão. Num misturavam-se o deboche e um cosmopolitismo cético. No outro, vivia-se o "Brasil Grande". Em novembro de 1970, quando se haviam passado dois anos da noite em que o Maracanãzinho cantara "Caminhando", o V Festival Internacional da Canção, organizado pela Rede Globo, enchera o estádio e a platéia cantava:

Olé, olá,
O Brasil está botando
Pra quebrá.[58]

Vandré estava exilado no Chile, Caetano Veloso e Gilberto Gil, em Londres. Chico Buarque de Hollanda, em Roma, compôs mais um samba:

Hoje você é quem manda,
falou tá falado,
não tem discussão, não.
A minha gente hoje anda
falando de lado
e olhando p'ro chão, viu

Apesar de você,
amanhã há de ser
outro dia.

A canção circulou por um mês e 100 mil cópias até ser proibida. Tropas do Exército fecharam a fábrica, e todos os discos guardados no estoque foram quebrados.[59]

58 *Veja*, 4 de novembro de 1970.
59 *Chico Buarque — Letra e música*, vol. 1, p. 130.

PARTE III A vitória

Uma elite aniquilada

Em agosto de 1969, em Belo Horizonte, um sacerdote que trabalhava com grupos de jovens tinha à sua frente *Raquel*, uma jovem recém-saída da prisão. O padre ligou um gravador e anunciou: "Iniciamos aqui uma série de reportagens destinadas à Conferência Nacional dos Bispos do Brasil".

Raquel narrou o caso de *Teresa*, professora católica com quem até pouco tempo antes dividira uma cela. Enquanto conseguiu se manter alerta, *Teresa* contara as seis descargas elétricas que lhe aplicaram. Estupraram-na e obrigaram que um sobrinho a torturasse.[1]

Aquilo que cinco anos antes fora assunto para debates no Congresso e campanhas na imprensa, fonte de indignação e protesto, tornara-se matéria clandestina. Fechara-se o círculo. Não só era perigoso opor-se à ditadura: era arriscado até mesmo falar do que acontecia nos calabouços. Entre setembro de 1964, quando a última página do *Correio da Manhã* era ocupada por denúncias de torturas, e agosto de 69, quando o sacerdote de Belo Horizonte se movia quase em segredo, não só o regime se impusera à sociedade, mas a tortura se impusera ao regime.

Raquel e *Teresa* eram nomes falsos, as vítimas escondiam-se. A série de reportagens do padre do gravador não se destinava a nenhum órgão

1 Separata da revista *Mensaje*, dos jesuítas chilenos, nº 186, janeiro-fevereiro de 1970, anexa a um artigo de Michel de Certeau. Esse mesmo artigo foi publicado em maio, em Montevidéu, nos *Cuadernos de Marcha*, na edição intitulada *Brasil Seis Años de Dictadura — Torturas*, com texto, seleção e notas de Paulo Schilling.

de imprensa, muito menos ao Congresso. Seu destinatário era a Conferência Nacional dos Bispos porque a erosão da estrutura institucional da sociedade brasileira chegara a um ponto em que só restava a Igreja como força política organizada capaz de se mobilizar em defesa dos direitos humanos.

O processo coercitivo de desmobilização política desencadeado em 1964 contra a esquerda transbordara primeiro contra uma parte da militância liberal, depois contra as próprias lideranças conservadoras que pretendiam sustentar projetos pessoais e políticos independentes. Em 1970, no apogeu, transformara-se num fenômeno de mutilação e desmoralização da elite nacional. Esse ciclo, percorrido em seis anos, não obedeceu a doutrinas, planos ou estratégias. Foi produto de uma anarquia institucional na qual a cada avanço da desmobilização correspondeu um vácuo de legitimidade e a cada vácuo sobreveio um novo espasmo desordeiro. Cada setor interessado na desmobilização saqueou um pedaço das instituições nacionais. Todos fizeram isso acreditando que no final sobrariam instrumentos suficientes para assegurar-lhes uma parcela de poder. Assim, políticos sem voto saquearam as eleições diretas. Parlamentares sem opinião tungaram a inviolabilidade dos mandatos. Guildas patronais surrupiaram a liberdade sindical. Grandes montadoras do ABC paulista submetiam ao DOPS nomes de funcionários que contratavam.[2] Terminada a tosa, a elite brasileira aniquilara-se.

O aniquilamento estendeu-se a todos os níveis. Primeiro varreu pessoas, depois violou instituições e, no final, esmagou o próprio conceito de cidadania. No dia 1º de abril de 1964 o ex-presidente Juscelino Kubitschek apoiara a deposição de Goulart. Semanas mais tarde, aceitara que parte da bancada de seu partido fosse cassada. O sacrifício era grande, mas a recompensa parecia atraente: JK acreditava que a eleição presidencial de outubro

2 No dia 21 de abril de 1971 a Volkswagen consultou a delegacia do ABC a respeito de nove empregados admitidos no seu Departamento de Segurança Industrial; a delegacia, por sua vez, remeteu o pedido ao DOPS. A Chrysler também encaminhou esse tipo de pedidos, entre 1970 e 1971. Fabrício Marques, em *Jornal do Brasil*, 25 de dezembro de 1994.

de 1965 haveria de levá-lo ao palácio do Planalto. Carlos Lacerda, seu adversário, pensava a mesma coisa. Defendeu todas as cassações, inclusive a de Juscelino, o único candidato capaz de batê-lo nas urnas. Com seu talento verbal, dizia temer que JK "roubasse a Revolução como roubou o país".[3] Kubitschek foi cassado em junho de 1964. Menos de dois anos depois, Lacerda estava fora da sucessão presidencial e em dezembro de 1968, cassado, entrou preso no Regimento de Cavalaria da Polícia Militar, onde o alojaram num jirau, entre a estrebaria e o dormitório. Lá encontrou o ator Mário Lago, seu contemporâneo no Partido Comunista, hóspede eventual da carceragem do DOPS desde 1932. Não se falavam fazia décadas, mas Lacerda quebrou o gelo: "Mário, preso fala com o outro, não é?". Deram-se as mãos.[4] (Em 1961, quando um adversário político gritou um pedido de "paredón" para Lacerda, ele respondera: "Se as coisas continuarem como vão, talvez nós venhamos a concluir essa cordial discussão na mesma cela".)[5]

Quando o general Medici subiu a rampa do Planalto, o regime havia banido da vida pública todos os políticos que em 1964 aspiravam à Presidência da República. Podia parecer que se perdiam os líderes mas preservavam-se os partidos, no entanto eles foram extintos em 1965, substituídos por um sistema bipartidário rígido nas votações parlamentares e frouxo na coesão das bases. Podia parecer também que, mesmo sem lideranças e sem partidos, preservavam-se as instituições. Fechado duas vezes, o Congresso teve cassados 281 parlamentares. Foi esquartejado em vida. No dia 10 de abril de 1964, quando se acreditava que seria possível restringir as cassações de parlamentares a uma só rajada, abateram-se quarenta mandatos, liquidando-se a liderança de esquerda e centro-esquerda na Câmara. Nos meses seguintes expurgaram-se outros 29 parlamentares e em 1966, outros seis. A cada onda de cassações caía um núcleo de liderança oposicionista. No seu lugar entrava outro, mais cauteloso e mais moderado, porém igualmente insuportável. Depois do AI-5 cassaram-se 105 congressistas.[6] O MDB perdeu o secretário-geral, o lí-

3 John W. F. Dulles, *Carlos Lacerda — A vida de um lutador*, vol. 2: *1960-1977*, p. 240.

4 Carlos Lacerda, *Depoimento*, p. 367.

5 John W. F. Dulles, *Carlos Lacerda — A vida de um lutador*, vol. 2: *1960-1977*, p. 51.

6 Lúcia Klein e Marcus F. Figueiredo, *Legitimidade e coação no Brasil pós-64*, p. 186.

der na Câmara e catorze de seus 21 vice-líderes.[7] A coerção punha em movimento mecanismos de medo e adesão que produziam resultados bem mais profundos. Em São Paulo, mesmo depois das cassações de 1964 e 65, a oposição conseguiu um patrimônio eleitoral de 27 deputados federais, 53 estaduais, 71 prefeitos e 1185 vereadores. No fim de junho de 1969, após o expurgo do AI-5 e uma onda de deserções, ela estava reduzida a doze deputados federais, vinte estaduais, 38 prefeitos e oitocentos vereadores.[8]

O Supremo Tribunal Federal foi diluído em 1965 e mutilado em 68. Para neutralizar os votos dos ministros nomeados por Kubitschek e João Goulart, ampliou-se de onze para dezesseis o número de assentos no tribunal. Com o AI-5, expurgaram-se Vitor Nunes Leal, Hermes Lima e Evandro Lins e Silva. Da corte saiu o único caso de protesto do período. Demitiram-se o presidente da casa, Antônio Gonçalves de Oliveira, e seu substituto imediato, o ministro Antônio Carlos Lafayete de Andrada. Ambos mineiros, um deles descendente de José Bonifácio, foram os únicos funcionários de alto nível dos poderes republicanos a se valer do espírito de renúncia para impedir o prosseguimento da confusão entre a história do regime e suas biografias. Com cinco vagas à mão, o governo Medici devolveu o Supremo ao seu tamanho habitual, e entre os onze sobreviventes lá continuaram Adaucto Lúcio Cardoso e Aliomar Baleeiro, instrumentistas da "banda de música" da UDN, ferozes adversários daquilo que poderia ter sido a ditadura de João Goulart. Meses depois juntou-se a eles Bilac Pinto, o responsável pela introdução do conceito de "guerra revolucionária" no vocabulário político civil.[9]

A coerção, aplicada inicialmente como um elemento desmobilizador dos sindicatos de trabalhadores, da elite intelectual e da esquerda, mudou de qualidade durante os expurgos de 1968 e 69. O primeiro Ato Ins-

7 Maria d'Alva G. Kinzo, *Legal opposition politics under authoritarian rule in Brazil, 1966-79*, p. 27.

8 Bruce Raymond Drury, "Creating support for an authoritarian regime: the case of Brazil, 1964-70", pp. 193-200. Citado por Bolívar Lamounier em Alfred Stepan (org.), *Democratizando o Brasil*, nota 20, p. 109.

9 Bilac Pinto, *Guerra revolucionária*. Esse livro contém os discursos e artigos em que o deputado tratou do tema, de 25 de junho de 1963 a 12 de abril de 1964.

titucional, sem número, supostamente único, destinava-se a expurgar parte da cúpula civil e militar do regime deposto. O último, baixado em outubro de 1969 com o número 17, dava ao presidente o direito de transferir temporariamente para a reserva oficiais inconvenientes e servia apenas para punir dissidências militares da própria ditadura.[10] Fez uma só vítima, o almirante Ernesto de Mello Baptista, o ministro da Marinha que em setembro de 1964 reagira às denúncias de torturas publicadas no *Correio da Manhã* anunciando que solicitaria a abertura de um processo contra o jornal.[11] Partidário da candidatura do general Albuquerque Lima, divulgara um manifesto insurgindo-se contra a escolha de Medici. Remetido ao estaleiro por um ano, naufragou no anonimato.

Com o intuito de purificar as universidades, em abril de 1969 expurgaram-se 65 professores. Num só balaio meteram-se comunistas como o arquiteto João Batista Villanova Artigas, da Universidade de São Paulo, esquerdistas liberais como Fernando Henrique Cardoso e conservadores moderados como Eulália Lahmeyer Lobo, irmã do ministro de Minas e Energia, Antônio Dias Leite. Seria o jogo jogado se a Caio Prado Júnior, um dos maiores historiadores do país, não se tivesse reservado punição exemplar, típica tanto pela imputação como pelo castigo.

Autor da *Formação do Brasil contemporâneo*, verdadeiro divisor de águas da historiografia nacional desde sua chegada às livrarias, em 1942, Caio Prado descendia da plutocracia paulista do Império, estivera no Partido Comunista e encarnava o pensador esquerdista afastado da militância. Suas entrevistas eram raras, não fazia o gênero de figurinha fácil do radicalismo chique da época. Em 1966 recebera o prêmio de Intelectual do Ano pela edição d'*A revolução brasileira*, trabalho que impulsionaria o processo autocrítico da esquerda em relação à derrota de 64. No primeiro semestre de 1967 Caio Prado concedeu uma entrevista

10 Para o estudo da qualidade das punições, ver Lúcia Klein e Marcus F. Figueiredo, *Legitimidade e coação no Brasil pós-64*.

11 *Correio da Manhã*, 23 de setembro de 1964.

a um grupo de estudantes do grêmio da Faculdade de Filosofia da USP. Representavam uma publicação editada artesanalmente, de circulação irrelevante. Tornou-se conhecida como revista *Revisão*, mas seria mais apropriado chamá-la folheto. A entrevista era medíocre nas perguntas ("Qual é a importância da organização da classe operária?") e banal nas respostas ("Acho que a organização do proletariado é uma tarefa de fundamental importância"). O que os estudantes pareciam procurar era a opinião de Caio Prado sobre a luta armada, e ele tratou do assunto quatro vezes:

— A Revolução Brasileira terá uma solução pacífica ou armada?

— Isto nunca se sabe. Não sou profeta, nem sei qual a maneira prática de realizar a Revolução. [...] A existência ou não da luta armada depende das circunstâncias do momento, da situação tal como ela se apresenta. [...]

— Como vê o movimento estudantil no Brasil com respeito à revolução socialista?

— [...] Não acredito que os estudantes sejam os possíveis líderes da revolução, mas acho que têm condições de estimularem o proletariado urbano e rural para que iniciem sua luta. Agora, como guerrilheiros, não acredito. Vocês que são estudantes, vêem a possibilidade de um grupo de estudantes se armarem e se tornarem guerrilheiros? [...]

— Os trabalhadores podem chegar ao poder pela via pacífica, ou não?

— Não sei. Acredito que pode ser através de uma forma ou de outra. Mesmo a luta armada tem uma porção de graus: vai desde o choque de rua até a guerra civil. [...]

— Qual a solução para este problema?

— Não devemos discutir a forma de luta, e sim começar a lutar. Depois, são as contingências do momento que vão indicar que espécie de luta se vai fazer. Se se dissesse, concretamente, que existem em São Paulo 30 ou 50 mil trabalhadores dispostos a pegar em armas e tomar o poder, é evidente que a nossa tarefa é arranjar armas para estes operários e ajudá-los a tomar o poder. Mas não adianta programar a luta armada se não existem os elementos capazes de concretizá-la. A forma de ação é determinada pelas circunstâncias e condições do momento.[12]

Em março de 1969, quase dois anos depois da publicação da entrevista, abriu-se na 2ª Auditoria Militar de São Paulo um processo contra Caio Prado. Baseado no conteúdo da última resposta do historiador, o Ministério Público enquadrou-o no crime de incitação subversiva. No dia 25 de março de 1970, quando o Exército acabara de anunciar o desbaratamento da VPR, Caio Prado Júnior sentou-se no banco dos réus. Levantou-se para ser recambiado ao presídio Tiradentes, condenado à pena máxima: quatro anos e seis meses de detenção. Recorreu ao Superior Tribunal Militar, onde o ministro civil Alcides Carneiro, votando pela sua absolvição, resumiu o processo em frase lapidar: "Quem incita não mostra as dificuldades, e sim as facilidades". Tempo perdido: tudo o que Caio Prado conseguiu foi a redução da pena para 21 meses.[13] Transferido do presídio, onde cozinhava suas refeições, o historiador foi encarcerado no 16º Batalhão Universitário da Força Pública, atrás do campus da USP, onde dividiu uma cela com um ex-delegado condenado por tráfico de drogas.[14] A muito custo recebeu permissão para assistir ao sepultamento de seu filho Roberto, que se matara.[15] Em agosto de 1971, depois de passar 545 dias na prisão, com quase toda a pena cumprida, Caio Prado foi absolvido pelo Supremo Tribunal Federal e libertado. Tinha 64 anos.

Por mais que as torturas pudessem inibir a ação dos simpatizantes das organizações armadas e casos como o de Caio Prado contribuíssem para estabelecer um clima de conformismo nas universidades, a violên-

12 *Revisão*, nº 4, agosto de 1967, pp. 13 e segs.

13 Heleno Cláudio Fragoso, *Advocacia da liberdade*, pp. 93 e segs.

14 *Jornal do Brasil*, 30 de julho de 1970, coluna "Informe JB".

15 Entrevista de Maria Odila Leite da Silva Dias, em José Geraldo Vinci de Moraes e José Marcio Rego, *Conversas com historiadores brasileiros*, p. 191.

cia e o arbítrio do regime são insuficientes para explicar por que a ditadura se manteve de pé. Muito menos para se compreender por que Medici conseguiu ser ao mesmo tempo o presidente menos criticado e o mais aplaudido. O silêncio e a tolerância que seu governo obteve foram maiores do que aqueles que a coerção direta poderia assegurar.

Sem prazo de duração, o AI-5 diferia essencialmente de seus antecessores. No governo Castello os períodos de suspensão das franquias constitucionais tinham prazos. Diante disso a oposição sempre podia fingir-se de morta durante a ventania, sabendo que ela haveria de passar. Com o AI-5 esse recurso extinguiu-se. Conteve-se a atividade parlamentar oposicionista, e, sobretudo, submeteu-se a máquina do Estado. A notoriedade das vítimas dos expurgos fez que a natureza coercitiva do regime fosse percebida nas punições impostas aos adversários. Ainda que fiel, esse retrato é incompleto. A essência das ditaduras não está naquilo que elas fazem para se perpetuar, mas naquilo que a partir de certo momento já não precisam fazer.

A principal característica da atividade legiferante que se seguiu à edição do AI-5 foi a expansão do controle da sociedade pelo Estado. Os mecanismos que permitiam cassar e demitir serviam para purificar e atemorizar o elenco, mas as alterações tributárias e administrativas sugeridas já na noite de 13 de dezembro de 1968 pelo ministro Delfim Netto destinavam-se a mudar o enredo. Duas semanas depois da edição do AI-5, ele foi buscar o "suficiente". Fechou o guichê que pagava, impondo uma severa política de contenção de gastos públicos que previa, até o final do ano seguinte, uma redução de 10% na folha de pagamento de pessoal de 1968. Em seguida, baixou o Ato Complementar nº 40, alterando a política de redistribuição de tributos federais. Diminuiu a participação dos estados e municípios na partilha dos impostos de renda e produção industrial (equivalentes a 70% da receita de impostos federais). Pela Constituição de 1967 eles tinham direito a 20% do dinheiro recolhido. Com o golpe de caneta, os repasses caíram à metade. Em todos os casos, a liberação dos recursos dos fundos dependia da aprovação de Brasília, "com base nas diretrizes e prioridades estabelecidas pelo Poder Executivo Federal". Cortaram-se pela metade as transferências para os estados e municípios, e engordou-se em cerca de 10% a receita do governo federal.[16] Em 1969 o governo bateria o seu recorde de gastos, consumindo 23,4% do PNB, e ainda assim fecharia o orçamento com superávit.[17] Num cálculo grosseiro, levando em conta outros instrumentos financeiros e tributários, Delfim Netto estimou que no final de 1970 os recursos controlados pelo governo federal eram quase o dobro do montante disponível em 67, quando terminou o governo Castello: "Com o AI-5 eu aproveitei para fazer tudo o que precisava fazer".[18]

O AC-40 foi o instrumento de funcionalidade do AI-5 nas relações econômicas do Estado brasileiro, transmutando aquilo que poderia ser uma ditadura difusa, entregue a coronéis radicais e voluntaristas, num processo de reorganização do poder. De um lado reduziu os recursos a serem distribuídos, de outro centralizou os mecanismos através dos quais seriam feitas as transferências.[19] O AI-5 dissera o que era proibido. O AC-40 informava onde estaria o dinheiro para quem quisesse fazer o que era permitido.

O grau de controle que o governo adquiriu sobre o grande caixa nacional ampliou o enquadramento dos setores da produção que dele dependiam. Esse poder era exercido tanto na punição como na graça. Por intermédio de instruções informais os cassados estavam proibidos de transacionar empréstimos com o Banco do Brasil. Através do decreto nº 64 345, os empreiteiros de obras públicas, principais fontes de suprimento de dinheiro para a corrupção governamental, livraram-se do fantasma da concorrência de empresas estrangeiras. Os grandes contratos de obras estaduais e municipais passaram a depender do aval e dos conselhos de Brasília, onde o governo já acumulava o tesouro da distribuição de incentivos fiscais.

A ação punitiva do regime, desinibida quando avançava sobre a esquerda, moveu-se à direita no início de 1969. Armou-se um bote contra

16 Estimativa de Antonio Delfim Netto, outubro de 1990. Para o corte do Fundo de Participação dos Municípios, José Pedro Macarini, "Um estudo da política econômica do 'Milagre' Brasileiro (1969-1973)", p. 61.

17 Philippe Schmitter, "The 'Portugalization' of Brazil?", em *Authoritarian Brazil*, editado por Alfred Stepan, pp. 192-3.

18 Antonio Delfim Netto, outubro de 1990.

19 Para uma análise arguta e detalhada dessas mudanças, ver José Pedro Macarini, "Um estudo da política econômica do 'Milagre' Brasileiro (1969-1973)", pp. 60 e segs.

o banqueiro Walter Moreira Salles. Herdeiro de uma pequena casa bancária em Poços de Caldas, fora embaixador em Washington no segundo governo de Getulio Vargas e ministro da Fazenda do primeiro gabinete parlamentarista de João Goulart. Dono da União de Bancos Brasileiros, o quinto grupo financeiro do país, captava depósitos em 333 agências e aplicava sua influência à esquerda e à direita. Nos anos 50 financiara o jornalista Samuel Wainer, protegido de Vargas, no lançamento do vespertino *Última Hora*.[20] Nos 60, um de seus diretores alimentava a caixa de contribuições da conspiração antijanguista.[21] Tendo deixado o governo, mantivera-se assíduo interlocutor tanto de João Goulart como do embaixador Lincoln Gordon. Essa relação pode ser percebida quando se vê que, num período de 48 horas (entre os dias 12 e 13 de dezembro de 1963), encontrou-se com Gordon (mencionando as poucas chances de um golpe, ou de um contragolpe) e a seguir com o próprio Goulart (tratando de uma troca de cartas com a Casa Branca), telefonando depois ao embaixador com um resumo da gestão junto ao presidente e marcando um almoço para o dia seguinte.[22] Com uma cabeleira negra de toureiro espanhol, gentil nas maneiras e refinado no gosto, encarnava a figura do milionário elegante. Era o brasileiro predileto dos irmãos Nelson e David Rockefeller. Sua mulher, Elisinha, era considerada uma das mais bem-vestidas do mundo.

Nos dias seguintes à edição do AI-5 o general Jayme Portella teve a idéia de constrangê-lo. Inúmeras personalidades estavam sendo chamadas à Receita Federal, à polícia ou aos escritórios do SNI. Prestavam esclarecimentos ou passavam algumas horas conversando. Em todos os casos, ficavam marcadas pelo fato de terem sido "chamadas". Entre os enfeites demagógicos pendurados na onda de arbitrariedades do fim de dezembro de 1968, já se haviam incluído a prisão de banqueiros de bicho do Rio de Janeiro e a criação de um prato popular, apelidado Sunabão, que deveria constar do cardápio de todos os restaurantes do país, inclu-

20 Samuel Wainer, *Minha razão de viver*, p. 176.

21 René Armand Dreifuss, *1964: a conquista do Estado*, p. 202.

22 Telegrama do embaixador Lincoln Gordon ao Departamento de Estado, de 12 de dezembro de 1963 (quinta-feira).

sive os mais finos. O constrangimento de um banqueiro de depósitos coroaria o truque diversionista, mas ele esbarrou em Delfim Netto. "Eu fui ao Costa e Silva e disse que estava fora daquilo. Não se podia fazer aquilo com o Walter Moreira Salles. Costa e Silva disse que ia tratar do assunto."[23] Tratou, e semanas depois Delfim aplacou as pressões militares contra a plutocracia pedindo o confisco dos bens dos diretores de uma pequena fábrica de cigarros.

Através de um sistema de sinalização, enviaram-se mensagens à esquerda e à direita. A uma mostrou-se a desdita de Caio Prado, condenado e encarcerado por conta de uma entrevista irrelevante, por ter dito algo que, na verdade, negara. À outra exibiu-se a ameaça contra Walter Moreira Salles, salvo pelo gongo, um gongo que decorrera da vontade do ministro Delfim Netto.

As organizações de industriais, fazendeiros e comerciantes mobilizadas para financiar a *Operação Bandeirante* captaram tanto o recado da coerção como os sinais sedutores do regime. Perceberam a essência da lógica desmobilizadora segundo a qual cabia ao estudante estudar, ao operário trabalhar, ao padre rezar, aos empresários ganhar dinheiro e ao governo cuidar de que cada um cumprisse suas obrigações. Em dezembro de 1970, num banquete em homenagem ao general Canavarro Pereira, que deixava o comando do II Exército, o presidente da Associação Comercial de São Paulo, Daniel Machado de Campos, resumiu o pensamento de seus pares: "Nesta hora do lobo afiam as presas as alcatéias totalitárias que, ao revés, em nome de uma quimérica justiça social, preparam-se para assaltar o poder através da máxima e mais impiedosa compulsão política. [...] Seria terrível que, por desencontro nosso, por descuido nosso, surgisse a desconfiança, a incompreensão recíproca, o desentendimento entre dois grupos que querem a mesma coisa e que, pela racional e necessária divisão do trabalho, laboram em setores diferentes, levados pelo impulso de reerguimento nacional."[24]

23 Antonio Delfim Netto, maio de 1988. No dia 13 de janeiro de 1969 a rádio Jornal do Commercio, do Recife, anunciou que se cogitavam medidas contra Moreira Salles.

24 *O Estado de S. Paulo*, 2 de dezembro de 1970, última página.

Os empresários brasileiros não foram desmobilizados, mas desinstitucionalizados. No regime do AI-5 um parlamentar não valia nada, mas todos os parlamentares valiam alguma coisa. Com os empresários ocorria o contrário: um por um, valiam alguma coisa, mas todos juntos não valiam coisa alguma. Os grandes dirigentes empresariais da conspiração contra João Goulart tiveram vida curta. Entre 1964 e 1968 saíram de cena os presidentes das três grandes confederações patronais, das federações de indústrias da Guanabara e de São Paulo, bem como o da Associação Comercial do Rio de Janeiro.[25] Em alguns casos eram atravessadores de negócios. Simulavam importância mantendo-se horas a fio na antesala de Delfim Netto. Um deles organizou até mesmo a captura do lixo da sala do ministro, para ler papéis rabiscados. Foram substituídos por uma geração de dirigentes anódina, porém longeva nas funções. "A FIESP desmontou seu departamento econômico, foi incapaz de produzir um documento sobre a economia brasileira por oito anos", relembrou Delfim.[26]

A ditadura assumira o controle das chaves dos cárceres e dos cofres, os partidos políticos estavam inertes, a atividade parlamentar resumira-se ao exercício de investigação dos limites do Congresso, e os empresários faziam seus negócios no varejo enquanto seus órgãos de classe banqueteavam o regime no atacado. Concluíra-se o processo de desmobilização da sociedade brasileira. De todas as instituições de âmbito nacional e tradição política, só uma não coubera inteira no acerto: a Igreja.

25 Iris Meinberg saiu da presidência da CNA em 1967. *Dicionário histórico-biográfico brasileiro pós-1930*, coord. de Alzira Alves de Abreu e outros, vol. 2, p. 1507. Charles Moritz, da CNC, foi retirado em setembro de 1964. Idem, p. 2362. Edmundo Macedo Soares deixou a CNI em 1967 para assumir o Ministério da Indústria e Comércio do governo Costa e Silva. Idem, vol. 1, p. 811. (Tirado do cargo por Medici, perdeu qualquer expressão política.) Raphael Noschese deixou a presidência da FIESP em 1966. Idem, vol. 2, p. 2114. Zulfo de Freitas Mallmann, da FIEGA, deixou o cargo em 1964. Idem, vol. 3, pp. 3503-4. Rui Gomes de Almeida, da Associação Comercial do Rio de Janeiro, saiu em junho de 1965. Idem, vol. 1, p. 151. Para a longevidade: Thomás Pompeu de Souza Brasil Netto ficou na CNI de 1967 a 1977. Flávio de Brito permaneceu na CNA de 1967 a 1985. Jessé Pinto Freire presidiu a CNC de 1964 até morrer, em 80. Theobaldo de Nigris dirigiu a FIESP de 1967 a 1980.

26 Antonio Delfim Netto, outubro de 1990.

Seria exagero acreditar que toda a Igreja ficara de fora, ou até mesmo supor que ela tenha ficado sempre de fora. Pelo contrário. De 1964 a 1970 ela marchou ao lado do regime nos momentos decisivos, e a maior parte de sua hierarquia perfilou-se nos momentos críticos. Como instituição, a Igreja podia fazer muitas coisas, menos uma: dar a César sua própria desmobilização. Ao contrário do empresariado, do funcionalismo público civil e militar, dos partidos políticos e do Congresso, ela não precisava de remuneração terrena ou licença do governo para existir. Essa independência decorria de um patrimônio espiritual amarrado a conceitos de civilização que estavam sendo revogados no Brasil. A Igreja podia fechar um olho aqui, outro ali, mas quando o sacerdote do gravador anunciou em Belo Horizonte que "iniciamos aqui uma série de reportagens destinadas à Conferência Nacional dos Bispos do Brasil", não havia como calá-lo por muito tempo. Pior, não havia também como deixar de ouvi-lo.

Na grande divisão ocorrida no país em março de 1964, a maior parte da hierarquia da Igreja pendera para o levante. Dera-lhe a base popular da Marcha da Família. D. João Resende Costa, arcebispo de Belo Horizonte, abençoara sob sigilo a rebelião do governador Magalhães Pinto. D. Jaime Câmara, cardeal do Rio de Janeiro, fora ao ar no dia 31 de março atribuindo à Virgem Maria, ao venerável Anchieta e aos "quarenta mártires do Brasil" a religiosidade e o patriotismo com que se organizava a Marcha da Vitória.[27] Na tarde de 1º de abril, durante a guerra de boatos em torno das movimentações militares, foi o padre Benedito Calazans, senador pela UDN paulista, quem anunciou ao plenário que o general Mourão Filho já entrara no Rio de Janeiro (chegaria só no fim da noite) e fora ao palácio Guanabara cumprimentar o governador Carlos Lacerda (coisa que não fez).[28] Horas depois, acolitado pelo padre Antonio Godinho, vice-líder da UDN na Câmara, tentara anexar o arcebispo de Brasília às manobras destinadas a proclamar vaga a Presidência da República.[29] Dois outros sacerdotes, Arruda Câmara e Pedro Vidigal, formavam na ban-

27 *O Globo*, 11 de setembro de 1971, em artigo de Gustavo Corção.

28 *Diário do Congresso Nacional*, 2 de abril de 1964, p. 688.

29 Auro de Moura Andrade, *Um Congresso contra o arbítrio*, pp. 238-41.

cada conservadora do Congresso. Vidigal tornara-se famoso alguns meses antes por ter sido mais um dignitário a anunciar que "do que nós estamos precisando no Brasil é substituir a norma evangélica 'amai-vos uns aos outros' por outra: 'armai-vos uns aos outros'".[30]

Vitorioso o levante, o cardeal Jaime Câmara peregrinara ao Santuário de Aparecida, onde agradeceu à santa a salvação do país.[31] D. Jaime foi um dos primeiros defensores do expurgo dos derrotados. No dia 3 de abril, antes mesmo da edição do Ato Institucional, ele dizia que, "sem a punição dos culpados, arriscamos perder a batalha final, que é a salvação da pátria".[32]

Passada uma semana, fez-se a vontade dos defensores da "Operação Limpeza", e saiu a primeira lista, com 102 punições. Em Brasília o padre Francisco Lage, suplente de deputado federal por Minas Gerais, militante da agitação nos bairros populares de Belo Horizonte e na zona rural do estado, resolveu sair do seu apartamento para visitar um amigo cassado. Deu poucos passos à procura de um táxi, quando ouviu: "Padre Lage! Padre Lage! O senhor está preso. Está armado?".

(Segundo um expediente secreto remetido dois meses depois pelo tenente-coronel João Baptista Figueiredo à Presidência da República, o padre Francisco Lage era pessoa de "implicação subversiva de caráter nacional". Seu extrato de prontuário informava que era comunista confesso, lera *O capital*, incitara greves de professores e funcionários públicos e defendera uma reforma agrária "na lei ou na marra", argumentando que "o Congresso está cheio de latifundiários e ladrões".)[33]

Levaram-no para a 11ª Companhia de Polícia do Exército, varejaram-lhe o apartamento e remeteram-no para Belo Horizonte, onde foi espancado pela PM. A caminho da cela mandaram que se despisse, e

30 Paulo de Tarso Santos, *64 e outros anos*, depoimentos a Oswaldo Coimbra, p. 44.

31 Ivo Calliari, *D. Jaime Câmara*, p. 591.

32 Telegrama da embaixada americana ao Departamento de Estado, de 3 de abril de 1964. BLBJ.

33 Expediente enviado pelo tenente-coronel João Baptista Figueiredo, chefe do Serviço Federal de Informação e Contra-Informação, SFICI, à Presidência da República, 13 de junho de 1964. APGCS/HF.

quando seu terço caiu ao chão, os policiais passaram a divertir-se, chutando-o. "Padre do diabo!", gritou um deles.[34]

A Conferência Nacional dos Bispos do Brasil pronunciou-se sobre o regime em junho de 1964 com um documento indicativo de que não caberia inteira, nem por muito tempo, na nova ordem. Seu texto continha uma astuciosa dubiedade. Professava uma derramada adesão aos fatos consumados e estabelecia um cauteloso distanciamento em relação ao futuro. Apoiava a instauração da ditadura com a própria retórica do regime: "Ao rendermos graças a Deus, que atendeu as orações de milhares de brasileiros e nos livrou do perigo comunista, agradecemos aos militares que, com grave risco de suas vidas, se levantaram em nome dos supremos interesses da Nação". Em seguida, separava-se dela com a linguagem dos liberais: "Não há dúvida que a ação militar deve consolidar a vitória mediante o expurgo das causas da desordem. Entretanto, o critério da correção e os métodos a serem empregados na busca e no trato dos culpados, as medidas saneadoras e as penalidades não são atribuição da força como tal, mas de outros valores, sem os quais a força não passaria de arbitrariedade, de violência e tirania. Que os acusados tenham o sagrado direito de defesa e não se transformem em objeto de ódio ou de vindita".

Finalmente, defendeu a inviolabilidade da instituição eclesiástica: "Cumpre-nos declarar que não podemos concordar com a atitude de certos elementos que têm promovido mesquinhas hostilidades à Igreja, na pessoa de bispos, sacerdotes, militantes leigos e fiéis".[35] Era uma linguagem branda, elíptica, mas também o primeiro sinal de que a Igreja, ao contrário dos partidos políticos e das associações empresariais, não estava disponível para um processo de automutilação.[36] A hierarquia eclesiástica que em 1792 celebrara o *Te Deum* pela execução de Tiradentes e em 1824 tirara as ordens de frei Caneca quando ele foi levado pelas ruas do Recife até o pelotão de fuzilamento, era coisa passada.

34 Padre Lage, *O padre do diabo*, p. 137. Padre Lage, carta, em *Projeto Brasil: nunca mais*, tomo V, vol. 1: *A tortura*, p. 983.

35 *Correio da Manhã*, 3 de junho de 1964.

36 Para uma visão da reunião que produziu esse documento, ver Celia Maria Leite Costa, Dulce Chaves Pandolfi e Kenneth Serbin (orgs.), *O bispo de Volta Redonda*, pp. 76-8.

As violências sofridas pelo padre Lage, bem como os casos esparsos de brutalidade contra militantes de organizações religiosas, receberam da Igreja um tratamento morno, típico da noção segundo a qual tudo não passava de excessos do "fragor da hora". Visitando o colégio Pio Brasileiro de Roma, o papa Paulo VI, preocupado com o "momento de temores e paixões", pediu a união dos bispos e recomendou-lhes buscar "o prudente conselho do núncio apostólico".[37] O governo do marechal Castello Branco acenara com a normalidade política em troca da digestão das violências cometidas. A CNBB aceitara a transação. Vivia-se uma época em que o padre Lage chegara a recuperar os livros apreendidos em seu apartamento, depois de escrever uma carta ao general Ernesto Geisel, chefe do Gabinete Militar. Preso no Hospital Central do Exército, no Rio de Janeiro, conseguira até mesmo telefonar ao núncio protestando contra aquilo que considerava excessiva intimidade entre a cúpula católica e a ditadura.[38]

Entre o palácio do Planalto e a hierarquia eclesiástica havia um sincero desejo de que a construção fosse duradoura. Ela dependia, porém, da satisfação de duas condições: a desmobilização da esquerda da Igreja e o enquadramento da direita do regime. Bastaria que uma das duas falhasse para pôr em perigo o acordo. Falhariam as duas.

Na manhã de sábado, 6 de junho de 1964, quatro dias depois da divulgação do comunicado dos bispos, uma equipe do Cenimar entrou num apartamento da rua das Laranjeiras, no Rio de Janeiro, onde viviam oito jovens militantes da Ação Católica, e levou-os para o Arsenal da Marinha. Lá, um oficial recebeu-os com satisfação:

— O peixe caiu na rede.

— Não é um peixe qualquer, comandante. É um peixão — corrigiu um agente.

37 Fala de Paulo VI no colégio Pio Brasileiro, em 28 de abril de 1964. Em *O São Paulo* de 15 de maio de 1964, citado em Fernando Prandini, Victor A. Petrucci e frei Romeu Dale, O. P. (orgs.), *As relações Igreja-Estado no Brasil*, vol. 1, p. 29.

38 Padre Lage, *O padre do diabo*, pp. 141 e 160.

— Então, Betinho, onde estão os outros dirigentes da AP? — indagou o oficial.

— O senhor está me confundindo, não sou o Betinho.

Tomou um golpe no rosto.

— Filho-da-puta! Como não é o Betinho? Você não é de Belo Horizonte?

— Sou.

— Não é da JUC?

— Não, da JEC.

— E qual é a diferença, seu veado? Só falta dizer que não é da AP! Quer levar umas porradas para refrescar a memória?[39]

O preso explicou: militava na Ação Católica, que nada tinha a ver com a AP, era mineiro e chamavam-no Betto, mas não era Herbert José de Souza, o *Betinho*, principal ideólogo da organização esquerdista católica. Chamava-se Carlos Alberto Libânio Christo. A Marinha voltaria a ouvir falar dele como frei Betto, *Vitor*, *Ronaldo* e *Olavo*, do convento de Perdizes, da AP, da ALN.

39 Frei Betto, *Batismo de sangue*, p. 111.

A soberba de Lúcifer

Entre junho de 1964, quando o Cenimar prendeu Carlos Alberto Libânio Christo pensando que era o *Betinho* da AP, e novembro de 69, quando o Exército capturou frei Betto sabendo que era o *Vitor* da ALN, a Igreja e o regime fizeram o que lhes parecia possível para garantir uma convivência harmônica. Só não fizeram o que lhes era impossível. Nem o governo poderia permitir a mobilização da Igreja, nem ela poderia desmobilizar-se. Nesse antagonismo institucional, um via no outro a soberba de Lúcifer.

A ordem conservadora que se impôs em abril de 1964 correspondia aos desejos de uma poderosa facção da hierarquia e do clero católicos. Envolvida desde os anos 50 num processo de reavaliação que precedeu as grandes discussões do Concílio Vaticano II, a Igreja brasileira vivia tensões que eram a um só tempo típicas da sua estrutura e comuns à efervescência dos primeiros anos da Era de Aquarius. Vivia-se o pontificado de João XXIII, um camponês gordo, divertido e bondoso que despiu a Igreja das vestes regalescas de Pio XII, levando-a a repensar sua própria existência. Às vezes, aquelas tensões, diversas na origem, confundiam-se com o debate nacional. Esse era o caso da militância esquerdista de sacerdotes em organizações laicas como a AP ou evangelizadoras como a Ação Católica. Havia, porém, clivagens específicas, relacionadas com o ordenamento da burocracia eclesiástica, que pouco dependiam do cotidiano político. Nesse aspecto, era exemplar a atividade da Conferência Nacional dos Bispos do Brasil, experiência "sem precedentes no direito canônico ou na história do catolicismo".[1]

Nascida nos anos 50, a CNBB fora reflexo precoce de inquietações do clero que haveriam de alterar o funcionamento da Igreja pós-conciliar. Na sua expressão mais simples, reorganizara a estrutura baseada na hierarquia centrípeta dos cardeais e abrira espaço para uma outra ordem. Descentralizadora na base, oferecia a cada bispo recursos que lhe aumentavam a autonomia. Centralizadora, engendrara uma cúpula parlamentar que dava ao episcopado voz e púlpito para falar pela Igreja. Processo complexo por si mesmo, era quase inalcançável para um regime de inspiração militar e fé na hierarquia. A idéia segundo a qual cerca de 150 bispos pudessem dispor de autonomia em suas dioceses, sem dar contas ao cardeal, equivalia, para os militares desinformados dos mecanismos de funcionamento da Igreja, a uma situação em que o coronel de um regimento de infantaria não deve contas ao general comandante de exército. A noção de que o plenário da CNBB podia fixar linhas de ação sem que cada diocese lhe devesse obediência equivalia à existência de um comando incapaz de comandar.

A imunidade do clero aos expurgos coercitivos do regime era outro complicador para as relações entre a Igreja e a nova ordem. Os deputados socialistas, os coronéis do janguismo e os professores do Partidão estavam cassados, reformados e demitidos, mas os bispos de esquerda continuavam com suas mitras. Pior: os padres continuavam nas mesmas paróquias. Ambos dispunham da proteção institucional da estrutura eclesiástica. Se generais e burocratas do regime podiam agir em seus quartéis e repartições sem o estorvo da crítica de antigos oponentes ideológicos, o clero conservador estava obrigado a conviver com seus antagonistas, como se nada tivesse acontecido. A Igreja tornara-se a única instituição nacional a conservar dentro do seu organismo, na plenitude de seus direitos, personalidades publicamente adversas à nova ordem.

1 Ralph della Cava, "Política a curto prazo e religião a longo prazo — Uma visão da Igreja católica no Brasil". *Encontros com a Civilização Brasileira*, nº 1, julho de 1978, Rio de Janeiro, pp. 242-57.

Havia um clero de esquerda antes de 1º de abril de 1964 e continuaria havendo depois.

Dois remanejamentos eclesiásticos, ambos ocorridos dias antes da deposição de Goulart, alterariam o equilíbrio de forças na Igreja, em benefício do regime. O primeiro deu-se entre as treze e 16h30 do dia 7 de março de 1964. No início da tarde, o papa transferiu d. Helder Câmara, bispo auxiliar do Rio de Janeiro, para a diocese de São Luís do Maranhão. Depois de 27 anos de trabalho comum, suas relações com d. Jaime haviam-se deteriorado. O núncio apostólico tentara salvá-lo, mandando-o para Salvador, onde ficaria a um passo do barrete cardinalício, mas o cardeal Álvaro da Silva não o quis. O bispado maranhense era um exílio, somado a uma desclassificação. Às 16h30 chegou a Roma um telegrama com a notícia de que d. Carlos Coelho, jovem arcebispo de Olinda e Recife, acabara de morrer de choque anafilático, após uma cirurgia banal. Uma semana depois, d. Helder foi indicado para a sé de Olinda.[2] Para os conservadores, teria sido melhor vê-lo em São Luís, mas, de qualquer forma, estava fora da poderosa arquidiocese do Rio de Janeiro.

A magra figura de d. Helder, com 55 anos, sempre metida numa batina folgada, era o símbolo mais visível e querido da Igreja católica. Desde os anos 50 confundia-se com uma Igreja de alcance popular cujos contornos pioneiros demarcava. Erguera no Leblon um conjunto habitacional para favelados. Organizara a grã-finagem do Rio de Janeiro em torno da Feira da Providência, na qual as madames se punham a vender quitutes e as embaixadas a repassar bebidas importadas pela metade do preço (por conta da isenção tributária de que gozavam). Patrocinou congressos de favelados, montou uma central de abastecimento de gêneros alimentícios e fundou um banco destinado a atender os pobres. No seu conselho curador estavam sobrenomes como os de Celina Guinle de Paula Machado (mãe de um dos empresários que financiavam o IPÊS) e Bento Ribeiro Dantas (dono da companhia aérea Cruzeiro do Sul, em cujas asas a conspiração contra Jango voava de graça).[3] Tornara-se um dos raros bra-

2 Candido Mendes de Almeida, maio de 1988. Para os fatos do dia 7 de março, Nelson Piletti e Walter Praxedes, *Dom Helder Câmara*, p. 292.

3 Nelson Piletti e Walter Praxedes, *Dom Helder Câmara*, p. 250.

sileiros homenageados com um sambinha de Carnaval, gênero mais fértil na crítica do que no louvor:

Obrigado, reverendo.
Deus lá do céu está vendo
a nossa gratidão.

A ação caridosa de d. Helder era apenas uma de suas características, talvez a menos importante, acessória à essência da personalidade que o transformou na maior figura política da história da Igreja no Brasil. Líder fascista nos anos 30, popularesco nos 50 e homem de esquerda para o resto da vida, foi acima de tudo um organizador da força do catolicismo. Passou de seminarista a bispo em 29 anos, sem cuidar de paróquia. Sob as peles rotas daquele João Batista houve um Paulo. O padre Helder ligado à Ação Integralista no Ceará fora a mola que fez da Liga Eleitoral Católica a grande vencedora das eleições de 1934 no estado. Seu slogan era "Um voto para a LEC é um voto para Nosso Senhor Jesus Cristo". Trazido para o Rio de Janeiro, reorganizou a Ação Católica Brasileira e trabalhou junto a Roma para a criação da CNBB. Lá, contava com um admirador e aliado entre os monsenhores que formavam a corte de Pio XII. Chamava-se Giovanni Battista Montini. Criada a CNBB, d. Helder ocupou sua secretaria geral por doze anos. Em 1964 ele era a um só tempo nome da estima do papa Paulo VI (seu amigo Montini, eleito havia um ano), encanto da esquerda católica européia, símbolo do apostolado dos humildes, poderoso articulador na CNBB e o mais popular dos sacerdotes brasileiros.

Para a nova ordem política brasileira, tinha o exato perfil de um problema. Pouco antes de seguir para o Recife, d. Helder encontrou-se com o general Castello Branco, em cujo rosto rolou uma lágrima quando lhe contou que sua mulher, morta no ano anterior, tinha o hábito de ouvir suas pregações.[4] No dia 11 de abril de 1964, diante da sé do Recife, onde acabara de ser sagrado arcebispo, advertiu: "Não confundamos a bela e

4 D. Eugênio Sales, junho de 1987. O cardeal estava presente ao encontro.

indispensável noção de ordem, fim de todo o progresso humano, com contrafações suas, responsáveis pela manutenção de estruturas que todos reconhecem não podem ser mantidas".[5] Em Olinda, pela primeira vez desde sua ordenação, trabalharia sem a proteção da sotaina de um cardeal conservador. Se isso lhe dava liberdade de ação, também fazia dele um alvo mais fácil para os adversários que colecionara dentro e fora da Igreja.

O segundo remanejamento que alteraria o balanço do poder eclesiástico brasileiro ocorreu no dia 22 de março de 1964, quando o cardeal-arcebispo de São Paulo, d. Carlos Carmelo de Vasconcelos Mota, aos 74 anos de idade, despachou uma carta ao papa pedindo que o dispensasse da função. Bisneto do visconde de Caeté, era ao mesmo tempo descendente da nobreza mineira do Primeiro Reinado e exemplar típico do cardinalato principesco. Defendia um clero palaciano, que evitasse disputas políticas públicas. Condômino do poder, tivera suficiente intimidade com o governador Adhemar de Barros para aconselhá-lo, em momentos de crise, na casa da amante.[6] Talvez tenha sido o único (certamente o último) cardeal brasileiro a escrever ao presidente da República pedindo a promoção de um coronel a general-de-brigada.[7]

A saída de d. Helder do Rio e o nome do sucessor do cardeal Mota em São Paulo haveriam de favorecer o entendimento dos bispos com os generais. Em outubro de 1964, a CNBB reuniu-se em Roma. Formou-se uma maioria conservadora, derrubou-se d. Helder da secretaria geral, e defenestrou-se toda a sua equipe.[8] A ofensiva foi tão profunda que em dezembro o arcebispo de Olinda foi visitado por uma carta do Santo Ofício e teve de se defender da acusação de freqüentar um templo protes-

5 *Correio da Manhã*, 12 de abril de 1964.

6 Octavio Frias de Oliveira, janeiro de 1998. No dia 5 de junho de 1966, Frias encontrou o cardeal no apartamento de Ana Capriglioni. Adhemar acabara de ser cassado e, padecendo de uma crise de asma, estava deitado no quarto.

7 Carta de d. Carlos Carmelo de Vasconcelos Mota ao presidente Juscelino Kubitschek, solicitando a promoção a general do coronel José Maria de Moraes e Barros, de 22 de outubro de 1960. O general foi promovido em março, por Jânio Quadros. APGCS/HF.

8 A vitória conservadora pode ser melhor medida quando se sabe que não só d. Helder não foi reeleito, como seu candidato, d. Fernando Gomes, foi derrotado na votação para preencher a primeira e a segunda vice-presidência da CNBB. Nelson Piletti e Walter Praxedes, *Dom Helder Câmara*, pp. 314-5.

tante, elogiar seus fiéis e criticar a devoção católica à Virgem Maria. O reverendo respondeu com amargura: "Pedi ao Menino Deus: que eu morra antes de causar uma apreensão justificada à Santa Sé".[9]

O conservadorismo colocou na presidência da CNBB o arcebispo de Ribeirão Preto, d. Agnello Rossi. Um mês depois, durante os debates da terceira sessão do Concílio, Paulo VI indicou-o arcebispo de São Paulo. Filho de um funileiro italiano, sacerdote de hábitos gentis e reputação de excelente administrador, Agnello Rossi recebeu com o pálio da sé paulista a oferta da liderança de um reordenamento conservador. Aos 51 anos, saído de um bispado sem expressão política, chefiava a maior arquidiocese do país e presidia uma CNBB sem d. Helder na secretaria geral. Tornou-se um operário do regresso. Com a ajuda da hierarquia tentou fazer que a Igreja coubesse dentro do projeto desmobilizador do regime. Diluiu a ação da CNBB, liquidou as organizações laicas da juventude católica e afastou-se do debate político.

Até a segunda metade de 1967 esse projeto foi bem-sucedido. Houve escaramuças, mas o regime conseguia conviver com a militância católica e a hierarquia tolerou pequenas provocações de militares, quase sempre contra d. Helder. Por pouco não se espetou no manto de Nossa Senhora Aparecida, a padroeira do Brasil, o título de generalíssima das Forças Armadas.[10] Sobrevivia um acordo feito no governo Castello, revelado pelo cardeal Vicente Scherer, de Porto Alegre, pelo qual o governo não prenderia padres sem que tramitassem pela hierarquia os pecados de que eram acusados. O próprio Costa e Silva dizia: "Não há atrito entre a Igreja e o governo, o que existe são divergências entre alguns elementos do clero e alguns oficiais das forças armadas, mas não divergências entre as duas instituições".[11]

9 Nelson Piletti e Walter Praxedes, *Dom Helder Câmara*, p. 358.

10 Charles Antoine, *L'Église et le pouvoir au Brésil*, p. 137.

11 Fernando Prandini, Victor A. Petrucci e frei Romeu Dale, O. P. (orgs.), *As relações Igreja-Estado no Brasil*, vol. 2, p. 40, citando uma declaração de d. Vicente Scherer ao *Jornal do Brasil* de 22 de novembro de 1967, p. 3.

Em julho, através da ligação da AP com os beneditinos do mosteiro de Vinhedo, nas proximidades de Campinas, deu-se o primeiro curto-circuito. Os monges emprestaram o claustro à UNE para que ela realizasse seu congresso clandestino. Dias depois da partida do último estudante, a polícia contra-atacou. Deteve onze padres, entre os quais o prior do mosteiro, e invadiu o convento de Perdizes, em São Paulo, levando seu superior para o DOPS. Uma rápida mobilização das hierarquias do regime e do clero libertou os sacerdotes.

O regime via a soberba de Lúcifer na militância esquerdista dos padres. Pela lógica da repressão política, as suspeitas procediam. Havia dois anos a UNE organizava seus congressos clandestinos em conventos, indo buscar neles o manto protetor da imunidade dos templos. Agravando a tensão, a AP de 1967 era diferente daquela que no ano anterior abrigara no convento dos franciscanos de Belo Horizonte o último plenário dos estudantes. Em Vinhedo, a maioria que elegeu a nova diretoria da UNE estava mais próxima do *Livro vermelho* do presidente Mao Zedong que da regra beneditina. Sobre essa esquerda católica remoída pelo debate da luta armada, pairavam figuras como a do padre-guerrilheiro Camilo Torres, morto com armas na mão nas matas da Colômbia.[12] Os porta-vozes dos comandos militares elaboravam à sua maneira a doutrina pacificadora de Costa e Silva. O deputado Clóvis Stenzel, ventríloquo dos bivaques, acusava os sacerdotes de "subverter a ordem" e concluía: "Por isso têm que ser reprimidos pelo governo, como quaisquer cidadãos".[13]

O raciocínio era simples, e nele um padre de esquerda era um esquerdista, não um padre. Mesmo para bispos conservadores, críticos da cessão de conventos a reuniões estudantis, a idéia segundo a qual um padre é um cidadão qualquer soava temível. Sobretudo porque o regime cerceava as liberdades públicas dos cidadãos e a Igreja lhe negava o direito de definir a jurisdição política dos clérigos. Assim, d. Vicente Scherer, arcebispo de Porto Alegre, condenou a reunião de Vinhedo, mas registrou a santidade da organização eclesiástica. Ele acusava os frades de Perdizes

12 Camilo Torres aderiu à guerrilha colombiana em dezembro de 1965 e foi morto em fevereiro de 1966.

13 Zuenir Ventura, *1968 — O ano que não terminou*, p. 41.

"de utilizar, para promoção de idéias pessoais, o prestígio que lhes vem de uma dignidade e de um cargo que a Igreja lhes concedeu para uma tarefa de evangelização".[14]

O regime não cabia nessa proposição. No dia 11 de novembro de 1967 o tenente-coronel Gladstone Pernasetti Teixeira, um oficial de pouca reputação, freqüentador dos subúrbios do radicalismo do I Exército, determinou a invasão do bispado de Volta Redonda por uma tropa do 1º Batalhão de Infantaria Blindada. Ela deveria procurar material subversivo nos quartos onde viviam quatro militantes da Juventude Diocesana Católica presos enquanto distribuíam panfletos considerados subversivos. O tenente-coronel Gladstone ordenou à patrulha o emprego dos "meios indispensáveis, como sejam, arrombamento de portas e móveis", e assim foi feito.[15] A resposta da Igreja veio em duas semanas. Depois de ouvir uma exposição de três horas e meia feita por d. Waldyr Calheiros, o bispo que Gladstone queria incriminar, a comissão central da CNBB divulgou um documento intitulado *Missão da Hierarquia no Mundo de Hoje*. Nele, dizia: "Não podem os bispos aceitar, fora da legislação da Igreja, que outros pretendam definir e delimitar suas funções. Estas não se opõem a nenhum ordenamento da sociedade civil, desde que justo e racional. [...] A Igreja exige o maior respeito aos direitos fundamentais da pessoa humana, assim como o acatamento à autoridade pública, como responsável pela promoção do bem comum. Dentro dos respectivos campos a Igreja e o Estado gozam de autonomia e independência".[16]

Demarcavam-se três linhas de fortificação. Na primeira o clero informava ao regime que não lhe sub-rogaria poderes para definir o conteúdo da pregação dos sacerdotes. Na segunda, estabelecia que a prisão de padres, por quaisquer razões, seria uma fonte automática de problemas com a hierarquia. Na terceira, artilhava-se no combate à violência políti-

14 Fernando Prandini, Victor A. Petrucci e frei Romeu Dale, O. P. (orgs.), *As relações Igreja-Estado no Brasil*, vol. 2, p. 34.

15 Idem, p. 138. Ver também Celia Maria Leite Costa, Dulce Chaves Pandolfi e Kenneth Serbin (orgs.), *O bispo de Volta Redonda*, p. 97.

16 Fernando Prandini, Victor A. Petrucci e frei Romeu Dale, O. P. (orgs.), *As relações Igreja-Estado no Brasil*, vol. 2, pp. 140-1.

ca. Cada uma dessas fortificações podia ser temporariamente evacuada, mas nenhuma delas podia ser ostensivamente abandonada. Enquanto o regime viveu o espasmo constitucional de 1967-68, conseguiu-se uma paz acomodada de articulações de cúpula que fortaleciam a hierarquia e, de certa forma, davam funcionalidade ao predomínio conservador.

O corifeu da acomodação era d. Avelar Brandão, arcebispo de Teresina, verdadeiro ourives das construções de bastidores. Defendia a conveniência da criação de uma comissão de alto nível (com ele à frente) para discutir futuras dificuldades entre a Igreja e o governo.[17] Fez-se o possível. D. Agnello jantou com o comandante do II Exército; d. Eugênio Sales, arcebispo de Salvador, reuniu-se com o ministro do Trabalho, e d. Avelar encontrou-se com Costa e Silva, a quem presenteou com seis exemplares da encíclica *Populorum progressio*. A agenda presidencial foi generosamente aberta, e o marechal chegou a receber d. Waldyr Calheiros. Unindo-se as paixões cerimoniais do clero regalista e dos generais da época, programou-se até mesmo uma visita da imagem de Nossa Senhora de Fátima ao Brasil.[18]

A poeira parecia ter baixado, até que em março de 1968 a morte de Edson Luis de Lima Souto acendeu a revolta estudantil. No dia da missa de sétimo dia pela alma do garoto assassinado pela PM, o cardeal Jaime Câmara tomou o carro e subiu para sua casa na montanha do Sumaré. Não celebraria a missa, marcada para a igreja da Candelária. O arcebispo orava mais por algumas almas e menos por outras. No dia 12 de agosto de 1954, numa das piores crises político-militares da República, celebrara missa na mesma igreja por um major da Aeronáutica assassinado pela guarda pessoal de Getulio Vargas. Duas semanas depois, Vargas matou-se, e o arcebispo relutou até permitir a missa pela alma do suicida.[19]

17 Fernando Prandini, Victor A. Petrucci e frei Romeu Dale, O. P. (orgs.), *As relações Igreja-Estado no Brasil*, vol. 2, p. 44. Para as relações entre a Igreja e o governo durante o ano de 1968, *Notícias da Igreja Universal*, nº 68/72, janeiro-fevereiro de 1969. Número especial, *A Hora da Opção — Estudo das Relações da Igreja e do Estado no Brasil em '68*, brochura editada pela Paróquia Nossa Senhora dos Pobres, São Paulo.

18 Charles Antoine, *L'Église et le pouvoir au Brésil*, pp. 134 e segs.

19 Ivo Calliari, *D. Jaime Câmara*, pp. 371-2. Em 1970, d. Jaime Câmara permitiu que se rezasse missa pela alma do ex-presidente Café Filho (o sucessor de Vargas) mesmo sabendo que ele era protestante. Segundo seu secretário, fez isso porque, entre outros motivos, "o público não tinha conhecimento do fato". Idem, p. 626.

Ao receber a notícia de que a multidão fora espancada pela polícia enquanto saía da Candelária (coisa que não ocorreu em 1954), o pastor piscou: "Não ouvi nada. [...] Não ouvi rádio. Hoje não li jornal".[20] Havia muita coisa a ouvir. Invadiram-se as catedrais de Brasília e Goiânia, cercaram-se igrejas em Belo Horizonte e no Recife, produziram-se charivaris no fim das missas em quatro cidades.

Reunida no Rio de Janeiro em julho, a CNBB enxergara o céu nublado. "A violência cedo ou tarde poderá ser inelutável e, de fato, é uma das tentações do momento", diziam os bispos.[21] A VPR havia explodido seu caminhão na porta do QG do II Exército. A maoização da AP era um fato público, e se podia supor que essa radicalização haveria de se refletir nos padres que militavam na sua periferia. O brigadeiro Burnier expusera os seus planos à tropa do Para-Sar, e o CIE já começara sua ofensiva terrorista contra teatros. A construção do episcopado conservador, que só poderia se sustentar na utopia da ditadura temporária do castelismo, perdera o nexo. Num relatório especial sobre a situação da Igreja brasileira, em setembro de 1968 a CIA informava ao governo americano que, por conta dos ataques a padres e das manifestações estudantis, "a linha divisória entre conservadores e liberais está se desfazendo, e tende a ficar a cada dia mais imprecisa". Olhando mais fundo, o serviço de informações americano considerava "difícil e insustentável" a opção do bloco conservador formado em 1964 e previa: "A perspectiva é de um prolongado período de tensão acalorada entre a Igreja e o Estado".[22]

Um mês depois confirmaram-se as piores previsões. Pressionado pelos sacerdotes de sua arquidiocese, o cardeal Agnello Rossi recusou-se a receber a grã-cruz da Ordem Nacional do Mérito que lhe fora concedida por Costa e Silva. Era o troco de uma parte do clero paulista pela expulsão do país do padre-operário belga Pierre-Joseph Wauthier, detido durante uma greve e encarcerado no DOPS por 29 dias. Empregado da Bra-

20 Fernando Prandini, Victor A. Petrucci e frei Romeu Dale, O. P. (orgs.), *As relações Igreja-Estado no Brasil*, vol. 2, p. 58.

21 Idem, p. 82.

22 *The Catholic Church in Brazil, Special Report* da Central Intelligence Agency, de 13 de setembro de 1968.

seixos, em Osasco, não fizera piquete durante as greves, apenas negara-se a abençoar liturgias patronais. D. Agnello tentara dar ao caso um tratamento de alto nível e chegara a dizer que "não queremos pedir favores especiais às autoridades civis". O cardeal estava na Colômbia, onde votara uma resolução condenando o tráfico de patacas, quando a polícia meteu Wauthier num avião e o mandou para a Europa. Sucedeu-se uma rebelião. O conselho de presbíteros de São Paulo escreveu ao papa, noventa padres protestaram em Porto Alegre, cem religiosos e freiras fizeram uma passeata silenciosa em frente à catedral do Rio, e duzentos outros marcharam pelas ruas de Osasco.[23] A pressão sobre o cardeal durou até a véspera da entrega da comenda. De um lado os padres, do outro o chefe da agência do SNI em São Paulo, que o visitou em casa.[24] O cardeal mandou seu secretário oferecer um gambito a Costa e Silva: não iria ao QG do II Exército, onde seriam distribuídos os crachás, mas celebraria de bom grado uma missa pelos 66 anos do presidente na capela particular do palácio episcopal. Lá, receberia a grã-cruz. O presidente não fez negócio.[25]

O operário do regresso foi soterrado pelo seu próprio estratagema. No mundo dos príncipes, era legítimo que Costa e Silva visse na pataca compensação adequada à expulsão de Wauthier. Era até mesmo compreensível que o cardeal lesse no gesto do marechal mais uma demonstração do desejo do governo de ter boas relações com a hierarquia. A Igreja, contudo, não coube no arranjo. Uma violência banal somada a uma esperteza malsucedida resultaram na desmoralização do cardeal. À direita, porque dizendo-se amigo do governo, recusou a condecoração. À esquerda, porque se não o tivessem pressionado, teria pendurado a grã-cruz na sotaina. Dias depois uma rajada de tiros varreu as paredes externas de uma casa do bairro de Manguinhos, no Recife. Nela vivia d. Helder Câmara.[26]

23 Charles Antoine, *L'Église et le pouvoir au Brésil*, pp. 180 e segs. Thomas C. Bruneau, *The political transformation of the Brazilian Catholic Church*, pp. 199 e segs.

24 Para o encontro com o chefe da agência do SNI, depoimento do general Enio Pinheiro, em Maria Celina d'Araujo, Gláucio Ary Dillon Soares e Celso Castro (orgs.), *A volta aos quartéis*, p. 251.

25 Jayme Portella de Mello, *A Revolução e o governo Costa e Silva*, pp. 598-9.

26 Telegrama da agência France Presse, de 26 de outubro de 1968.

A divergência em torno dos limites do apostolado via-se afogada por uma questão maior: a violência do Estado através da tortura. Ela bateu à porta da Igreja em novembro de 1968 com a prisão, em Belo Horizonte, de três padres assuncionistas franceses e um diácono brasileiro. Foram tirados de suas casas e ficaram incomunicáveis por uma semana. Seus interrogadores informaram que se reconheceram subversivos e socialistas. Mais: que planejavam três focos guerrilheiros no interior de Minas Gerais.[27] Um dos sacerdotes teria mencionado a existência de 40 mil combatentes prontos para a ação em Pernambuco.[28] O coronel Octavio Medeiros, comandante do CPOR, exibiu à imprensa um caderno manuscrito onde o padre Michel le Ven (cujos interrogatórios viriam a somar 150 horas) escrevera que "o povo tem o direito de pegar em armas para se defender".[29]

Com as quatro novas prisões subiu para treze o número de sacerdotes encarcerados naquele ano, mas o episódio dos assuncionistas parecia de solução simples: padres estrangeiros metidos com pobreza e esquerdismo a caminho de uma expulsão do país, negociada entre a cúpula de São Pedro e a lajota do Planalto. Cada parte recitou a sua partitura. "O manto protetor da batina não pode proteger um crime", dizia o ministro da Justiça.[30] "Esses padres foram presos porque abandonaram a pregação do Evangelho, devotando-se a uma pregação política e ideológica, bem como à organização da subversão e de movimentos guerrilheiros armados para a derrubada do regime", explicava o general Alvaro Cardoso, comandante da 4ª Região Militar.[31] A CNBB aceitou o enquadramento dos padres, dizendo que "os que erramos não fugimos ao jul-

27 Fernando Prandini, Victor A. Petrucci e frei Romeu Dale, O. P. (orgs.), *As relações Igreja-Estado no Brasil*, vol. 2, pp. 112 e segs. Thomas C. Bruneau, *The political transformation of the Brazilian Catholic Church*, p. 203.

28 *Jornal do Brasil*, 10 de dezembro de 1968, p. 7, em Thomas C. Bruneau, *The political transformation of the Brazilian Catholic Church*, p. 206.

29 *Veja*, 11 de dezembro de 1968, p. 16. Fernando Prandini, Victor A. Petrucci e frei Romeu Dale, O. P. (orgs.), *As relações Igreja-Estado no Brasil*, vol. 2, p. 124.

30 *Correio da Manhã*, 8 de dezembro de 1968, em Thomas C. Bruneau, *The political transformation of the Brazilian Catholic Church*, p. 204.

31 *Jornal do Brasil*, 3 de dezembro de 1968, p. 7, em Thomas C. Bruneau, *The political transformation of the Brazilian Catholic Church*, p. 204.

gamento da autoridade competente", mas de novo recusou ao regime jurisdição sobre o apostolado: "O juízo sobre a pregação autêntica ou não do Evangelho é da competência exclusiva da autoridade eclesiástica".[32]

Havia algo de novo e de estranho no caso dos assuncionistas. A ponta do véu foi levantada pelo bispo d. José de Castro Pinto, um sacerdote parrudo, com uma cicatriz no lábio superior que lhe dava uma aparência zangada. Era detestado pela esquerda do clero. Posto numa farda, pareceria um coronel de caricatura. E o seria se mais de vinte anos antes não tivesse trocado o enxoval de cadete da Academia Militar das Agulhas Negras pela batina de seminarista. Enquanto o cardeal Câmara, depois de reunir-se com o comandante do I Exército, dizia que "as acusações são mesmo muito graves", o bispo, com seu rigor, duvidava: "Geralmente os réus costumam negar até o fim o crime. É realmente espantosa essa confissão assim tão rápida".[33]

O tema foi retomado pelo arcebispo de Belo Horizonte, d. João Resende Costa. Vindo de uma tradicional família mineira que dera um de seus filhos à Inconfidência do século XVIII, era um conservador refinado. Traduzira a obra de Dom Bosco e escrevera em italiano um trabalho sobre o teólogo Martin de Barcos. Em março de 1964 abençoara o governador Magalhães Pinto e "a causa de Minas contra o comunismo", mas no dia 12 de dezembro de 1968 separava-se do regime que saudara ao nascer: "Irmãos, com a minha autoridade de pastor da arquidiocese de Belo Horizonte e com a anuência unânime de nosso clero, devo denunciar o que sei por ciência direta pessoal e segura: os depoimentos dos sacerdotes e do diácono preso não são aceitos como expressão da verdade porque foram usados com eles espancamentos e torturas. Para honra de nosso Exército, denunciamos estes horrores, para que as autoridades militares não permitam que elementos de sua corporação pratiquem tais atos".[34]

32 Fernando Prandini, Victor A. Petrucci e frei Romeu Dale, O. P. (orgs.), *As relações Igreja-Estado no Brasil*, vol. 2, p. 113.

33 *Veja*, 11 de dezembro de 1968, p. 14.

34 Fernando Prandini, Victor A. Petrucci e frei Romeu Dale, O. P. (orgs.), *As relações Igreja-Estado no Brasil*, vol. 2, p. 114.

A Igreja via na violência do regime a soberba de Lúcifer.

No dia seguinte à homília de d. João Resende Costa as autoridades militares precipitaram o Brasil na ditadura, e o arcebispo não foi esquecido: às duas da madrugada de 14 de dezembro um oficial do Exército, acompanhado por uma patrulha armada com submetralhadoras, invadiu a tipografia do jornal da arquidiocese. Logo depois, a tropa entrou no convento dos dominicanos de Belo Horizonte.

Se em 1964 a deposição de Goulart isolara a esquerda do clero, o AI-5 iniciaria em 68 um processo de corrosão da frente conservadora que tomara o poder na CNBB com a deposição de d. Helder. Apesar de essa corrente ter sido formada no vácuo da ordem ditatorial e de ser liderada por bispos que simpatizavam com o regime, seu predomínio não derivava da qualidade das relações com a ditadura, mas de uma formulação que viria a ser denominada "pastoralista".[35] Sua racionalização pacificadora era uma faca de dois gumes. Convinha ao regime oferecendo uma Igreja apolítica, apostolar, mas inquietava-o porque ao mesmo tempo não fazia concessões em relação à sua integridade institucional.

Nos meses que se seguiram à edição do AI-5, o episcopado respondeu ao regime com sinais ambíguos e cautelosos. Caso típico ocorreu em Salvador, onde o comandante da Região Militar, general Abdon Senna, orgulhava-se da ditadura: "Montamos na crista da onda e não desceremos mais". Por conta disso, resolveu pedir ao arcebispo d. Eugênio Sales que celebrasse uma missa para os militares. *Magro*, ou *Patriarca*, como o chamava d. Helder, tinha 48 anos e estava a um passo do cardinalato. Era o primeiro hierarca da Igreja brasileira a dispensar a aparência bondosa e principesca do bispo de almanaque. Com seu forte sotaque nordestino, valia-se de frases curtas, lógicas, freqüentemente severas, num tom de voz inalterável, seco. O arcebispo respondeu: "Abdon, vocês que estão contentes com o AI-5 podem agradecer a Deus, mas não por meu intermédio". Dias depois, tendo conseguido um celebrante, o general voltou

35 O conceito de "pastoralismo" foi expresso por Ralph della Cava em seu artigo "Política a curto prazo e religião a longo prazo — Uma visão da Igreja católica no Brasil", *Encontros com a Civilização Brasileira*, nº 1, julho de 1978, Rio de Janeiro, pp. 242-57.

ao arcebispo e pediu-lhe que se ausentasse do palácio episcopal à hora da missa, de forma a camuflar sua recusa. Negócio fechado, d. Eugênio foi visitar paróquias.[36] Dera-se uma mistura de distanciamento e conciliação. Negando-se a celebrar a missa, d. Eugênio demarcara seu distanciamento. Aceitando o álibi da visita pastoral, envolveu o gesto na confidencialidade típica das divergências dos príncipes.

O mesmo sucedeu com a CNBB em relação ao AI-5. Nos dias seguintes à proclamação da ditadura, d. Avelar Brandão, no exercício da sua presidência, dispôs-se a enviar uma carta pessoal a Costa e Silva. Chegou-se a um texto, mas seu destino foi a gaveta.[37] Por sessenta dias a Igreja permaneceu em silêncio. Os bispos do Nordeste, onde d. Helder, retraído, mantivera sua ascendência, pediram uma reunião extraordinária da comissão central da CNBB. Dois em cada três bispos relutaram em reunir-se, e, uma vez juntos, foi necessária a ação do núncio apostólico, d. Sebastiano Baggio, para quebrar a resistência à idéia de um pronunciamento político do clero. Quando finalmente se aprovou um texto baseado na carta engavetada de dezembro, d. Jaime Câmara decidiu colocá-lo na semiclandestinidade. Intitulado *Presença da Igreja*, o documento pastoral não se destinava ao conhecimento das ovelhas. Baggio exigiu que o cardeal levasse o documento a Costa e Silva e, diante da relutância de d. Jaime, ameaçou-o: se os bispos brasileiros não falassem, Roma falaria. O *Correio da Manhã* divulgou-lhe a íntegra.[38] Era um documento duro: "A situação institucionalizada no mês de dezembro último possibilita arbitrariedades, entre as quais a violação de direitos fundamentais, como o de defesa, de legítima expressão do pensamento e de informação: ameaça à dignidade da pessoa humana, de maneira física ou moral; institui poder que, em princípio, torna muito difícil o diálogo autêntico entre governantes e governados, e poderá levar muitos a uma perigosa clandestinidade".[39]

36 D. Eugênio Sales, junho de 1987.

37 Charles Antoine, *L'Église et le pouvoir au Brésil*, p. 203.

38 Ivo Calliari, *D. Jaime Câmara*, p. 613.

39 Fernando Prandini, Victor A. Petrucci e frei Romeu Dale, O. P. (orgs.), *As relações Igreja-Estado no Brasil*, vol. 2, p. 120.

Tudo o que os bispos colocavam no campo das possibilidades já estava acontecendo. Quanto à "ameaça à dignidade da pessoa humana", no dia 19 de fevereiro, quando terminou a reunião da CNBB, foi preso em São Paulo o padre Jan Talpe. Durante o tempo em que ficou encarcerado conviveu com outro religioso que fora espancado no quartel-general do II Exército e viu um amigo, professor da Universidade de São Paulo, pendurado de cabeça para baixo e submetido a pancadas e choques.[40] Quanto à "perigosa clandestinidade", foi precisamente por essa época que o *Vitor* da ALN desconfiou que a polícia estivesse no seu rastro e desapareceu do convento dominicano de Perdizes. Os dois Lucíferes encaravam-se. Havia torturas nas catacumbas do regime e sacerdotes nos porões da luta armada.

Na madrugada de 30 de abril de 1969, uma nova rajada varejou as paredes do palácio arquiepiscopal do Recife. Era o segundo aviso a d. Helder Câmara, bastante diverso do primeiro. Horas antes Cândido Pinto de Mello, presidente da União Estadual de Estudantes de Pernambuco, estava num ponto de ônibus nas vizinhanças da ponte da Torre, e uma camionete com três ocupantes parou à sua frente. Um deles, com um revólver na mão e uma meia de mulher cobrindo-lhe o rosto, desceu e mandou-o entrar. O estudante reagiu, e o desconhecido atirou duas vezes. Com o segundo tiro seccionou-lhe a medula na altura das vértebras dorsais. Aos 22 anos de idade, Cândido não voltaria a andar.[41]

As conseqüências do atentado foram resumidas dias depois pelo cônsul americano no Recife: "A longo prazo, talvez o fato mais sério seja a prova de aparente cumplicidade militar — ou ao menos aquiescência — nos atos terroristas. As provas indicam o fato de que alguns oficiais influentes aceitam as atividades do CCC como uma forma de pressão adicional e aparentemente legítima contra a dissidência".[42]

40 Para o caso de Jan Talpe, *Projeto Brasil: nunca mais*, tomo V, vol. 2: *As torturas*, p. 271. Para o caso do outro sacerdote, Antonio Alberto Soligo, idem, tomo V, vol. 1: *A tortura*, p. 323.

41 Depoimento de Cândido Pinto de Mello, *Folha de S.Paulo*, 22 de novembro de 1981.

42 Telegrama de Donor Lion, cônsul americano no Recife, para o Departamento de Estado, de 16 de maio de 1969. DEEUA.

No CCC pernambucano pontificava o tenente da Polícia Militar José Ferreira dos Anjos. Fora ele quem atirara em Cândido. Campeão de tiro ao alvo, atuava no serviço secreto da PM e havia quase um ano fora o único pernambucano incluído na turma de dezoito policiais brasileiros selecionados para um curso de aperfeiçoamento na Academia Internacional de Polícia, nos Estados Unidos.[43] Ferreira dos Anjos, de 24 anos, embarcou para os Estados Unidos em agosto. Um mês depois o consulado americano no Recife achou que ele era carga pesada e pediu que o recambiassem para o Recife, "se possível, através de uma iniciativa brasileira, mas, se necessário, pela nossa mão mesmo".[44]

D. Helder recebeu o terceiro aviso menos de um mês depois do atentado ao estudante. No dia 27 de maio de 1969 havia um cadáver nas cercanias das residências da cidade universitária do Recife. Tinha uma corda passada no pescoço, feridas por todo o corpo, um tiro na cabeça e cortes de facão na garganta e na barriga.[45] Era o padre Antônio Henrique Pereira Neto, de 28 anos, assistente da arquidiocese para Assuntos da Juventude, a quem o arcebispo estimava como a um filho. Ainda no necrotério, d. Helder Câmara identificou genericamente os assassinos: "aqueles que julgam estar salvando a civilização cristã com a eliminação de sacerdotes e líderes estudantis".[46]

Como sucedeu a inúmeros cadáveres do regime, muitas foram as mortes do padre Antônio Henrique. A primeira deu-se no matagal para onde foi levado numa camionete verde. As seguintes deram-se na imprensa, na polícia, no aparelho judiciário e, finalmente, na própria Igreja.[47] Cinco dias depois do crime, o *Correio Braziliense* assegurava, em editorial:

43 Para a identificação como autor do atentado, Jacob Gorender, *Combate nas trevas*, p. 163. Segundo telegrama de 30 de setembro de 1969 do consulado americano no Recife ao Departamento de Estado, o tenente foi selecionado em agosto de 1968 e embarcou em agosto do ano seguinte. DEEUA.

44 Telegrama de Donor Lion, cônsul americano no Recife, ao Departamento de Estado, de 30 de setembro de 1969. DEEUA.

45 *Jornal do Brasil*, 28 de maio de 1969, p. 14, e *O Globo*, 3 de junho de 1969.

46 *Jornal do Brasil*, 28 de maio de 1969, p. 14.

47 É de Charles Antoine, *L'Église et le pouvoir au Brésil*, p. 230, a idéia da segunda morte do padre Henrique.

> Admite-se que a causa do homicida na pessoa do padre Antônio tenha sido de natureza política. Resultou de sua atividade à frente das famosas reformas sociais e econômicas que com tanto entono e ameaças subversivas estão sendo pregadas por uma parte transviada, descrente e utilitária do clero católico. Mas pode acontecer também que sejam outras, pois não é pequeno o número de padres que se esquecem de alguns dos seus deveres fundamentais e correm a competir com os demais cidadãos em atividades que antes os colocariam em forte suspeição aos olhos dos fiéis. [...] Ninguém mataria padre Antônio se ele fosse um sacerdote adstrito ao cumprimento de seus deveres religiosos. [...] Violência atrai violência, como palavra puxa palavra.[48]

Exercitando seu apostolado junto aos jovens numa época em que o consumo da maconha e de psicotrópicos era quase um rito de passagem da adolescência, o padre Henrique viu-se pintado como homossexual, garanhão e drogado. Para quem não acreditasse em nenhuma dessas hipóteses, oferecia-se a teoria de que fosse tolo por meter-se com jovens pobres, homossexuais, garanhões e drogados. De qualquer forma, a culpa fora sua. A tese do crime passional funcionou ao mesmo tempo como inibidora de protestos e como pretexto para quem buscava desculpa para calar. No início dos trabalhos policiais, o diretor do Departamento de Investigações, delegado José Bartholomeu Gibson, seguiu apenas as pistas que conduziam a viciados.[49] Pudera, se tentasse procurar a camionete verde que levara o padre ao matagal, poderia descobrir que ela pertencia à polícia e na noite do crime fora abastecida com sua autorização.[50] Se pedisse ajuda à mãe do padre, descobriria que seu sobrinho Jerônimo Gibson a visitara 48 horas depois do crime para dizer-lhe que se tentasse saber quem lhe matara o filho, tomaria um tiro nas costas.[51]

48 *Correio Braziliense*, 31 de maio de 1969, p. 4.

49 *Jornal do Brasil*, 27 de maio de 1970, p. 18.

50 *Folha de S.Paulo*, 19 de agosto de 1988.

51 *Jornal do Brasil*, 25 de janeiro de 1986, p. 20.

Pela primeira vez na história da Igreja brasileira um padre fora assassinado por motivos políticos.[52] A CNBB se limitou a condenar o crime, classificando-o de ato político, para cair logo depois em solene torpor. Obra de policiais, o crime tivera o objetivo explícito de atingir o arcebispo de Olinda e Recife. As lesões existentes no corpo do padre Henrique indicavam que, antes de meter-lhe três balas na cabeça, seus algozes torturaram-no. Sob diversos aspectos o delito mostrava-se mais grave que o assassinato de Edson Luis de Lima Souto, um ano antes. No caso do estudante, a PM sempre poderia dizer (ainda que ao desamparo do depoimento de testemunhas oculares) que ele fora alvejado pela fatalidade. Ademais, Edson Luis estava numa manifestação pública. O padre foi capturado quando voltava para casa e executado com ostensiva crueldade. Nesse mesmo dia o cardeal Câmara estivera com Costa e Silva. Informara-o de que escrevera ao papa Paulo VI oferecendo-lhe sua renúncia por estar perto de completar 75 anos. O marechal imediatamente mobilizou o ministro das Relações Exteriores para fazer saber à Santa Sé seu interesse na presença de d. Jaime na arquidiocese.[53]

Não se tinham passado ainda dois meses da morte do padre Henrique quando, no dia 17 de julho, os cinco cardeais brasileiros atravessaram o portão do palácio da Alvorada. Haviam chegado a Brasília num dos Boeings da Presidência da República. Conversaram por hora e meia com Costa e Silva e passaram à mesa de jantar. Nenhum dos convidados narrou a conversa, e o presidente deixou dela apenas uma frase, lembrando que eles lhe falaram de "direitos humanos".[54] É provável que no encontro Costa e Silva tenha comunicado aos cardeais o seu desejo de reabrir o Congresso, medida considerada na época um indicador do abrandamento do AI-5.

52 As execuções de padres rebeldes ocorridas no século XIX foram abençoadas pela Igreja, e, do ponto de vista do direito canônico, eles não eram religiosos, visto que foram despidos dos votos antes que os despissem da vida. A percepção de que o padre Henrique foi o primeiro clérigo assassinado é de Scott Mainwaring, em *A Igreja católica e a política no Brasil*, p. 120.

53 Ivo Calliari, *D. Jaime Câmara*, p. 616.

54 Notas taquigráficas, sem revisão, das reuniões da Comissão de Alto Nível designada pelo Senhor Presidente da República para a reforma da Constituição de 1967, em *A Constituição que não foi*, p. 168.

A hierarquia da Igreja recebera dois sinais: um com o cadáver do padre Henrique, outro no jantar no Alvorada. Ficou com o segundo. No fim de julho de 1969 reuniu-se a X Assembléia Geral da CNBB. Eram quase duzentos bispos. Viera até mesmo o secretário-geral do Concílio, cardeal Pericle Felici. No plenário circulava um documento intitulado *Relações entre a Igreja e o Estado no Brasil*. Denunciava a expulsão e a prisão de padres. Foi rejeitado por 135 votos contra sessenta.[55] Falando pelo episcopado, d. Agnello informou que "a CNBB repudia os assaltos e atos terroristas que têm resultado até mesmo em perdas de vidas".[56] A reunião encerrou-se sem que fosse divulgado nenhum documento, e d. Helder Câmara voltou para o Recife sem dizer uma só palavra à imprensa.

A reunião da CNBB foi o apogeu do conservadorismo. Superou de muito a reviravolta de 1964 porque se cinco anos antes os bispos aplaudiram uma insurreição militar vitoriosa havia meses, em 69 guardaram respeitoso silêncio diante de uma ditadura que passara a valer-se da tortura como política de Estado. Não se tratava apenas de uma beata inibição, existiam mesmo ingredientes de apoio à utopia ditatorial. Um documento interno produzido por d. José Gonçalves, ex-secretário-geral da CNBB, argumentava que "o modelo de democracia convencional [...] aparece cada vez mais incompatível com a rapidez e eficiência do processo decisório que deve se acomodar a um ritmo acelerado de mudança".[57]

Em apenas sete meses a Igreja brasileira dera um dos maiores saltos para trás de sua história. Em fevereiro de 1969, na declaração da comissão central (organismo colegiado, de representatividade e poderes inferiores à assembléia), defendera os direitos humanos e fizera uma astuciosa citação da encíclica *Com ardente preocupação*, na qual Pio XI procurara dissociar a Igreja católica do nazismo, em 37. No final de julho saltara para

55 *Jornal do Brasil*, 31 de julho de 1969, p. 3.

56 Telegrama da agência France Presse, de 25 de julho de 1969.

57 Scott Mainwaring, *A Igreja católica e a política no Brasil*, p. 105.

o silêncio histórico que marcara o pontificado de Pio XII.[58] O triunfo do regresso foi alavancado pela confluência das promessas de Costa e Silva com uma atitude que o professor Candido Mendes de Almeida, secretário-geral da Comissão Episcopal de Justiça e Paz, denominaria de "doutrina do 'não acredito', 'não pode ser', ou do 'não pago para ver'".[59]

Em janeiro de 1969 a Oban começara a destruir a VPR em São Paulo, e o coronel Octavio Medeiros liquidara o Colina em Belo Horizonte. Em abril o comandante Clemente Monteiro Filho montara com um destacamento de fuzileiros navais seu pequeno campo de concentração da ilha das Flores, e lá moera o MR-8. Em julho, quando os bispos se calaram, podia-se pôr em dúvida a durabilidade da nova política de repressão, mas não se podia duvidar de sua existência.

Na periferia da CNBB uma pequena rede de advogados, coordenada do Rio de Janeiro por Candido Mendes, vinha reunindo depoimentos de supliciados. Mais: antes do início da X Assembléia Geral, a CNBB recebeu uma carta assinada por religiosos mineiros. Seu intróito era claro: "Queremos precisar os tipos e os lugares de tortura de que temos certeza". Listavam cinco porões e sete modalidades de suplício.[60] Diante da documentação existente, as barreiras do "não acredito" e do "não pode ser" eram precárias. Vigorava sobretudo a do "não pago para ver". Pior: a Santa Sé não queria arestas. O principal colaborador do papa, monsenhor Giovanni Benelli, escrevera a d. Helder (a quem conhecera no Rio quando servira como secretário da nunciatura) informando-o que o Vaticano preferia vê-lo no trabalho apostólico de Olinda a tê-lo viajando pelos quatro cantos do mundo. Determinava-lhe que só falasse no exterior depois de consultar a autoridade eclesiástica local "a respeito do conteúdo e da oportunidade de suas intervenções".[61]

58 Para o documento da comissão central, Fernando Prandini, Victor A. Petrucci e frei Romeu Dale, O. P. (orgs.), *As relações Igreja-Estado no Brasil*, vol. 2, p. 121.

59 Para o enunciado da doutrina, Candido Mendes de Almeida, maio de 1988.

60 Revista *Mensaje*, dos jesuítas chilenos, nº 186, janeiro-fevereiro de 1970, anexo a um artigo de Michel de Certeau.

61 Carta do monsenhor Giovanni Benelli a d. Helder Câmara, em Nelson Piletti e Walter Praxedes, *Dom Helder Câmara*, pp. 361-2.

O silêncio do episcopado possuía um caráter peculiar. Por sua natureza institucional, pela sua missão apostólica e pelas suas raízes internacionais, cada pronunciamento dos bispos era um sinal que se projetava sobre o futuro, antecipando os contornos do que seria a Igreja nos anos seguintes. Como o tempo haveria de mostrar, seu núcleo integrista, capaz de defender a tortura e até mesmo de militar publicamente em seu favor, era abundantemente minoritário. O silêncio amparava-se num amplo setor do episcopado que se julgava capaz de combater a violência do Estado por meio de movimentações palacianas, sem alterar o predomínio da coligação conservadora. Nessa política, uma das preocupações centrais seria, por muito tempo, evitar que ao desmascaramento da ditadura correspondesse um fortalecimento da esquerda católica. Como a contenção da esquerda era também um objetivo do regime, havia uma base para que cardeais e generais se entendessem.

Conquistar a boa vontade do príncipe poderia ser coisa fácil, mas poucas vezes o sucesso de uma cabala de palácio durou tão pouco quanto o do jantar dos cardeais no Alvorada. Em setembro, menos de dois meses depois do encontro, Costa e Silva estava mudo, prostrado numa cama no segundo andar do Laranjeiras. No térreo, governando o país, estava a trinca inventada pelo general Jayme Portella. Desabara a ilusão do retorno ao regime constitucional, perdera nexo a transação do silêncio. A Igreja voltou a falar através da comissão central da CNBB no final do mês: "Lamentamos as posições radicalizadas em suas variadas manifestações, como os movimentos terroristas de direita e de esquerda, atividades clandestinas, prisões, torturas [e] seqüestros".[62] Apesar da construção ambígua, foi a mais clara denúncia do período.

No início de outubro de 1969 a *Operação Bandeirante* invadiu o Lar Santana, em Ribeirão Preto, instituição que protegia simultaneamente menores abandonados e militantes das Forças Armadas de Libertação Nacional, a FALN, pequena dissidência esquerdista. No Lar Santana faziam-se reuniões da FALN, e nele a polícia achou produtos químicos usados na

62 Fernando Prandini, Victor A. Petrucci e frei Romeu Dale, O. P. (orgs.), *As relações Igreja-Estado no Brasil*, vol. 2, p. 132.

fabricação de bombas.[63] Prenderam a diretora da instituição, madre Maurina Borges da Silveira. Na delegacia de Ribeirão Preto ela encontrou o delegado Fleury. Duvidaram de sua virgindade e ameaçaram levá-la a um exame ginecológico. Um policial amarrou-lhe fios nos dedos das mãos e rodou o magneto. À noite apareceu outro, embriagado, e a abraçou. Fizeram-na assinar uma confissão admitindo que era amante de um jovem militante da FALN. Por quase um mês ela pediria, sem sucesso, que a deixassem comungar.[64]

Abrira-se um novo conflito, onde se abrigavam dois fatores inconciliáveis. De um lado o governo acusava madre Maurina de proteger terroristas, e de outro a Igreja demonstrava que a haviam torturado. A proteção a perseguidos, no entanto, ia muito além da madre de Ribeirão Preto. Nos conventos do Sul do país funcionava um verdadeiro labirinto pelo qual religiosos davam fuga a perseguidos políticos e forneciam santuário para as movimentações de emissários e fugitivos de organizações responsáveis por atos terroristas. Um pedaço dessa rede passava pelo seminário jesuíta Cristo Rei, em São Leopoldo, e servia para o repasse de quadros enviados pela ALN.[65] Outro ia de Porto Alegre à cidade uruguaia de Rivera.[66] Além de serem usadas por organizações armadas que se valiam do apoio de religiosos de esquerda, essas trilhas tinham outros clientes. Um deles era o embaixador mexicano Vicente Sanchez Gavito, amigo do núncio e jurista intransigente, que se recusava a dar asilo diplomático a pessoas envolvidas em crimes de sangue mas remetia ao que chamava de "mi ruta" ("minha rota") fugitivos que desejava socorrer mesmo sem ter podido proteger.[67]

63 Entrevista de madre Maurina Borges da Silveira a Luís Eblak, *Folha de S.Paulo*, 7 de junho de 1998, *mais!*, pp. 5-5 e 5-6.

64 Auto de Qualificação de Maurina Borges da Silveira, *Projeto Brasil: nunca mais*, tomo V, vol. 3: *As torturas*, p. 206, e entrevista a Luís Eblak, *Folha de S.Paulo*, 7 de junho de 1998, *mais!*, pp. 5-5 e 5-6.

65 Para as fugas de quadros da ALN, ver Frei Betto, *Batismo de sangue*, pp. 79-101.

66 *Quedograma*, item 14.

67 Vicente Sanchez Gavito, novembro de 1969. Em suas memórias, d. Waldyr Calheiros refere-se a outro caso, no qual o núncio, d. Sebastiano Baggio, pediu-lhe que protegesse uma militante da Ação Católica. Em Celia Maria Leite Costa, Dulce Chaves Pandolfi e Kenneth Serbin (orgs.), *O bispo de Volta Redonda*, p. 80.

A prisão de madre Maurina tinha os ingredientes capazes de transformá-la num caso exemplar de protesto da Igreja. A FALN de Ribeirão Preto era um grupo sem a fama nem o prontuário das siglas mais poderosas, como a ALN e a VPR. Fraco, porém pioneiro. No primeiro semestre de 1967, pusera bombas em cinemas, num mercado e na igreja dos mórmons, sem assumir a responsabilidade pelos atentados.[68] A maior acusação que se podia fazer à religiosa era de ter abrigado terroristas, sem que tivesse nenhuma relação orgânica com o grupo a que pertenciam. Além disso, as torturas por que passou eram muito mais um produto da selvageria de seus interrogadores que da funcionalidade do suplício. Nada do que ela pudesse contar levaria a grandes golpes contra o terror. Os assassinos do padre Henrique não eram conhecidos, mas a religiosa podia identificar publicamente seus torturadores. Madre Maurina tornara-se um desconforto para o governo, e uma parte da hierarquia da Igreja abalara-se com o episódio.

O escasso envolvimento da madre com a FALN não fazia dela a encarnação de Lúcifer que o governo buscava no clero esquerdista. A sessão de tortura por que passara a religiosa numa delegacia de Ribeirão Preto, restrita à "meganha", sem a participação de militares, também não configurava uma típica aparição do Príncipe das Trevas encarnado na violência do regime. Seria um caso difícil, mas assim como sucedera nos episódios anteriores, havia espaço para mais um encontro de alto nível, um acordo, um silêncio.

Os Lucíferes que governo e Igreja viam um no outro encontraram-se no quinto andar do Arsenal da Marinha, no Rio de Janeiro, pouco depois das duas da tarde de 2 de novembro de 1969. Lá, deu-se um choque de absolutos. No pau-de-arara estavam dois dominicanos articulados com a ALN e ligados pessoalmente a Carlos Marighella. Na manivela do magneto estavam oficiais de Marinha e o delegado Fleury, levando o regime à sua maior vitória sobre a subversão esquerdista. Quando os tor-

68 Luiz Maklouf Carvalho, *Mulheres que foram à luta armada*, p. 92.

cionários terminaram seu serviço, produziu-se uma alteração no jogo de sombras em que o governo e a Igreja entraram em 1964.

A submissão arrancada aos frades na sala de interrogatórios do Cenimar deu aos torturadores o que parecia uma vitória total, límpida. Demonstraram a um só tempo que havia padres envolvidos com a cúpula do terrorismo e que, por meio do desrespeito aos seus direitos e às prerrogativas da batina que a Igreja tanto defendia, fora possível matar Carlos Marighella. A presença dos padres na cena da cilada contra *Ernesto* adicionou ao episódio uma idéia, tão falsa quanto perversa, de traição degradante da figura mítica dos guerrilheiros.[69] "Beijo de Judas", comentou o jornal *O Globo* dias depois.[70] A tortura, na sua funcionalidade, mostrava-se arma eficaz contra o terror, desde que pudesse ser aplicada a qualquer um, inclusive padres. Dentro desse raciocínio, a condenação do suplício dos dominicanos significava criar um embaraço ao trabalho do delegado Fleury e dos policiais que, em última análise, haviam matado um dos chefes terroristas mais famosos do mundo.

Havia padres envolvidos com o terrorismo, e, no Brasil, torturavam-se padres. Dos dois fenômenos, um era acessório e transitivo, pois nem todos os terroristas eram padres, muito menos se podia dizer que todos os padres simpatizassem com a esquerda, quanto mais com a esquerda armada. O segundo fenômeno era essencial e permanente: o regime fazia da tortura de presos seu instrumento primordial de investigação, vangloriava-se de seus resultados e não pretendia mudar de posição. Antes da arapuca da alameda Casa Branca havia frades que militavam clandestinamente na ALN. Depois dela, encarcerados, eles se tornaram testemunhas públicas dos crimes do Estado brasileiro. Da sala do Cenimar no Ministério da Marinha saíra uma só soberba, a do regime.

69 Os dominicanos teriam traído Marighella se o tivessem atraído para a cilada por terem mudado de opinião a seu respeito, ou ainda se, ante alguma promessa de recompensa, visassem algum proveito pessoal ou político. Um ato praticado diante do medo do retorno a suplícios sistemáticos só pode ser considerado uma traição se o uso da tortura como forma de extração de confissões é aceito como parte do acervo moral e ético da pessoa que declara traidor o preso submisso.

70 *O Globo*, 6 de novembro de 1969.

A característica escandalosa da relação dos dominicanos com Marighella, bem como a cenografia da cilada em que ele foi assassinado, provocou na Igreja um clima de estupefação no qual se sucederam manifestações desconexas. Em Ribeirão Preto, o bispo d. Felício da Cunha, um religioso que se mantinha afastado da política, voltou ao caso de madre Maurina e excomungou dois delegados de polícia. A punição, imposta uma semana após a morte de Marighella, soava como uma reação à ofensiva que o governo lançara contra a Igreja.[71] D. Vicente Scherer, cardeal de Porto Alegre, atacou os dominicanos, foi atacado por um manifesto do clero de sua própria diocese e reequilibrou-se, pedindo "a apuração correta dos fatos e o esclarecimento da opinião pública".[72] D. Agnello Rossi permaneceu calado por seis dias. Quando falou, pisou no freio: "Não pedimos privilégios, mas apenas reclamamos a observância dos direitos humanos".[73] Um de seus bispos visitou os presos e assegurou-lhe que pelo menos um fora "horrivelmente torturado", mas o cardeal encerrou a conversa: "Devo lhe confiar que outros me garantem que não há torturas em nossas prisões".[74] Na defensiva, a hierarquia não conseguiu produzir uma só declaração em que houvesse menção expressa ao crime praticado pelo Estado contra os frades presos.

Duas semanas depois da fuzilaria da alameda Casa Branca, o cardeal Rossi estava no gabinete de Medici. Dizia que "o problema dos dominicanos é da Ordem dos Dominicanos" e queixava-se da imagem negativa que o Brasil vinha recebendo da imprensa estrangeira.[75] Convocara um grupo de cardeais e bispos ao seu palácio para assistir a uma sessão do videoteipe da confissão dos frades, gravado pela Marinha depois de supliciá-los.[76]

71 Para a data da excomunhão, *O Estado de S. Paulo*, 14 de novembro de 1969.

72 *O Globo*, 18 de novembro de 1969, para o ataque de d. Vicente Scherer. *Jornal do Brasil*, 20 de novembro de 1969, para sua nota.

73 Fernando Prandini, Victor A. Petrucci e frei Romeu Dale, O. P. (orgs.), *As relações Igreja-Estado no Brasil*, vol. 3, p. 16.

74 D. Paulo Evaristo Arns, *Da esperança à utopia*, pp. 149-50.

75 *Jornal do Brasil*, 20 de novembro de 1969, p. 15, e Fernando Prandini, Victor A. Petrucci e frei Romeu Dale, O. P. (orgs.), *As relações Igreja-Estado no Brasil*, vol. 3, p. 16.

76 Roberto de Abreu Sodré, *No espelho do tempo*, p. 164. Outra cópia dessa fita foi rodada em Brasília para o núncio apostólico. Idem.

Com essa conduta, o cardeal legitimava o uso da tortura como meio de obter confissões, mas ao mesmo tempo ela lhe dava o amparo dos fatos. Aquilo que os dominicanos confessaram era verdade. Faltava dizer que católicos ultramontanos estavam colaborando com o DOPS na estruturação dos interrogatórios dos religiosos. Lenildo Tabosa Pessoa, ex-seminarista, diretor da revista *Hora Presente*, audacioso porta-voz do conservadorismo e editorialista do *Jornal da Tarde*, foi visto no DOPS por um dos dominicanos presos.[77] Dois delegados da equipe de Fleury confirmaram ao repórter Percival de Souza que a polícia era assessorada pelo radicalismo tridentino.[78] Havia uma relação entre o clero de esquerda e o marighelismo, mas também havia uma associação entre a militância católica de direita e o porão.

Já se tinham passado mais de três meses do dia em que o sacerdote de Belo Horizonte saíra de casa com seu gravador para ouvir os gritos do porão. A rede de advogados montada por Candido Mendes colecionara narrativas incontestáveis do que estava acontecendo nos cárceres. Seu trabalho, que até bem pouco tempo era quase um ato de voluntarismo, mudara de natureza.

Desde setembro Candido agia por determinação do novo secretário-geral da CNBB, d. Aloísio Lorscheider, um franciscano corpulento de 45 anos, com voz fina e um estranho sotaque, salada de tiques gaúchos, alemães e italianos. Era o primeiro frade a ocupar um cargo tão elevado na hierarquia e chegara a ela com uma biografia em que se misturavam a espiritualidade paroquial dos colonos alemães do Rio Grande do Sul e a formação erudita da educação romana. Entrara no seminário franciscano de Taquari aos nove anos de idade, fora sagrado bispo de Santo Ângelo aos 38. Dos catorze anos que vivera como frade, passara seis em Roma, quer estudando, quer lecionando teologia dogmática no co-

77 Percival de Souza, *Autópsia do medo*, p. 185.

78 Depoimento dos delegados Josecyr Cuoco e Raul Careca, em Percival de Souza, *Autópsia do medo*, pp. 374 e 383.

légio Antonianum.[79] Parecia um desconhecido, e durante toda a sua trajetória pela vida política brasileira jamais se deu a conhecer. Tímido, às vezes grosseiro, isento de senso de humor, era perfeitamente previsível. Sua cabeça era o Concílio Vaticano e seu corpo, a CNBB. Resultava impossível classificá-lo como contrário ou favorável a d. Helder, a encarnação da linha demarcatória de posições na hierarquia do clero brasileiro, pelo simples fato de que lhe era apenas posterior. Dava a impressão de que não criaria casos.

O mesmo sucedia com Candido Mendes. Bisneto do senador do Império que defendera o bispo d. Vital da perseguição do imperador Pedro II, irmão de um jesuíta, o professor Candido era dono de uma das maiores universidades privadas do país e transitava com desembaraço à esquerda e à direita. Abrigara perseguidos durante o governo Castello ao mesmo tempo que se tornara amigo do general Golbery, com quem negociava em 1969 a fundação de um centro de estudos políticos. Sociólogo de linguagem rebuscada e *charmeur* compulsivo, Candido Mendes tinha uma singular militância na Igreja. Enquanto era comum que os laicos tivessem pouca atividade na burocracia eclesiástica e fizessem grande barulho junto à opinião pública como porta-vozes de correntes da Igreja, ele agia — e falava — quase exclusivamente dentro da máquina. "Nós trabalhávamos na direção de criar uma situação não dubitativa, na qual não coubessem nem o ceticismo nem o aparecimento de hipóteses tergiversadoras. O levantamento existia antes de d. Aloísio dar a ordem para que o fizéssemos. Ele não disparou a coleta dos depoimentos, mas comprou em nome da CNBB a briga que dela resultaria."[80]

Uma semana depois da visita de d. Agnello a Medici, em sua cela do DOPS de Porto Alegre, Carlos Alberto Libânio Christo, o Frei Betto, ex-*Vitor* da ALN, escrevia à família: "Sei que minha prisão é um sinal na Igreja do Brasil".[81]

79 *Dicionário histórico-biográfico brasileiro pós-1930*, coord. de Alzira Alves de Abreu e outros, vol. 3, p. 3290.

80 Candido Mendes de Almeida, maio de 1988.

81 Frei Betto, frei Fernando de Brito e frei Ivo Lesbaupin, *O canto na fogueira*, p. 18.

O Brasil difamado

Numa tarde de dezembro de 1969 o professor Ralph (Rafaello) della Cava abriu a porta do seu apartamento da La Salle Street, 90, num conjunto de edifícios que demarcam o fim da vizinhança da Universidade de Columbia e o início do Harlem, em Nova York. A figura vivaz de Della Cava era conhecida nos meios da Igreja militante em defesa dos direitos civis dos negros americanos e das manifestações contra a guerra no Vietnã. Era um hiperativo numa época de ativistas. Na tarde de 1º de abril de 1964 vira o fim da República de 46 do alto das escadarias da Biblioteca Nacional. Vivera quase um ano no Brasil, a maior parte do tempo trancado no arquivo público do Ceará, debruçado sobre um baú onde encontrara a documentação da qual tiraria seu *Milagre em Joazeiro*, o melhor estudo já escrito sobre a vida de Cícero Romão Batista, o *Padim Ciço*.

Eram três os visitantes de Della Cava: Domício Pereira, Jether Ramalho e Rubem César Fernandes. Vinham recomendados por William Wipfler, um padre episcopal, encarregado da seção latino-americana do Conselho das Igrejas Cristãs dos Estados Unidos. Os três brasileiros sentaram-se no sofá da pequena sala, ao lado de uma enorme estátua de madeira crua do *Padim*. Os exilados mostraram-lhe o que haviam mostrado a Wipfler. Eram onze documentos, com o relato das torturas praticadas em Belo Horizonte, a descrição dos assassinatos de Chael e do padre Henrique, bem como denúncias esparsas vindas dos porões da ilha das Flores e do quartel da PE da Vila Militar. Wipfler mandara a denúncia certa para a pessoa certa. Quando os três visitantes saíram, estava acertada a criação do American Committee for Information on Brazil. O professor começou a trabalhar com os papéis e o telefone.[1]

A visita a Della Cava fora uma das pontas de um trabalho iniciado poucos meses antes. Enquanto em Cuba os exilados brasileiros prosseguiam seu treinamento militar, em Paris, onde era maior a colônia de esquerdistas desarmados, a militância contra o regime passou a girar em torno da divulgação de seus crimes. Duas semanas depois da morte de Marighella nascera a Frente Brasileira de Informações, FBI. Fora articulada com a colaboração decisiva de Miguel Arraes, ex-governador de Pernambuco exilado na Argélia, e sua irmã Violeta, mulher generosa e incansável, cujo apartamento nas vizinhanças do Bois de Boulogne, a um quarteirão da casa de Marcel Proust, transformara-se em abrigo ecumênico para perseguidos.

A Frente era a primeira iniciativa política unitária da esquerda brasileira desde o estilhaçamento de 1964. Buscava dotar de rotina e sistemática as denúncias que começaram a ser divulgadas em setembro, depois da chegada à Cidade do México dos quinze prisioneiros trocados por Elbrick.[2] Sua estrutura frentista sinalizava para a esquerda internacional a bênção simultânea dos católicos e do Partido Comunista, retirando-lhe a má vontade e a suspeita que desqualificavam as ações dos grupos ligados ao terrorismo. No manifesto de fundação ela informara que passaria a distribuir regularmente notícias coletadas "junto a todas as organizações revolucionárias brasileiras" e anunciara ao regime que o combateria com um instrumento terrível: "Nossa arma é a verdade".[3] Dias depois divulgou seu primeiro comunicado, listando 36 torturadores.[4]

Além da FBI, moviam-se outras estruturas. Algumas eram-lhe semelhantes, como a Frente Brasileña de Informaciones, fundada em Santia-

1 Ralph della Cava, junho de 1990.

2 Os presos libertados no México deram diversas entrevistas ao desembarcar, antes de se dividirem entre Cuba e a Argélia. Onofre Pinto denunciou ao semanário italiano *L'Espresso*, de 14 de setembro, a morte de Marco Antônio Brás de Carvalho e o assassinato sob torturas do ex-sargento João Lucas Alves, em Belo Horizonte.

3 Telegrama da agência Prensa Latina, de 18 de novembro de 1969.

4 Telegrama da agência Prensa Latina, de Santiago do Chile, de 22 de novembro de 1969.

go do Chile, e o Front Brésilien d'Information, de Argel. Outros núcleos surgiriam na Holanda, Canadá, Suíça e Itália.[5] Ajudados por 5 mil dólares reunidos por Della Cava, organizaram-se na Universidade de Berkeley, na Califórnia, os Amigos Americanos do Brasil, editores do *Brazilian Information Bulletin*. Entre os seus financiadores estavam renomados especialistas em assuntos brasileiros da comunidade acadêmica americana.[6] Havia ainda armações que se moviam em sigilo, como a rede de Candido Mendes, protegida pela Igreja.

Produto do desassombro, operava no Itamaraty um grupo de jovens funcionários e diplomatas que coletavam denúncias e as remetiam a Londres e Berna dentro da mala diplomática dos assuntos do regime. Lá, o secretário de embaixada Miguel Darcy de Oliveira e sua mulher Rosiska repassavam-nas a organizações defensoras dos direitos humanos e a militantes esquerdistas ilustres.

O primeiro relato minucioso do porão publicado no exterior foi a carta assinada por 38 padres de Minas Gerais, mandada em julho de 1969 ao episcopado, listando os locais e as técnicas de suplício vigentes nas investigações dos IPMs de Belo Horizonte. Essas denúncias saíram na edição de dezembro da revista católica francesa *Politique d'Aujourd'hui* e no número de janeiro-fevereiro de *Mensaje*, o órgão oficial dos jesuítas chilenos.[7]

Enquanto isso, papéis iam e vinham. Graças à atividade da rede religiosa, o dossiê que os três exilados levaram a Nova York foi publicado no número de dezembro de 1969 da revista francesa *Croissance des Jeunes Nations*.[8] Pouco depois chegava à Europa e a Nova York um documento provindo do cárcere da ilha das Flores. Era o primeiro depoimento autografado e trazia a autenticidade da valentia. Assinavam-no diversas prisioneiras que continuavam na ilha e afrontavam as represálias que o

5 Para a lista das organizações, *Brazilian Information Bulletin*, nºs 6 e 9, de fevereiro de 1972 e janeiro de 1973. A base italiana era coordenada pelo senador Lelio Basso.

6 Ralph della Cava, fevereiro de 1991. Entre os 25 financiadores listados no Boletim nº 9, de janeiro de 1973, estavam, além de Della Cava, os professores Joseph Love (*O regionalismo gaúcho*) e Warren Dean (*A industrialização de São Paulo*).

7 *Politique d'Aujourd'hui*, nº 11. Revista *Mensaje*, nº 186, 1970.

8 A publicação dos documentos na revista francesa está mencionada em *Terror in Brazil, a Dossier*.

gesto lhes poderia custar. Listaram dezesseis jovens supliciadas. Eram militantes do MR-8, do PCB e da AP. Salvo uma, todas tinham entre vinte e 25 anos. Sete haviam sido submetidas a choques elétricos, duas foram obrigadas a ouvir os gritos saídos das sessões de tortura de seus companheiros, também presos. Uma teve agulhas enfiadas por baixo das unhas. Os suplícios levaram uma das jovens a uma crise de insanidade. Outra teve um dedo quebrado, e uma terceira perdeu por alguns dias os movimentos da mão direita.[9] "Tudo o que se está dizendo sobre métodos de tortura é pouco, comparado com os fatos", avisavam as prisioneiras.

Passaram-se poucos meses, e ouviram-se as vozes saídas do porão mineiro. Primeiro num manuscrito de Ângelo Pezzuti, do Colina, posteriormente conhecido como *Documento de Linhares*, por conta do nome do presídio onde estavam seus doze autores.[10] Na sua versão distribuída nos Estados Unidos tinha vinte páginas. Arrolava novos casos concretos de tortura e acrescentava a descrição de um episódio que haveria de chocar o mundo através da sua representação no filme *Estado de sítio*, do diretor grego Costa-Gavras: a aula de tortura do "tenente Ailton" no salão da 1ª Companhia de Polícia do Exército.[11] Depois foi a vez das mulheres mineiras da AP. Eram cinco, a mais velha tinha 26 anos, todas haviam apanhado em guarnições militares, e uma fora obrigada a presenciar o suplício do marido no pátio do quartel do 12º Regimento de Infantaria, onde lhe quebraram seis costelas, uma perna e um pé. Só anos mais tarde contariam outros detalhes de suas histórias. Uma foi entregue a um sargento tarado. Outra teve de suportar um tenente-coronel apaixonado: "Eu nunca tinha visto uma mulher tão bonita como você no sofrimento. E eu senti prazer".[12]

9 *Statement of Female Prisoners Held at Ilha das Flores, Rio de Janeiro. Terror in Brazil, a Dossier*, datado de 8 de dezembro de 1969.

10 *Terror in Brazil, a Dossier*, p. 15, data o *Documento de Linhares* em 19 de dezembro de 1969. Ele foi recebido nos Estados Unidos no dia 13 de março de 1970, *The Torture of Prisoners in Brazil*, Relatório nº 5.

11 Costa-Gavras ouviu um relato da aula, feito por alguns dos presos que nela estiveram, durante sua passagem por Havana, em outubro de 1971. Mauricio Paiva, *O sonho exilado*, p. 93.

12 Luiz Manfredini, *As moças de Minas*, pp. 122, 127 e 98. *Brasil Seis Años de Dictadura — Torturas*, organizado por Paulo Schilling, documento nº 4, p. 73, em *Cuadernos de Marcha*, nº 37, maio de 1970, Montevidéu. Esse documento foi divulgado nos Estados Unidos no dia 28 de abril de 1970, *The Torture of Prisoners in Brazil*, Relatório nº 6.

Além de se moverem por condutos clandestinos, as notícias do porão também vinham à tona pelo simples exercício da atividade de alguns jornalistas estrangeiros baseados no Brasil. Em janeiro de 1970 sucederam-se três reportagens, todas relacionando as denúncias de torturas, o assassinato de Chael e o silêncio imposto à imprensa brasileira em torno do assunto. Saíram nos principais jornais dos Estados Unidos, França e Inglaterra: *The New York Times*, *Le Monde* e *The Times*.[13] O governo viu-se ainda obrigado a apreender a edição da revista francesa *L'Express* que trazia uma reportagem sobre suas torturas.[14] Para um regime acostumado a ver as falanges inimigas em Moscou ou Havana, os ataques vindos dos mais prestigiosos órgãos da imprensa internacional soavam como uma perfídia, quase sempre atribuída a uma demoníaca infiltração comunista nos meios de comunicação. O ministro da Educação, Jarbas Passarinho, chegou a ver uma pena "a serviço das esquerdas" no colunista William Buckley Jr., valente patrono do conservadorismo americano, que a revista *Life* chamara de "o enfant terrible da extrema direita".[15] Os cronistas do oficialismo acusaram Joseph Novitsky, correspondente do *The New York Times*, de "mentir como um cão" e seu colega Irineu Guimarães, do *Le Monde*, de ser um ex-comunista.[16]

Esse tipo de resposta enviesada viria a se mostrar ineficaz diante da surpresa que surgiu no dia 20 de janeiro de 1970, em Roma. Lá, o cardeal canadense Maurice Roy, presidente da Comissão Pontifícia de Justiça e Paz,

13 *The New York Times*, 3 de dezembro de 1969; *Le Monde*, 14 de dezembro de 1969. *The Times*, 4 de fevereiro de 1970, "Brazilian regime relies on fear tactics".

14 Telegrama da agência France Presse, de 19 de janeiro de 1970.

15 Carta de Jarbas Passarinho a Medici, de 8 de março de 1971, em *Folha de S.Paulo* de 12 de dezembro de 1993, pp. 1-16. William Buckley Jr. dirigia a revista *National Review*, que na década de 60 chegou a ser quase que um porta-voz solitário do pensamento conservador. Nos anos 90, quando o Partido Republicano fez maioria no Congresso, o presidente da Câmara dos Representantes, Newt Gingrich, dava a fundação da *National Review*, em 1955, como o marco do ressurgimento conservador nos Estados Unidos. Ver Lisa McGirr, *Suburban warriors — The origins of the New American Right*, p. 9.

16 *Correio Braziliense*, artigo de Teophilo de Andrade, 17 de janeiro de 1970.

acabara de comunicar que entregara ao papa um dossiê com denúncias de torturas praticadas em cárceres brasileiros. "Se não compete à Comissão Pontifícia emitir julgamentos a respeito de quaisquer regimes políticos, não podemos ficar surdos aos apelos daquelas consciências cristãs que com razão reagem às violações e ataques aos direitos humanos", dizia o cardeal.[17] Em seguida, indicando que o problema tinha chegado à mesa de Paulo VI, informou: "Sua Santidade [...] acompanha com vigilante atenção a situação da Igreja no Brasil [...] ainda que não seja sempre possível tornar públicas as iniciativas através das quais se exprime".[18]

O pronunciamento do cardeal Roy significara a explosão, em Roma, do dilema que atormentava a CNBB havia pelo menos um ano. As denúncias de torturas nunca deixaram de chegar nem à mesa dos bispos nem à do núncio.[19] O dossiê publicado na *Croissance des Jeunes Nations* chegara à Cúria romana fazia mais de dois meses. Se dependesse do secretário de Estado, o cardeal francês Jean Villot, seria encadernado em silêncio. Em dezembro, contudo, a papelada aparecera mais uma vez, acompanhada da assinatura de setenta intelectuais católicos europeus.[20] O dossiê tinha um prefácio do jesuíta Michel de Certeau e dividia-se em três partes. Numa ia a carta dos intelectuais, noutra um trabalho da Juventude Estudantil Católica sobre a repressão política brasileira. A terceira, com 36 páginas, era uma compilação de depoimentos de pessoas torturadas. Nela, o mais longo testemunho era o de *Teresa*, a amiga de *Raquel*, que contara sua história em Belo Horizonte ao sacerdote do gravador.

Além disso, no Vaticano, o caso brasileiro tinha alguns padrinhos. O mais ativo era Joseph Gremillion, um monsenhor americano que ocupava a secretaria geral da Comissão Pontifícia de Justiça e Paz. Seu maior aliado era Jesus Garcia, jovem padre mexicano que fizera diversas visitas

17 *Terror in Brazil, a Dossier*, p. 13. *The New York Times*, 22 de janeiro de 1970.

18 Telegrama da agência France Presse, de 21 de janeiro de 1970, em *Brasil — Perspectivas de la Revolución*, organizado por Paulo Schilling, *Cuadernos de Marcha*, nº 38, junho de 1970, Montevidéu, e *The New York Times*, 22 de janeiro de 1970.

19 Uma cópia do documento das prisioneiras da ilha das Flores foi remetida ao núncio Umberto Mozzoni, *Terror in Brazil, a Dossier*, p. 6.

20 A carta, encaminhada por Marcella Glisenti, secretária da Comissão Italiana Europa-América Latina, é de 14 de dezembro de 1969. *The New York Times*, 2 de janeiro de 1970.

ao Brasil. Foi ele quem trabalhou para que Roy decidisse dar o passo de 20 de janeiro, mostrando ao regime brasileiro a ponta do báculo papal. Roy, por sua vez, levou o assunto a Paulo VI com o amparo político do poderoso monsenhor Benelli. Foi ele quem entregou o dossiê a Paulo VI.[21] A ditadura respondeu à carta do cardeal Roy proibindo a sua divulgação na imprensa brasileira.[22]

O regime que nascera de um levante abençoado por um bispo e das marchas de 1964, estava metido numa briga com o papa, com o insondável Paulo VI, o pontífice da dúvida, aquela figura aquilina, seca e sofrida. Esse homem que teve seu pontificado resumido na expressão "dúvida montiniana", espremido entre o revisionismo de João XXIII e as certezas marianas de João Paulo II, foi audaz no caso da tortura brasileira. Durante a guerra, a vida lhe mostrara que a lógica dos poderosos abriga cemitérios de espíritos. Em 1942, recomendara a Pio XII que rasgasse uma nota condenando a deportação de 15 mil judeus holandeses.[23] Um ano depois, quando a Resistência italiana explodiu uma carroça de lixo com doze quilos de dinamite e matou 32 soldados alemães que marchavam por via Rasella, no centro de Roma, monsenhor Giovanni Battista Montini era subsecretário de Estado de Pio XII. Fazia parte do gabinete que divulgou uma nota oficial através da qual a Santa Sé atribuiu aos *partigiani* a responsabilidade pela morte dos alemães e também, indiretamente, dos 335 presos massacrados dois dias depois em represália ao atentado. O massacre, praticado nas catacumbas de sal das Fossas Ardeatinas, teve uma surpresa perversa: não só os reféns foram mortos numa localidade onde vinte séculos antes os cristãos se escondiam das tropas romanas, mas também achara-se entre eles o cadáver de um padre.[24]

No dia 26 de janeiro de 1970, Paulo VI recebeu d. Helder em seu gabinete e disse-lhe: "Nós lemos a documentação referente à tortura que

21 Candido Mendes de Almeida, maio de 1988.

22 Telegrama da agência France Presse, de 27 de janeiro de 1970.

23 Depoimento da freira Pasqualina Lehner, em *Testemunhos para o Processo de Beatificação de Pio XII*, p. 85, no arquivo da Sociedade de Jesus, no borgo Santo Spirito, em Roma, citado em John Cornwell, *Hitler's pope*, p. 287.

24 Robert Katz, *Death in Rome*, p. 191 para a nota do Vaticano.

você nos mandou. Então, tudo o que você havia nos contado era verdade. [...] A Igreja não deverá tolerar mais as atrocidades e torturas cometidas num país que se diz católico".[25] O governo, mesmo sem saber o que o arcebispo conversara com o papa, pois a observação de Paulo VI só seria conhecida meses depois, proibiu a imprensa de publicar quaisquer declarações que viessem a ser feitas por d. Helder em Roma.[26]

O gesto do palácio do Planalto era um indicador da comunhão existente entre o regime e o porão. Ademais, num sinal de sua opção política, o governo deteve por um dia o correspondente do jornal *Le Monde* no Rio de Janeiro.[27] Outro sinal, desta vez indicativo do desembaraço do porão, foi dado no presídio Tiradentes, em São Paulo. Às duas da tarde de 17 de fevereiro. O capitão Maurício Lopes Lima foi buscar em sua cela frei Tito de Alencar Lima, um dos dominicanos ligados à ALN, e avisou-o: "Você vai conhecer a sucursal do inferno". Frei Tito foi para a Oban. Apanhou por três dias. Numa das sessões, agentes da equipe do capitão Benoni Albernaz, enfeitados com vestes litúrgicas, mandaram que abrisse a boca para receber "a hóstia sagrada". Era o fio ligado ao magneto. De volta à carceragem, frei Tito conseguiu uma gilete e meteu-a na veia do antebraço. Acordou no pronto-socorro do hospital das Clínicas.[28]

Um mês depois da conversa reservada com d. Helder, o papa decidiu-se pela condenação pública, ainda que oblíqua, das torturas do regime brasileiro. Isso foi conseguido depois que as últimas resistências da Secretaria de Estado foram quebradas por uma ofensiva onde se juntaram vinte dos 37 membros da Comissão Pontifícia de Justiça e Paz e, sobretudo, o presidente internacional da Ação Católica, Vittorio Veronese, amigo de Montini. A Comissão de Justiça e Paz escreveu a Paulo VI pedindo-lhe que interviesse "para fazer valer a desaprovação da Igreja à vio-

25 Ralph della Cava, "Torture in Brazil", *Commonweal*, 27 de abril de 1970.

26 Telegrama da agência France Presse, de 27 de janeiro de 1970.

27 Telegrama da agência France Presse, de 17 de fevereiro de 1970. Irineu Guimarães foi preso no dia 17 e levado ao DOPS, onde passou a noite. Foi solto no dia seguinte.

28 Frei Betto, *Batismo de sangue*. Depoimento de frei Tito de Alencar Lima, pp. 257 e segs. Esse depoimento foi divulgado nos Estados Unidos em julho de 1970. *The Torture of Prisoners in Brazil*, Relatório nº 8, de 9 de julho de 1970.

lação flagrante dos princípios humanitários e das normas do direito no Brasil, e para fazer saber ao mundo a inflexível oposição da Igreja às torturas e aos tratamentos desumanos dos prisioneiros".[29] Veronese fez o que Candido Mendes classificaria mais tarde de "trabalho auricular junto ao pontífice".[30] No dia 25 de março, falando na basílica de São Pedro, Paulo VI anunciou: "Pela própria honra de algumas nações que nos são queridas, só podemos desejar um desmentido de fatos nos casos de torturas policiais que lhes são atribuídas. Falou-se muito disto e nós mesmos estamos desesperançados, após termos feito o apelo que se impunha".[31]

Roma locuta, causa non finita. O papa não pedia muito, bastava um desmentido, mas era impossível ouvi-lo. Uma semana antes de seu apelo, o general Medici assinara a *Diretriz Presidencial de Segurança Interna* que criara a estrutura dos DOIs. Se as 43 palavras de Paulo VI produziram algum efeito concreto, este foi a sagração de d. Agnello Rossi como paladino do silêncio. O cardeal de São Paulo denunciou "a maledicência organizada internacionalmente" contra o regime brasileiro. No sermão da Páscoa, na praça da Sé, sintetizou sua doutrina: "Detesto a demagogia e é indigno e impatriótico denunciar alguma coisa de seu país no exterior. Havendo roupa suja, lava-se em casa". Condenou a difusão clandestina das notícias (a essa altura os jovens diplomatas e funcionários do Itamaraty que contrabandeavam denúncias para a Europa já estavam na cadeia) e acusou seus divulgadores: "Pretendem mais agravar a situação que resolvê-la humana e patrioticamente".[32] A arquidiocese do Rio preferiu o caminho da astúcia. O monsenhor Francisco Bessa, poderoso secretário do cardeal Jaime Câmara, disse à imprensa que estivera com Paulo VI em Roma e ouvira dele uma severa condenação dos policiais que integravam os esquadrões da morte, ameaçando excomungá-los.[33] Não era da bandidagem policial que o papa estava falando.

29 *Le Monde*, 13 de março de 1970.

30 Candido Mendes de Almeida, maio de 1988.

31 *Veja*, 8 de abril de 1970, p. 30.

32 Idem, p. 31.

33 Telegrama da agência Reuters, de 25 de março de 1970.

A mais importante ofensiva de denúncias foi lançada nos Estados Unidos. Na manhã de 28 de fevereiro de 1970 um editorial intitulado "Opressão no Brasil", do *The Washington Post*, o mais respeitado jornal da capital americana, surpreendeu a embaixada brasileira em Washington. Era severo, mas equilibrado: "Embora tenham um longo caminho a seguir antes de superar a Grécia ou o Haiti na tortura de presos políticos, os ditadores militares que dirigem o Brasil estão indo rápido".[34] Três dias depois da publicação do editorial e da sua transmissão ao Itamaraty pela embaixada brasileira, o chanceler Mario Gibson Barboza convocou ao seu gabinete o embaixador Charles Elbrick. Mostrou-lhe o artigo e disse-lhe que ele poderia funcionar como uma bola de neve junto à opinião pública americana e que, nesse caso, "o efeito sobre nossas relações será incalculável". A ameaça fez efeito. Na manhã de 4 de março Elbrick telegrafou a Washington. Recomendava que o Departamento de Estado fizesse alguma coisa em seus contatos com a imprensa "para colocar esse assunto na sua perspectiva". E concluiu: "Não há dúvida de que existe um estado de insurreição limitada no Brasil, e o governo se sente obrigado a tomar medidas necessárias à sua defesa. Isso pode ou não envolver tortura, sistemática ou eventual, mas também deve ser lembrado que terroristas estão recorrendo à violência, assassinato, seqüestro e assaltos".[35]

Quando o telegrama de Elbrick começou a tramitar pelo Departamento de Estado, o *Post* estava nas bancas com duas cartas. Uma, do embaixador brasileiro Mozart Gurgel Valente, dizia que o tratamento dado aos presos políticos brasileiros era "correto", "mesmo quando eles são culpados de crimes e atos terroristas". Outra era do ex-secretário de Estado Dean Acheson, patriarca da diplomacia americana, símbolo de elegância tanto no corte de seus ternos como na conduta política com que enfrentara a caça às bruxas do anticomunismo no início dos anos 50. Defendia o bom relacionamento do governo americano com as ditaduras e

34 *The Washington Post*, 28 de fevereiro de 1970.

35 Telegrama do embaixador Charles Elbrick ao Departamento de Estado, de 4 de março de 1970, transcrito na reportagem "Segredos do terror", *IstoÉ*, 19 de agosto de 1987. DEEUA.

dava nome aos bois: "Os Estados Unidos têm boas relações com a Grécia, Haiti, Brasil, Portugal, África do Sul e Rodésia".[36]

O encarregado de Assuntos Brasileiros do Departamento de Estado era o veterano Robert Dean, que no dia 31 de março de 1964 chefiava a representação americana em Brasília. No mesmo dia em que o *Post* publicou as duas cartas ele almoçou com Mozart Gurgel Valente. O embaixador queixou-se de Acheson por ter colocado o Brasil ao lado do Haiti e da Grécia. Dean mandou um memorando a Elbrick no qual revelava que as informações a respeito da tortura brasileira estavam saindo da Comissão de Relações Exteriores do Senado, onde tramitava uma investigação sobre o assunto. Ele resumiu suas impressões acerca do incidente: "O Itamaraty está numa situação difícil porque Gibson não ousa dizer a Medici que os ataques da imprensa mundial contra o Brasil continuarão, até que o governo demonstre que não apóia nem pratica generalizadamente a tortura [...] Gibson e Valente estão sob pressão para demonstrar seu zelo na proteção da honra do presidente e do governo controlado pelos militares".[37]

Dean lembrou a Elbrick que o assunto não era novo. Fora discutido recentemente com o ministro do Interior, José Costa Cavalcanti, e ele argumentara que o governo não apoiava a tortura mas infelizmente ela acontecia. Além disso, o representante brasileiro junto ao Fundo Monetário Internacional, Alexandre Kafka, dissera que "o governo brasileiro não está consciente de sua vulnerabilidade às críticas da imprensa e precisa esclarecer sua posição diante da tortura". Kafka, um parente distante do escritor tcheco, era uma espécie de embaixador dos ministros econômicos em Washington. Segundo Dean, ele informara que em breve deveria se encontrar com o ministro Delfim Netto em Londres e aproveitaria para tratar do assunto.[38]

Kafka tinha razão a respeito da vulnerabilidade, e Gibson estava certo quanto à bola de neve. Em março a reação dos liberais americanos

36 *The Washington Post*, 5 de março de 1970.

37 Memorando de Robert Dean, encarregado de Assuntos Brasileiros do Departamento de Estado, ao embaixador Elbrick, de 5 de março de 1970. DEEUA.

38 Idem. Segundo Delfim, Kafka nunca tratou de torturas com ele. Antonio Delfim Netto, novembro de 1988.

pipocou na seção de cartas do *The New York Times*. Quatro dos maiores especialistas em assuntos brasileiros da comunidade universitária dos Estados Unidos reclamavam, em nome da "decência", do processo instaurado contra o historiador Caio Prado Júnior, denunciavam a tortura e faziam uma constatação histórica: "Duvidamos que em qualquer época da história do Brasil tenha havido tanta desumanidade sistemática e generalizada no tratamento de dissidentes políticos".[39] A cabeça coroada dos signatários era o professor Charles Wagley, da Universidade de Columbia, verdadeiro patrono dos estudos brasileiros nos Estados Unidos, personagem em quem o romancista Jorge Amado teria achado o brasilianista James Levenson, de *Tenda dos milagres*. O texto da carta, com mais de uma centena de novas assinaturas, viria a se transformar na maior manifestação da academia americana em relação ao Brasil.

Logo depois, as redações de jornais americanos começaram a receber cópias do resultado do trabalho do professor Della Cava. Era um maço de dezenove folhas intitulado *Terror in Brazil, A Dossier*. Sua espinha dorsal era formada por nove documentos, entre os quais estava a denúncia das prisioneiras da ilha das Flores. Transcrevia o AI-5, trechos da Lei de Segurança Nacional e a descrição do sistema eleitoral que colocara o general Medici na Presidência. Como carro-chefe, o documento trazia um manifesto assinado por 34 professores e políticos liberais americanos que diziam: "Nós não podemos continuar calados. Se o fizéssemos, seríamos cúmplices dos autores e dos agentes da repressão. Pedimos aos leitores deste dossiê que ergam suas vozes conosco".[40]

Entre os signatários estavam representantes de treze organizações religiosas e dois dos mais conhecidos líderes do movimento em defesa dos direitos civis, o reverendo Ralph Abernathy e o jovem pastor Andrew Young.[41] Semanas depois, numa visita à Universidade do Montana, le-

39 *The New York Times*, 8 de março de 1970. Os outros três signatários da carta foram os professores Richard Morse (*Formação histórica de São Paulo*), Thomas Skidmore (*Brasil de Getulio a Castello*) e Stanley Stein (*Vassouras*).

40 *Terror in Brazil, A Dossier*.

41 Idem. Nessa carta estão novamente Morse, Skidmore, Stein e, por certo, Della Cava.

vantou-se o senador Edward Kennedy, com um discurso acusando o governo americano de financiar um regime torturador.[42]

Apertada pela imprensa e por um dos mais destacados líderes da oposição, ambos pedindo a condenação do regime brasileiro e a suspensão dos programas de ajuda militar às suas Forças Armadas, a diplomacia americana seguiu o curso oposto ao da Santa Sé. Optou pelo apoio ao governo de Medici. Fez isso com graus diversos de astúcia e, ao mesmo tempo, produziu uma vulgarização do metabolismo de sua própria dissimulação. Mais tarde, um de seus executores, o secretário de Estado assistente para Assuntos Interamericanos, William D. Rogers, explicou a estratégia dos governos dos presidentes Richard Nixon e Gerald Ford com uma variante da teoria da roupa suja. Segundo ele, era mais produtivo para sua mulher criticá-lo por uma má conduta social quando os dois estivessem em casa, sós na cama, do que repreendê-lo em público.[43] Um documento do Conselho de Segurança Nacional informa que a metáfora do recato feminino criada por Rogers continha um elemento oculto: o receio de que os generais brasileiros, uma vez criticados, trocassem a madura aliança com os americanos pela antiga paixão juvenil do nacionalismo. Em março, o Conselho formulara três cenários possíveis para o governo de Medici. No primeiro, o general chegaria ao fim do mandato, passando o poder a um militar "moderado". Nos dois outros, seria deposto ou sucedido por um "nacionalista-reformista".[44]

O Departamento de Estado preferiu dormir com as versões da ditadura. Numa carta a um deputado que levantara a questão da conveniência de uma revisão das relações dos Estados Unidos com o governo do general Medici, o secretário de Estado assistente para relações com o Congresso, David Abshire, expôs duas racionalizações. Numa informou: "Altos funcionários brasileiros nos disseram que o uso da tortura não é

42 Esse discurso, que foi discutido na reunião dos jornalistas credenciados no Departamento de Estado com o porta-voz da Casa Branca no dia 21 de abril de 1970, parece ter-se perdido. A assessoria do senador Kennedy não conseguiu localizá-lo.

43 Lars Schoultz, *Human rights and United States policy toward Latin America*, p. 121.

44 *Précis of Brazilian Program Analysis*, marcado "secreto", anexo ao memorando de Laurence E. Lynn Jr. a Henry Kissinger, de 18 de março de 1970, p. 8. DEEUA.

apoiado pelo governo, e esses casos, que podem ter ocorrido, são atos isolados, individuais e desaprovados". Noutra, deu ao deputado informações factuais: "O governo tomou medidas para reduzir os maus-tratos de prisioneiros. As notícias de incidência de tortura, que aumentaram durante a segunda metade de 1969, caíram desde dezembro, quando o ministro da Justiça Alfredo Buzaid anunciou publicamente que se viesse a saber de alguma violência contra presos políticos, aplicaria as medidas apropriadas para punir os responsáveis".[45]

Abshire — um ex-oficial do Exército, veterano da Coréia e do serviço de informações — repassou falsidades.[46] Nem o palavrório de Buzaid desarmou um só pau-de-arara, nem as torturas diminuíram a partir do final de 1969. Um levantamento da atividade do porão informa que em 1969 os casos de tortura denunciados em auditorias militares foram pelo menos 1027 e em 70, 1206.[47] Entre a época do suposto arrefecimento dos suplícios e o dia em que Abshire escreveu ao deputado, o *The New York Times* tratara dezesseis vezes da tortura brasileira, arrolando quatro casos concretos, entre os quais o assassinato de Chael Schreier.[48]

Os ministros brasileiros que passaram por Washington tiveram de tratar do porão. João Paulo dos Reis Veloso, do Planejamento, atacou em público, numa entrevista coletiva: "As informações da imprensa sobre torturas e repressão no Brasil carecem de fundamento".[49] Delfim Netto, da Fazenda, defendeu-se entre quatro paredes, durante um encontro com o secretário de Estado interino Elliot Richardson. Elegante advogado de Boston, Richardson entrou com cuidado no assunto, explicou que não pretendia censurar o governo, mas lembrou a Delfim que o problema da tor-

45 Carta de David M. Abshire ao deputado Lee H. Hamilton, de 24 de abril de 1970. DEEUA.

46 Para a biografia de Abshire, aspirante de West Point de 1951, comandante de companhia e oficial de inteligência no front coreano, ver David M. Abshire, *Preventing World War III — A realistic grand strategy*, p. 332.

47 *Projeto Brasil: nunca mais*, tomo V, vol. 1: *A tortura*, p. 114.

48 Para os casos concretos, *The New York Times* de 3 de dezembro de 1969 (com a notícia da morte de Chael), 2 de janeiro, 5 e 16 de março de 1970. Para as referências, idem, 7 de dezembro de 1969, 2 (em três artigos diversos), 8, 22 e 27 de janeiro, 9 de fevereiro, 5, 6, 14 e 16 de março de 1970.

49 *Jornal do Brasil*, 23 de maio de 1970, p. 16.

tura, tisnando a imagem do Brasil nos Estados Unidos, poderia afetar as relações entre os dois países. O ministro saiu-se com uma invenção: "Na extensão em que ocorre, a tortura não é apoiada pelo governo, e atualmente ele está conduzindo uma importante investigação a respeito dessas acusações".[50]

Na esteira do discurso de Kennedy, os jornalistas credenciados no Departamento de Estado foram buscar respostas com o seu porta-voz, Carl Bartch. Ele reiterou que o governo americano estava preocupado com o problema e esclareceu: "Em conversas com altos funcionários brasileiros, recebemos deles a garantia de que seu governo não apóia a tortura".

> — E o senhor está satisfeito com essa garantia? — perguntou um repórter.
>
> — Bem, nós continuamos preocupados com essas notícias, e mantemos contatos com o governo brasileiro a respeito delas. Eu entendo que continuaremos a conversar com eles e a manifestar nossa preocupação — respondeu Bartch.[51]

A tese segundo a qual a tortura era produto da atividade de agentes desautorizados e passíveis de punição fora desmoralizada. Os presos da ilha das Flores, da penitenciária de Linhares e do presídio de Juiz de Fora haviam denunciado os suplícios por que passaram, sem que o governo procedesse a nenhum tipo de investigação. Era uma alternativa irracional, mas não restavam muitas outras. Sua eficácia não dependia da coerência do que dizia o governo, mas do crédito que lhe queriam dar. Quando Abshire e Bartch contaram suas histórias em Washington, já estava havia mais de uma semana no Departamento de Estado um telegrama do cônsul americano em Porto Alegre, Curtis Cutter.

50 Telegrama do Departamento de Estado à embaixada americana em Brasília, de 26 de maio de 1970.

51 *Partial Transcripts of Stat e Department Press Briefings by Mr. Carl Bartch*, 21 de abril de 1970. Em *United States Policies and Programs in Brazil*, Hearings before the Subcommittee on Western Hemisphere Affairs, U. S. Government Printing Office, Washington, 1971, p. 292.

Cutter era duplamente idôneo. Era funcionário do governo americano, e um comando da VPR tentara seqüestrá-lo na noite de 6 de abril de 1970. Escapara com um tiro no ombro, jogando a sua camionete sobre o carro que pretendeu interceptá-la. Dias depois, visitara os terroristas presos e enviara ao Departamento de Estado um relato de quinze páginas. Nele, informava que, segundo o secretário de Segurança, coronel Jayme Mariath, os terroristas haviam confessado seus crimes "espontaneamente e sem torturas". Mesmo assim, depunha Cutter: "Os suspeitos foram submetidos a intenso interrogatório, incluindo abusos físicos [...] mas um alto oficial da secretaria de segurança me disse que os métodos usados não deixavam marcas. As únicas evidências sobre as técnicas usadas seriam as palavras dos presos".[52]

O governo brasileiro ganhou sua primeira batalha na França, sede política da diáspora esquerdista e base de operações da Frente Brasileira de Informações. Generoso no asilo, o governo francês era severo na vigilância dos exilados e cordial nas relações com a embaixada. Negociava-se nessa época a compra, pela Força Aérea, de uma esquadrilha de dezesseis caças Mirage. A oportunidade para um conveniente gesto de simpatia com Brasília surgiu em março, quando a editora Le Seuil publicou o livro *Pour la libération du Brésil*, de Carlos Marighella. Tratava-se de uma coletânea propagandística onde o jornalista Conrad Detrez juntara uma biografia do líder terrorista, documentos, uma entrevista e, como peça de resistência, o *Manual do guerrilheiro urbano*. Por conta desse texto mítico, o ministro do Interior, Raymond Marcellin, invocou uma lei de 1939 e mandou a polícia confiscar a edição. Produziu um desastre. Em poucas semanas o livro estava de volta às livrarias, dessa vez sob o patrocínio das 21 maiores editoras da França, que estampavam seus nomes na capa e condenavam "o ato arbitrário" do

52 Telegrama do cônsul Curtis Cutter ao Departamento de Estado, de 1º de junho de 1970. Em *IstoÉ*, 19 de agosto de 1987. DEEUA.

ministro.[53] Conseguira-se mobilizar o maior esforço editorial feito na França em torno de assuntos brasileiros.

O regime chamava o noticiário internacional de "campanha para difamar o Brasil no exterior". Ao contrário do que sucedera com a ditadura dos coronéis gregos, que fizeram concessões cosméticas à pressão internacional, como a libertação do compositor comunista Mikis Theodorakis, autor da célebre canção do filme *Zorba, o grego*, o regime brasileiro privilegiou a repressão. A "difamação" transformou-se em categoria política. Quando o deputado Humberto Lucena, líder da oposição na Câmara, pediu que Medici apurasse "as sucessivas denúncias de violências cometidas contra as pessoas dos presos", seu colega Raimundo Padilha, do governo, acusou-o de fazer um discurso que "pertencia menos ao Sr. Humberto Lucena do que aos difamadores sistemáticos do Brasil".[54] (No final dos anos 30 Padilha fora o chefe clandestino da Ação Integralista Brasileira.)[55]

No dia 9 de maio o próprio palácio do Planalto tomou a iniciativa e, através de uma nota oficial, anunciou:

> Não há tortura em nossas prisões. Também não há presos políticos. [...] Essa intriga, na sua desfaçatez, busca gerar discórdia entre nações democráticas, amigas e aliadas, estancar o fluxo de investimentos no país, em uma palavra, enfraquecer o Brasil e com isso enfraquecer a comunidade de nações livres. Provém, inequivocamente, de grupos esquerdistas, inclusive infiltrados em órgãos estrangeiros e em agências internacionais que, muito bem dirigidos por chefia perfeitamente identificada, agem em uníssono, nos vários quadrantes do globo.[56]

53 Carlos Marighella, *Pour la libération du Brésil*. Org. e prefácio Conrad Detrez. Editores: Aubier-Montaigne/Christian Bourgois/Buchet-Chastel/Le Centurion/Le Cerf/Armand Colin/Denoël/Esprit/Flammarion/Grasset-Fasquelle/Gallimard/Pierre Horay/Magnard/Mercure de France/Minuit/Robert Morel/J.-J. Pauvert/Seghers/Le Seuil/La Table Ronde/Claude Tchou. Paris, 1970.

54 *Jornal da Tarde*, 29 de julho de 1970, p. 14: "Governo não admite vistoria estrangeira dentro do país".

55 Hélgio Trindade, "O radicalismo militar em 64 e a nova tentação fascista", em *21 anos de regime militar*, organizado por Gláucio Ary Dillon Soares e Maria Celina d'Araujo, p. 134.

56 *Jornal do Brasil*, 14 de maio de 1970.

Dois dias depois da divulgação dessa nota foi preso em São Paulo o geólogo Marcos Penna Sattamini de Arruda, de 29 anos. Em carta ao papa Paulo VI, contaria o que lhe aconteceu. Apanhou durante doze horas seguidas. Enquanto lhe aplicavam choques elétricos, um dos torturadores observou: "Veja só, ele está soltando faíscas". Teve uma convulsão, perdeu a fala e os movimentos da perna e do olho esquerdos. Os oficiais passaram a chamá-lo de Frankenstein.[57]

A nota do Planalto alterara a rotina do porão, acrescentando-lhe novas tarefas. Da submissão extraída dos presos, cuja utilidade funcional era permitir a destruição da rede revolucionária esquerdista, retirava-se um novo produto, de natureza política e propagandística: os arrependidos. O uso da pressão policial para levar os presos a abjurar suas condutas revelou-se uma peça essencial para o desmantelamento de organizações armadas em diversos países do mundo. Conjugada com uma reforma penal que ofereceu aos arrependidos três níveis de colaboração e de perdão, ela viria a ser uma das armas mais poderosas da democracia italiana contra um surto terrorista muito mais virulento que o brasileiro, com 419 mortos, entre os quais um ex-primeiro-ministro, mais de mil feridos e quase 15 mil ações.[58] A manipulação dos presos para levá-los ao arrependimento e o incentivo oferecido pela libertação mostraram-se eficientes quando, além de não dependerem da tortura, processaram-se através das normas do estado de direito. Brian Jenkins, um dos maiores especialistas mundiais em combate ao terrorismo, qualifica a manobra: "Quando os militantes que estão em liberdade vêem um de seus líderes anunciando-se arrependido através da imprensa, isso tem um efeito desmoralizante sobre toda a estrutura da organização. Esse efeito, porém, só se dá quando os militantes sabem que ele não foi torturado. Se há tortura, se eles percebem que ele mudou de posição ou confessou porque foi torturado, o efeito é inverso: estimula a solidariedade".[59]

57 Carta de Marcos Sattamini ao Vaticano, de 4 de fevereiro de 1971, em *Relatório sobre as acusações de tortura no Brasil*, pp. 62-6. Ver também a narrativa de sua mãe, Lina Penna Sattamini, em *Brazilian Information Bulletin*, nº 1, fevereiro de 1971.

58 Alison Jamieson, *The heart attacked — Terrorism and conflict in the Italian State*, pp. 19-20, 193 e segs. Para o estratagema italiano, ver David Moss, *The politics of left-wing violence in Italy, 1969-85*, pp. 145 e segs.

59 Brian Jenkins, 1991.

Os arrependidos brasileiros não eram usados para atacar o terrorismo, nem sequer a subversão, mas a "campanha de difamação" do país no exterior. Liam textos preparados por policiais e militares. O II Exército levou à televisão dois quadros da VPR, um dos quais estivera no vale do Ribeira. Depois de mantê-lo 75 dias incomunicável, os policiais divertiam-se mandando-o cacarejar ou lamber as paredes da cela.[60] Na televisão, atacou o "esquema montado para denegrir a imagem brasileira" no qual estavam "os falsos puritanos Jean-Paul Sartre, Simone de Beauvoir, [e] o falecido Bertrand Russell". "A VPR enviava a esses falsos puritanos toda a peçonha que eles destilavam, assumindo a pose de homens santos, quando nada mais eram que testas-de-ferro."[61] A tortura poluía o efeito dos arrependimentos, mas dois dos cinco prisioneiros que inauguraram a prática sempre sustentaram que foram aos estúdios sem constrangimento. Um deles se tornou sincero admirador de Medici. Outro, depois de libertado, enforcou-se.[62]

A retórica do governo mostrava que não havia acordo possível. D. Helder Câmara andava calado, mas acertara um sistema de cotas com o papa. Poderia viajar quatro vezes ao ano, desde que, somadas, as ausências não ultrapassassem os dois meses de férias a que tinha direito.[63] O arcebispo baixara em Paris na última semana de maio de 1970 e, numa entrevista à televisão, desabafou: "É impossível continuar sendo discreto. Alguém precisa falar, e eu vou falar. Eu não sou ingênuo, sei as conseqüências, sei que dizem que falar de torturas é um crime contra a pátria, mas o crime contra a pátria é ficar calado na situação atual".[64]

60 Alípio de Freitas, *Resistir é preciso*, p. 50, para as paredes. Ver também Alfredo Sirkis, *Os carbonários*, p. 258, para os cacarejos. *Veja*, 30 de janeiro de 1991, p. 38.

61 *Veja*, 15 de julho de 1970, p. 21.

62 Os primeiros arrependidos apareceram na televisão no dia 21 de maio de 1970. Massafumi Yoshinaga, de vinte anos, entregou-se em junho de 1970. Foi libertado e matou-se pouco tempo depois.

63 Nelson Piletti e Walter Praxedes, *Dom Helder Câmara*, p. 380.

64 Telegrama da agência France Presse, de 24 de maio de 1970.

De ingênuo d. Helder nunca teve nada. Seu desabafo coincidia com a abertura de uma assembléia do episcopado, em Brasília. Era o primeiro encontro plenário da CNBB desde julho de 1969, quando se resignara ao silêncio.

O governo apostara forte para influenciar a reunião e a ela enviara três assessores diretos de Medici, além do ministro Alfredo Buzaid, escalado para falar aos bispos. Ele discursou na noite de 26 de maio, na linha de sempre: havia tortura, eram casos isolados e não representavam uma política do Estado. Por iniciativa de d. Aloísio Lorscheider, a comissão central distribuíra aos bispos o relatório preparado por Candido Mendes. Eram doze depoimentos indiscutíveis. "Tínhamos três pessoas torturadas que estavam dispostas a morrer confirmando, onde quer que fosse, o que lhes havia sucedido."[65] Buzaid foi ouvido em silêncio e teve de ouvir quatro contraditas. A principal, pelas suas raízes conservadoras, veio de d. José Pedro da Costa, ex-capelão militar, bispo de Uberaba. Ele informou que conhecia 98 denúncias de torturas, todas encaminhadas a Medici e ao SNI. Trinta estavam catalogadas na Comissão de Justiça e Paz do Vaticano.[66] Por 159 votos contra 21, o episcopado denunciou "a incidência dos casos de tortura no Brasil", mas comprou a versão do Planalto: "Estamos certos de que, se comprovados tais fatos, dificilmente poderiam corresponder a uma orientação oficial do Governo".[67] No final dos trabalhos, d. Aloísio Lorscheider ordenou que se apagasse a fita onde estava gravado o debate com Buzaid, e o cardeal Eugênio Sales providenciou a coleta de todos os exemplares do relatório de Candido Mendes, para impedir que chegasse à imprensa.[68]

Havia uma dialética na conduta do conservadorismo católico e da diplomacia americana ao reconhecerem a autenticidade das denúncias e, ao mesmo tempo, aceitarem a tese de que a tortura não era uma política de

65 Candido Mendes de Almeida, maio de 1988.

66 Fernando Prandini, Victor A. Petrucci e frei Romeu Dale, O. P. (orgs.), *As relações Igreja-Estado no Brasil*, vol. 3, p. 20, e *Veja* de 27 de maio e 3 de junho de 1970.

67 *Jornal do Brasil*, 28 de maio de 1970, p. 12, reproduzindo a íntegra do documento.

68 Marcio Moreira Alves, *A Igreja e a política no Brasil*, p. 191. *Veja*, 27 de maio, pp. 64-5, e 3 de junho de 1970, pp. 24-6.

Estado. Nela cabiam todas as forças políticas que evitavam um confronto com a ditadura, quer por temê-la, quer por estimá-la. Cabiam ainda aqueles que, além disso, acreditavam na tortura como remédio temporário e funcional para o combate ao terrorismo. Cabiam também os que supunham que o mal se esvairia por falta de adversários logo que a luta armada fosse batida. Embutida na moderação, havia sempre uma esperança de regeneração do regime. Em todos os casos o estratagema tinha a virtude de deixar aberta a porta para novas denúncias, permitindo que o governo ficasse sob pressão, quando não por torturador, pelo menos por mentiroso.

Exemplo dessa construção ocorreu pouco depois da Assembléia da CNBB, quando d. Eugênio Sales, na condição de legado papal junto ao VIII Congresso Eucarístico, reuniu-se com Medici em Brasília. Falaram a sós, e a certa altura o cardeal-primaz sacou o tema:

> — Presidente, há torturas, e venho protestar como bispo e como cristão.
>
> — D. Eugênio, veja a minha situação. Acontece uma coisa no Piauí, como é que eu vou saber? Ademais, veja o que sucedeu na guerrilha do vale do Ribeira. Mataram um oficial a coronhadas. Como é que se vai conter a tropa?

O cardeal fechou o assunto reconhecendo que em sua diocese também aconteciam coisas que não sabia.[69]

D. Eugênio Sales abafava a repercussão pública das denúncias dos torturados ao mesmo tempo que, nos seus encontros privados, conspirava contra os torturadores. O cardeal já se encontrara com o chefe do Estado-Maior do Exército, general Antonio Carlos Muricy. Falando em nome de militares católicos preocupados com o fosso aberto nas relações entre o regime e a Igreja, Muricy tentara criar um canal secreto de discussões com a hierarquia, mas a iniciativa, segundo ele, "morreu por exaustão".[70]

Na mesma noite em que os bispos ouviram Buzaid em Brasília, d. Helder falou a 10 mil pessoas reunidas no palácio dos Esportes, em Pa-

69 D. Eugênio Sales, junho de 1987.

70 General Antonio Carlos Muricy, agosto de 1988.

ris: "A tortura é um crime que deve ser abolido. Os culpados de traição ao povo brasileiro não são os que falam, mas sim os que persistem no emprego da tortura. Quero pedir-lhes que digam ao mundo todo que no Brasil se tortura. Peço-lhes porque amo profundamente a minha pátria e a tortura a desonra".[71]

A extensão das denúncias, sua conversa com o papa e o fim do silêncio da CNBB levaram d. Helder Câmara a lançar-se num combate direto contra o regime, algo que vinha controlando disciplinadamente desde 1964. Tinha a seu favor um vento de popa: era candidato ao Prêmio Nobel da Paz, com a simpatia do consultor da comissão de personalidades norueguesas que o outorgava.[72] Para enfrentá-lo, a ditadura tinha pouca munição, mas gastou-a toda.

71 *Jornal da Tarde*, 27 de maio de 1970.

72 Nelson Piletti e Walter Praxedes, *Dom Helder Câmara*, p. 11.

Pra trás, Brasil

Desde o início de 1968 o jornalista Nelson Rodrigues estava agarrado ao pescoço de d. Helder.[1] Dramaturgo genial, ressentido com os intelectuais que desdenharam sua criativa vulgaridade e o deixaram ao sol nas vinte vezes em que suas peças foram proibidas pela Censura, escrevia n'*O Globo*. Considerava-se "uma flor de obsessão" e tanto no teatro como na crônica esportiva cultivava uma causticidade impiedosa e eficaz. Sua paixão política era recente, incondicional no governismo e furiosa no ataque ao radicalismo chique. Inventara expressões inesquecíveis, como a "grã-fina das narinas de cadáver", o "idiota da objetividade" e o "padre de passeata". Em seus artigos embrulhava num estilo divertido e debochado a crítica, a fantasia e o insulto. A d. Helder, um de seus personagens prediletos, já chamara de "falsário", "ex-católico" e "arcebispo vermelho".[2] Golpeava duro a vaidade e o carisma do arcebispo: "Se pudesse morrer como a Sarah Bernhardt no quinto ato de *A Dama das Camélias*, e se, como a diva, pudesse levantar-se, em seguida, para receber os bravos, os bravíssimos e as *corbeilles*, D. Helder representaria, todas as noites, o próprio assassinato".[3]

1 Para os ataques de Nelson Rodrigues a d. Helder, até o fim de junho de 1970: *O Globo*, 29 de janeiro, 14 de fevereiro, 16 e 21 de março, 3, 20 e 26 de abril, 8 e 9 de maio, 24 de julho e 25 de setembro de 1968; 29 de janeiro, 8 de março, 7 de junho, 6 de setembro e 16 de dezembro de 1969; 16 e 30 de junho de 1970.

2 Entrevista a Luiz Fernando Mercadante, *Veja*, 4 de junho de 1969, pp. 3-6, para "falsário". *O Globo*, 25 de setembro de 1968 para "ex-católico" e 16 de dezembro de 1969 para "arcebispo vermelho".

3 *O Globo*, 26 de abril de 1968.

Passado pouco mais de um mês do discurso do palácio dos Esportes, respondendo a uma entrevista em que d. Helder defendera a luta armada como opção política, Nelson Rodrigues subiu o tom: "Ele quer, e o diz, quer derramar barris de sangue como groselha. Mas acontece que não é groselha. É o nosso sangue. E, se quer o nosso sangue, é um Drácula. Um pequenino Drácula".[4]

À popularidade dos artigos de Nelson Rodrigues, juntou-se a direita católica. A revista *Permanência*, publicada no Rio, acusava o arcebispo de "justificar, incentivar, estimular moços assassinos, magarefes cuja crueldade [...] já superou a crueldade nazista".[5] O arcebispo de Diamantina, d. Geraldo Sigaud, foi combater na Europa o que ele chamava de "a imagem que d. Helder tem espalhado sobre o Brasil".[6] Desembarcou em Roma dizendo que "se há violência, é só durante os interrogatórios".[7]

Se não toda essa manobra, pelo menos uma parte dela era montada pelo Serviço Nacional de Informações. Foi de lá que saiu uma fotografia dos anos 30 na qual o padre Helder Câmara, com os gestos largos de sempre, falava a uma platéia de integralistas uniformizados, com suas camisas verdes. Ela viria a ser mostrada pelo jornalista David Nasser, no seu programa *Diário de um Repórter*, na Rede Associada de TV, e na revista *O Cruzeiro*.[8] Posteriormente, por meio das embaixadas do Brasil em Oslo e Paris, foi difundida na Europa. Na Noruega, a ditadura contou com a ajuda do industrial Tore Munch, um dos homens mais ricos do país, dono da fábrica de guindastes que leva seu sobrenome e do jornal *Morgenposten*. Neste, saiu um artigo intitulado "Prêmio Nobel à violência", em que se propunha a desclassificação do arcebispo por controvertido, visto que o acusavam de defender a política de Fidel Castro em Cuba com o mesmo oportunismo com que nos anos 30 defendera os nazistas.[9]

4 *O Globo*, 2 de julho de 1970.

5 *Permanência*, nº 25, outubro de 1970, citada em Marina Bandeira, "Comissão Pontifícia Justiça e Paz — 1969-1995 (Memória)", em Candido Mendes de Almeida e Marina Bandeira, *Comissão Brasileira Justiça e Paz — 1969-1995* (*Empenho e memória*), p. 82.

6 *O Estado de S. Paulo*, 4 de julho de 1970, última página.

7 Telegrama da agência France Presse, de 14 de julho de 1970.

8 Luiz Maklouf Carvalho, *Cobras criadas*, p. 519.

9 Nelson Piletti e Walter Praxedes, *Dom Helder Câmara*, pp. 12-3.

O governo subestimara o sentido de oportunidade de d. Helder. Ele discursara em Paris na mesma semana em que a CNBB condenara a tortura, colocando-se debaixo da proteção da disciplina eclesiástica. O arcebispo era enfático, mas tinha a seu favor aquilo que Nelson Rodrigues, numa de suas expressões mais populares, chamava de "o óbvio ululante": dizia a verdade. O governo mentia, e a CNBB sabia disso. O SNI entrara numa aposta alta: explorara a possibilidade de a Igreja permitir que um dos seus bispos fosse triturado.

Coube ao governador de São Paulo, Roberto de Abreu Sodré, girar mais uma rosca do parafuso: "Ele pertence à máquina de propaganda do partido comunista; ele é um elemento de promoção do PC na Europa; ele recebe para isso; ele viaja para isso. Então, como as esquerdas querem ter uma vedete, não de barbas e de charuto, mas de batina no corpo, usam-no para denegrir o Brasil. É o que este Fidel Castro de batina tem feito na Europa".[10]

A manobra defensiva, destinada a impedir que d. Helder levasse o Nobel da Paz, foi bem-sucedida. Ele saiu para o cientista americano Norman Borlaug, criador do milho híbrido. A outra, ofensiva, interessada em isolar d. Helder, produziu o efeito inverso. A hierarquia da Igreja, que em 1964 o tirara da CNBB, uniu-se em sua defesa. D. Agnello Rossi pediu a Sodré que provasse o que dissera. D. Eugênio Sales proclamou sua "amizade pessoal por D. Helder" e denunciou a "tenaz campanha difamatória" contra "o piedoso e sincero prelado". D. Vicente Scherer exigiu que lhe fosse dado o direito de defesa, "prerrogativa fundamental da criatura humana".[11] Até d. Sigaud afastou-se da macumba: "D. Helder é meu irmão em Cristo e nós nos amamos e estimamos como irmãos, embora discordemos como responsáveis pela sorte de nossos rebanhos".[12]

10 *Folha de S.Paulo*, 6 de outubro de 1970.

11 Fernando Prandini, Victor A. Petrucci e frei Romeu Dale, O. P. (orgs.), *As relações Igreja-Estado no Brasil*, vol. 3, pp. 34-5.

12 Entrevista a Alberico Souza Cruz, *Veja*, 14 de outubro de 1970, p. 4.

A bola de neve voltara a crescer. Os quarenta presos libertados em troca do embaixador alemão, entre os quais estava frei Tito, haviam-se espalhado pela Europa, e a imprensa ganhara uma nova fornada de denúncias de torturas. A primeira delas foi a própria fotografia dos prisioneiros agrupados para o embarque, no Rio de Janeiro. Na extremidade direita, presa a uma cadeira, estava Vera Sílvia Magalhães, de 22 anos, a bonita candidata a empregada que encantara o chefe da segurança do embaixador Elbrick. Passara por longas sessões de pau-de-arara, choques elétricos, queimaduras e pancadas.[13] Diante da visão de Vera Sílvia num exemplar do *Le Figaro*, o escritor Josué Montello, conselheiro cultural da embaixada do Brasil em Paris, escreveria em seu diário: "Fujo de encontrar-me com amigos franceses, humilhado, triste".[14]

Com fundos dos institutos Brasileiro do Café e do Açúcar e do Álcool, montara-se no Ministério das Relações Exteriores um esquema para responder ao que o chanceler Gibson Barboza chamava de "campanha internacional de calúnias".[15] Num só lote, o governo trouxera quase uma centena de jornalistas europeus para uma visita ao Brasil.[16] Tantos foram os convidados da campanha internacional do governo que o caso brasileiro acabou no manual de malandragens intitulado *Roube este livro*, do hippie americano Abbie Hoffman. Ensinava a afanar discos em supermercados ("Numa caixa de pizza congelada cabem dois LPs"), a burlar o correio ("Enderece o envelope a você mesmo e ponha o nome do destinatário no lugar do remetente; a correspondência sem selos é habitualmente devolvida ao ponto de origem") e a viajar de graça: "Alguns países têm esquemas especiais para permitir que escritores, jornalistas e artistas viajem de graça. Brasil e Argentina, com certeza. Telefone ou escreva para a embaixada do país que você quer visitar. É melhor escrever, sobretudo se você puder arranjar papel timbrado de alguma publicação ou editora".[17]

13 Depoimento de Vera Sílvia Magalhães, em *Relatório sobre as acusações de tortura no Brasil*, p. 33.

14 Josué Montello, *Diário do entardecer*, p. 297.

15 Discurso de Mario Gibson Barboza na Escola de Comando e Estado-Maior do Exército. Telegrama da agência Reuters, de 18 de julho de 1970, citando o *Jornal do Brasil*.

16 *O Globo*, 24 de novembro de 1969.

17 Abbie Hoffman e outros, *The best of Abbie Hoffman*, p. 220.

Apesar dos esforços do Itamaraty, o regime sentia um novo espinho no pé. Chamava-se Seán MacBride, ex-ministro das Relações Exteriores da Irlanda, secretário-geral da Comissão Internacional de Juristas. Os ingleses fuzilaram seu pai em 1916, sua mãe fora uma figura legendária, musa do poeta Yeats. Ele próprio, ainda adolescente, estivera na cadeia, por terrorista do Exército Revolucionário Irlandês.[18] Era um homem magro, com cara de passarinho, educado e irredutível. Fazia dois anos que comandava a Anistia Internacional, instituição baseada em Londres, empenhada na defesa e libertação de presos políticos. MacBride já encrencara com meio mundo, mas ajudara a soltar desde o arcebispo de Praga, Josef Beran, até 152 presos políticos de Gana. Colecionava havia meses denúncias vindas do Brasil (um de seus fornecedores tinha sido a rede de diplomatas e funcionários do Itamaraty, enquanto funcionou). Para o governo brasileiro a Comissão Internacional de Juristas era aquilo que se poderia chamar de instituição respeitável. Alguns anos antes ficara demonstrado que a Central Intelligence Agency a subvencionava indiretamente, estimulando suas denúncias contra as ditaduras do Leste europeu. Essa má fama tornava mais dolorosa a conclusão do relatório da comissão: "Hoje, no Brasil, a tortura não é mais um simples ingrediente nos interrogatórios judiciários. Ela se tornou uma arma política [...] A tortura é sistematicamente aplicada, às vezes antes mesmo que o interrogatório propriamente dito seja iniciado".[19]

Alfredo Buzaid respondeu, atacando "a grande imaginação da comissão", mas MacBride mandou-lhe uma carta pedindo que o governo permitisse a verificação de seu desmentido.[20] O ministro da Justiça, catedrático da Faculdade de Direito da Universidade de São Paulo, deu ao grêmio de juristas uma confiança que não dava a outras instituições e voltou a responder: "Estou extremamente surpreso porque o senhor não aceitou a palavra do governo brasileiro". O irlandês teimoso rebateu: "Recebi seu telegrama e o agradeço. Nós mantemos a nossa posição original. Isto é: para esclarecer a situação, são necessárias uma investigação da Co-

18 Egon Larsen, *A flame in barbed wire*, p. 18. Denis Healey, *The time of my life*, p. 568.

19 Documento consultado no Departamento de Documentação da Editora Abril em 1987.

20 Para a resposta de Buzaid, telegrama da agência France Presse, de 23 de julho de 1970.

missão Interamericana de Direitos Humanos e a inspeção das prisões por uma comissão da Cruz Vermelha Internacional".[21]

Naqueles dias, defender presos acusados de atividades terroristas era uma tarefa difícil. Atentados, seqüestros e assassinatos faziam parte da rotina de organizações esquerdistas em mais de uma dezena de países, e os números indicavam uma perigosa expansão do fenômeno. Se em 1968 se deram 142 ações terroristas de natureza internacional, 70 fecharia com 43 seqüestros, 22 assassinatos e 131 mortos, num total de 391 ações.[22] Durante o primeiro semestre de 1970 a América Latina ficou com 21 das 39 ações relevantes ocorridas em todo o mundo.[23] Na Guatemala foi seqüestrado e morto o embaixador alemão Karl von Spreti. Na Argentina, terroristas capturaram e assassinaram com um tiro no peito o ex-presidente Pedro Aramburu, general que chefiara a sangrenta rebelião antiperonista de 1955. No Uruguai, os 3 mil militantes do Movimiento de Liberación Nacional, denominados Tupamaros em homenagem ao chefe inca que se rebelara contra os espanhóis, pareciam invencíveis. Ao contrário de seus similares de todo o mundo, misturavam senso de humor à audácia. Explodiram a sede do Montevideo Country Club, limparam a casa de uma das famílias mais ricas do país e atacaram uma boate da moda deixando escrito na parede: "O bailan todos, o no baila nadie".[24] Na manhã de 31 de julho os Tupamaros puseram em movimento o Plan Satan. Primeiro seqüestraram Dan Mitrione, um policial americano de 49 anos que chefiava o programa de cooperação americano-uruguaio na área de segurança pública. Em seguida levaram o cônsul brasileiro em Montevidéu, Aloysio Dias Gomide, um católico integrista, pai de seis filhos. Mitrione foi morto a tiros dez dias depois. Gomide só foi libertado após seis meses de negociações.[25] Nessa épo-

21 Para a nova resposta de Buzaid e a nova carta de McBride, *Brazilian Information Bulletin*, nº 1, fevereiro de 1971.

22 *Patterns of International Terrorism, a Research Report*, Central Intelligence Agency, Washington, junho de 1981, pp. VI e 8.

23 Brian Jenkins e Janera Johnson, *International Terrorism: a Chronology, 1968-1974*, Rand Corporation, março de 1975, Santa Mônica, pp. 18-22.

24 Arturo C. Porzecanski, *Uruguay's Tupamaros*, p. 40.

25 David Ronfeldt, *The Mitrione Kidnapping in Uruguay*, Rand Corporation, agosto de 1987, Santa Mônica.

ca o adido aeronáutico brasileiro no Uruguai contrabandeava explosivos para uma rede de policiais que explodiam sedes do Partido Comunista.[26]

A ofensiva terrorista aprofundou a solidariedade do governo americano ao porão. Ela vinha de longe. Em 1964 o DOPS paulista emprestara a um funcionário do governo americano as dezenove cadernetas apreendidas no aparelho abandonado por Prestes.[27] O grau de familiaridade de funcionários do governo dos Estados Unidos com a Oban e, posteriormente, com o DOI era único. No nível social, o major Carlos Alberto Brilhante Ustra e sua mulher foram convidados para um jantar na casa do cônsul Robert Corrigan. No nível operacional, um funcionário do consulado em São Paulo era figura fácil no DOPS e na rua Tutóia. Gozava de acesso privilegiado aos textos das confissões dos presos. Lia-as no próprio prédio onde funcionava o DOI. "Era um sujeito de óculos redondos. Um dia eu o encontrei lendo depoimentos e determinei que isso não se repetisse, pois não era permitido", contou Ustra.[28]

Era uma familiaridade de cúmplices, pois não produziu informações de boa qualidade para o governo dos Estados Unidos. No dia 24 de agosto de 1970, Francis Lambert, o segundo homem da embaixada americana em Brasília, informou ao Departamento de Estado que a tortura estava sendo substituída por métodos "mais humanitários" de interrogatório. Ressalvava que ela ainda não acabara, mas dava dois exemplos construtivos. Segundo ele, duas militantes da ALN capturadas em São Paulo tinham sido tratadas cavalheirescamente.[29] Uma era Ana Bursztyn, ex-estudante de farmácia, presa havia duas semanas no magazine Mappin. Um vigilante desconfiara ao vê-la colocar cosméticos numa sacola (da loja) e levou-a a uma sala, onde estava o chefe da segurança. Ana meteu a mão na bolsa, puxou um Taurus 32, feriu-o com um tiro na perna, mas

26 Dickson Melges Grael, *Aventura, corrupção e terrorismo*, p. 19.

27 Depoimento do delegado Renato d'Andrea, em Percival de Souza, *Autópsia do medo*, p. 383.

28 Coronel Carlos Alberto Brilhante Ustra, março e setembro de 1988.

29 Telegrama da embaixada americana em Brasília ao Departamento de Estado, de 24 de agosto de 1970. DEEUA.

não conseguiu fugir.[30] A outra era Denise Crispim, a *Célia*, mulher de Eduardo Leite, o *Bacuri* da ALN e da REDE.

Ana Bursztyn passara pelo receituário do porão: tapas, choques elétricos e pau-de-arara. Depois de três dias de torturas, acabara internada no hospital do Exército. Lá, um médico lhe disse: "Aqui nós temos dois critérios: o sentimento do dever médico e o sentimento de amor pela pátria. O que você fez não merece a primeira consideração".[31] Denise, grávida de seis meses, não apanhou na barriga.[32]

A informação de Lambert era falsa, não só no aspecto episódico, referente às duas mulheres, mas também no conceito da evolução humanitária dos interrogatórios. Por uma coincidência, ele telegrafou a Washington no mesmo dia em que *Bacuri*, com as pernas paralisadas, chegou ao DOPS de São Paulo. Fora capturado 72 horas antes, no Rio de Janeiro.[33]

Ex-vendedor de automóveis, *Bacuri* participara de dezenas de ações armadas, organizara dois seqüestros e planejava mais um, o do embaixador inglês.[34] Tornara-se uma lenda nos subterrâneos da clandestinidade. Assustava a "tigrada" ameaçando-a por telefone. Seu primeiro cárcere fora um centro de torturas montado pela Marinha numa casa em final de construção no bairro carioca de São Conrado.[35] No DOPS de São Paulo passou algumas semanas na chamada Cela dos Atores, onde estavam agrupados os arrependidos. Poucos foram os dias em que conseguiu caminhar. Carregavam-no para levá-lo aos interrogatórios e trazê-lo de vol-

30 *Jornal da Tarde*, 16 de julho de 1970, e *Veja*, 22 de julho de 1970, pp. 26-7. Para um detalhado depoimento de Ana Bursztyn, ver Luiz Maklouf Carvalho, *Mulheres que foram à luta armada*, pp. 281 e segs.

31 Auto de Qualificação e de Interrogatório de Ana Bursztyn, em *Projeto Brasil: nunca mais*, tomo V, vol. 1: *A tortura*, p. 278. Luiz Maklouf Carvalho, *Mulheres que foram à luta armada*, p. 286.

32 Luiz Maklouf Carvalho, *Mulheres que foram à luta armada*, p. 288.

33 Para a prisão de *Bacuri*, Percival de Souza, *Autópsia do medo*, p. 179. Antonio Carlos Fon, *Tortura*, pp. 52-3. *IstoÉ*, 19 de agosto de 1987, p. 20. Depoimento de Vinicius Caldeira Brant, em *Projeto Brasil: nunca mais*, tomo V, vol. 4: *Os mortos*, pp. 107 e segs.

34 Para o projetado seqüestro, Jacob Gorender, *Combate nas trevas*, p. 218.

35 Auto de Qualificação de Ottoni Guimarães Fernandes Junior, em *Projeto Brasil: nunca mais*, tomo V, vol. 3: *As torturas*, p. 405.

ta. Transferiram-no para a cela do fundo do corredor, e lá, no dia 25 de outubro, o tenente Chiari, comandante da equipe de choque do DOPS, disse-lhe: "*Bacuri*, você fugiu". Mostrou-lhe uma nota oficial da polícia revelando que ele escapara durante uma diligência. Das grades, *Bacuri* contou, aos gritos, o que acabara de acontecer: "Eu vou ser morto, tenho certeza".[36] Por duas noites os presos do DOPS revezaram-se, vigiando a porta da sua cela. Para evitar que houvesse barulho quando ela fosse aberta, os policiais lubrificaram-na. Aos cinqüenta minutos do dia 27, a porta de *Bacuri* foi aberta. Havia perto de sessenta presos no DOPS, bateram com canecas e pratos nas portas de metal, gritaram.[37] A base paulista da diplomacia americana comprou a teoria da fuga e informou a Washington que "as circunstâncias envolvendo a fuga de Leite conferem com rumores de que ela tenha sido planejada em troca de sua cooperação". Do Rio, o cônsul-geral Clarence Boonstra advertia: era farsa.[38]

Bacuri chegou ao forte dos Andradas, no Guarujá, dentro de um saco de lona. Trancaram-no numa pequena solitária erguida na praia do Bueno e depois levaram-no para um túnel do depósito de munições, a três quilômetros de distância. Era certo que se houvesse algum seqüestro de diplomata, ele entraria na lista dos presos a serem libertados. No dia 8 de dezembro, passadas menos de 24 horas do seqüestro, no Rio de Janeiro, do embaixador suíço Giovanni Enrico Bucher, uma Veraneio estacionou na entrada do depósito. Dela saltaram um major e dois tenentes. Foram ao banheiro onde *Bacuri* estava trancado e disseram-lhe que iam levá-lo ao hospital militar. Um soldado ajudava-o a encostar-se na pia para lavar-se quando o major mandou que saísse: "Escutei uma pancada. Não sei se era tiro ou o barulho de uma cabeça batendo na parede. Só sei que logo depois o corpo dele foi retirado do banheiro no mesmo saco de lona em que chegou".[39] A polícia paulista informou que *Bacuri*, localizado, "ofe-

36 Ariston Lucena, agosto de 1988, e depoimento de Denise Crispim, em Luiz Maklouf Carvalho, *Mulheres que foram à luta armada*, p. 87.

37 *Dossiê dos mortos e desaparecidos*, p. 81. Ver também Nilmário Miranda e Carlos Tibúrcio, *Dos filhos deste solo*, p. 56. Ariston Lucena, agosto de 1988.

38 Telegramas dos consulados americanos em São Paulo e no Rio de Janeiro, ambos de 27 de outubro de 1970. DEEUA.

39 Narrativa do soldado Rinaldo Campos de Carvalho a *Repórter*, nº 36, dezembro de 1980.

receu tenaz resistência a tiros".[40] Tinha 25 anos, e seu corpo foi abandonado no cemitério de Areia Branca, em Santos, com dois tiros no peito, um na têmpora e outro no olho direito.[41]

Se havia uma remota possibilidade de o governo do presidente Richard Nixon hostilizar os regimes militares do Brasil e da Argentina em defesa dos direitos humanos de esquerdistas presos, ela foi inibida pelo assassinato de Dan Mitrione. Mais que isso: no início de setembro de 1970 Salvador Allende venceu as eleições presidenciais chilenas. Pela primeira vez na história do continente, um socialista chegava ao poder, pelo voto. Numa reunião na Casa Branca, Nixon pediu a Richard Helms, diretor da Central Intelligence Agency, que cuidasse do Chile. Helms anotou algumas das frases que ouvira: "Vale a despesa. Não me preocupo com os riscos".[42]

A ênfase que Nixon pôs no combate a Allende, a quem chamava de "filho-da-puta", firmou o eixo da política de seu governo em relação à América Latina e, sobretudo, suas ditaduras.[43] A direita militar, que poucos meses antes pudera parecer incômoda, transformara-se em aliada essencial. No dia 19 de outubro, enquanto chegava ao Departamento de Estado um telegrama do conselheiro político da embaixada em Brasília pedindo que lhe remetessem exemplares da legislação antiterrorista americana para atender a uma solicitação do presidente da Comissão de Relações Exteriores da Câmara, deputado Flávio Marcílio, a CIA embarcara, com destino a Santiago, uma pesada mala diplomática.[44] Também se relacionava com terrorismo. Nela iam três submetralhadoras com a numeração raspada. Chegaram entre os dias 20 e 21. Às duas da madrugada do dia 22 o adido do exército junto à embaixada americana no Chile entregou

40 *Dossiê dos mortos e desaparecidos*, p. 33, e *Repórter*, nº 36, dezembro de 1980, transcrevendo o jornal *Cidade de Santos* de 9 de dezembro de 1970.

41 Necropsia de Eduardo Leite, *Projeto Brasil: nunca mais*, tomo V, vol. 4: *Os mortos*, p. 104. Para a localização do cadáver, Judith Lieblich Patarra, *Iara*, p. 420.

42 Nathaniel Davis, *The last two years of Salvador Allende*, pp. 7-8.

43 Para a qualificação de Allende, Nathaniel Davis, *The last two years of Salvador Allende*, p. 6, citando a biografia de Richard Helms, *The man who kept the secrets*, de Thomas Powers.

44 Para o pedido de Flávio Marcílio, telegrama de Stephen Low, da embaixada em Brasília, ao Departamento de Estado, de 19 de outubro de 1970.

a encomenda a um grupo de militares direitistas. Seis horas depois, o comandante do exército chileno, general René Schneider, teve o seu carro atacado por um comando que pretendia seqüestrá-lo. Reagiu e foi morto com um tiro de revólver.[45]

Schneider foi a mais alta autoridade assassinada por terroristas latino-americanos desde maio de 1961, quando militares dominicanos, com o conhecimento do Departamento de Estado e possivelmente com armas fornecidas pela CIA, metralharam o generalíssimo Rafael Leonidas Trujillo e abandonaram-no no porta-malas de um carro.[46] (Na década de 60 o presidente dos Estados Unidos autorizou atentados contra Fidel Castro e o primeiro-ministro congolês Patrice Lumumba.[47])

Reunido na Casa Branca com a cúpula do seu governo, Nixon expôs claramente suas diretrizes:

> Se o Chile for na direção que estamos prevendo e sair incólume [...] encorajará os outros latino-americanos que estão em cima do muro. Não vamos pensar nos países realmente democráticos da América Latina. O jogo está na Argentina e no Brasil. [...] Jamais vou concordar com a política de rebaixamento dos militares na América Latina. Eles são um centro de poder sujeito a nossa influência. [...] Nós queremos ajudá-los. Brasil e Argentina, particularmente. [...] O Brasil tem uma população maior que a da França e da Inglaterra, somadas. Se deixarmos que os líderes potenciais da América do Sul pensem que podem ir na direção em que vai o Chile, mantendo relações normais conosco, teremos problemas. Eu quero trabalhar nisso, e nas relações militares — botando dinheiro.[48]

45 Nathaniel Davis, *The last two years of Salvador Allende*, p. 6. Mark Falcoff, em seu livro *Modern Chile, 1970-1989 — A critical history*, p. 215, informa que um tribunal militar chileno concluiu que os tiros disparados contra Schneider não partiram das armas enviadas pela CIA.

46 Thomas Powers, *The man who kept the secrets*, p. 186. Entre março e abril de 1961 a CIA entregou aos conspiradores três carabinas e três pistolas. Semanas antes do assassinato de Trujillo, depois do fracasso da invasão de Cuba, o governo americano afastou-se da conspiração. Idem, pp. 396-7.

47 Os atentados não aconteceram. Lumumba foi assassinado por congoleses. Para o plano de envenenamento do governante congolês, ver Ludo de Witte, *The assassination of Lumumba*, p. 78.

48 *Memorandum of Conversation*, National Security Council Meeting, 6 de novembro de 1970 (NSSM97), colocado no sítio do National Security Archive: <http://www.gwu.edu/~nsarchiv/news/20001113/701106.pdf>.

Apesar da existência de uma prolífica produção de denúncias de envolvimento direto da administração americana com as torturas brasileiras, não há prova de que um só militar ou policial tenha aprendido a bater em seus presos nos cursos de intercâmbio patrocinados pelo governo dos Estados Unidos. Da mesma forma, não há prova de que americanos tenham participado de sessões de tortura. A polícia brasileira sempre excedeu, de muito, a americana na prática e na desenvoltura da criminalidade contra presos. Se uma delas tivesse algo a aprender com a utilização do pau-de-arara ou dos choques elétricos, seria a americana, não a brasileira. O caso mais notável de ligação biográfica entre torturadores estrangeiros e a ditadura brasileira deu-se em 1973, quando o governo francês mandou para o Brasil, como seu adido militar, o general Paul Aussaresses, chefe das operações de repressão, suplícios e extermínio praticadas na Argélia nos anos 50.[49]

Há prova, contudo, de que ensinamentos americanos eram deliberadamente complementares, num processo de sistematização do método de busca das informações no qual estava embutida — e entendida — a prática da tortura. Documentos liberados pelo governo americano em 1996 indicam que apostilas distribuídas a oficiais e agentes de polícia que estagiavam na Escola das Américas, mantida pelo exército dos Estados Unidos no Panamá, sugeriam o uso da tortura como forma de obtenção de informações. Uma parte dos documentos dos anos 60 e 70 foi destruída. Um deles foi preservado. Intitulado *KUBARK*, recomendava que, no preparo de uma sala de interrogatório, "deve-se saber antecipadamente o tipo de corrente elétrica para que se tenha à mão transformadores ou equipamentos do gênero". (A mais conhecida relação entre transformadores e interrogatórios está no uso da energia para a aplicação de choques elétricos.) Redigido em 1963, o *KUBARK* dedicava duas páginas à análise da dor física.[50]

49 Em 2001 o general publicou suas memórias argelinas, com uma enfática defesa da tortura e dos assassinatos. Ver Paul Aussaresses, *Services spéciaux*, sobretudo pp. 154-6.

50 "Torture was taught by the CIA", reportagem de Gary Cohn, Ginger Thompson e Mark Matthews, *The Baltimore Sun*, 27 de janeiro de 1997, citando a página 46 do documento *KUBARK Counterintelligence Interrogation*, da Central Intelligence Agency, julho de 1963. Para a dor física, pp. 93-5, colocadas no sítio do National Security Archive: <http://www.gwu.edu/~nsarchiv/NSAEBB/NSAEBB27/01-01.htm>. Agradeço ao jornalista José Casado a cessão de uma cópia desse documento.

Antes de 1964 passaram pela Escola das Américas 105 brasileiros. Deles, apenas nove oficiais da Marinha e do Exército (5%) tomaram aulas ligadas com a área de informações. Os demais eram, ou artilheiros aprendendo a usar canhões de 90 mm, ou oficiais da PM. Entre 1965 e 1970 os oficiais-bolsistas foram sessenta. Deles, 38 (63%) fizeram cursos de informações.[51] Fulanizada, a lista dos estagiários informa que um em cada dez oficiais mandados ao Panamá pela ditadura fora ou viria a ser nominalmente acusado de tortura ou morte de presos.[52] O oficial com mais alta patente na turma de 1965 era o comandante Clemente José Monteiro Filho. Ele fundaria a central de torturas da ilha das Flores. No ano seguinte, foi o coronel Helio Ibiapina, responsável pela violência do Recife nos primeiros meses da ditadura. Em 1967, seria matriculado o coronel Burnier, adido à embaixada brasileira no Panamá. Também fariam o curso dois majores, um dos quais se metera em arbitrariedades em Belém e mais tarde seria condenado pela Justiça Militar por ter "expropriado" o automóvel de uma prisioneira.[53] A eles se junta o tenente-coronel Manoel Moreira Paes, que reorganizaria o Centro de Estudos de Pessoal.

Em 1970, a cooperação do governo dos Estados Unidos com a máquina policial brasileira custara perto de 1 milhão de dólares, dos quais se gastaram 292 mil mantendo no país treze especialistas em investigações criminais e contra-insurreição e outros 128 mil levando aos Estados Unidos 58 policiais brasileiros.[54] Funcionários americanos ajudaram a estruturar o SNI, e oficiais brasileiros fizeram estágios de seis meses em Washington, recebendo suas aulas no subsolo do hotel Alban

51 Incluindo-se os sargentos e suboficiais, passaram pela Escola das Américas nesse período 142 militares. Deles, 92 fizeram cursos de informações. A lista dos estagiários da Escola das Américas está no sítio do School of Americas Watch, cujo endereço é <http://www.soaw.org>.

52 O sítio do School of Americas Watch, <http://www.soaw.org>, relaciona dezoito oficiais e sargentos ligados ao aparelho repressivo; deles, seis oficiais são associados a casos específicos de tortura pelo Grupo Tortura Nunca Mais.

53 Era o major Carlos Alberto Bravo da Câmara. Jarbas Passarinho, *Na planície*, p. 144. O outro era o major Bismark Baracuhy Amancio Ramalho, cujo nome foi relacionado ao atentado contra a Editora Civilização Brasileira, em Heleno Cláudio Fragoso, *Advocacia da liberdade*, p. 25.

54 Carta de Richard Winslow, funcionário da USAID, ao *The Washington Post*, de 13 de março de 1970. Citado em telegrama desse dia do Departamento de Estado à embaixada em Brasília. DEEUA.

Tower.[55] O governo Nixon apoiou a ditadura, e os funcionários que desenharam essa política sabiam o que sucedia nas prisões. O regime não precisava de mais.

A atividade da Frente Brasileira de Informações e da esquerda católica européia fez a bola de neve rolar novamente na direção do Vaticano. Durante a Semana Santa de 1970, a igreja parisiense de Saint Germain des Prés expôs em seu altar-mor um Cristo algemado, com um tubo na boca e um magneto na trave da cruz. Sobre sua cabeça havia uma bola com a inscrição "Ordem e progresso".[56] O depoimento de frei Tito tivera longos trechos publicados pelo *Le Monde*.[57] Num só dia de outubro realizaram-se manifestações contra a tortura brasileira em 56 cidades francesas, na Bélgica e na Alemanha.[58] A revista italiana *L'Europeo*, mexendo numa dolorosa ferida da Santa Sé, perguntava: "Vai se repetir no Brasil o caso d'*O vigário*?".[59] Referia-se a uma peça teatral internacionalmente festejada, cuja trama se desenvolvia em torno da vacilação de Pio XII na condenação do nazismo. Na mesma semana *Le Nouvel Observateur* publicara uma carta do teólogo Ivan Illich ao papa: "Em nome da humanidade, imploro-vos que faleis e condeneis essa tortura utilizada como castigo, como meio de terror e, sobretudo, como meio de governo. Vossa Santidade sabe tão bem quanto eu que no Brasil a tortura constitui uma política e uma prática deliberadas".[60]

Sua Santidade de fato sabia. O cardeal holandês Alfrink estivera no Brasil e entrevistara-se com padres presos.[61] O provincial dos dominica-

55 Depoimento do general Enio Pinheiro, fundador da ESNI, em Maria Celina d'Araujo, Gláucio Ary Dillon Soares e Celso Castro (orgs.), *Os Anos de Chumbo*, pp. 140 e 134.

56 *L'Europeo*, 24 de setembro de 1970.

57 *Look*, 14 de julho de 1970, e *L'Europeo*, 24 de setembro de 1970. Tito de Alencar Lima enforcou-se, pendurando-se numa árvore, no dia 7 de agosto de 1974. Foi enterrado no cemitério dominicano de Sainte Marie de la Tourette, nas proximidades de Lyon, na França. Em 1983 seus restos voltaram ao Brasil e estão no jazigo da família, em Fortaleza.

58 *Le Monde*, 21 de outubro de 1970, e Marcio Moreira Alves, *A Igreja e a política no Brasil*, p. 205.

59 *L'Europeo*, 7 de setembro de 1970.

60 *Le Nouvel Observateur*, 7 de setembro de 1970.

61 *Le Monde*, 21 de outubro de 1970.

nos, frei Domingos Maia Leite, contara-lhe o que acontecera nos interrogatórios de seus irmãos.[62] D. Eugênio Sales levara-lhe um relatório da CNBB narrando as torturas sofridas por dois padres no interior do Maranhão.[63] Mais: d. Paulo Evaristo Arns, bispo auxiliar da região norte de São Paulo, entregara-lhe uma petição assinada por influentes líderes católicos reclamando da intimidade do cardeal Rossi com os militares.[64]

Quem teve a idéia, não se sabe, mas no dia 7 de outubro, no Rio de Janeiro, uma tropa do DOI invadiu o Instituto Brasileiro de Desenvolvimento, o Ibrades, que era dirigido por jesuítas e ligado à CNBB. Suspenderam as aulas, prenderam alunos, professores e quem estivesse no prédio. Um deles era o provincial da Companhia de Jesus, padre Pedro Veloso. Em abril de 1964, como mentor dos Círculos Operários Católicos, ajudara a formar a diretoria de interventores no Sindicato dos Metalúrgicos do Rio.[65] Outro, o reitor da Pontifícia Universidade Católica, padre Ormindo Viveiros de Castro. Finalmente havia aquele que reclamou, informando que tinha uma audiência marcada com o ministro Alfredo Buzaid para as dezessete horas. Era d. Aloísio Lorscheider, o secretário-geral da CNBB. Foram todos fotografados de frente e de perfil.[66] Liberaram-nos no meio da tarde.

D. Aloísio perdeu o compromisso com Buzaid, mas não faltou ao seguinte, em Roma, no dia 19 de outubro, com Paulo VI. A edição daquela manhã do *Osservatore Romano*, órgão oficial da Santa Sé, publicava uma advertência da CNBB: "O terrorismo da subversão não pode ter como resposta o terrorismo da repressão".[67] Desabara a construção conservadora que orientara o episcopado brasileiro desde 1964. Numa clara referência

62 *Boletim do Sedoc*, março de 1971.

63 Fernando Prandini, Victor A. Petrucci e frei Romeu Dale, O. P. (orgs.), *As relações Igreja-Estado no Brasil*, vol. 3, p. 32.

64 Lawrence Weschler, *Um milagre, um universo*, p. 31.

65 Ata da reunião do Grupo de Base dos Metalúrgicos, de 7 de abril de 1964, citada em José Ricardo Ramalho e Marco Aurélio Santana (orgs.), *Trabalho e tradição sindical no Rio de Janeiro*, p. 117.

66 *Veja*, 14 de outubro de 1970, p. 26, e Fernando Prandini, Victor A. Petrucci e frei Romeu Dale, O. P. (orgs.), *As relações Igreja-Estado no Brasil*, vol. 3, pp. 36-7.

67 Fernando Prandini, Victor A. Petrucci e frei Romeu Dale, O. P. (orgs.), *As relações Igreja-Estado no Brasil*, vol. 3, p. 38.

ao Brasil ("um grande país, que vive as tensões do esforço pelo progresso econômico e social"), o próprio Paulo VI cumpriu "o doloroso dever" de pedir uma reflexão em torno de "certos fatos que chocam pela sua singularidade, sua gravidade e sua repetição". Quais? "As torturas, por exemplo." Na contorcida linguagem vaticana, lembrou que elas "vão além do simples episódio e parecem um sinal de súbita decadência moral".[68]

Enquanto o papa falava em Roma, d. Agnello Rossi interpretava-o em São Paulo dizendo que Paulo VI estimava "os esforços do presidente Medici para conduzir o Brasil ao caminho do desenvolvimento, ao mesmo tempo que tenta conter a onda de subversão e a campanha de mentiras e injustiças dirigida contra o Brasil". No dia seguinte, foi anunciada pela Santa Sé a sua transferência da arquidiocese de São Paulo para a prefeitura da Sagrada Congregação para a Evangelização dos Povos, em Roma.[69] Para seu lugar o papa nomeou d. Paulo Evaristo Arns, sob cuja batina estava a Pastoral Carcerária. Nunca na história da Igreja brasileira a nomeação de um arcebispo haveria de ter tamanhas conseqüências.

O protesto de Paulo VI significara uma inflexão na política da Santa Sé em relação à ditadura brasileira, refletira uma poderosa mudança em curso no pensamento do episcopado e resultara numa vitória dos defensores de causas aparentemente perdidas. Seus efeitos junto ao porão foram nulos, mas na resposta do regime pôde-se perceber um tique de nervosismo. Ao contrário do que sucedera em março, a fala do papa foi inicialmente proibida pela Censura. Uma vez liberada, Buzaid chegou a elogiá-la.[70] O general Orlando Geisel respondeu em nome do governo e atacou a "gigantesca e deliberada campanha de perversão e distorção de fatos da realidade brasileira, que procura mobilizar contra nós a opinião pública internacional e frustrar nosso acelerado desenvolvimento".[71] Essa era a resposta pública.

68 *Le Monde*, 23 de outubro de 1970.

69 Segundo Peter Hebblethwaite, *Paul VI — The first modern pope*, pp. 556-7, a ação rápida de Paulo VI foi produto da ação do monsenhor Benelli.

70 Para a nota da Censura proibindo o noticiário da fala de Paulo VI, Paolo Marconi, *A censura política na imprensa brasileira — 1968/1978*, p. 229. Para o elogio de Buzaid, Ralph della Cava (org.), *A Igreja em flagrante — Catolicismo e sociedade na imprensa brasileira, 1964-1980*, p. 145.

71 *Jornal do Brasil*, 27 de novembro de 1970, p. 3.

Noutra, secreta, ressuscitara a idéia de se criar uma comissão destinada a discutir as questões que envolvessem a Igreja, bem como as denúncias de torturas. A idéia fora reapresentada ao general Muricy pelo professor Candido Mendes, e o velho soldado acautelou-se antes de aceitá-la. Primeiro submeteu-a a Medici e Orlando Geisel. Quando eles concordaram, o general voltou a encontrar-se com o professor, informando-o de que "poderíamos fazer alguma coisa juntos". O professor replicou o movimento de Muricy e entendeu-se com a CNBB. Articulou-se a criação de uma comissão que se tornou conhecida como Bipartite.[72] Reuniu-se pela primeira vez no retiro dos jesuítas, no Rio de Janeiro, pouco depois do incidente do Ibrades. Dividia-se em dois grupos. Num, o da "situação", sempre chefiado por Muricy, sentavam-se representantes do Exército, Marinha, Aeronáutica, SNI e CIE. No outro, o "religioso", sentavam-se hierarcas da Igreja, sempre liderados por um dirigente da CNBB. Durou até meados de 1974 e reuniu-se pelo menos 23 vezes. Os resultados de cada um dos encontros, dos quais a delegação militar mantinha atas, eram reportados diretamente a Orlando Geisel. A bancada da Igreja era dirigida pela hierarquia da CNBB e variava na composição. Em pelo menos uma ocasião incluiu o núncio apostólico. Muricy relembrou: "As reuniões davam em pancadaria verbal. Era um lado acusando o outro de ter feito isto e aquilo, e o outro acusando de volta".[73]

O surgimento da Bipartite significou uma delicada reviravolta política: com ela um pedaço do regime começou a se mover em segredo. Pendurado na bandeira dos direitos humanos, o radicalismo esquerdista recuperara uma parte do seu espaço de atividade legal, livrando-se, em graus variáveis, da atividade subterrânea em que estava desde 1968. Já as forças que mantinham a ditadura e os conservadores que desejavam regenerá-la viram-se condenados a dois tipos de militância. Uns ficaram no porão, criado e incentivado pelo governo, maldito por uma retórica fraudulenta que, por mentirosa, poderia traí-lo. Outros caminharam para articulações secretas, entre as quais a Bipartite foi o primeiro e o mais

72 General Antonio Carlos Muricy, agosto de 1988.

73 Idem. Para uma competente e minuciosa descrição da montagem, dos debates e do significado da Bipartite, ver Kenneth P. Serbin, *Diálogos na sombra*.

estruturado dos exemplos. Dela não resultou a retirada de um só preso do pau-de-arara, mas a sua existência indicava que se formara, com quadros do regime, um tênue núcleo de discussão da tortura.

Cavalgando a euforia do tricampeonato mundial de futebol e festejando o crescimento econômico, o regime cultivava a fantasia triunfalista do "Brasil Grande". Enquanto isso, o senador Oscar Passos, presidente do MDB, escrevia a um amigo falando do surgimento "do manto negro da noite que cai sobre o entardecer". Ele sabia do que falava. Duas semanas antes das eleições legislativas de 1970, marcadas para o dia 15 de novembro, o governo desencadeou um arrastão de oposicionistas. Pode-se estimar que tenham sido presas em torno de mil pessoas, numa lista onde se misturavam líderes sindicais, artistas e advogados de presos políticos.[74] Em alguns casos foram levados para prisões conhecidas. Em outros, foram seqüestrados, encapuzados e mantidos em cárceres clandestinos. Quando se abriram as urnas, a oposição parlamentar estava destroçada. Oscar Passos perdera sua cadeira. O MDB ficara com 21% dos votos para a Câmara, nove pontos percentuais abaixo da soma dos votos brancos e nulos.[75] Sua bancada não tinha sequer o terço necessário para o requerimento de constituição de comissões parlamentares de inquérito. Fundado por vinte senadores e 149 deputados, restavam-lhe sete cadeiras no Senado e 87 na Câmara.[76]

"Demos-lhe uma surra", lembraria Medici mais tarde.[77]

74 *Veja*, 11 de novembro de 1970, pp. 25-7.

75 Maria d'Alva G. Kinzo, *Legal opposition politics under authoritarian rule in Brazil, 1966-79*, p. 63.

76 Idem, pp. 18 e 20.

77 Antonio Carlos Scartezini, *Segredos de Medici*, p. 25.

Nada a fazer

Surrada, a oposição viu caducar a idéia de que a comprovação das torturas desmoralizaria o governo e enfraqueceria a ditadura. Medici chamara a "tigrada" de "agentes injustiçados da segurança deste país", e o general Orlando Geisel avisava aos "celerados" que, "até o seu completo aniquilamento, não nos faltará energia, não desfalecerá nossa determinação, não adormecerá na rotina a eficiência dos órgãos de segurança".[1] Restava à Igreja, aos políticos oposicionistas e à imprensa apenas uma estratégia de embaraço. Embaraçavam o governo confrontando-o com delinqüências condenadas pela sua própria retórica. Como o próprio Medici prometera repressão dura e implacável "mas apenas contra o crime, e só contra os criminosos", existia, em tese, espaço livre para discutir o caso de pessoas que tivessem sido brutalizadas mesmo não pertencendo a organizações envolvidas em atos terroristas.[2]

A estratégia do embaraço era tão flexível que praticamente dependia dos movimentos da "tigrada". Produto do senso comum, desenvolveu-se sem enunciados ou grandes articulações. Evitava controvérsias que envolvessem militantes das organizações armadas.

O primeiro embaraço foi imposto ao governo quando o operário Olavo Hansen morreu no DOPS de São Paulo. Ex-estudante de engenharia,

1 Emilio Garrastazú Medici, *Nova consciência de Brasil*, p. 80. Aula inaugural proferida na Escola Superior de Guerra em 10 de março de 1970. *Ordem do Dia* do ministro Orlando Geisel, *O Estado de S. Paulo*, 26 de agosto de 1971, p. 12.

2 Emilio Garrastazú Medici, *O povo não está só*, p. 91.

empregado numa fábrica de fertilizantes e militante trotskista, fora preso no dia 1º de maio de 1970, enquanto distribuía panfletos num comício. Oito dias depois estava morto. Segundo a polícia, matara-se ingerindo um inseticida que lhe paralisara os rins. Sua autópsia registrava quatro ferimentos típicos do pau-de-arara, não havia inseticida na sua cela, e uma carta assinada por todos os presos da carceragem do DOPS revelava que Hansen agonizara por 48 horas antes de ser removido em estado de coma para um hospital.[3] Morrera no mesmo dia em que o palácio do Planalto denunciara a existência de uma campanha de difamação do Brasil e proclamara ao mundo: "Não há tortura em nossas prisões".

Não só o jovem operário, de 32 anos, nada tinha a ver com o terrorismo, como nem sequer o acusavam de ter praticado crime algum. A primeira reação veio do movimento sindical. Duas federações e 21 organizações de trabalhadores de São Paulo telegrafaram a Medici pedindo que se investigasse o episódio.[4] Pouco depois o deputado Franco Montoro, um discreto democrata-cristão, e o líder do MDB, Oscar Pedroso Horta, denunciaram o caso na Câmara. Ambos sustentavam seus argumentos na necropsia de Hansen. O MDB levou a questão ao único foro possível: o Conselho de Defesa dos Direitos da Pessoa Humana.

Criado em 1968 e formado por parlamentares e dirigentes de organizações corporativas da sociedade civil, o CDDPH era uma ambigüidade da ditadura. Não servia para nada porque o governo utilizava a maioria de que dispunha no seu plenário para mandar ao arquivo todas as denúncias. Servia para alguma coisa porque o regime não podia negar à oposição o direito de deixar-lhe diante da porta casos como o de Hansen. As denúncias, bem como seu arquivamento, embaraçavam o governo até mesmo quando a oposição confessava sua impotência. Meses depois de o Conselho ter-se recusado a investigar o caso de Hansen, Pedroso Horta con-

3 Nilmário Miranda e Carlos Tibúrcio, *Dos filhos deste solo*, pp. 527-32. A necropsia de Hansen revela uma "pielonefrite aguda". A insuficiência renal que matou vários presos era provocada pela aplicação de pancadas na musculatura mole do corpo, o que a faz liberar quantidades elevadas de uma proteína denominada mioglobina. Esse ciclo fatal foi descoberto durante a Segunda Guerra, na Inglaterra, estudando-se os padecimentos de pessoas machucadas em desabamentos durante os bombardeios alemães. Denomina-se "crush syndrome".

4 *Jornal do Brasil*, 17 de maio de 1970, p. 3.

tava: "Ainda há poucos dias, recebi, nesta sala [...] a visita de dois velhinhos. [...] Pareciam figuras saídas de uma policromia alemã. Perguntaram-me, com lágrimas nos olhos, o que podiam fazer para punir os responsáveis pela morte do seu filho, Olavo Hansen. Eu lhes respondi: não há nada a fazer. E, realmente, não há".[5]

O porão vencera, mas Olavo Hansen, um operário desconhecido, custara mais caro ao regime que *Bacuri.* Durante o ano de 1970 morreriam outros 25 militantes de organizações esquerdistas, mas nenhum deles se transformou em processo junto ao CDDPH.

Numa linha auxiliar à pura e simples negativa da tortura, o regime construiu um raciocínio através do qual tornava a sua admissão um fator que lhe reduzia a relevância. O primeiro a expô-lo em público foi o ministro da Educação, Jarbas Passarinho: "Dizer que não existe tortura seria faltar à verdade. Agora, dizer que existe tortura como sistemática de governo, não é só faltar à verdade. É uma ignomínia. Dizer que não existem torturas inclusive nos países que nos atacam também é mentira, porque dentro de determinadas prisões existem torturas e violências. É a violência policial que nós conhecemos desde que lemos *Os miseráveis*, de Victor Hugo".

Em linguagem mais direta, o vice-líder da Arena na Câmara, deputado Cantídio Sampaio, expôs o mesmo raciocínio: "Seria de uma ingenuidade ridícula dizer-se que não há tortura no Brasil, ou mesmo nos Estados Unidos da América do Norte. No mundo inteiro existem as feras humanas travestidas de seres humanos. [...] Digo isso como ex-policial, como ex-secretário de segurança".[6]

A construção tinha dois cursos. Um sugeria que a tortura, sendo eterna e universal, era também banal. Outro localizava a sede da violência nas transgressões policiais, separando o porão do Estado. Manipulando-se os dois conceitos, chegava-se à idéia de que havia tortura, mas como o governo a condenava, ela era produto de agentes indisciplinados que Medici tentava controlar. Vai daí, era preciso proteger o presidente

5 Entrevista a Dirceu Brisola, *Veja*, 13 de janeiro de 1971, p. 5.

6 *O Estado de S. Paulo*, 18 de junho de 1970.

para que ele acabasse com a violência, e a melhor maneira de fazê-lo era não tocar no assunto. A racionalização tinha também a capacidade de desembaraçar tanto o governo como todos aqueles que desejando apoiar o regime, sem poderem acreditar na inexistência da tortura, precisavam acreditar em alguma coisa. Tratava-se de um estratagema destinado a fortalecer o presidente e o governo, não a erradicar torturadores. O próprio Passarinho explicaria a Medici: "Admiti, de caso pensado, a existência de fatos isolados. Primeiro porque negar o óbvio seria infame. Admitindo, crescemos em autoridade moral o suficiente para preservar o senhor. [...] Sei que minha atitude criou áreas de reservas, mas sei também (e só isso me interessa) que a tática surtiu efeito bom em relação ao presidente e ao governo".[7]

Deixando-se de lado a realidade do porão (que não é pouca coisa), a própria literatura militar do governo Medici segue outro curso, o da política de Estado. No dia 16 de abril de 1971 o coronel Germano Seidl Vidal, adjunto da Divisão de Assuntos Doutrinários da Escola Superior de Guerra, relatou aos estagiários o trabalho intitulado *Segurança interna — Guerra revolucionária* e informou: "A situação de fato é que impõe a plena aplicação violenta do poder, ainda no quadro restrito da segurança interna, sem dar ao contendor a caracterização de beligerante para aplicação dos princípios jurídicos internacionais".[8]

Em bom português: os "contendores" estavam ao desamparo até mesmo da Convenção de Genebra. Outro documento, produzido pelo Centro de Informações do Exército, aprofundava essa racionalização. Depois de listar as restrições impostas pelas leis do mundo, informava que "sob condições de emergência, ou próximo a elas, o governo pode modificar esses critérios e adotar uma legislação diferente para tratamento dos capturados".[9]

7 Carta de Jarbas Passarinho a Medici, de 8 de março de 1971, em *Folha de S.Paulo*, 12 de dezembro de 1993, pp. 1-16.

8 Germano Seidl Vidal, com Everaldo de Oliveira Reis (coronel) e Antônio de Arruda (desembargador), *Segurança interna — Guerra revolucionária*, p. 13.

9 *Interrogatório*, apostila de 1971, marcada "confidencial", do Centro de Informações do Exército, p. 10.

Símbolo de "tenacidade, desprendimento, alto espírito de sacrifício e excepcional coragem", o delegado Sérgio Fleury tornara-se força autônoma na polícia paulista.[10] Transformando impunidade em onipotência, projetava-se como guardião dos códigos de silêncio e vindita que permeiam as relações policiais. Neles, poucas figuras comparam-se à do vingador, e foi nesse papel que Fleury, acompanhado por nove comparsas, entrou no presídio Tiradentes na tarde de 17 de julho de 1970. Horas antes, o bandido *Guri* (Adjovan Nunes) matara um policial. O bando vinha para a desforra. Tiraram cinco presos da carceragem e mataram-nos nas vizinhanças de Guarulhos. Outros cinco presidiários seriam executados nas horas seguintes, até que acharam *Guri* num matagal de Itaquera com 150 furos de bala.[11] O matador de guerrilheiros apresentava-se à corporação como líder do Esquadrão da Morte, resgatando a promessa de que para cada policial morto morreriam dez bandidos. Registre-se que se a opinião pública desconhecia a extensão das brutalidades cometidas contra presos políticos, sabia o que vinha a ser o Esquadrão e dividia-se ao julgá-lo: 54% contra, 46% a favor.[12]

Pois foi nessa semana de fausto que se colocou no caminho do poderoso delegado Sérgio Fleury a figura miúda e tímida do procurador Hélio Pereira Bicudo. Católico praticante, tinha 48 anos e sete filhos. Fora chefe-de-gabinete do ministro da Fazenda em 1963 e vivia modestamente.[13] Fazia mais de um ano que oficiava contra os crimes da polícia, e diante da nova onda de assassinatos voltara a pedir providências ao procurador-geral. O Esquadrão tornara-se uma pedra no sapato do regime, pois a imprensa estrangeira e as organizações de direitos humanos apresentavam-no como medida da banditização da ditadura. Alguém teve a idéia de trocar tudo por um golpe publicitário. "Esses agentes do crime

10 Para os elogios, *Resolução SSP-40* da Secretaria de Segurança de São Paulo, assinada pelo coronel Danilo Darcy de Sá da Cunha e Mello. *Jornal da Tarde*, 1º de março de 1971.

11 Hélio Bicudo, *Meu depoimento sobre o Esquadrão da Morte*, pp. 142-4 e 185-9.

12 Pesquisa da Marplan realizada no Rio de Janeiro e em São Paulo. *Veja*, 29 de julho de 1970.

13 Bicudo foi chefe-de-gabinete do ministro Carlos Alberto de Carvalho Pinto.

serão punidos exemplarmente pela justiça brasileira", anunciara o palácio do Planalto.[14] Aplaudida por toda a imprensa e pela oposição parlamentar, a providência foi um sucesso. Pela primeira vez desde 1964 o governo conseguiu um editorial favorável do *The New York Times* em relação aos direitos humanos.[15] O presidente do Tribunal de Justiça de São Paulo condenou o Esquadrão, e o procurador-geral deu a Bicudo a chefia das investigações que deveriam erradicá-lo.

Se o Judiciário paulista tentava falar sério, o Executivo estava fazendo teatro. Pouco depois da nomeação de Bicudo, o governador Abreu Sodré formou uma comissão presidida por um general da reserva (Luís Felipe Galvão Carneiro da Cunha), com a suposta finalidade de investigar o Esquadrão. O general fora um dos interrogadores do QG do II Exército no desbaratamento da VPR, em 1969.[16] Em menos de um mês Bicudo denunciou dois investigadores e um alcagüete. Logo em seguida colocou um guizo no pescoço de Fleury, apontando sua relação com uma quadrilha de policiais associada ao tráfico de drogas.[17] Numa nova investigação, Bicudo teve a ajuda de um padre canadense, pároco da igreja de Nossa Senhora de Fátima, nos arredores de Guarulhos. Em 1968 o religioso fotografara Fleury no comando de um grupo de exterminadores pouco antes de emboscarem um bandido. Passados mais de dois anos, entregou a Bicudo os filmes e um relato do que presenciara.[18]

Ameaçado por telefonemas do *Lírio Branco*, codinome do porta-voz do Esquadrão encarregado de anunciar à imprensa a localização dos cadáveres produzidos pela quadrilha, Bicudo foi a Brasília levando um dossiê e uma má notícia para o regime: tinha provas suficientes para denunciar Fleury. Esteve no palácio do Planalto e no SNI. Lá, um coronel disse-lhe que a incriminação do delegado "daria novo alento à subversão esquerdis-

14 Para a nota do Planalto, Daniel Drosdoff, *Linha dura no Brasil — O governo Medici 1969-1974*, p. 108.

15 *The New York Times*, 1º de agosto de 1970.

16 Hélio Bicudo, *Meu depoimento sobre o Esquadrão da Morte*, p. 137. Para Carneiro da Cunha no QG do II Exército, depoimento de Dulce de Souza Maia, em Luiz Maklouf Carvalho, *Mulheres que foram à luta armada*, p. 66.

17 Hélio Bicudo, *Do Esquadrão da Morte aos justiceiros*, p.165.

18 Idem, pp. 54 e 155-6. Relatório sobre a morte de Nego Sete, executado pelo Esquadrão da Morte.

ta no país".[19] O embaraço chegara ao limite, e o governador de São Paulo, Roberto de Abreu Sodré, tomaria a defesa dos assassinos: "Quem é que está no front, quem é que está na frente da briga, quem é que sobe numa favela para pegar um marginal? É o juiz togado... é um promotor pequeno, grande, seja do tamanho que tiver para ir lá? Não, quem sobe é um policial da polícia militar ou da polícia civil, que arrisca a sua vida, o sustento da sua família, porque geralmente são pobres, para tirar um marginal de dentro de uma favela, escondido, encurralado, para dar tranqüilidade à cidade".[20]

O procurador continuou em seu caminho e pediu a prisão preventiva de Fleury. Amparado pelo palácio do Planalto, o delegado bateu à porta do Supremo Tribunal Federal buscando um habeas corpus. Perdeu por cinco a três. Pela primeira vez desde 1968 o Supremo contrapunha-se ao regime. A resposta da "tigrada" foi imediata. Na manhã de 15 de junho, quando inspecionava uma obra na torre de sua igreja, o padre canadense foi surpreendido: "Urubu filho-da-puta". Um dos comparsas de Fleury, que teoricamente estava preso no DOPS, empurrou-o do alto de um andaime. (Na queda, o padre fraturou o crânio, mas sobreviveu.)[21] Em seguida Bicudo foi afastado do inquérito. A Secretaria da Receita Federal vasculhou-lhe as contas bancárias, e ventanistas invadiram seu escritório.[22] O procurador pusera em movimento sete processos e denunciara 35 pessoas, entre delegados, investigadores e alcagüetes. Neles, listaram-se 41 execuções. Fleury viu-se acusado de estar envolvido em 22.[23]

Em outubro de 1970, inesperadamente, entrou em cena em São Paulo o personagem que haveria de se transformar em símbolo da tenacidade na luta contra a tortura. Era o seu novo arcebispo, o franciscano Paulo Evaristo Arns. Crescera numa casa em que se falava e rezava em alemão.

19 Hélio Bicudo, *Meu depoimento sobre o Esquadrão da Morte*, p. 58.

20 Idem, p. 125.

21 Para a descrição da cena, relato de uma entrevista com o delinqüente, o investigador Adhemar Augusto de Oliveira, o *Fininho*, em *Do Esquadrão da Morte aos justiceiros*, de Hélio Bicudo, pp. 64-5.

22 Hélio Bicudo, *Meu depoimento sobre o Esquadrão da Morte*, p. 251.

23 Percival de Souza, *Autópsia do medo*, p. 300.

Era um dos treze filhos de uma humilde família descendente de colonos instalados em Santa Catarina na primeira metade do século XIX. Três de suas irmãs eram freiras e um irmão, padre. Calçara seu primeiro par de sapatos aos oito anos. Pela primeira vez na história da Igreja brasileira uma diocese cardinalícia era entregue a um frade. D. Paulo passara 32 anos dentro do projeto pedagógico da Ordem. Quer como aluno de letras da Sorbonne, em Paris, quer como professor de filosofia em Bauru, fizera um percurso diverso daquele que a Cúria dera aos mais famosos de seus padres seculares. Aos 32 anos, publicara em Paris uma tese sobre os métodos de trabalho e produção da obra de São Jerônimo, grande pensador católico do início da Idade Média.[24] Chegara a bispo da região norte de São Paulo aos 45 anos de idade e dezenove de sacerdócio sem ter dirigido uma paróquia em regime de dedicação exclusiva. Atarracado, tinha a aparência de um camponês, e seu sotaque ecoava a infância catarinense.

Fora nomeado arcebispo no dia seguinte à segunda fala de Paulo VI contra a tortura brasileira. Era um desconhecido fora dos meios eclesiásticos. Afinal, quem haveria de se preocupar com as idéias de um frade metido em filosofia, encantado com o refinamento intelectual e a independência do cristianismo do século IV? Paulo Evaristo assumiu a arquidiocese de São Paulo em novembro de 1970. No dia 29 de dezembro encontrou-se com o comandante do II Exército e presenteou-o com um de seus livros: *A guerra acabará, se você quiser*.[25]

A guerra começou 29 dias depois, quando o DOPS prendeu na casa do vigário do arcebispado o padre Giulio Vicini e a assistente social Yara Spadini. Ele era um pároco de periferia e ela, secretária da região episcopal sul. Tinham consigo a matriz de impressão de um panfleto denunciando a morte de um operário, militante da AP.[26] Yara foi levada a uma sala e interrogada por cinco policiais. Aplicaram-lhe choques elétricos por dez

24 D. Paulo Evaristo Arns, *A técnica do livro segundo São Jerônimo*, Rio de Janeiro, Imago, 1993.

25 *Folha de S.Paulo*, 30 de dezembro de 1970, p. 3.

26 Marcio Moreira Alves, *A Igreja e a política no Brasil*, p. 211. O operário, Raimundo Eduardo da Silva, era militante da AP e fora esfaqueado no dia 23 de novembro. Convalescia num hospital quando foi preso e levado para o HCE. Morrera de peritonite. Para esse caso, ver *Projeto Brasil: nunca mais*, tomo V, vol. 4: *Os mortos*, pp. 317-8.

minutos. Ao padre Giulio sentaram por duas horas numa cadeira de cobertura metálica pela qual passavam choques elétricos. Chamavam-na Cadeira do Dragão.[27] O arcebispo visitou-os. Ambos tinham os tornozelos feridos e queixaram-se das torturas.[28] D. Paulo foi ao governador Abreu Sodré e dele obteve autorização para levar ao DOPS uma equipe médica de sua confiança, de forma a iniciar uma investigação. Aos poucos a situação reverteu-se. Primeiro Sodré recuou, e os médicos não puderam entrar na delegacia. Em seguida a polícia divulgou a prisão de Spadini e Vicini, qualificando-os como subversivos. Finalmente, quando já estavam presos havia uma semana, foram postos em regime de incomunicabilidade. Ao meio-dia de quinta-feira, 4 de fevereiro, de volta de um fracassado encontro com o governador, d. Paulo Evaristo redigiu um aviso e distribuiu-o a todas as paróquias. Ele informava:

> — Nem o padre Giulio Vicini nem Yara Spadini podem ser considerados subversivos antes de serem julgados por um tribunal competente que lhes garanta amplamente o seu direito de defesa. [...]
>
> — Infelizmente padre Giulio e a Sra. Yara Spadini foram torturados de uma maneira ignominiosa pela polícia política (Deops) da nossa capital, como o vigário episcopal da região sul e nós próprios pudemos verificar pessoalmente. [...]
>
> — O Arcebispado de São Paulo espera que as autoridades não faltarão ao dever de fazer um inquérito sobre esses fatos deprimentes e de aplicar enérgicas medidas de punição. [...]
>
> — Este aviso deve ser afixado, este domingo, nas portas das igrejas paroquiais e dos lugares de oração de nosso arcebispado, sem que seja lido ou comentado durante os atos religiosos.[29]

27 *Projeto Brasil: nunca mais*, tomo V, vols. 2 e 3: *As torturas*, p. 95 e p. 930.

28 Para a visita do vigário, Marcio Moreira Alves, *A Igreja e a política no Brasil*, p. 211. Para as marcas nos tornozelos, *Projeto Brasil: nunca mais*, tomo V, vol. 3: *As torturas*, p. 930. Ver também *Veja*, 17 de fevereiro de 1971. D. Paulo narra o episódio em suas memórias, *Da esperança à utopia*, pp. 278-9.

29 Marcio Moreira Alves, *A Igreja e a política no Brasil*, pp. 211-2, citando *Sedoc*, março de 1971, pp. 1130-1.

D. Paulo detonara a crise paulista e controlara seu curso silenciando os sermões. Na segunda-feira, acompanhado por um padre grisalho e calado, o arcebispo embarcou para Belo Horizonte.[30] O sacerdote era o núncio apostólico, d. Umberto Mozzoni, e o destino de ambos era a XII Assembléia Geral da Conferência Nacional dos Bispos. Lá, ao contrário do que sucedera no ano anterior, o conservadorismo estava em retirada. Perdera a presidência da CNBB com a partida de d. Agnello para Roma e vira o papa alinhar-se à denúncia do regime.

Antes mesmo da prisão de Spadini e Vicini o clero fora confrontado com mais um caso de tortura de padre. Em Barra Mansa, o tenente-coronel Gladstone Pernasetti Teixeira, do 1º Batalhão de Infantaria Blindada, continuava sua guerra contra o bispo Waldyr Calheiros. Suas sessões de tortura denominavam-se "missas", e os presos, nus, eram obrigados a cantar o sucesso "Jesus Cristo", de Roberto Carlos.[31] Dois dias antes da redação do aviso de d. Paulo Evaristo, a comissão central da CNBB já sinalizara uma mudança dos ventos episcopais solidarizando-se com o bispo de Volta Redonda numa linguagem bem diversa daquela em que havia um ano dera ao governo o privilégio da dúvida: "O que observamos, na verdade, é que o fenômeno das torturas infelizmente existe em nossa pátria e, em certas circunstâncias, de maneira atroz".[32]

Na reunião de Belo Horizonte chocaram-se pela última vez a Igreja pré- e pós-conciliar. Enquanto o plenário discutia os termos da solidariedade da Assembléia a d. Paulo Evaristo, o cardeal do Rio de Janeiro, Jaime Câmara, circulava pelos corredores com sua cruz peitoral de ouro e pantufas vermelhas coletando assinaturas contra as modificações impostas pelo papa ao sacramento da confissão.[33] Aos 76 anos, tornara-se símbolo esquecido do regalismo conservador. Freqüentara todos os pre-

30 *Veja*, 17 de fevereiro de 1971.

31 Depoimento do padre Natanael de Morais Campos a Murilo Fiuza de Melo e Francisco Luiz Noel. *Jornal do Brasil*, 25 de maio de 1997, Caderno Brasil, p. 9.

32 Carta do presidente, do vice-presidente e do secretário-geral da CNBB a d. Waldyr Calheiros, de 2 de fevereiro de 1971. *Boletim do Sedoc*, março de 1971.

33 Para a coleta de assinaturas, *Dicionário histórico-biográfico brasileiro pós-1930*, coord. de Alzira Alves de Abreu e outros, vol. 1, p. 966. O cardeal do Rio morreu em Aparecida do Norte dois dias depois do encerramento da assembléia.

sidentes. Celebrava na Candelária as missas pelas almas de policiais mortos no combate ao terrorismo e, em cerimônia restrita, por um sobrinho-neto que a "tigrada" assassinara.[34] Estivera com Medici na véspera, levando uma agenda de sete pontos. Entre seus temas estavam um pedido e uma sugestão. Queria "vigilância sobre letras de carnaval irreverentes" e propunha que o governo soltasse os dominicanos presos em São Paulo, para esvaziar o assunto durante os debates da reunião da CNBB. Medici deu-lhe apenas quinze minutos de atenção.[35]

Terminada a reunião, d. Aloísio Lorscheider foi eleito para a presidência da CNBB. Derrotara o cardeal Vicente Scherer, arcebispo de Porto Alegre, por 105 votos a 65. Estava terminado o domínio dos conservadores. D. Aloísio ficaria na cadeira por oito anos.

D. Waldyr Calheiros costumava brincar dizendo que "mexer com bispo traz falta de sorte". Com ele os comandantes do I Exército e do 1º BIB mexeram até onde puderam. Interrogaram-no, indiciaram-no em IPMs, chegaram a prender os maridos de senhoras que trabalhavam nas obras sociais da diocese. O ministro da Justiça tentara depô-lo pedindo sua transferência ao núncio apostólico.[36] Pouco depois da Assembléia da CNBB um padre que passara pelo cárcere do BIB contou-lhe uma história horrível. Foi verificá-la no mesmo dia. Um velho senhor que podia confirmá-la confessou:

— Eu gostaria tanto de falar com o senhor, mas eles proibiram.

— Se eles perguntarem, diga que fui eu quem o procurei — respondeu o bispo.[37]

34 Era Aldo de Sá Brito Souza Neto, militante da ALN, um dos seqüestradores do embaixador Von Holleben. Ivo Calliari, *D. Jaime Câmara*, p. 639. Para a morte de Aldo, *Projeto Brasil: nunca mais*, tomo V, vol. 4: *Os mortos*, p. 11.

35 Ivo Calliari, *D. Jaime Câmara*, p. 641.

36 Para o pedido do ministro Buzaid ao núncio Umberto Mozzoni, Celia Maria Leite Costa, Dulce Chaves Pandolfi e Kenneth Serbin (orgs.), *O bispo de Volta Redonda*, p. 101.

37 Depoimento de d. Waldyr Calheiros a Paulo Moreira Leite, 6 de dezembro de 1988. Ver também Celia Maria Leite Costa, Dulce Chaves Pandolfi e Kenneth Serbin (orgs.), *O bispo de Volta Redonda*, pp. 108-14.

No dia seguinte o velho estava preso, mas d. Waldyr conseguiu reconstituir o que acontecera no quartel do tenente-coronel Gladstone no início de janeiro de 1971. Comunicou os fatos ao núncio apostólico e a d. Ivo Lorscheiter, primo de d. Aloísio e secretário-geral da CNBB.[38] O assunto foi levado a uma das reuniões da Bipartite. Quando d. Ivo acabou de contar sua história, o general Muricy defendeu-se: "Duvido que o Exército brasileiro tenha praticado atos dessa natureza".[39]

Sucedera o seguinte: o chefe da 2ª Seção do estado-maior do 1º BIB, capitão Dalgio Miranda Niebus, de 29 anos, investigara a existência de uma boca-de-fumo no quartel. Ajudado por um tenente, três sargentos e dois cabos, prendera ilegalmente quinze soldados e os interrogara no Arquivo, uma construção a quatrocentos metros de distância do corpo de guarda do batalhão. Bateram neles com canos de ferro, açoites e palmatórias feitas no serviço de carpintaria do quartel, uma das quais desenhada pelo capitão Niebus. Deram-lhes choques elétricos e esmagaram os pés dos presos numa prensa manual.[40] Na tarde de 12 de janeiro, dois dos soldados estavam mortos. Informado do caso, Gladstone determinou que se simulasse uma fuga arrombando-se o teto do Arquivo e dando-se sumiço aos cadáveres. Um foi degolado e o outro, incinerado. No dia seguinte morreu um terceiro soldado. O quarto, cuja cabeça fora colocada na prensa, morreria dias depois no Hospital Central do Exército. Pelo menos um deles agonizou no Arquivo, implorando assistência, mas o médico da unidade se recusou a socorrê-lo.[41] Todos tinham a mesma idade: dezenove anos.

38 Narrativa de d. Waldyr Calheiros a Murilo Fiuza de Melo e Francisco Luiz Noel, *Jornal do Brasil*, 25 de maio de 1997, Caderno Brasil, p. 9.

39 Celia Maria Leite Costa, Dulce Chaves Pandolfi e Kenneth Serbin (orgs.), *O bispo de Volta Redonda*, p. 111.

40 *Sentença da 2ª Auditoria do Exército, da 1ª Circunscrição Judiciária Militar*, p. 16. Durante três anos o autor tentou achar a documentação desse caso. Apesar dos sinceros esforços de dois ministros do Superior Tribunal Militar, nada conseguiu. A narrativa baseia-se no depoimento de d. Waldyr Calheiros a Paulo Moreira Leite e no trabalho dos repórteres da sucursal Rio da revista *Veja*. Os soldados assassinados foram Wanderley de Oliveira, Juarez Monção Virote, Geomar Ribeiro da Silva e Vicente Roberto da Silva. Em 1997 o professor Kenneth Serbin passou ao autor uma cópia da sentença de 32 páginas da 2ª Auditoria do Exército, na qual se encontram fragmentos dos episódios ocorridos no 1º BIB. AA.

41 *Sentença da 2ª Auditoria do Exército, da 1ª Circunscrição Judiciária Militar*, pp. 15-6 e 22. AA.

O comandante do 1º BIB determinou a abertura de um IPM e nomeou Gladstone para presidi-lo. O tenente-coronel concluiu que os fugitivos haviam espancado os colegas e mandou que três rádios da cidade divulgassem o edital de chamada dos dois desertores. O depoimento de uma lavadeira amparava a construção.

"Infelizmente, temos que dar a mão à palmatória", admitiria o general Muricy aos seus interlocutores da Bipartite.[42] Um novo IPM, iniciado menos de duas semanas depois, desmascararia a farsa. O Centro de Relações Públicas do Exército informou que "elementos" do 1º BIB "agiram de maneira condenável e deformada, provocando a morte dos soldados".[43] Nenhum nome, nenhuma patente, nem sequer o número de vítimas. Os criminosos foram julgados em janeiro de 1973. O tenente-coronel Gladstone tomou sete anos (reduzidos depois para seis meses) e o capitão Dalgio, 84 (cumpriu menos de um décimo disso). As penas iniciais dos dez acusados somaram 473 anos.[44]

A hierarquia militar encobriu os detalhes do suplício dos quatro soldados do BIB, mas ainda assim ele foi um estranho sinal para a oficialidade. Anos depois, o general Gustavo Moraes Rego lembraria: "Esse caso chocou fortemente o Exército. Aquilo não era subversão, não era nada. Era coisa de maconheiros numa época em que muita gente fumava maconha. De certa maneira esse caso chocou mais que outros, surgidos anos depois".[45] Com o passar do tempo alguns generais se convenceram de que a condenação dos criminosos do 1º BIB foi exemplo de repulsa dos comandantes militares da época à tortura. Os fatos desmentem essa suposição. Tendo-se comprovado o crime, nenhuma providência tomaram os generais para sinalizar que a punição era uma advertência aos torturadores.[46] Pelo con-

42 Celia Maria Leite Costa, Dulce Chaves Pandolfi e Kenneth Serbin (orgs.), *O bispo de Volta Redonda*, p. 112.

43 *Jornal do Brasil*, 18 de janeiro de 1973, e Celia Maria Leite Costa, Dulce Chaves Pandolfi e Kenneth Serbin (orgs.), *O bispo de Volta Redonda*, p. 112.

44 *Sentença da 2ª Auditoria do Exército, da 1ª Circunscrição Judiciária Militar*, p. 29. AA.

45 General Gustavo Moraes Rego, novembro de 1984.

46 A esse respeito, ver o artigo do general Sérgio de Ary Pires enaltecendo a memória do general Walter Pires de Albuquerque, publicado em *O Globo* de 12 de novembro de 1990. Ou ainda a entrevista do ex-presidente João Baptista Figueiredo em *O Globo* de 28 de abril de 1991.

trário. Colocaram o processo em segredo de Justiça. Se o crime do 1º BIB foi reinvestigado e os delinqüentes punidos, isso se deveu ao fato de estes terem praticado delito considerado comum, equiparando-se aos oficiais e sargentos que davam desfalques ou matavam desafetos. Afora um grande e fulminante embaraço, nada mais.

Os comandantes militares mentiram quando informaram que o comportamento do capitão Dalgio fora "totalmente contrário [...] às determinações em vigor no Exército".[47] Sua defesa sustentou o oposto, a tese da "'guerra santa' em defesa das instituições": "Estes homens foram treinados para a guerra, não são homens comuns, são especializados para enfrentar a Guerra Revolucionária [...] ou são todos responsáveis, ou ninguém é responsável".[48] Disse o óbvio: que a oficialidade do 1º BIB sabia o que acontecia no Arquivo.

Os cabos e sargentos culparam os oficiais, os oficiais culparam os comandantes. O coronel Arioswaldo Tavares Gomes da Silva, sob cujo comando se achava o batalhão, safou-se dizendo que tirara férias, mas reconheceu que numa ida ao quartel foi procurado pela irmã de um dos soldados que estavam apanhando. Perdeu o comando e ganhou uma discreta passagem para a reserva. Foi inocentado tanto por Gladstone como pelo tenente que acolitava Niebus. Eram bons camaradas. Um ano antes da matança dos soldados o coronel justificara publicamente a prisão de militantes da Juventude Operária Católica e acobertara as torturas praticadas contra um padre. Entre os torturadores estava o tenente.[49]

Na mesma época da morte dos quatro soldados do 2º BIB, o comando do I Exército encobriu o assassinato do ex-deputado federal Rubens Paiva, comportando-se como o capitão que mais tarde condenaria. Nesse episódio a "tigrada" teve a sua maior vitória.

Deputado federal pelo PTB, cassado de 1964, Rubens Beirodt Paiva tinha 41 anos e levava a vida de próspero engenheiro, vivendo com a mu-

47 Nota do Centro de Relações Públicas do Exército, de fevereiro de 1972, em *Jornal do Brasil*, 18 de janeiro de 1973, p. 26.

48 *Sentença da 2ª Auditoria do Exército, da 1ª Circunscrição Judiciária Militar*, pp. 9 e 11. AA.

49 Para o episódio, Marcos de Castro, *64 — Conflito Igreja × Estado*, p. 120.

lher e cinco filhos numa casa da praia do Leblon. Ganhara alguma notoriedade em 1963, durante os trabalhos da comissão parlamentar de inquérito que remexeu a contabilidade dos capilés eleitorais distribuídos aos candidatos conservadores pelo empresariado e pelo governo americano. Sua atividade política visível restringia-se a um círculo de notáveis do governo Goulart que vivia na Zona Sul do Rio. Estivera no Chile no final de 1970 e aconselhara seu amigo Almino Affonso, ex-ministro de João Goulart, a retornar ao Brasil. Achava que a ditadura se estabilizara mas não havia risco de que fosse preso ou torturado. Almino foi cuidar da papelada. Percebeu que a embaixada em Santiago não lhe dava passaporte. Telefonou a Paiva, no Rio. Queria pedir-lhe que usasse alguns contatos que tinha no Itamaraty para suspender o constrangimento. Do outro lado da linha atendeu uma voz de homem: Rubens Paiva não estava, não se sabia para onde fora, nem quando voltaria. Telefonou outras duas vezes e ouviu a mesma resposta. Achou que havia algo de errado, ligou para seu irmão e recebeu a notícia, no código banal da época: Paiva estava hospitalizado, talvez em estado grave; também se encontravam no hospital a mulher e uma das filhas.[50]

Rubens Paiva foi preso no início da tarde de 20 de janeiro de 1971, quando seis homens armados e nervosos ocuparam sua casa. Ele os acalmou, pediu que guardassem os revólveres e vestiu-se. Escoltado, guiou seu carro até o quartel do comando da III Zona Aérea, junto ao aeroporto Santos Dumont. Levaram-no para uma sala e acarearam-no com duas senhoras. Os três foram obrigados a ficar de pé, com os braços levantados. Era um fio que começara a ser puxado pelos serviços de informações do governo dois dias antes, em Santiago do Chile. Elas haviam visitado os filhos, tomaram o avião de volta ao Rio e foram presas ao desembarcar. Na bagagem de uma delas acharam-se pelo menos duas cartas endereçadas a Rubens Paiva. Uma era de Almino Affonso. Outra vinha de Helena Bocayuva, filha do ex-deputado Luiz Fernando (*Baby*) Bocayuva Cunha. Militante do MR-8, ela fora fiadora da casa do Rio Comprido onde ficara o embaixador americano Charles Elbrick. Mesmo tendo sido iden-

50 Narrativa do deputado Almino Affonso, discurso na Câmara dos Deputados, 13 de dezembro de 1995.

tificada e fotografada durante o seqüestro, escapulira para o exílio. Rubens Paiva, amigo e sócio de seu pai, escondera-a no Rio.

Uma das senhoras sentiu-se mal, Rubens Paiva amparou-a, foi golpeado por um oficial e respondeu com um palavrão. Surrado, ficou estendido no chão. Horas depois anunciaram que iam levá-lo para o Aparelhão. Era o DOI da Barão de Mesquita. No caminho ele reclamava de que não conseguia respirar, mas chegou consciente ao quartel da Polícia do Exército. Foi interrogado, e durante a noite ouviram-no soletrar o sobrenome Beirodt para os carcereiros que faziam a ronda. Ouviram-no também pedir água.[51]

Passava pouco de uma hora da madrugada do dia seguinte quando Amilcar Lobo, aspirante-a-oficial e médico do DOI, foi acordado em casa e levado para o quartel. Subiu à carceragem do segundo andar e lá, numa das celas do fundo do corredor, encontrou um homem nu, deitado, com os olhos fechados. Tinha todo o corpo marcado de pancadas e o abdômen enrijecido, clássico sintoma de hemorragia interna. "Rubens Paiva", murmurou duas vezes o preso, abrindo os olhos.

Lobo aconselhou que ele fosse levado para um hospital, mas o major que o acompanhou à cela achou melhor retê-lo: "Ele é muito quente, doutor, se dá com gente do Chile".

Na manhã seguinte o médico foi informado de que Rubens Paiva morrera. Pretendiam esquartejá-lo.[52] Comandava o DOI o major José Antonio Nogueira Belham. Dispunha do receituário de lorotas para explicar as mortes dos presos na Barão de Mesquita, mas nenhuma delas servia. Não podiam negar a prisão, como no caso de Mário Alves, do PCBR. Nem dizer que o ex-deputado resistira, como disseram depois de matar Chael Charles Schreier, da VPR. Muito menos que se suicidara, como fizeram com Roberto Cieto.

Rubens Paiva deve ter morrido poucas horas depois da visita do aspirante Lobo, pois a fraude destinada a encobrir o seu assassinato foi exe-

51 Todas as informações referentes à prisão de Rubens Paiva são da reportagem de Fritz Utzeri e Heraldo Dias publicada pelo *Jornal do Brasil* em 22 de outubro de 1978, Caderno Especial.

52 Amilcar Lobo, *A hora do lobo, a hora do carneiro*, pp. 27-9.

cutada antes que o dia amanhecesse. Segundo o registro feito na 19ª Delegacia às 4h30 da madrugada de 22 de janeiro, "o elemento Rubens Seixas" fora seqüestrado por um grupo terrorista na estrada montanhosa do Alto da Boa Vista quando era transportado, no banco de trás de um Volkswagen, por um capitão e dois sargentos. Os seqüestradores surgiram em dois automóveis, atacaram com armas automáticas e obrigaram a escolta a abrigar-se fora do fusca. Deu-se "tiroteio cerrado", o carro incendiou-se e o preso evadiu-se. Rubens Paiva era um homem corpulento, pesava perto de cem quilos. Teria conseguido sair do carro pela porta esquerda enquanto os três militares saíam pela direita. No meio do tiroteio refugiara-se atrás de um poste e correra até um dos veículos dos terroristas, percurso que somaria 25 metros.[53]

Entre o momento em que ouviram Rubens Paiva pedir água e o instante em que ele murmurou o nome em agonia passaram-se cerca de dezesseis horas. Já entre o dia da montagem da farsa do Alto da Boa Vista contando a fuga de um suposto "Rubens Seixas" (22 de janeiro) e a sua divulgação, quando lhe atribuíram a identidade certa (3 de fevereiro), passaram-se duas semanas. Durante esse período o governo emitiu sinais confusos. No final de janeiro o I Exército informou à Justiça Militar que Rubens Paiva não estava entre os seus presos, sem nenhuma referência à fuga de "Rubens Seixas". Ademais, durante treze dias deixou-se que o assunto fosse tratado pela imprensa, e a Censura só foi mobilizada depois que o governo oficializou a versão fraudulenta do seqüestro.[54] Mesmo tratando-se de um dos crimes mais investigados da ditadura, nada se sabe das razões que levaram o comando do I Exército a procrastinar a divulgação da farsa.

Rubens Paiva morreria muitas outras vezes, em muitos outros foros. Eunice, sua viúva, bateu à porta do Superior Tribunal Militar e do Conselho de Defesa dos Direitos da Pessoa Humana. Sabia que o ma-

53 A "fuga" de Rubens Paiva foi uma repetição da farsa montada em 1957 pelo exército francês na Argélia para encobrir o assassinato do professor Maurice Audin. Ele teria fugido dez dias depois de preso, quando era transportado num jipe. Audin foi assassinado pelo mesmo tenente que mais tarde reconstituiu a cena da fuga. Pierre Vidal-Naquet, *La torture dans la république*, p. 74.

54 No dia 3 de fevereiro a Censura proibiu a divulgação de uma carta da filha de Rubens Paiva, de quinze anos, ao ministro da Justiça, Alfredo Buzaid. Paolo Marconi, *A censura política na imprensa brasileira — 1968/1978*, p. 232.

rido estava morto, mas pedia que se investigasse a versão farsesca do episódio do Alto da Boa Vista. Foi sempre barrada pelo endosso que os comandantes militares deram àquele seqüestro fraudulento, tão parecido com a deserção dos mortos fabricada pelo capitão Dalgio no BIB. Seu último recurso ao STM teve como relator o general Jurandyr de Bizarria Mamede, corifeu do castelismo, mestre da Escola Superior de Guerra. Mamede negou-o. Ao plenário de nove cadeiras do CDDPH, Eunice Paiva pediu que fosse criada uma comissão especial destinada a investigar o caso. Contou com os quatro votos dos representantes da oposição e da Ordem dos Advogados. O ministro da Justiça desempatou a favor do governo.

Assassinara-se um ex-deputado federal cuja atividade política era desassombrada, porém inofensiva, e cuja vida pessoal acompanhava muito mais os padrões da elite do Milagre do que os códigos da militância esquerdista. Contara-se uma história insustentável, e encerrara-se o assunto. Tinha razão o deputado Pedroso Horta: "Não há nada a fazer. E, realmente, não há".

Ainda assim, fazia-se. Em março de 1971 o monsenhor Joseph Gremillion e o padre Jesus Garcia estavam no Rio de Janeiro. Oficialmente, participavam do IV Encontro Regional Latino-Americano de Justiça e Paz. Gremillion reuniu o núncio apostólico, outros cinco representantes estrangeiros, um cardeal e oito bispos brasileiros. Mais treze "peritos", numa mistura política e espiritual que juntava o ministro de Minas e Energia, Antônio Dias Leite, e o professor paulista Fernando Henrique Cardoso. Encontraram-se no convento do Cenáculo, em Laranjeiras. Longe do auditório, Gremillion entrevistou-se com diversos familiares de desaparecidos. Ouviu cada caso de uma vez, inclusive o de Eunice Paiva, a viúva de Rubens.[55] No final, autorizou a Comissão de Justiça e Paz a dar as-

55 Marina Bandeira, "Comissão Pontifícia Justiça e Paz — 1969-1995 (Memória)", em Candido Mendes de Almeida e Marina Bandeira, *Comissão Brasileira Justiça e Paz — 1969-1995* (*Empenho e memória*), pp. 68-72.

sistência a essas famílias, cujos parentes eram, em quase todos os casos, marxistas e militantes de organizações armadas.[56]

Nesses dias, também desembarcou no Rio um texano magro, comprido, de pés enormes. Chamava-se Pat Holt. Trabalhava na assessoria técnica da poderosa Comissão de Relações Exteriores do Senado americano. Vinha investigar a relação entre os programas de assistência de seu governo e a máquina repressiva da ditadura. Ficou duas semanas no Brasil, entrevistou-se sigilosamente com mais de vinte pessoas e coletou denúncias escritas. Uma delas informava que o escritório do Grupo Técnico de Comunicações Navais americano funcionava perto de uma das salas de tortura montadas no Arsenal de Marinha, no Rio de Janeiro. Funcionários da missão naval americana ouviram gritos e presenciaram a entrada e saída de presos.[57]

Holt verificou também que a embaixada americana estava dividida em relação ao regime.[58] Com 1400 pessoas na folha de pagamento, era uma das maiores representações do governo dos Estados Unidos no mundo.[59] Nominalmente estava sob a direção do veterano William M. Rountree, um diplomata tão cauteloso que antes de se deixar fotografar em seu gabinete, virava de costas os papéis relevantes que tinha sobre a mesa. De fato comandava-a o adido militar, coronel Arthur Moura, um extrovertido descendente de açorianos cujas ligações com o Exército remontavam a 1944, quando foi anexado à quarta turma de oficiais brasileiros enviada para o curso de adestramento de Fort Leavenworth.[60] Herdara as conexões de seu amigo Vernon Walters, de quem fora assistente, e era de longe o americano melhor informado das tramas do regime. Mou-

56 Kenneth P. Serbin, *Diálogos na sombra*, pp. 330-1.

57 Telegrama da Associated Press, lido por Pat Holt, sem mencionar a data, em *United States Policies and Programs in Brazil*, Hearings before the Subcommittee on Western Hemisphere Affairs, U. S. Government Printing Office, Washington, 1971, p. 93.

58 Pat Holt, janeiro de 1990. Holt jamais deu detalhes de sua missão.

59 *United States Policies and Programs in Brazil*, Hearings before the Subcommittee on Western Hemisphere Affairs, U. S. Government Printing Office, Washington, 1971, p. 273. Depoimento do embaixador William M. Rountree. Essa equipe tinha 588 cidadãos americanos e 811 brasileiros. Não entram nesse cálculo os 325 voluntários dos Corpos da Paz.

60 Para a presença de Moura em Fort Leavenworth, depoimento do general Antonio Carlos Muricy ao CPDOC, vol. 1, fita 13, p. 247.

ra tornara-se o verdadeiro orientador político da embaixada e atuava com tamanha desenvoltura que em algumas ocasiões praticamente presidiu reuniões de trabalho na presença de Rountree.[61]

O embaixador e Holt não se entenderam. De volta a Washington, o funcionário do Senado pôs em movimento a engrenagem burocrática que obrigaria o Executivo americano a explicar ao Senado suas relações com a ditadura brasileira. Na manhã de 4 de maio de 1971, na sala S-116 do Capitólio, o senador democrata Frank Church, presidente da Subcomissão de Assuntos do Hemisfério Ocidental, iniciou uma sabatina de três dias. Era um político liberal do Idaho, adversário da Guerra do Vietnã e das maquinações internacionais da Central Intelligence Agency. "É o povo quem paga a conta do que nós estamos fazendo no Brasil e ele tem o direito de saber tudo aquilo que a segurança nacional permita", informou Church.[62]

Vista da Casa Branca, a América Latina ia de mal a pior. Noves fora Fidel Castro, o Chile era governado por um socialista, o Peru e a Bolívia por generais nacionalistas. No Uruguai o terrorismo Tupamaro parecia o prelúdio de um governo de esquerda. Não só a ditadura brasileira era simpática ao governo do presidente Richard Nixon, mas também o governo Nixon mostrava-se simpático às ditaduras em geral. O secretário de Comércio Maurice Stans acabara de visitar a Grécia governada por um grupo de coronéis e louvara o "milagre econômico" que produziam.[63] O Departamento de Estado já informara à subcomissão o interesse do governo americano: "O Brasil representa metade da massa territorial e da população da América do Sul. Se a sua postura atual de aliado independente do mundo livre vier a se deteriorar, levando-o para uma posição hostil, ocorrerá uma significativa vitória para as forças mundiais que se opõem aos Estados Unidos".[64]

61 Stephen Dachi, março de 1988. Dachi serviu em Brasília, em 1971, como chefe do serviço dos Corpos da Paz. Mais tarde foi cônsul-geral em São Paulo.

62 *United States Policies and Programs in Brazil*, Hearings before the Subcommittee on Western Hemisphere Affairs, U. S. Government Printing Office, Washington, 1971, p. 1.

63 C. M. Woodhouse, *The rise and fall of the Greek colonels*, p. 89.

64 Nota do Departamento de Estado à Subcomissão de Assuntos do Hemisfério Ocidental, de janeiro de 1971. *United States Policies and Programs in Brazil*, Hearings before the Subcommittee on Western Hemisphere Affairs, U. S. Government Printing Office, Washington, 1971, p. 257.

Ademais, o Brasil era o 12º comprador de produtos americanos. Na sua economia estavam 14% dos investimentos feitos na América Latina, e era o único país da região no qual a rentabilidade média das empresas americanas se mantinha em alta.[65]

Essa visão utilitária da relação do governo americano fora resumida pelo general Walters em 1968, depois da edição do AI-5. Ele escrevera ao professor Henry Kissinger, o poderoso assessor de Nixon: "Se o Brasil se perder, não será outra Cuba, será outra China".[66]

Os senadores começaram os trabalhos ouvindo Theodore D. Brown, chefe do programa de assistência à segurança pública brasileira. Em 1970 ele gastara 727 mil dólares e treinara 98 policiais civis brasileiros.[67] Seu testemunho teve dois grandes momentos.

O primeiro:

> HOLT: O que é a Operação Bandeirante?
>
> BROWN: Já ouvi falar nisso, mas agora não consigo lembrar o que significa.[68]

O segundo:

> SENADOR CLAIBORNE PELL: Uma severa condenação [dos torturadores] de parte do nosso governo ou da embaixada não produziria sobre eles um efeito inibitório?

65 *United States Policies and Programs in Brazil*, Hearings before the Subcommittee on Western Hemisphere Affairs, U. S. Government Printing Office, Washington, 1971, p. 257. Para a rentabilidade das empresas americanas, "US companies in Latin America invest more but earn less in 1970", *Business Latin America*, 24 de setembro de 1970, citado em James Petras e Morris Morley, *The United States and Chile — Imperialism and the overthrow of the Allende government*, p. 63.

66 Memorando de Vernon Walters a Henry Kissinger, em *Folha de S.Paulo*, 24 de abril de 2001.

67 *United States Policies and Programs in Brazil*, Hearings before the Subcommittee on Western Hemisphere Affairs, U. S. Government Printing Office, Washington, 1971, p. 6. Desde 1963, quando o programa de segurança pública começou a funcionar, o governo americano treinara 641 policiais brasileiros. Somando-se todas as suas despesas, gastara 10 milhões de dólares. Idem, pp. 22 e 19.

68 *United States Policies and Programs in Brazil*, Hearings before the Subcommittee on Western Hemisphere Affairs, U. S. Government Printing Office, Washington, 1971, p. 43.

BROWN: Eu não acho, senador, e estou qualificado para dizer isso.[69]

(Brown estava realmente qualificado. Visitara inúmeras centrais de polícia brasileiras e, em Alagoas, assistira a uma demonstração de controle de tumultos feita pela Polícia Militar.)[70]

À tarde chegou o general George Beatty, chefe da delegação americana junto à Comissão Militar Mista Brasil-Estados Unidos. Em 1970 as forças armadas americanas haviam treinado 562 militares brasileiros e em 71 já tinham fechado negócio para a venda de 20 milhões de dólares em armas.[71] O testemunho de Beatty, bem como os documentos que apresentou, ocupa 105 das 315 páginas da ata da subcomissão, mas pode ser resumido em duas linhas:

HOLT: O senhor sabe alguma coisa a respeito do CODI?

BEATTY: Eu leio a respeito dele n'*O Globo*, e isso é tudo.[72]

No dia seguinte foi a vez do diretor da Central Intelligence Agency, Richard Helms. Sua prioridade latino-americana era o Chile, não o Brasil. Acabara de pedir ao FBI que grampeasse o prédio da embaixada americana em Santiago.[73] Os senadores ouviram-no durante duas horas e vinte minutos. A transcrição de seu testemunho somou 2400 linhas datilografadas, e no fim da sessão foram destruídos a fita estenográfica e os carbonos. Restou apenas um original, marcado como "top secret", guardado no cofre da subcomissão por dezesseis anos, até que em fevereiro de 1987 se liberou uma

69 *United States Policies and Programs in Brazil*, Hearings before the Subcommittee on Western Hemisphere Affairs, U. S. Government Printing Office, Washington, 1971, p. 39.

70 *Gazeta de Alagoas* de 15 de junho de 1968, citada por José Alberto Saldanha de Oliveira em "*A mitologia estudantil*" — *Uma abordagem sobre o movimento estudantil alagoano*, p. 73.

71 *United States Policies and Programs in Brazil*, Hearings before the Subcommittee on Western Hemisphere Affairs, U. S. Government Printing Office, Washington, 1971, pp. 85 e 140.

72 Idem, p. 138.

73 *The last two years of Salvador Allende*, de Nathaniel Davis, p. 94. Helms pediu o grampo no dia 27 de abril, e ele foi instalado na primeira metade de maio.

cópia expurgada.[74] A quarta parte do que o diretor da CIA disse ainda está protegida pelo sigilo. Helms sabia o que era o CODI e acreditava que o terrorismo entrara em declínio.[75] Em pelo menos duas ocasiões referiu-se à falta de coordenação do aparelho repressivo e numa delas classificou-o de "bagunça".[76] Há em seu testemunho ecos da tese segundo a qual em muitos casos a violência escapava ao controle de Medici.[77] Demorou-se explicando aos senadores que havia no Brasil uma "ditadura consentida":[78] "A economia brasileira melhorou, e o povo está vivendo melhor. Como os senhores bem sabem, quando o povo vive melhor, há menos desencanto com os governantes. O ministro da Fazenda fez um serviço que parece muito competente. [...] Conseguiu um crescimento de 9% nos últimos dois anos, o que é indiscutivelmente um bom resultado. [...] O clima dos negócios para as companhias americanas é muito bom".[79]

Uma semana depois testemunhou o embaixador Rountree: "Em 1969 o [nosso] investimento direto líquido no Brasil foi de 64 milhões de dólares, e as remessas de lucros [das empresas americanas no Brasil] somaram 66 milhões".[80]

Quanto à tortura:

> SENADOR PELL: O senhor acha que hoje as condições estão melhores ou piores do que há três anos?

74 Devo à gentileza do jornalista Getulio Bittencourt o acesso à cópia desse documento.

75 Depoimento do diretor da CIA, Richard Helms, à Subcomissão de Assuntos Hemisféricos da Comissão de Relações Exteriores do Senado, 5 de maio de 1971, cópia da transcrição liberada em 1987, p. 14 para o CODI e 22 para o declínio do terrorismo.

76 Na página 67 do seu testemunho, Helms diz que já falou da falta de coordenação em outro ponto do depoimento. A palavra usada foi *mishmash*.

77 Depoimento do diretor da CIA, Richard Helms, à Subcomissão de Assuntos Hemisféricos da Comissão de Relações Exteriores do Senado, 5 de maio de 1971, cópia da transcrição liberada em 1987, p. 28.

78 Idem. A expressão "ditadura consentida" foi trazida pelo senador liberal Jacob Javits e endossada por Helms. Depois, por conta de uma intervenção do senador William Fulbright, dominou boa parte do debate; pp. 62-3 para Javits e Helms, e 72 para Fulbright.

79 Idem, pp. 53-4.

80 *United States Policies and Programs in Brazil*, Hearings before the Subcommittee on Western Hemisphere Affairs, U. S. Government Printing Office, Washington, 1971, p. 285.

ROUNTREE: Ouve-se consideravelmente menos a respeito dela hoje do que há um ano.[81]

(Desde o dia 1º de janeiro de 1971 haviam sido assassinadas dezesseis pessoas, uma das maiores marcas já ocorridas. Dois dias depois do testemunho de Rountree fora assassinado na base aérea do Galeão o militante do MR-8 Stuart Edgar Angel Jones, sobrinho-neto do presidente do Tribunal de Justiça de Nova York.)

Nada a fazer. A comunidade de negócios americana via na economia brasileira um festivo milagre, e a Casa Branca via no governo do general Medici um rochedo de paz, prosperidade e vigor anticomunista. Em outubro o chanceler Mario Gibson Barboza desembarcou em Nova York para receber nos salões do hotel Plaza o título de Homem do Ano da Câmara de Comércio Brasil-Estados Unidos. Pelo lado americano o prêmio foi para Nelson Rockefeller. Dois meses depois, Medici desembarcava na base aérea de Andrews. Vinha com uma comitiva de 55 pessoas, doze das quais guarda-costas.[82] Era o primeiro general latino-americano a visitar Nixon. O *The New York Times* informou que ele condenava "a violência política, tendo instruído seus colaboradores a tentar eliminá-la".[83]

Não era bem assim. Em julho o *Brazilian Information Bulletin* listara 31 artigos sobre a repressão política do governo Medici publicados na imprensa americana.[84] Poucos meses antes d. Paulo Evaristo Arns fora ao Planalto pretextando entregar ao presidente uma cópia das reflexões do papa Paulo VI sobre o octogésimo aniversário da encíclica *Rerum novarum*. Quando lhe estendeu o bonito volume, o presidente afastou-o. A conversa ia seca, até que o cardeal falou de "pessoas mortas, torturadas e desaparecidas". O general segurava as bordas da mesa, suas mãos tre-

81 Idem, p. 294.

82 Cinco folhas enviadas pelo coronel Piero Ludovico Gobbato ao general Danilo Venturini, de 5 de fevereiro de 1982, com a "relação numérica e nominal das pessoas que viajaram para os EUA em dezembro de 1971". APGCS/HF.

83 "Brazilian leader to talk to Nixon", *The New York Times*, 7 de dezembro de 1971.

84 *Brazilian Information Bulletin*, nº 4, julho de 1971, p. 15. AA.

miam, e os objetos balançavam: "Os senhores pedem clemência para os bandidos, enquanto eles assaltam, roubam e seqüestram. Ameaçam de morte até meus ministros".[85] Medici disse-lhe que "seu lugar é na sacristia", chamou-o de "despreparado", lembrou que tivera boas relações com seu antecessor e, de pé, anunciou-lhe que podia se retirar.[86] O cardeal resumiu o encontro para a imprensa informando que "nossas posições continuam as mesmas".[87]

Nixon recebeu Medici nos jardins da Casa Branca e, numa saudação de improviso, informou: "Nós sabemos que para onde o Brasil for, para lá irá o resto do continente latino-americano".[88] Não poderia ser mais franco, até mesmo profético.[89] Os dois presidentes conversaram por 55 minutos, e quando os jornalistas perguntaram ao porta-voz do governo americano se o tema da restauração democrática havia sido levantado, ele respondeu: "Eu acho que esse assunto não apareceu".[90] Apareceu em outros lugares, mas pouca atenção mereceu. Na véspera da chegada do general o jornalista Dan Griffin, do *The Washington Post*, publicou um artigo indagando: "Quando e como o presidente Medici pretende restaurar a democracia no Brasil?".[91]

85 Notas do encontro, tomadas por d. Paulo, em *Jornal do Brasil*, 7 de outubro de 1995.

86 Entrevista de d. Paulo Evaristo Arns a José Casado, 2 de novembro de 1994. D. Paulo narrou novamente esse episódio à revista *Imprensa* de outubro de 1996.

87 D. Paulo descreveu esse episódio, com graus variáveis de detalhes, em pelo menos cinco ocasiões. Ele está em suas memórias, *Da esperança à utopia*, p. 352. Para o pedido para que o cardeal se retirasse, notas do encontro, tomadas por d. Paulo, em *Jornal do Brasil*, 7 de outubro de 1995. Para "despreparado", entrevista de Arns a José Casado, 2 de novembro de 1994, e, para o comentário do cardeal sobre o encontro, *O Estado de S. Paulo*, 6 de maio de 1971. D. Paulo tratou do assunto também em duas diferentes entrevistas que concedeu a Roldão Arruda e a José Maria Mayrink, publicadas em *O Estado de S. Paulo* e *Jornal do Brasil* de 8 de setembro de 1996. Há uma outra versão desse encontro em Roberto Nogueira Médici, *Medici — O depoimento*, p. 84.

88 *The New York Times*, 31 de dezembro de 1971. A frase, em inglês: "We know that as Brazil goes so will go the rest of the Latin-American continent".

89 Cinco anos depois dessa declaração havia ditaduras militares em sete dos dez países sul-americanos: Brasil, Argentina, Uruguai, Chile, Bolívia e Equador. No Peru sobrevivia a ditadura do general Velasco Alvarado, sem que se possa enquadrá-la na tipologia antevista por Nixon. A elas se somava a veterana ditadura paraguaia, estabelecida em 1954.

90 *The New York Times*, 8 de dezembro de 1971.

91 *The Washington Post*, 7 de dezembro de 1971.

Em sua coluna d'*O Globo*, Nelson Rodrigues vangloriava-se: "Aí está por que emudeceram todas as piadas, porque o próprio Brasil deixa de ser uma piada. Quando reconhece o Milagre Brasileiro, Richard Nixon ensina o Brasil a ver Emilio Garrastazú Medici como o nosso maior presidente".[92]

92 *O Globo*, 13 de dezembro de 1971.

A marcha de *Cirilo*

Nos últimos meses de 1970, um ano depois da morte de Marighella, a esquerda armada, que Luiz Carlos Prestes chamara de "sarna do revolucionarismo pequeno-burguês", estava dividida em três populações.[1] Na maior delas achavam-se os presos. Eram cerca de quinhentos: alguns, condenados a penas curtas, podiam sonhar com a hora da libertação; outros, com sentenças do tamanho de suas vidas, torciam por novos seqüestros.[2] A segunda população, em torno de duzentas pessoas, era a dos exilados que continuavam militando ativamente nas organizações armadas. Nela estava boa parte dos veteranos de ações terroristas, os principais combatentes e quadros teóricos, quase todos trocados nos seqüestros. Formavam uma tropa imaginária que desembarcaria no Brasil com experiência, treinamento e recursos suficientes para retomar a ofensiva. Espalhavam-se pelo Chile, Cuba, Argélia e França. O terceiro grupo era o dos combatentes que viviam clandestinamente no Brasil. Nas cidades, mal passavam de cem. Viviam espremidos entre a idéia do exílio e a do "desbunde". Esse termo, que designara a passagem da militância esquerdista para o mundo de sonhos da marginália cultural, confundia-se com um salto em direção a uma condenada opção pela individualidade.

1 Dênis de Moraes (org.), *Prestes com a palavra*, p. 200, com um texto d'*O Estado de S. Paulo* de 29 de dezembro de 1970, citando um artigo de Prestes na *Nova Revista Internacional*.

2 Uma reportagem do *Jornal do Brasil* estima em quatrocentos os presos em julho de 1970. *Jornal do Brasil*, 3 de julho de 1970, p. 4.

Amarrando-os às armas, havia a perseguição, a lembrança dos sofrimentos dos presos e o "compromisso com os mortos".[3] No comovente depoimento de Vera Sílvia Magalhães: "Eram meus amigos, era minha vida — e minha morte. Essa contradição eu tinha de viver. Fora dali eu era o quê? Não tinha identidade".[4] Procurava-se resgatar uma dívida com os vivos, a libertação dos prisioneiros. "A gente ficava mais pelo aspecto ético, moral... que outros companheiros já morreram... aquele negócio todo", reconheceria Alex Polari, da VPR.[5]

Circulava um duplo sentimento de culpa, pois a deserção significaria o abandono não só do amigo morto (quase sempre um jovem colega de bar ou de escola, freqüentemente um amor juvenil) mas também dos amigos vivos, a cujos momentos de doloroso silêncio muitos deviam a liberdade. Ficar "parecia uma opção pela morte e pela tortura".[6]

Desarticulada, a VPR não chegava a somar cinqüenta quadros. Carlos Lamarca, trancado num aparelho, refletia: "Estamos nos esvaziando, não conseguimos recuperar o terreno perdido [...] aprofundamos o nosso isolamento político, afundando cada vez mais na marginalidade".[7] Outra militante, num documento aos demais quadros da organização, advertia: "Se não tivermos a combatividade necessária para fazermos uma profunda autocrítica e revolução interna não passaremos do que somos hoje: um tumor dentro da realidade política brasileira".[8]

Felipe, um veterano da VPR, contara ao seu psicanalista o suicídio do sociólogo Juarez Guimarães de Brito, legendário fundador da organização. Era o *Juvenal* do assalto ao cofre de Adhemar de Barros e tentara resgatar um companheiro que a polícia levara até um "ponto". A manobra

3 Francisco Carlos de Andrade, agosto de 1988.

4 Marcelo Ridenti, *O fantasma da revolução brasileira*, p. 272.

5 Luzimar Nogueira Dias (seleção), *Esquerda armada — Testemunho dos presos políticos do presídio Milton Dias Moreira, no Rio de Janeiro*, p. 11.

6 Herbert Daniel, *Passagem para o próximo sonho*, p. 59.

7 Carlos Lamarca, em *Os Mesmos Problemas da Propaganda Armada*, documento apreendido, citado em "A trajetória de um desertor", na internet: <http://www.ternuma.com.br/lamarca.htm>.

8 Zenaide Machado, *Carta Aberta a Toda a ORG*, citado em "A trajetória de um desertor", na internet: <http://www.ternuma.com.br/lamarca.htm>.

falhara, e uma patrulha do CIE ia capturá-lo. Deu um tiro na cabeça. *Felipe* dissera ao terapeuta:

— Fim de linha, doutor. Perdemos a guerra...

— Olha, pra mim você não tem mania de perseguição, não. Você está sendo perseguido. É a realidade. A opção de ir para o exterior é uma reação de vida, não há por que se culpabilizar — respondeu o analista.[9]

Felipe era uma espécie de intérprete oficial da VPR. Estivera no seqüestro de Von Holleben, pensara em saltar, mas ia ficando. Viera da incubadeira do movimento secundarista da classe média alta do Rio de Janeiro. Havia dois anos carregava um trabuco na cintura.

O embaixador suíço Giovanni Enrico Bucher, um solteirão de 57 anos, tornara-se conhecido nos salões do Rio pelo bom humor e pela latinha que empunhava como se fosse um talismã. Eram cigarros ingleses feitos com uma mistura de fumos dosada ao seu gosto. Seu Buick azul foi interceptado no Flamengo na manhã de 7 de dezembro de 1970. Os terroristas deram dois tiros. Um deles feriu mortalmente o agente federal que escoltava o diplomata. *Paulista* e *Daniel* mandaram que saísse do carro. Bucher voltou-se bruscamente. Parecia procurar uma arma, mas catava a latinha de cigarros. Disfarçaram-no de pintor, com guarda-pó e boné, e desovaram-no numa casinha de subúrbio na ladeira Tacaratu, em Rocha Miranda.[10]

— O senhor será bem tratado — tranqüilizou-o, em inglês, *Felipe*.

— Porra, eu não sou americano, sou suíço! Não tenho nada com isso — respondeu Bucher em português quase impecável.[11]

9 Alfredo Sirkis, *Os carbonários*, p. 199.

10 Herbert Daniel, *Passagem para o próximo sonho*, p. 115, e Alfredo Sirkis, *Os carbonários*, pp. 289 e 297.

11 Alfredo Sirkis, *Os carbonários*, p. 288.

Helga, que recebera Holleben com Valium 5, preparou-lhe um suco de maracujá. Desde o primeiro momento estabeleceu-se uma relação amigável entre o embaixador e seus carcereiros. Demoraria pouco para que formasse com o barbudo *Paulista* uma dupla temível no biriba.[12] Ao contrário do que sucedera nos seqüestros anteriores, dessa vez a VPR dispunha de razoável infra-estrutura. A casa fora alugada seis meses antes, e dois dos seqüestradores haviam-se familiarizado com a vizinhança. Tinha-se até um refúgio alternativo. Cinco manifestos espalhados pela cidade informavam que o resgate de Bucher fora fixado em setenta presos, com três outras exigências: a divulgação de uma catilinária, o congelamento geral de preços por noventa dias e roletas livres nas estações de trem do Rio de Janeiro.[13] Era o mais alto preço pedido por um diplomata.

Durante os catorze meses que separaram o seqüestro de Elbrick do de Bucher desenvolvera-se internacionalmente uma cultura policial relacionada com a segurança dos diplomatas, a negociação de resgates e a invasão de aparelhos. Os serviços de segurança brasileiros perceberam a precariedade das ações anteriores. Os interrogatórios dos seqüestradores capturados permitiram uma melhor compreensão das tensões suportadas pelos terroristas durante o difícil período das negociações. O presidente Medici perdera o sono nos seqüestros anteriores, mas quando lhe contaram que mais um embaixador havia sido capturado, avisara que não queria mais ser aborrecido com o assunto.[14]

Os jornais do dia seguinte trouxeram duas más notícias para os seqüestradores. *Bacuri*, cujo nome encabeçava a lista de presos que seria apresentada ao governo, fora assassinado. Além disso, o governo dizia que ainda não recebera mensagem alguma, mentira indicativa de que não tinha pressa. O silêncio só foi rompido um dia depois, quando a VPR já fizera outro comunicado e o embaixador escrevera duas cartas, uma das quais ao chanceler suíço. O Planalto concordava em discutir a libertação dos presos, mas recusava-se a cumprir as três exigências adicionais, clas-

12 Alfredo Sirkis, *Os carbonários*, p. 302.

13 Telegrama da embaixada americana ao Departamento de Estado, de 7 de dezembro de 1970. DEEUA.

14 Informação dada por Medici a Ernesto Geisel, janeiro de 1974.

sificando-as de "extravagantes e humilhantes". Parecia um detalhe banal, relacionado com o caráter pitoresco da anistia ferroviária e do congelamento de preços, mas na realidade estava em jogo uma etapa decisiva nos estratagemas dos seqüestros. Ao aceitar a recusa, sobretudo a censura do manifesto, os seqüestradores permitiram que o adversário lhes contestasse a iniciativa. Nos casos anteriores o governo sempre consentira na divulgação das proclamações esquerdistas. Brasília fingia não ouvir a VPR, mas mesmo assim os terroristas refugaram um confronto em torno dos acessórios do resgate. Remeteram o essencial, a lista com os nomes dos setenta presos que pretendiam libertar. *Paulista*, o mais experimentado da equipe, farejava desgraças: "Já perdemos muito terreno com a não-aceitação das condições políticas. Não sei não. Pode dar merda".[15]

Deu. Somando determinação a astúcia, o governo tornava-se senhor do ritmo e da qualidade da negociação. Anunciou que a lista era falsa, exigiu uma nova cópia rubricada pelo embaixador e remetida ao Ministério da Justiça. No dia 12, quando o seqüestro de Bucher estava no quinto dia, transformando-se no mais longo da série brasileira, o Planalto recusou-se a soltar treze dos setenta presos. Enunciava um critério pelo qual não negociaria a liberdade de seqüestradores e autores de crimes de sangue. Inédita e audaciosa, a cartada deixara à VPR uma escolha amarga. Cedia e libertava 57 prisioneiros, ou rompia as negociações, matava Bucher e mantinha na cadeia todos os setenta.

O dilema era cruel para os treze rejeitados, precisamente aqueles que mais se desejava libertar. Aceita a negociação, a VPR estaria indicando que admitia deixá-los no cárcere por boa parte de suas vidas. Entre os rejeitados estavam três veteranos do seqüestro de Elbrick. A esse lance de intransigência acrescentaram-se uma surpresa e uma aparente concessão. Dezoito presos recusavam-se a sair do país. Somados aos treze vetados, deixavam 31 lugares abertos na lista. O governo informou que concordava em negociar outros nomes de forma a cumprir a exigência das setenta libertações.

Havia cinco terroristas na casa da rua Tacaratu. Semanas de claustro aumentaram a tensão, e já se brigara até mesmo porque um dos in-

15 Alfredo Sirkis, *Os carbonários*, pp. 304 e 310.

quilinos fritara ovos na manteiga, "coisa de pequeno-burguês". Formou-se instantaneamente uma maioria pela execução de Bucher. "Cedemos demais. Cedermos de novo é desmoralização demais da conta. Não dá", dizia *Daniel*. Pela concessão, só *Felipe*, que acabara de completar vinte anos. *Paulista* pareceu simpatizar com a execução, mas trancou-se no quarto. Bucher perguntou: "O que vão fazer comigo?". Disseram-lhe que seria transferido para outro aparelho, mas era mentira. O aparelho alternativo fora capturado pela polícia, e naquela pequena casa de subúrbio o próprio verbo *transferir* tinha significado diverso. Pensava-se, de fato, em "transferir" o embaixador deste mundo para outro.[16] *Paulista* redigiu um ultimato: "Executaremos Bucher se as negociações forem interrompidas".

As bases da VPR queriam ver sangue. Por quinze votos contra três, Bucher deveria ser "transferido". Uma delas propunha que a ditadura levasse "o cadáver do embaixador atravessado na garganta". *Paulista* refletira muito. Decidiu-se pela vida do diplomata e julgou necessário valer-se de um dispositivo estatutário da organização ao qual jamais dera importância. Ele atribuía ao comandante-em-chefe o direito de veto sobre decisões coletivas. A VPR capitulava. Houve militante que, ao receber a notícia, puxou os cabelos em plena rua.

Os 31 nomes foram substituídos numa demorada negociação durante a qual quatro outros foram rejeitados. Um mês depois da captura de Bucher, conseguiu-se finalmente fechar uma lista com setenta nomes, e no dia 13 de janeiro de 1971 os presos foram embarcados com destino ao Chile. Terminara o ciclo dos seqüestros.

Paulista era Carlos Lamarca. Fazia dois anos que fugira do quartel de Quitaúna para comandar focos guerrilheiros, bombardear São Paulo e participar da vanguarda revolucionária que derrubaria a ditadura. Os focos não existiam, o bombardeio não acontecera, e a ditadura abatera as organizações revolucionárias. Lamarca vivera a maior parte do seu tempo trancado em aparelhos. Em dois anos estivera em mais de vinte, quase sempre sem poder chegar à janela, "fechado". Estudava, tomava litros de café, fumava cinco maços de cigarros por dia e matava o tempo cor-

16 Alfredo Sirkis, *Os carbonários*, pp. 307 e 315.

tando bolinhas de cortiça ou descascando feijão.[17] Produziu uma literatura megalômana e deixou uma crônica de humildade pelos tugúrios por onde passou. Escrevendo à mulher pouco depois de limpar o cofre de Adhemar de Barros, informava: "Falam no meu nome com uma extraordinária esperança. O nosso povo já foi traído por seus falsos líderes e, embora eu não tenha esta pretensão, sou uma esperança para o povo". Sonhava com uma guerra durante a qual viveria numa tenda verde, de onde sairia para pisar tapetes vermelhos.[18] Montado numa visão idílica da esquerda e da revolução, recomendava aos filhos: "Estudem a vida de Marx-Lenin-Engels-Trotsky-Mao-Fidel-Ho Chi Minh-Giap-Boumediene e que sejam criados no espírito do Che".[19] A Central Intelligence Agency traçara-lhe o perfil: "Compensou com entusiasmo, estâmina, determinação e coragem o que lhe faltou em sofisticação intelectual".[20] Era o homem mais procurado do Brasil. Se tivesse desertado da PM, talvez não mobilizasse tanto prestígio à esquerda nem ódio à direita.

Poucos meses depois da fuga de Quitaúna o capitão se apaixonara pela musa da VPR, a *Clara*, uma mulher bonita, com enormes olhos claros. Vaidosa, era capaz de sair de um aparelho para cortar o cabelo e tomar champanhe no Jambert de Ipanema, o melhor e mais caro salão do país.[21] Era a psicóloga Iara Iavelberg, tinha 25 anos, chegara à luta armada pelo movimento estudantil e lecionara marxismo no campo de treinamento do vale do Ribeira. *Paulista* saiu do aparelho de Cascadura dias antes da libertação do embaixador e foi se encontrar com Iara numa casa de Brás de Pina. Nas semanas seguintes discutiu-se a fuga do casal para o Chile, e chegou-se a mobilizar um esquema para que obtivessem pas-

17 Judith Lieblich Patarra, *Iara*, pp. 293 e 440.

18 Carta de Carlos Lamarca a Iara Iavelberg, de 3 de julho de 1971, em *Folhetim* da *Folha de S.Paulo*, 10 de julho de 1987.

19 Emiliano José e Oldack Miranda, *Lamarca*, p. 48. Ho Chi Minh, um velhinho miúdo de barbicha branca, era o presidente do Vietnã do Norte. O marechal Nguyên Giap era seu ministro da Defesa. Houari Boumediene era o presidente da Argélia. A caracterização da "visão idílica" é de Alfredo Sirkis, em *Os carbonários*, p. 313.

20 Depoimento de Richard Helms, diretor da CIA, à Subcomissão de Assuntos do Hemisfério Ocidental do Senado, 5 de maio de 1971. Transcrição liberada em 1987, National Archives, p. 16.

21 Judith Lieblich Patarra, *Iara*, p. 298.

saportes. Ele a recusou: "O retorno é problemático e abomino depender dos outros. Seria capaz de voltar só. Cara, coragem e meu 38. Nosso papel é criar condições para a guerrilha".[22] Acabou metido numa casa onde estavam abrigados tantos ressentimentos e intransigências ideológicas que os hóspedes de um quarto não dirigiam a palavra aos do outro. Lamarca dormia duas horas por noite. "Eu também fico", informou Iara.[23]

Durante o cativeiro de Bucher a principal baixa da VPR fora Yoshitane Fujimori, o *Joel* da direção regional em São Paulo, veterano dos primeiros assaltos de 1968, do vale do Ribeira, com duas mortes nas costas e perto de uma dezena de ações armadas. Levara cinco tiros na cabeça.[24] Para o seu lugar ascendeu *Jadiel*, 29 anos, recém-chegado de Cuba, onde vivera desde 1967. Além do capitão Carlos Lamarca, a quem trouxera recados de Havana, poucos sabiam que *Jadiel* era José Anselmo dos Santos, líder da rebelião dos marinheiros de 1964. Quando chegou, esse era seu único segredo.

Logo após a deposição de Goulart, o *Cabo Anselmo* fora uma das pessoas mais procuradas do país. Safara-se asilando-se na embaixada do México. Surpreendentemente, desistira do asilo e se transferira para a rede clandestina da AP. Capturado em menos de 24 horas, tornara-se troféu da onipotência da nova ordem. Depois de passar pelo DOPS, foi mandado para a delegacia no Alto da Boa Vista. Lá vigoravam os costumes típicos das carceragens de bairro, com presos circulando pelo prédio, chegando até mesmo a substituir os policiais em tarefas burocráticas. Anselmo fazia serviços de telefonista, escrivão e assistente do único detetive do lugar em suas rondas de cobrança de propina em pontos de bicho e bocas-de-fumo.[25]

22 Judith Lieblich Patarra, *Iara*, pp. 437 e 449.

23 Emiliano José e Oldack Miranda, *Lamarca*, pp. 106-7.

24 Para os cinco tiros, *Projeto Brasil: nunca mais*, tomo V, vol. 4: *Os mortos*, p. 362.

25 Depoimento de Cosme Alves Neto, em Marco Aurélio Borba, *Cabo Anselmo*, p. 25. Para as propinas, Avelino Bioen Capitani, *A rebelião dos marinheiros*, p. 179.

Um ano depois, tornou-se o único preso da delegacia. Com as regalias ampliadas, era-lhe permitido ir à cidade.[26] Numa ocasião surpreendeu o ministro-conselheiro da embaixada do Chile, visitando-o no escritório e pedindo-lhe asilo. Quando o diplomata lhe perguntou o que fazia em liberdade, respondeu que tinha licença dos carcereiros. O chileno, estupefato, recusou-lhe o pedido.[27] Em abril de 1966, com a ajuda da AP, Anselmo deixou a cadeia.[28] Pouco depois chegava a Montevidéu, de onde a conexão brizolista haveria de catapultá-lo a Havana e ao seu curso de luta armada. Anselmo estava num exercício de treinamento no alto da serra cubana em outubro de 1967, quando os guerrilheiros choraram a morte do Che Guevara.[29] Em setembro de 1970, como *Jadiel*, retornou ao Brasil.[30]

Em São Paulo, tornou-se *Jônatas*. Encontrou uma guerrilha agonizante. Esteve com Lamarca num barraco no interior do Rio de Janeiro, sem contatos, sem carro e sem projetos. No ócio da periculosidade, Anselmo viveu em função dos "pontos" com outros militantes. Não participou de nenhum tipo de operação. Apenas esperava. Sua principal tarefa foi coordenar a construção de uma casa que deveria servir de aparelho para a VPR. Quando o dinheiro lhe faltou, buscou ajuda e contatos na velha rede de simpatizantes. Bateu em oito portas. Cinco fecharam-se. A da irmã abriu-se a contragosto, mesmo tratando-se apenas de guardar uma maleta.[31]

Anselmo foi preso por acaso, no dia 30 de maio de 1971.[32] Há duas versões para esse episódio. A primeira é do delegado Edsel Magnotti, do

26 Para as saídas da delegacia, *Jornal do Brasil*, 28 de abril de 1966. Para uma narrativa de Anselmo sobre as condições carcerárias, *José Anselmo dos Santos — Declarações Prestadas nesta Especializada de Ordem Social*, fl. 4.

27 Percival de Souza, *Eu, Cabo Anselmo*, p. 97.

28 Na narrativa de sua fuga (Octávio Ribeiro, *Por que eu traí*, p. 36), Anselmo informa que, em troca de uma propina, o guarda de plantão deixou-o sair para o que dizia ser um encontro amoroso.

29 Octávio Ribeiro, *Por que eu traí*, p. 45.

30 Para a data da chegada de Anselmo, 15 de setembro, declarações de José Anselmo dos Santos ao DOPS-SP, em Nilmário Miranda e Carlos Tibúrcio, *Dos filhos deste solo*, p. 259.

31 *José Anselmo dos Santos — Declarações Prestadas nesta Especializada de Ordem Social*, fls. 13-7.

32 Entrevista do delegado Carlos Alberto Augusto, *O Globo*, 18 de junho de 2000. No dia 4 de junho Anselmo prestou um depoimento ao DOPS, revelando seus contatos no Brasil. Ver Nilmário Miranda e Carlos Tibúrcio, *Dos filhos deste solo*, p. 259.

DOPS paulista: Anselmo fora visto (sem ser reconhecido) no saguão do hotel San Raphael, onde estava hospedada a seleção cubana de basquete que jogava em São Paulo o VI Campeonato Mundial. Entregara à capitã Margarita um pequeno embrulho, pedindo-lhe que o passasse "ao companheiro Fidel".[33] A partir daí teria sido seguido e capturado na casa de um amigo, o ex-fuzileiro naval Edgard Aquino Duarte, um veterano da rebelião de 1964 que vivia em São Paulo como operador na bolsa de valores.[34] A segunda versão, de Anselmo, não difere basicamente do que disse o delegado. O "cabo" contou (em 1999) que a polícia chegou ao apartamento onde estava, depois de rastrear um cheque de Edgar, dado ao empreiteiro da casa da VPR.[35] As duas versões coincidem no essencial. Os policiais que prenderam Anselmo não sabiam quem ele era. Entregue ao delegado Fleury, o "cabo" trocou a VPR pelo DOPS, tornando-se um policial. Edgar, a única pessoa que soubera da sua captura, vagou de prisão em prisão e foi visto pela última vez no DOPS de São Paulo em junho de 1973, tornando-se um desaparecido.

Nos dois depoimentos em que narrou seu pulo, Anselmo insistiu na sinceridade e na convicção de sua escolha. É certo que adquiriu essa convicção depois de pelo menos uma sessão de tortura. Como ele mesmo esclareceria: "Concederam-me a oportunidade de sobreviver".[36] Sobreviveu simulando-se livre, restabelecendo contatos, cobrindo "pontos" e levando aquilo que se poderia chamar de a vida normal de um clandestino.

Depois de interrogatórios feitos em condomínio com o Cenimar e o CIE, Anselmo foi transferido para um apartamento. Lá, tornou-se isca para atrair os contatos da VPR e da ALN. As cortinas de sua sala tinham microfones embutidos.[37] Tornou-se também um analista, estudando documentos e confissões: "Lia os depoimentos e via em que pontos ele po-

33 Marco Aurélio Borba, *Cabo Anselmo*, p. 45. Anselmo confirmou que esteve no hotel e que entregou o pacote a Margarita, mas negou que essa tenha sido a causa de sua prisão. Octávio Ribeiro, *Por que eu traí*, p. 64. A final do campeonato de basquete deu-se no dia 29 de maio.

34 Marco Aurélio Borba, *Cabo Anselmo*, p. 45.

35 Depoimento de José Anselmo dos Santos a Percival de Souza, *Eu, Cabo Anselmo*, p. 162.

36 Idem, pp. 52-3 e 181.

37 Percival de Souza, *Eu, Cabo Anselmo*, p. 29.

deria estar sendo pouco verdadeiro ou escondendo, sonegando alguma coisa e traduzia algumas das questões mais técnicas, dando as linhas que iriam servir para um novo interrogatório".[38] Ganhava a comida e uns trocados. O *Jônatas* da VPR foi rebatizado pelo DOPS e virou *Kimble*.[39]

Há indicações de que tentou enganar a polícia. Perdeu a parada. Num "ponto", Anselmo contou ao ex-sargento José Raimundo da Costa, o *Moisés* da VPR, que tinha sido preso e fingia colaborar com a polícia. Antes de ser assassinado, em agosto, *Moisés* revelou a outros militantes da organização o segredo da transmutação do "cabo".[40] Alguma coisa deu errado, pois no dia 26 de junho alguém postou no correio um envelope com uma folha de papel de seda endereçado à Editora Abril. Era um comunicado do Centro Brasileiro de Informações avisando que o *Cabo Anselmo* fora assassinado no DOPS de São Paulo após "intensa sessão de torturas".[41] Pouco depois a notícia estava no jornal da ALN, nos despachos da agência cubana Prensa Latina e no boletim romano da Frente Brasileira de Informações.[42]

A transmigração de Anselmo foi um fato traumático e custoso para a esquerda armada, mas isso se deveu mais à inépcia dos seus aliados do que à competência dos novos patrões. Edgard Aquino Duarte contara a um colega de cela que Anselmo fora capturado.[43] Dois presos o viram na carceragem do DOPS.[44] Em julho, a ALN comprovara que seus "pontos" com o "cabo" estavam vigiados.[45] Dois militantes da VPR desapareceram de-

38 Octávio Ribeiro, *Por que eu traí*, p. 103.

39 *Veja*, 20 de maio de 1992, "A anatomia da sombra", de Expedito Filho. Para o apelido, Percival de Souza, *Eu, Cabo Anselmo*, p. 12.

40 "Cabo Anselmo, um agente secreto", reportagem de Henrique Lago em *Folha de S.Paulo* de 14 de outubro de 1979, 1º caderno, p. 8.

41 Original e envelope consultados em 1987 na pasta Torturas, no Departamento de Documentação da Editora Abril.

42 *Venceremos*, julho de 1971, e telegrama da agência Prensa Latina, de 16 de julho de 1971. *Fronte Brasiliano d'Informazioni*, agosto-setembro de 1971.

43 Henrique Lago, em "Cabo Anselmo, um agente secreto", *Folha de S.Paulo* de 14 de outubro de 1979, 1º caderno, p. 8. A confidência foi feita a Altino Dantas Jr.

44 Ieda Seixas, entrevista a *O Globo* de 18 de junho de 2000. Anselmo também foi visto por Carlos Franklin Paixão de Araújo. Ver Marco Aurélio Borba, *Cabo Anselmo*, p. 40.

45 Marco Aurélio Borba, *Cabo Anselmo*, pp. 48 e 55.

pois de encontrá-lo.[46] Um psiquiatra que militava na organização surpreendera-se ao ver que a polícia lhe perguntava segredos que compartilhara com Anselmo.[47] Os torturadores de uma dirigente da VPR contaram-lhe que Anselmo estava preso, "trabalhando para nós". Em agosto, internada num hospital de Belo Horizonte, ela conseguira comunicar a amigos que *Jônatas* era policial. Em setembro a informação chegou ao Chile, mas a denunciante foi dada por doida.[48] A essa altura, *Kimble* já se tornara um policial convicto e audacioso. Desembarcou em Santiago, para reencontrar seu amigo Onofre Pinto. O fundador da VPR lhe mostrou um informe vindo do Brasil em que se assegurava: "O *Cabo Anselmo* se entregou à repressão". Prevaleceu a amizade.[49] Anselmo retornou ao Brasil com algum dinheiro e a tarefa de montar uma rede da VPR no Recife. Lá, teria três vidas. Numa era o marido da dona da butique Mafalda, onde se vendiam boas rendas. Noutra era *Kimble*, do DOPS. Na terceira, *Daniel*, chefe do núcleo da VPR no Nordeste, no qual infiltrara *César*, um investigador da equipe de Fleury.[50]

A última operação de Anselmo, na primeira semana de janeiro de 1973 (dezenove meses depois da primeira denúncia), resultou numa das maiores e mais cruéis chacinas da ditadura. Um combinado de oficiais do CIE e do DOPS paulista matou, no Recife, seis quadros da VPR. Capturados em pelo menos quatro lugares diferentes, apareceram numa pobre chácara da periferia. Lá, segundo a versão oficial, deu-se um tiroteio em cujo término morreram seis foragidos e escaparam dois (*Daniel* e *César*). Os mortos da VPR teriam disparado dezoito tiros, sem acertar um só. Receberam 26, catorze na cabeça. Deles, quatro eram veteranos, três com treinamento em Cuba, mas pouco tinham a contar além do que Ansel-

46 Anselmo admitiu a possibilidade de ter colaborado para a prisão de Heleny Telles Guariba e Paulo de Tarso Celestino, em Octávio Ribeiro, *Por que eu traí*, p. 81.

47 Trata-se de Carlos Alberto do Carmo. Em Marco Aurélio Borba, *Cabo Anselmo*, p. 52.

48 Era Inês Etienne Romeu. Marco Aurélio Borba, *Cabo Anselmo*, pp. 45, 48 e 58.

49 No seu depoimento a Percival de Souza, *Eu, Cabo Anselmo*, p. 186, Anselmo diz que, confrontado com a acusação, pôs seu revólver sobre a mesa, sugerindo que o executassem. Em sua narrativa da viagem ao Chile, o *Relatório de 'Paquera'* (documento nº 09/143, do DOPS), ele não menciona esse episódio. AA.

50 Depoimento de José Anselmo dos Santos a Percival de Souza, *Eu, Cabo Anselmo*, p. 190.

mo já contara. A advogada Mércia de Albuquerque Ferreira viu os cadáveres no necrotério. Estavam brutalmente desfigurados. Um dos mortos era a paraguaia Soledad Barret Viedma, morena de cabelos dourados, companheira de Anselmo — "uma pessoa preciosa", nas palavras de *Kimble*.[51] Completaria 28 anos no dia seguinte. *Daniel/Kimble* não viu o massacre. Foi para um hotel na praia da Boa Viagem, e a esquerda só voltou a saber dele onze anos depois, quando o "cabo" entregou sua história ao repórter Octávio Ribeiro, o *Pena Branca*.

Anselmo foi o mais famoso dos infiltrados, mas não o único. Fleury compartilhou-o com o CIE, que haveria de infiltrar-se em quase todas as siglas de esquerda. No Partido Comunista teria um plantel de pelo menos oito agentes.[52] Um dos informantes era membro do comitê central do PCB; outros militavam na ALN, VPR e Molipo. *Bacuri* fora preso por conta de dois agentes do DOI que militavam na Frente de Libertação Nacional e mais tarde se mudariam para o PCBR.[53] Joaquim Câmara Ferreira, o *Toledo*, foi capturado por Fleury graças à ajuda de um quadro da ALN. Preso no Pará, apareceu em São Paulo fingindo ter fugido de um hospital.[54] O CIE recebia da Central Intelligence Agency relatórios de um instrutor de guerrilhas baseado em Cuba. Ele listava nomes, codinomes e atividades dos brasileiros que treinava.[55] Foram necessários vinte anos para que se descobrisse a existência do mais eficiente dos "cachorros" do DOI paulista, em cujo rastro morreram perto de uma dezena de quadros da ALN. Era o *Jota*, recrutado em 1972 e identificado em 92 como João Henrique Ferreira de Carvalho, o *Jair*.[56]

O comandante do DOI paulista, coronel Carlos Alberto Brilhante Ustra, teve em torno de uma dezena de "cachorros", e um de seus oficiais, o capitão Ênio Pimentel da Silveira, *Dr. Ney*, manteve um "canil" com

51 Percival de Souza, *Eu, Cabo Anselmo*, p. 206.

52 *Veja*, 20 de maio de 1992, "A anatomia da sombra", de Expedito Filho.

53 Judith Lieblich Patarra, *Iara*, p. 407.

54 *Quedograma*, item 33. Ver também Reinaldo Guarany, *A fuga*, p. 79.

55 *Relatório 674*, de 1972, do CIE, em *Jornal do Brasil* de 11 de julho de 1993, e depoimento do general Adyr Fiúza de Castro, em Maria Celina d'Araujo, Gláucio Ary Dillon Soares e Celso Castro (orgs.), *Os Anos de Chumbo*, p. 56.

56 *Veja*, 20 de maio de 1992, "A anatomia da sombra", de Expedito Filho.

doze.[57] Anselmo soube de "uns seis ou oito". Cada "cachorro" ganhava mensalmente algo como o soldo de um capitão. Assinava contrato e passava recibo.

Nos seus primeiros meses de trabalho como "cachorro", Anselmo teve poucos serviços a prestar. Ainda que rica em Santiago e Paris por conta do dinheiro do cofre de Adhemar de Barros, a VPR tornara-se tão pequena que era difícil achá-la. Estava reduzida a duas submetralhadoras e menos de trinta militantes. Poucos meses depois deixaria de existir no Brasil. Lamarca, seu comandante-em-chefe, transferira-se em março para o MR-8, trocando o nada por coisa nenhuma. O Oito desintegrava-se. Entre maio e junho o Centro de Informações e Segurança da Aeronáutica, o CISA, teve nos seus cárceres dois presos que sabiam onde o capitão dormiria a noite seguinte. Stuart Edgar Angel e José Gomes Teixeira morreram sem falar.[58] Escondido com Iara num apartamento de simpatizantes, nas vizinhanças do largo do Machado, no Rio, o capitão ameaçava:

> — Amigos, é minha a última bala do revólver. Ninguém me pega vivo. Se a repressão descobrir este aparelho abro os bicos de gás e acendo o isqueiro.
>
> — Ei! Não quero morrer explodida, você nunca me falou desse plano. Meu negócio é tiro — brincou Iara.
>
> — Primeiro você me deixa sair, depois explode — arrematou a dona da casa.[59]

Na tarde de 4 de maio de 1971 o presidente Medici estava como gostava. Num só compromisso, em Salvador, inaugurara a renovação do estádio da Fonte Nova e assistia a um jogo de futebol. Aos 21 minutos do segundo tempo a multidão achou que as arquibancadas estavam cedendo. Pânico, dois mortos e 2 mil feridos.[60] Medici chegou a supor que o

57 *Veja*, 20 de maio de 1992, pp. 40-1. O capitão Ênio Pimentel da Silveira suicidou-se em 1986.

58 Emiliano José e Oldack Miranda, *Lamarca*, p. 111.

59 Judith Lieblich Patarra, *Iara*, p. 461.

60 Emiliano José e Oldack Miranda, *Lamarca*, p. 116.

jogo continuaria, mas convenceram-no a autorizar a suspensão do divertimento.[61] Solange Lourenço Gomes, a *Emília*, dirigente do MR-8, marcara um "ponto" na Fonte Nova e estivera na arquibancada enlouquecida. Em estado de choque, entrou numa delegacia informando: "Eu sou uma subversiva, eu sou uma subversiva". Uma semana depois, tendo contado tudo o que sabia a respeito do MR-8, levou a polícia ao encontro do seu companheiro. No final de maio o MR-8 baiano estava nas mãos do DOI. Tinha-se conhecimento até mesmo da existência de um dispositivo rural, coordenado por um certo *Dino*, ou João Lopes Salgado. Só não sabiam sua localização.[62]

No final de junho Carlos Lamarca e Iara Iavelberg fugiram para a Bahia, onde o dispositivo rural de *Dino* esperava o comandante. Com o nome de *Cirilo* e dizendo-se geólogo, o capitão chegou no dia 29 ao lugarejo de Buriti Cristalino, em Brotas de Macaúbas, a setecentos quilômetros de Salvador, nas proximidades do médio São Francisco. Era um perau profundo do sertão baiano, região de caça e garimpo, paisagem lunar, evocativa das terras de Canudos. De Brotas não se falava desde 1940, quando por lá o cangaceiro Corisco perdera a vida. Havia lugares onde não se usava o arado e alguns camponeses acreditavam que, diante da decadência dos costumes das cidades, o comunismo já tinha chegado. Depois de quase um ano de clausura, Lamarca sentia-se flácido e pálido. Tentava controlar o fumo consumindo abaixo de dois maços por dia.[63] Começou nesse dia a escrever cartas diárias a Iara, que ficara em Feira de Santana.

Documento único na historiografia brasileira, essas 23 cartas contam o estado de ânimo de um revolucionário derrotado que corre em direção ao nada, cavalgando sua utopia sem recriminações que mascarassem fracassos nem dúvidas que amortecessem perigos. Pela aparência macerada e pela marcha sem rumo, o *Cirilo* do sertão baiano move-se como um desesperado, mas aquele que se mostrou nas cartas é um homem feliz, de-

61 Antonio Carlos Magalhães, 1982.

62 Emiliano José e Oldack Miranda, *Lamarca*, p. 120. Ver também o depoimento do coronel Nilton Cerqueira a Ayrton Baffa, em *O Estado de S. Paulo* de 17 de setembro de 1981, p. 16.

63 Carta de Carlos Lamarca a Iara Iavelberg, de 29 de junho de 1971, em *Folhetim* da *Folha de S.Paulo*, 10 de julho de 1987.

sempenhando o papel de herói que se impusera e cultivara. Via as vicissitudes como um enriquecimento biográfico. Referindo-se ao pedregulho sobre o qual anotava sua teoria da revolução rural, mencionava um "escritório rústico, pré-histórico — um dia sentirei orgulho dele e contarei com satisfação, como quem rememora dificuldades superadas".[64] Naquilo que parece um beco sem saída, via um caminho em cujo fim haveria um "tapete vermelho". Suas cartas a Iara são a doce narrativa de um grande amor: "Aqui tem muitos pássaros lindos de variadas cores — perto está uma juriti pronta para tomar um tiro no peito — mas não daria — e a vida dela continua em homenagem a ti. Ela voou. [...] Sou feliz por ser o teu amor, sinto saudades de tudo e me alimento das lembranças. Penso adoidadamente em ti — é impressionante — nunca pensei amar tanto".[65]

Livre dos aparelhos, solto no mato, ainda assim Lamarca vivia confinado. Passava o dia numa barraca, tomava banho à noite e enterrava as próprias fezes para não deixar pistas capazes de revelar a duração de sua permanência num lugar. No início de julho começou a doer-lhe a coxa esquerda. Foi atacado por formigas e barbeiros. A vegetação espinhosa obrigava-o a caminhar agachado. O contato que deveria trazer notícias de Salvador não aparecia. Sonhava com Iara ("Dormi contigo, entendeu?") ou com combates. Num deles, como lord Nelson, triunfava aleijado do braço e cego de um olho. Como Mao, cometia poemas:

O canto, um grito
de guerra transformou
na luta longa,
na longa jornada,
conquista-se, espraia-se
o canto, o chorar.[66]

64 Carta de Carlos Lamarca a Iara Iavelberg, de 28 de junho de 1971, em *Folhetim* da *Folha de S.Paulo*, 10 de julho de 1987. Para o pedregulho, Emiliano José e Oldack Miranda, *Lamarca*, p. 155.

65 Cartas de Carlos Lamarca a Iara Iavelberg, de 3 e 6 de julho de 1971, em *Folhetim* da *Folha de S.Paulo*, 10 de julho de 1987.

66 Carta de Carlos Lamarca a Iara Iavelberg, de 21 de julho de 1971, em *Folhetim* da *Folha de S.Paulo*, 10 de julho de 1987.

AGÊNCIA O GLOBO / JOSÉ ARAÚJO

Fevereiro de 1971. Aderval Alves Coqueiro, banido em 1970, voltou ao Brasil e foi localizado no Rio de Janeiro. Foi a primeira vítima de uma sentença do porão: banido que retorna, morre.

AGÊNCIA JB

AGÊNCIA JB/EVANDRO TEIXEIRA

AGÊNCIA JB/OCTALES GONZALES

Dois embaixadores, dois seqüestros e dois resgates.
O alemão Ehrenfried von Holleben (de óculos, na foto ao lado) foi seqüestrado em junho de 1970 e trocado por quarenta presos. (A presa sentada na cadeira é Vera Sílvia Magalhães, do seqüestro de Elbrick. As torturas haviam-lhe prejudicado a locomoção.)
O suíço Giovanni Enrico Bucher (fumando) foi seqüestrado em dezembro e trocado por setenta presos (acima), numa negociação em que o governo vetou dezessete nomes. Lamarca salvou-lhe a vida.

ABRIL IMAGENS/CLÁUDIO EDINGER

O professor Ralph della Cava, da Universidade de Columbia, em Nova York, ajudou a montar a banda americana da rede de denúncia das torturas e de solidariedade aos presos brasileiros.

ABRIL IMAGENS/CARLOS NAMBA

Ernani Ayrosa da Silva

ABRIL IMAGENS/CHICO NELSON

Adyr Fiúza de Castro

ABRIL IMAGENS/SERGIO SBRAGIA

Nilton Cerqueira

TERROR
IN
BRAZIL
A DOSSIER

ARQUIVO DO AUTOR

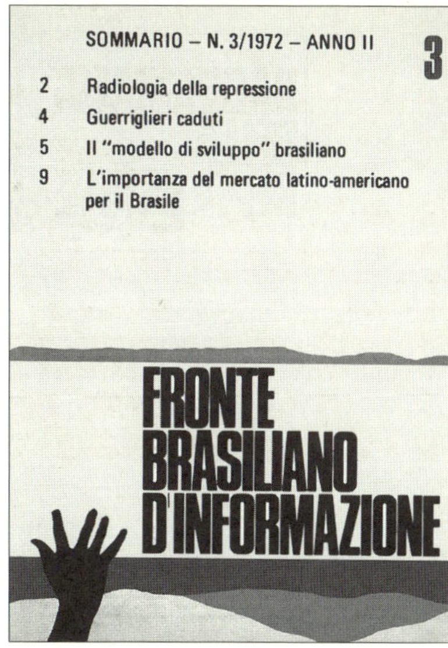

SOMMARIO – N. 3/1972 – ANNO II

3

2 Radiologia della repressione
4 Guerriglieri caduti
5 Il "modello di sviluppo" brasiliano
9 L'importanza del mercato latino-americano per il Brasile

FRONTE
BRASILIANO
D'INFORMAZIONE

ARQUIVO DO AUTOR

frente
brasileño de
informaciones
comité de denuncia de la represión en brasil • santiago • chile

UN ARTICULO DONDE SE ANALISA LAS DIVERSAS TENDENCIAS Y GRUPOS EN QUE SE DIVIDEN LOS MILITARES BRASILEÑOS. LAS CORRIENTES VAN DESDE LOS SEGUIDORES DE LAS IDEAS DEL MARISCAL CASTELLO BRANCO HASTA SUS OPOSITORES NACIONALISTAS-FASCISTAS.

GORILAS PARA
TODOS
LOS GUSTOS

(TEXTO PAG. 2)

ARQUIVO DO AUTOR

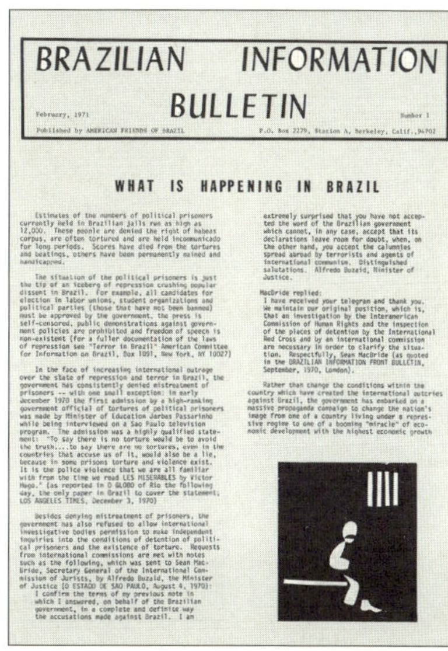

BRAZILIAN INFORMATION
BULLETIN

February, 1971 | Number 1

Published by AMERICAN FRIENDS OF BRAZIL | P.O. Box 2279, Station A, Berkeley, Calif.,94702

WHAT IS HAPPENING IN BRAZIL

Estimates of the numbers of political prisoners currently held in Brazilian jails run as high as 12,000. These people are denied the right of habeas corpus, are often tortured and are held incommunicado for long periods. Scores have died from the tortures and beatings, others have been permanently maimed and handicapped.

The situation of the political prisoners is just the tip of an iceberg of repression crushing popular dissent in Brazil. For example, all candidates for election in labor unions, student organizations and political parties (those that have not been banned) must be approved by the government, the press is self-censored, public demonstrations against government policies are prohibited and freedom of speech is non-existent (for a fuller documentation of the laws of repression see "Terror in Brazil" American Committee for Information on Brazil, Box 1091, New York, NY 10027)

In the face of increasing international outrage over the state of repression and terror in Brazil, the government has consistently denied mistreatment of prisoners -- with one small exception: in early December 1970 the first admission by a high-ranking government official of tortures of political prisoners was made by Minister of Education Jarbas Passarinho while being interviewed on a Sao Paulo television program. The admission was a highly qualified statement: "To say there is no torture would be to avoid the truth....to say there are no tortures, even in the countries that accuse us of it, would also be a lie, because in some prisons torture and violence exist. It is the police violence that we are all familiar with from the time we read LES MISERABLES by Victor Hugo." (as reported in O GLOBO of Rio the following day, the only paper in Brazil to cover the statement; LOS ANGELES TIMES, December 3, 1970)

Besides denying mistreatment of prisoners, the government has also refused to allow international investigative bodies permission to make independent inquiries into the conditions of detention of political prisoners and the existence of torture. Requests from international commissions are met with notes such as the following, which was sent to Sean MacBride, Secretary General of the International Commission of Jurists, by Alfredo Buzaid, the Minister of Justice (O ESTADO DE SAO PAULO, August 4, 1970):

I confirm the terms of my previous note in which I answered, on behalf of the Brazilian government, in a complete and definite way the accusations made against Brazil. I am extremely surprised that you have not accepted the word of the Brazilian government which cannot, in any case, accept that its declarations leave room for doubt, when, on the other hand, you accept the calumnies spread abroad by terrorists and agents of international communism. Distinguished salutations. Alfredo Buzaid, Minister of Justice.

MacBride replied:

I have received your telegram and thank you. We maintain our original position, which is, that an investigation by the Interamerican Commission of Human Rights and the inspection of the places of detention by the International Red Cross and by an international commission are necessary in order to clarify the situation. Respectfully, Sean MacBride (as quoted in the BRAZILIAN INFORMATION FRONT BULLETIN, September, 1970, London).

Rather than change the conditions within the country which have created the international outcries against Brazil, the government has embarked on a massive propaganda campaign to change the nation's image from one of a country living under a repressive regime to one of a booming "miracle" of economic development with the highest economic growth

ARQUIVO DO AUTOR

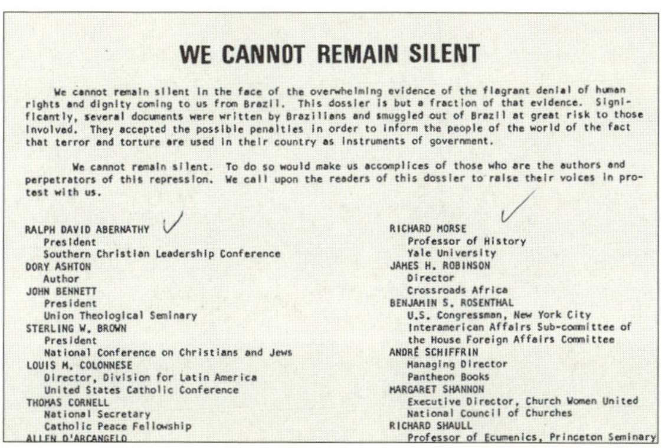

WE CANNOT REMAIN SILENT

We cannot remain silent in the face of the overwhelming evidence of the flagrant denial of human rights and dignity coming to us from Brazil. This dossier is but a fraction of that evidence. Significantly, several documents were written by Brazilians and smuggled out of Brazil at great risk to those involved. They accepted the possible penalties in order to inform the people of the world of the fact that terror and torture are used in their country as instruments of government.

We cannot remain silent. To do so would make us accomplices of those who are the authors and perpetrators of this repression. We call upon the readers of this dossier to raise their voices in protest with us.

RALPH DAVID ABERNATHY
President
Southern Christian Leadership Conference
DORY ASHTON
Author
JOHN BENNETT
President
Union Theological Seminary
STERLING W. BROWN
President
National Conference on Christians and Jews
LOUIS M. COLONNESE
Director, Division for Latin America
United States Catholic Conference
THOMAS CORNELL
National Secretary
Catholic Peace Fellowship
ALLEN D'ARCANGELO

RICHARD MORSE
Professor of History
Yale University
JAMES H. ROBINSON
Director
Crossroads Africa
BENJAMIN S. ROSENTHAL
U.S. Congressman, New York City
Interamerican Affairs Sub-committee of the House Foreign Affairs Committee
ANDRÉ SCHIFFRIN
Managing Director
Pantheon Books
MARGARET SHANNON
Executive Director, Church Women United
National Council of Churches
RICHARD SHAULL
Professor of Ecumenics, Princeton Seminary

ARQUIVO DO AUTOR

Quatro exemplos da mobilização internacional contra as torturas e a ditadura: o dossiê montado por Della Cava, os boletins regulares divulgados na Itália, no Chile e nos Estados Unidos, e a carta aberta dos políticos e professores americanos: "Não podemos ficar calados".

AGÊNCIA ESTADO/MARIO LEITE

O historiador Caio Prado Jr. ficou preso durante 545 dias por causa de uma entrevista inócua numa publicação irrelevante.

Setembro de 1972. Homens de casaca e mulheres de chapéu no vão do MASP, na avenida Paulista. O regime vive a glória das festas do Sesquicentenário da Independência.

ABRIL IMAGENS/CARLOS NAMBA

AGÊNCIA JB

1968. O capitão Carlos Lamarca, do 4º Regimento de Infantaria, em Quitaúna (SP), dá aulas de tiro a funcionárias do Bradesco.

ICONOGRAPHIA

Lamarca e Iara Iavelberg num dos cartazes que o governo espalhava por delegacias, aeroportos e rodoviárias.

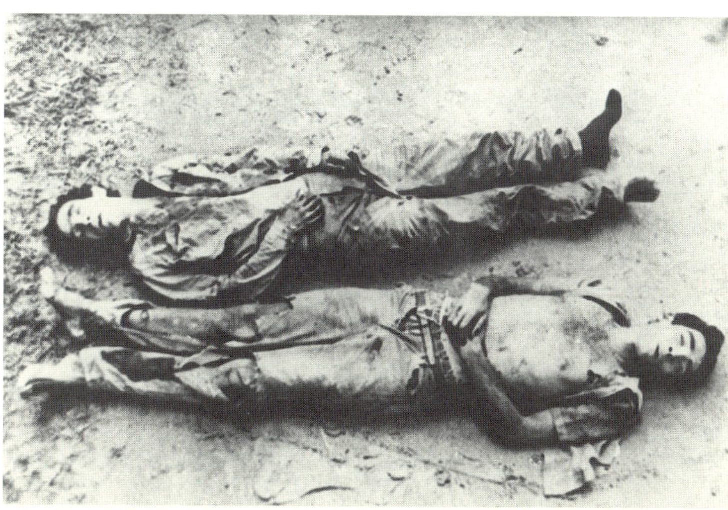

ICONOGRAPHIA

1971. Lamarca e *Zequinha* (José Campos Barreto) morreram perto de uma baraúna, no meio do sertão baiano. No dia seguinte o presidente Medici conferiu, numa foto, a fisionomia do ex-capitão em sua mesa no Planalto. Lamarca tinha os olhos abertos.

AGÊNCIA ESTADO/CLAUDINÊ PETROLLI

Abril de 1971. O industrial Henning Boilesen, diretor da Ultragás e colaborador do DOI, foi uma das últimas vítimas do surto terrorista. Foi assassinado a caminho do trabalho. Estava desarmado. Abandonou o carro, correu e foi metralhado na rua.

ABRIL IMAGENS/ORLANDO BRITO

Para inúmeros presos, o capitão Ailton Guimarães Jorge foi um torturador. Para inúmeros oficiais, um contrabandista. Desligado do Exército, tornou-se bicheiro e, como *Capitão Guimarães*, chegou ao marechalato na hierarquia do crime, do jogo do bicho e do samba do Rio de Janeiro.

ICONOGRAPHIA

Março de 1964. O marinheiro de primeira classe José Anselmo dos Santos, o *Cabo Anselmo*, líder da rebelião dos marujos que corroeu a base militar do governo Goulart.

ED. GLOBO/MASAO GOTO FILHO

Anselmo no fim dos anos 90. Do *Jônatas* da VPR, que se tornou o *Kimble* do DOPS paulista e do CIE, restou um personagem que revela o passado e esconde o presente.

ARQUIVO DA FAMÍLIA PETIT DA SILVA

Maria Lúcia Petit da Silva

ARQUIVO DA FAMÍLIA PETIT DA SILVA

Lúcio Petit da Silva

ARQUIVO DA FAMÍLIA PETIT DA SILVA

Jaime Petit da Silva

ARQUIVO DA FAMÍLIA PETIT DA SILVA

Esta fotografia foi encontrada no Araguaia. Acredita-se que o helicóptero estava a serviço da tropa, transportando pelo menos um combatente preso. Laura Petit da Silva, irmã dos três guerrilheiros mortos, supõe que o vulto da esquerda seja seu irmão Lúcio. Ele foi o último a ser capturado, e morto.

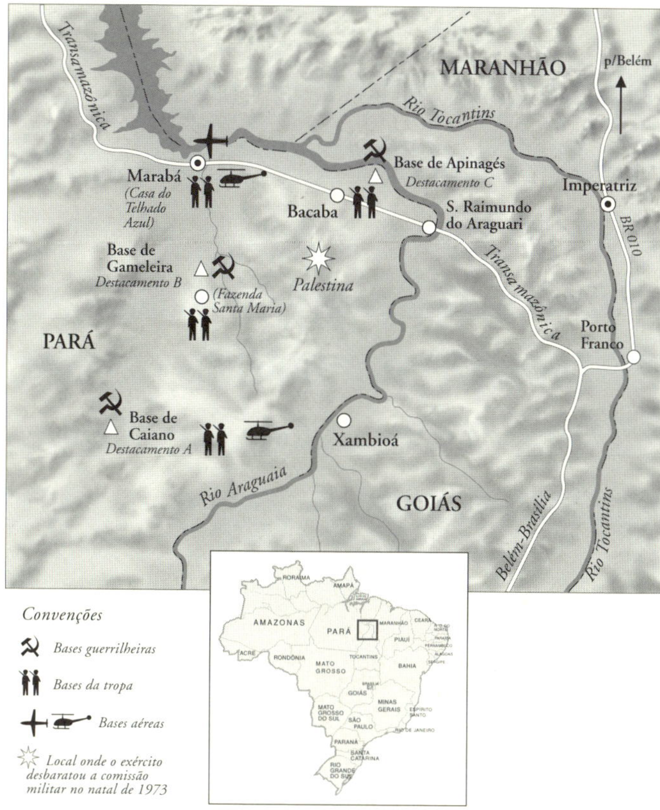

SÍRIO B. CANÇADO

ICONOGRAPHIA

Amazonas

ICONOGRAPHIA

Oswaldão

ICONOGRAPHIA

Grabois

ARQUIVO EULER BELEM

Esta fotografia é prova de que os guerrilheiros do Araguaia eram assassinados depois de terem sido subjugados e, em certos casos, depois de terem se rendido. O cidadão de pé, de chapéu, é o sargento Santa Cruz, do Exército. Era um dos mais ferozes conhecedores da mata. Agachado, está *Doca*, o guerrilheiro Daniel Ribeiro Callado, de 34 anos. Ele desapareceu no final de dezembro de 1973, quando a tropa desbaratou o acampamento da comissão militar do PC do B. Um relatório do Ministério da Marinha diz que ele morreu em junho de 1974. A cena indica que *Doca* sobreviveu à captura (ou rendição).

As armas dos guerrilheiros do Araguaia mal davam para uma caçada. Não havia uma arma longa para cada combatente, e as que havia estavam mal calibradas. O PC do B sabia disso, mas, de início, o Exército não sabia.

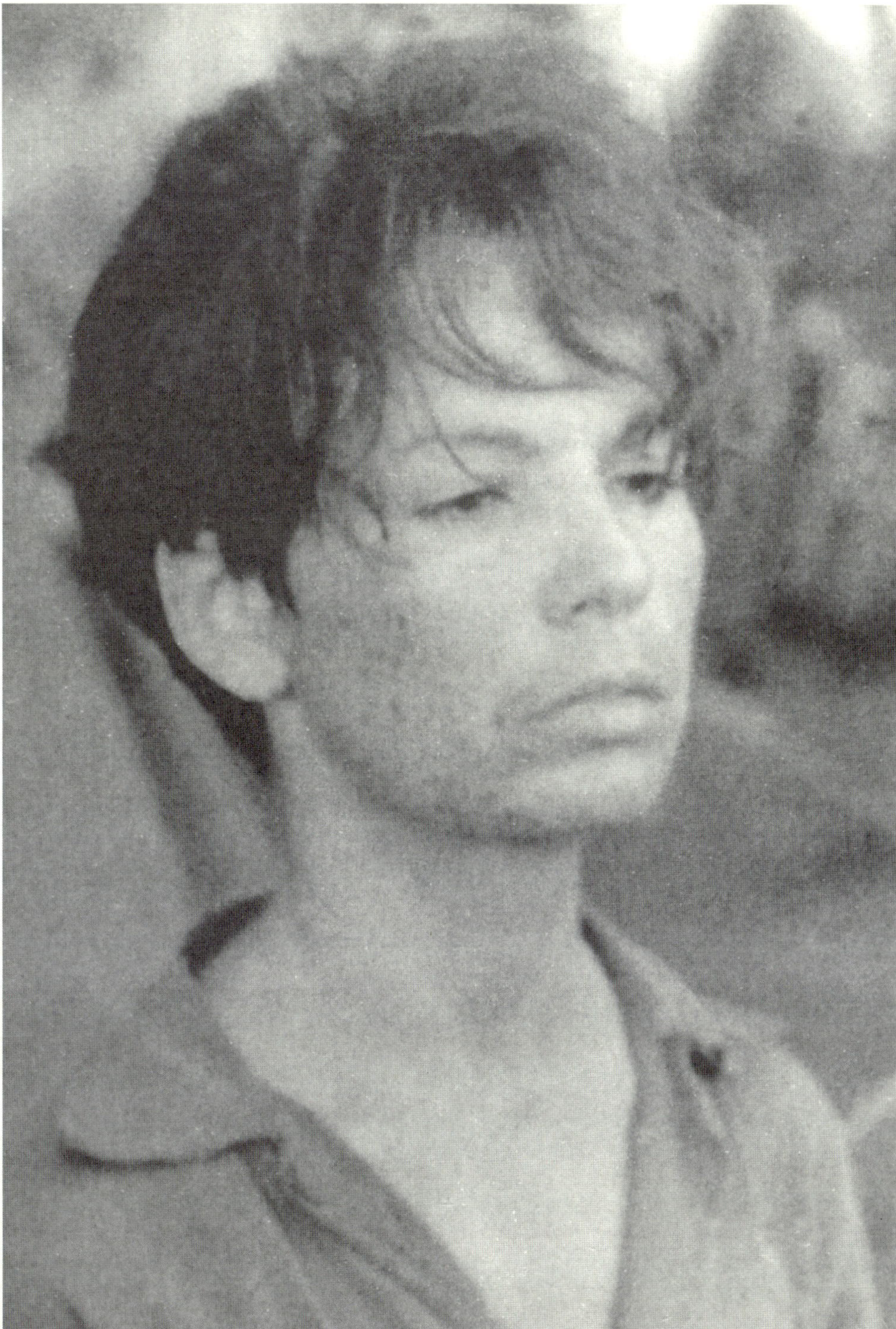

AGÊNCIA O GLOBO/REPRODUÇÃO ALBERTO DUTRA

A guerrilheira *Baianinha* (Luzia Reis), de 23 anos, foi uma das primeiras a serem capturadas, em maio de 1973. Nessa época o Exército fazia prisioneiros. Ela foi levada para Brasília e ficou presa por dez meses. Antes de ir para o Araguaia, estudava ciências sociais na Universidade Federal da Bahia.

A Castello Branco a ditadura parecera um mal. Para Costa e Silva, fora uma conveniência. Para Emilio Garrastazú Medici, um fator neutro, instrumento de ação burocrática, fonte de poder. Havia na sua natureza reservada uma surpreendente vocação para a força. Teve uma relação natural com a ditadura, como se ela fizesse parte de um manual de instrução. "Eu posso. Eu tenho o AI-5 nas mãos e, com ele, posso tudo."

No dia 14 de julho comemorava: "Hoje — data da tomada da Bastilha — vemos a burguesia e o imperialismo cercados em todo o mundo, vamos ficando para o fim mas já tomamos gosto nessa participação — África e América Latina serão o marco do início do fim do imperialismo — início de nova era na Humanidade".[67]

O dispositivo rural baseava-se no apoio de José Campos Barreto, o *Zequinha* das greves do ABC em 1968. Preso, divertira a esquerda nacional respondendo em inglês ao policial que lhe perguntou quantos anos tinha: "Twenty one".[68] Ex-seminarista, antes de entrar no MR-8 militara na VPR e na VAR-Palmares. Pretendia montar um foco guerrilheiro a partir do Buriti Cristalino, onde viviam seu pai e seis irmãos, três homens e três mulheres. Além deles havia o *Professor Roberto*, Luís Antônio Santa Bárbara, um excelente jogador de futebol, 24 anos, que ensinava o povoado a ler e as crianças a montar um teatrinho.[69]

No dia 6 de agosto, enquanto Lamarca escrevia a Iara de sua tenda do Buriti (previa agitações de militares nacionalistas), *Rocha*, o militante que os trouxera do Rio, conversava com outro quadro do MR-8 num "ponto" no centro de Salvador. Tratavam da transferência de Iara. Bateu a polícia, e *Rocha* (José Carlos de Souza) foi apanhado. Sabia tudo o que a "tigrada" queria. Levaram-no para o quartel da Polícia do Exército. Começavam a cruzar-se os caminhos do ex-capitão Carlos Lamarca e do major Nilton de Albuquerque Cerqueira, chefe da 2ª Seção do estado-maior da 6ª Região Militar, comandante do DOI de Salvador. Filho de um sargento-músico do Exército, era um alagoano parrudo, obstinado, ascético e messiânico. Tinha aquela característica dos temperamentos napoleônicos que o levava a agir, já como major, como se estivesse escrevendo a biografia de um marechal.

No primeiro dia José Carlos apanhou até as duas da manhã. Inicialmente os interrogadores queriam saber onde estavam *Dino* e o dispositivo rural. Na segunda semana de suplícios os torturadores conseguiram

67 Carta de Carlos Lamarca a Iara Iavelberg, de 14 de julho de 1971, em *Folhetim* da *Folha de S.Paulo*, 10 de julho de 1987.

68 Judith Lieblich Patarra, *Iara*, p. 236.

69 Emiliano José e Oldack Miranda, *Lamarca*, pp. 132 e segs.

saber de um aparelho para o qual havia mandado seus móveis. Desconhecia o endereço, mas lembrava onde contratara a camionete da mudança. Quando o DOI encontrou o motorista, descobriu que o esconderijo ficava na rua Minas Gerais, na Pituba. Preparou-se o ataque. José Carlos achou que iludira os interrogadores. O DOI acreditava que ia capturar *Dino*, mas ele estava certo de que, por cautela, o aparelho tinha sido desativado.[70]

O DOI chegou ao edifício Santa Terezinha ao amanhecer do dia 20 de agosto. Cercou todo o quarteirão. Fumigou o apartamento 201 com bombas de gás lacrimogêneo, e dele saíram três militantes do MR-8, a empregada e duas crianças. Um sucesso. Partiram todos numa camionete, deixando três agentes de plantão no apartamento varejado. A batida terminara quando um garoto, morador do apartamento 202, abriu a porta do banheiro de serviço e viu-se diante de uma mulher apontando-lhe dois revólveres. Fugiu e denunciou-a.

Era a *Liana* do 201. Iara Iavelberg pulara um pequeno vão, passando de um apartamento para o outro, mas a polícia encurralou-a num quarto infestado de gás lacrimogêneo. Ouviu-se um tiro. A bala transfixoulhe o coração e o pulmão esquerdo. Tentaram levá-la a um hospital, mas quando o carro estava na curva do largo de Amaralina, o policial que lhe repousava a cabeça no colo avisou: "Não precisa mais correr tanto porque ela morreu".[71]

Passaram-se algumas horas antes que se descobrisse que aquela jovem deitada numa mesa do Instituto Médico-Legal Nina Rodrigues com uma mancha roxa no peito era a mulher de Carlos Lamarca. Quatro dias antes, ele despachara um lote de cartas para Iara. Na última parecia lutar contra a despedida: "Te amo, te adoro — segue esta carta impregnada de amor — vou te ver, nem que seja a última coisa na minha vida —

70 Emiliano José e Oldack Miranda, *Lamarca*, p. 120.

71 Idem, p. 124. *Projeto Brasil: nunca mais*, tomo V, vol. 4: *Os mortos*, p. 157, para a trajetória da bala. Ver também Paolo Marconi, "Perseguição e morte de Lamarca", *Coojornal*, agosto de 1979, pp. 15-9. Depoimento do motorista Paulo Rezende, em Judith Lieblich Patarra, *Iara*, p. 515. Ver também o depoimento do coronel Nilton Cerqueira, em *O Estado de S. Paulo* de 17 de setembro de 1981, p. 6, na série "Assim morreu Lamarca", de 16 a 18 de setembro de 1981.

mil beijos do teu Cirilo".[72] Em São Paulo uma mulher que seguia a história daquela paixão lendo cartas capturadas, sentiu uma lágrima ao saber do fim de Iara. "Eu admirava aquela mulher apaixonada", contaria mais tarde Joseíta Ustra, mulher do comandante do DOI do II Exército.[73]

Durante mais de um mês o corpo de Iara ficou numa gaveta do necrotério como isca para atrair Lamarca.[74] Era o terceiro cadáver da perseguição. A "tigrada" pusera nessa liça um grau de violência e ressentimento estranhos até mesmo à neurastenia do porão. Stuart Angel fora morto amarrado à traseira de um jipe, com a cabeça próxima ao cano de descarga, e arrastado pelo pátio da base aérea do Galeão.[75]

Depois de ter sido presa no apartamento da Pituba, Nilda Cunha ouvira os gritos de seu namorado. Tinha dezessete anos e fora ameaçada de estupro. O delegado Sérgio Fleury, que voara de São Paulo, alisara-lhe o rosto e avisara: "Vou acabar com essa sua beleza". Vendaram-lhe os olhos, levaram-na para outro lugar. Quando voltou a ver, estava ao lado do cadáver de Iara. Obrigaram-na a tocá-la. Nilda enlouqueceu. Teve crises de cegueira e foi internada diversas vezes. Em novembro, numa das suas crises, morreu. Meses depois sua mãe enforcou-se com um fio de máquina de calcular.[76]

No dia 25 de agosto o major Cerqueira reuniu-se na sala de instruções do QG da 6ª Região Militar com as equipes que caçavam Lamarca no sertão. Deu à mobilização o nome de *Operação Pajussara*, homenageando uma praia de Maceió, e nas comunicações por rádio Lamarca era chamado de "a mercadoria". Somavam 215 homens, dezoito dos quais saídos do Para-Sar.[77] Era um combinado de todos os serviços de informações militares e de policiais paulistas e baianos. Os soldados nativos

72 Carta de Carlos Lamarca a Iara Iavelberg, de 16 de agosto de 1971, em *Folhetim* da *Folha de S.Paulo*, 10 de julho de 1987.

73 Joseíta Ustra, março de 1988.

74 Paolo Marconi, "Perseguição e morte de Lamarca", *Coojornal*, agosto de 1979.

75 Carta de Alex Polari a Zuzu Angel, de 23 de maio de 1972, em Virginia Valli, "*Eu, Zuzu Angel, procuro meu filho*", pp. 153-8.

76 Emiliano José e Oldack Miranda, *Lamarca*, pp. 129-31.

77 Para "mercadoria", *O Estado de S. Paulo* de 16 de setembro de 1981, p. 9, "A morte de Lamarca em pleno sertão", reportagem de Ayrton Baffa. Para o total da tropa, *Operação Pajussara*, pp. 26-7.

chamavam a equipe vinda de Brasília de "cancãs", e a rivalidade chegaria a tal ponto que por pouco uma equipe não atirou em outra, confundindo-a com o inimigo.[78] Nesse mesmo dia a embaixada americana em Brasília informou ao Departamento de Estado que, segundo uma fonte do DOI, Lamarca tinha apenas 40% de chances de escapar ao cerco.[79]

Os "cancãs" chegaram a Buriti Cristalino no dia 28, e na casa dos Barreto sabia-se o que isso significava. Olderico, de 23 anos, abriu fogo e caiu com um tiro no rosto. Seu irmão Otoniel, de vinte, também atirou, morreu com uma rajada de submetralhadora e foi deixado ao relento, onde os carcarás lhe comeram os olhos. O *Professor Roberto* matou-se com um tiro na cabeça. José Barreto, o pai de Olderico e Otoniel, apanhou por vários dias. Amarravam-lhe os pés e penduravam-no de cabeça para baixo.

Lamarca e *Zequinha* ouviram os tiros de Buriti Cristalino, abandonaram a barraca, cigarros e latas de comida em conserva.[80] Marcharam nove quilômetros numa noite e chegaram a um engenho. Não demorou muito, e a "tigrada" achou-lhes a pista. Puseram-se a salvo subindo as montanhas, mas no dia 7 de setembro desceram à localidade de Três Reses e foram denunciados. Atravessaram a serra da Conceição e entraram na caatinga. Lamarca estava doente, faltava-lhe fôlego, mal andava. *Zequinha* carregava-o nas costas.[81] Alguns camponeses de Carnaúba ouviram quando ele pediu para ser abandonado pelo amigo. Iam a lugar nenhum, mas caminhavam em direção a Brotas de Macaúbas alimentando-se de rapadura, bebendo nos tanques de gado. Pediam comida a parentes de *Zequinha* e a conhecidos, tentavam até comprá-la, mas "só porta batendo na cara".[82]

78 *O Estado de S. Paulo*, 16 de setembro de 1981.

79 Telegrama da embaixada americana ao Departamento de Estado, de 26 de agosto de 1971, intitulado *Lamarca na Área de Salvador*, narrando o relato de um coronel que não identifica. DEEUA.

80 *Operação Pajussara*, p. 18.

81 Paolo Marconi, "Perseguição e morte de Lamarca", *Coojornal*, agosto de 1979. Lamarca procurou um médico em Ibotirama. Ver o depoimento do coronel Nilton Cerqueira, em *O Estado de S. Paulo* de 18 de setembro de 1981, p. 9.

82 José de Araújo Barreto, pai de *Zequinha*, em entrevista ao *Coojornal* de agosto de 1979. Ver também sua entrevista a Ricardo Kotscho, *Jornal do Brasil*, 15 de setembro de 1991.

Seus perseguidores tiveram a ajuda dos moradores, do médico de Ibotirama a um camponês que os viu à beira de um córrego.[83] Desnutridos, desidratados, tinham chegado ao fim da jornada. Lamarca, com 1,73 m de altura, pesava sessenta quilos.[84] Se fossem deixados na caatinga, morreriam de fome.

Fugiam havia vinte dias e trezentos quilômetros quando pararam para descansar perto de Pintada, lugarejo de cinqüenta casas. Nesse lugar perdido, Deonila Maria dos Santos, uma mulher que não sabia sequer quantos anos tinha, proibira seus seis filhos de sair de casa. Um deles desobedeceu e viu dois homens debaixo de uma imponente baraúna. Um dormia com a cabeça apoiada numa pedra, o outro sentara-se.[85] Estavam a trezentos metros da estrada. A notícia chegou ao guia da tropa.

Eram três da tarde quando o major Cerqueira dividiu seus homens — a equipe Cão — e marchou atrás da pista. O barulho de um galho estalado acordou *Zequinha*: "Capitão, os homens estão aí".[86]

Correu para o mato e foi varrido. *Cirilo* ergueu-se e levou sete tiros. Um atravessou-lhe o tórax, transfixando o coração e os dois pulmões.[87] Debaixo da baraúna de Pintada não houve gesta.

Amarraram-no a um pau e levaram-no para a beira da estrada, onde uma camionete transferiu os cadáveres para Brotas. Lá, foram chutados

83 Depoimento do coronel Nilton Cerqueira, em *O Estado de S. Paulo* de 18 de setembro de 1981, p. 9.

84 Reportagem de Bernardino Furtado, em *O Globo* de 7 de julho de 1996, citando o laudo dos legistas Charles René Pittex e José Francisco dos Santos, de 18 de setembro de 1971.

85 Emiliano José e Oldack Miranda, *Lamarca*, p. 166. *O Estado de S. Paulo*, 18 de setembro de 1981. Ver também "Sertão baiano lembra a morte de Lamarca 20 anos depois", reportagem de Ricardo Kotscho, *Jornal do Brasil*, 15 de setembro de 1991.

86 Emiliano José e Oldack Miranda, *Lamarca*, p. 166, e Epílogo do *Relatório da Operação Pajussara*, em *Folha de S.Paulo*, 13 de setembro de 1992.

87 Para os tiros, *Laudo de Exame Cadavérico* do Instituto Médico-Legal Nina Rodrigues, de Salvador, assinado pelos peritos Charles René Pittex e José Francisco dos Santos, de 18 de setembro de 1981, publicado em *O Globo* de 7 de julho de 1996. Os outros seis tiros atingiram-no no peito (dois), na mão, no braço, numa nádega e nas costas. Segundo o perito Nelson Massini, que estudou o laudo, descoberto em 1996, os outros ferimentos do cadáver indicam que eles não aconteceram numa eventual correria pelo mato. Eram ferimentos de uma pessoa que "foi arrastada ou levou pontapés".

pelos oficiais, soldados e meganhas bêbados.[88] Embarcaram-nos para Salvador e no aeroporto jogaram-nos ao chão para que fossem fotografados. No dia seguinte o presidente Medici conferia a fisionomia do morto em sua mesa no Planalto.[89] Lamarca tinha os olhos abertos.

O epitáfio daquela figura seca, descalça e rota, semelhante na ruína ao Antonio Conselheiro exumado, parecia ter sido escrito quase vinte anos antes pelo poeta Mário Faustino: "Gladiador defunto, mas intacto".[90]

Sepultado no Campo Santo de Salvador em cova com número, mas sem nome, *Cirilo* ainda metia medo: "Por determinação do presidente da República, qualquer publicação sobre Carlos Lamarca fica encerrada a partir da presente, em todo o país. Esclareço que qualquer referência favorecerá a criação de mito ou deturpação, propiciando imagem de mártir que prejudicará interesses da segurança nacional".[91]

88 Para a bebedeira, entrevista de Valter Bastos de Matos, prefeito de Brotas em 1971, em Paolo Marconi, "Perseguição e morte de Lamarca", *Coojornal*, agosto de 1979.

89 Antonio Carlos Magalhães, 1973.

90 O verso de Mário Faustino serve de epígrafe a *Terra em transe*, de Glauber Rocha.

91 Ordem da Censura, de 22 de setembro de 1971, transcrita em Paolo Marconi, "Perseguição e morte de Lamarca", *Coojornal*, agosto de 1979.

PARTE IV A gangrena

A gangrena

Na madrugada de 14 de maio de 1971, três capitães, dois sargentos e dois cabos da 1ª Companhia do 2º Batalhão de Polícia do Exército atacaram a casa de número 3375 da estrada do Mendanha, na mata de Campo Grande, Zona Oeste do Rio de Janeiro. Além de seus carros traziam um caminhão basculante e um furgão de presos da PE.[1]

Comandava a tropa o capitão Ailton Guimarães Jorge. Tinha 29 anos, era filho de um guarda-civil a quem acompanhava ainda criança em suas rondas pela Zona Norte do Rio.[2] Fora um cadete aplicado e bagunceiro na Academia Militar das Agulhas Negras. Saíra em 15º numa turma de 69, com 7,5 de média e 35 dias de cadeia. Caíra na intendência, passaporte seguro para uma carreira banal. Seu primeiro comandante vira nele "uma versatilidade que muito o recomenda" e "uma honestidade a toda prova".[3] Bom de bola, sambista, freqüentador do Cordão do Bola Preta, metera-se por gosto nas ações de polícia política da PE. No processo de avaliação ideológica de seus superiores, era considerado oficial "in-

1 *Processo nº 4896*, STM, Denúncia do Procurador José Manes Leitão, de 31 de maio de 1974, vol. 1, pp. 6-7. Além dos três capitães, estavam os sargentos Euler Moreira de Moraes e Valter da Silva Rangel e os cabos Marco Antonio Povoreli e Antonio José Soares. Para o basculante, Depoimento de Ernesto Alves Gonçalves, p. 421.

2 *O Globo*, 23 de outubro de 1981, p. 8.

3 Assentamentos do Capitão Ailton Guimarães Jorge, *Processo nº 17/74*, da 2ª Auditoria do Exército, vol. 2, pp. 1339 e segs. Elogio do coronel Nilo Caneppa, comandante do 12º Regimento de Cavalaria, em Bagé.

teiramente imbuído dos objetivos revolucionários, por um Brasil melhor, livre da corrupção e da subversão".[4] Em 1968, fora carcereiro de Vladimir Palmeira e, nas horas seguintes à edição do AI-5, prendera o jornalista Paulo Francis e o poeta Ferreira Gullar.[5] Um ano depois, num tiroteio em Vila Kosmos, levara um tiro na perna e tornara-se o primeiro oficial ferido em combate com terroristas. Recebera a Medalha do Pacificador, e o comandante da 1ª Divisão de Infantaria esculpira-lhe o perfil: "É um dos reais valores com que conta a 1ª companhia da PE para missões difíceis e perigosas. Espontâneo e dedicado, é um voluntário permanente para tudo que der e vier. A bravura pessoal é um traço marcante da sua personalidade. Participa de tudo e comanda diligências como um verdadeiro e exemplar militar combatente".[6]

Mudara-se havia pouco para Copacabana, e sua mulher estava grávida de sete meses. Servia na PE e lecionava técnica de abordagem de aparelhos no Centro de Estudos de Pessoal. Orgulhava-se de seu papel: "Não interrogava ninguém com capuz na cabeça. Fazia questão de os presos me conhecerem".[7] Meses depois serviria no DOI.

Com Guimarães estavam dois capitães. Um era Luiz Fernandes de Brito, 36 anos, seu bom amigo e companheiro na seleção de futebol de salão da 1ª Divisão de Infantaria, campeã do I Exército. Vivia no Méier. Chefiava o setor de interrogatórios do DOI e estava para começar seu mestrado no Centro de Estudos de Pessoal.[8] O outro era Ailton Joaquim, 28 anos, chefe da 2ª Seção da 1ª Companhia da PE. Seu pai, *Américo Careca*, cedera à logística da operação dois caminhões e um depósito no bairro de Santíssimo.[9] Seguiam a pista da casa do Mendanha fazia quase dois meses.[10]

4 Alterações do Capitão Ailton Guimarães Jorge, *Processo nº 17/74*, da 2ª Auditoria do Exército, vol. 3, p. 1368.

5 Zuenir Ventura, *1968 — O ano que não terminou*, p. 300. Para Vladimir Palmeira, José Dirceu e Palmeira, *Abaixo a ditadura*, p. 159.

6 *Boletim da 1ª Divisão de Exército*, de 16 de outubro de 1969, *Processo nº 4896*, STM, vol. 2, p. 1383.

7 *O Globo*, 23 de outubro de 1981, p. 8.

8 *Processo nº 4896*, STM, vol. 2, pp. 1305 e 2102.

9 *Processo nº 4896*, STM, Depoimento do Sargento Euler Moreira de Moraes, vol. 1, p. 222.

10 *Processo nº 4896*, STM, Depoimento de Manoel da Cunha Gomes, vol. 1, p. 81.

Os sete militares trabalhavam juntos. Três deles estiveram no tiroteio de Vila Kosmos.[11] Poucos dias antes, dois dos oficiais e um dos cabos haviam torturado Vera Sílvia Magalhães, presa com um ferimento de bala na cabeça.[12] Os dois sargentos acolitaram a mundialmente conhecida aula de tortura do "tenente Ailton". Dos sete, três tinham a Medalha do Pacificador.[13]

A casa da estrada do Mendanha caiu sem resistência. Capturaram centenas de caixas de uísque House of Lords, de perfume Artmatic, além de alguns milhares de calças e jaquetas Lee.[14] Roubaram o contrabando de uma quadrilha de ex-oficiais da Polícia Militar. Venderam parte do butim a um receptador do centro do Rio, e cada capitão levou 15 mil cruzeiros (2500 dólares). Os demais receberam 3 mil (550 dólares) cada um.[15] Mais de três meses de salário numa só noite de trabalho.

A relação da "tigrada" carioca com o contrabando vinha de 1970. Começara na PE da Vila Militar com uma partida de relógios ofertada por um policial que prestava serviços ao CIE. Estendera-se ao quartel da Barão de Mesquita, onde se guardara a carga de uma barcaça. Oficiais do DOI consertavam seus carros de graça na oficina mecânica de um receptador.[16] Promiscuidade típica da marginália policial, nela cruzavam-se quadrilhas de contrabandistas como a de *Chiquinho do Pó*, *Zé Bolão* e *Manuel Português*, corsários saídos da PM, policiais e receptadores.

Formavam um engenhoso mercado. No mundo ideal dos contrabandistas as cargas eram recolhidas no litoral, transferidas para depósitos e distribuídas no comércio. Na origem, uma boa carga valia em torno de 100 mil dólares. No fim da linha o preço de uma calça Lee — símbolo do

11 Estavam com o capitão Ailton Guimarães Jorge o tenente Ailton Joaquim e os sargentos Euler Moreira de Moraes e Valter da Silva Rangel. *Ofício do Tenente-Coronel Ary Pereira de Carvalho à 1ª Companhia da PE, Processo nº 4896*, STM, vol. 2, p. 1381.

12 *Projeto Brasil: nunca mais*, tomo V, vol. 3: *As torturas*, pp. 839-40 — Vera Sílvia Araújo Magalhães. Vera foi torturada por Ailton Guimarães Jorge e Ailton Joaquim, bem como pelo cabo Marco Antonio Povoreli. *Relatório sobre as acusações de tortura no Brasil*, p. 33. O caso está também em Amilcar Lobo, *A hora do lobo, a hora do carneiro*, p. 23.

13 Ailton Guimarães Jorge, Ailton Joaquim e o sargento Valter da Silva Rangel.

14 *Processo nº 4896*, STM, vol. 1, pp. 74 e 1864.

15 *Processo nº 4896*, STM, vol. 2, p. 7.

16 *Processo nº 4896*, STM, Depoimentos de Joaquim Dias Simeão e Manoel da Cunha Gomes, vol. 1, pp. 889, 200 e 86, e Amilcar Lobo, *A hora do lobo, a hora do carneiro*, pp. 29-31.

cosmopolitismo da juventude — dobrava. Em tese, perderiam tudo se os agentes do Estado os apanhassem, levando as mercadorias a hasta pública. Na prática esse perigo era desprezível. O verdadeiro risco estava na possibilidade de serem descobertos por policiais que lhes roubariam a carga, revendendo-a no bazar de receptadores. Era o "arrepio". Para se proteger, as quadrilhas contratavam o seguro dos desembarques e dos comboios na própria polícia.[17] O mercado tinha uma hierarquia: no centro ficavam os contrabandistas negociando com capitães de navios e comerciantes, no meio os policiais que lhes vendiam proteção. Na periferia, agiam os predadores.

Os ex-oficiais da PM a quem pertencia a carga do Mendanha tinham-se estabelecido no contrabando depois de saltear no aeroporto do Galeão. Em poucos dias descobriram quem os havia roubado e tentaram um acordo. Um dos chefes da quadrilha sentou-se com o capitão Guimarães e lhe propôs a recompra da mercadoria por 60 mil cruzeiros (pouco mais de 10 mil dólares). Num novo encontro, na churrascaria Funil, no Meier, o capitão fez sua contraproposta. Devolveria uma parte sem cobrar nada, desde que lhe dessem serviço. Oferecia-se para escoltar desembarques. Negócio fechado. O ex-PM selou o acordo presenteando o capitão com 5 mil cruzeiros.[18]

Alguma coisa saiu errada, porque se passou quase um ano sem que os contrabandistas dessem serviço aos militares da PE. Em meados de 1972 os capitães Guimarães e Brito voltaram ao corso. Capturaram um caminhão carregado de roupas num posto de gasolina da Rio—Petrópolis. Venderam-no por 200 mil cruzeiros (pouco mais de 30 mil dólares). Os contrabandistas reagiram, e um dos chefes da quadrilha denunciou-os ao comando do I Exército.[19]

17 No *Processo nº 4896*, STM, vol. 1, p. 262, onde estão envolvidas duas quadrilhas de "arrepiadores" e outras duas de contrabandistas, indiciaram-se 24 pessoas. Delas, dezenove eram militares, ex-militares, policiais e ex-policiais. No caso do Mendanha, todos os contrabandistas — do dono da carga à equipe do mar — e todos os "arrepiadores" eram funcionários ou ex-funcionários do Estado.

18 *Processo nº 4896*, STM, Depoimento do Sargento Euler Moreira de Moraes, vol. 1, pp. 223-4.

19 Para o "arrepio", *Processo nº 4896*, STM, Depoimentos do Capitão Luiz Fernandes de Brito e do Capitão Ailton Guimarães Jorge, vol. 1, pp. 262 e 268-9. Para o valor, Depoimento de Ernesto Alves Gonçalves, vol. 1, p. 177.

O comandante do DOI cuidou do caso. O tenente-coronel José Amaral Caldeira, um mineiro de 46 anos, era um veterano. Na manhã de 1º de abril de 1964 ajudara a convencer o tenente Freddie Perdigão Pereira a mover seus tanques do palácio Laranjeiras para o Guanabara.[20] Chefiara a seção de operações especiais do CIE e dirigira a fase inicial do cerco aos guerrilheiros de Carlos Lamarca no vale do Ribeira.[21] A "tigrada" do DOI carioca derrubara porta de aparelho com granadas, entregara o corpo de um preso em caixão lacrado e torturara o historiador Manoel Maurício de Albuquerque, abatendo-lhe o ânimo pelos poucos anos de vida que lhe sobraram.[22] Em fevereiro de 1972 a CIA apontara o desempenho e os métodos do DOI de Caldeira: "Os cercos no Rio conseguiram prender aproximadamente quarenta membros da ALN e de dois outros grupos terroristas. [...] O preso mais importante, líder da ALN no Rio, foi morto depois do interrogatório. Muitos dos suspeitos foram espancados, alguns brutalmente".[23]

Com a quadrilha do quartel da PE a conversa seria outra. O comandante do I Exército, general Sylvio Frota, disse que não queria se basear no depoimento de um contrabandista para prender oficiais, e o coronel liquidou o assunto em dois dias.[24] Foi sozinho ao posto de gasolina, mostrou fotografias dos capitães aos empregados e perguntou-lhes se os haviam visto. Nunca. Ouviu os oficiais e perguntou-lhes se a denúncia era verdadeira. Nem pensar. Como ele mesmo informou, "fizera uma sindicância sumária e, tratando-se de um denunciante de pouca idoneidade, contrabandista que era, envolvendo dois oficiais conceituados, chegara à conclusão de que a denúncia não tinha nenhum fundamento". O coronel Caldeira exagerara na conceituação de Guimarães. Pouco depois do

20 Hernani d'Aguiar, *A Revolução por dentro*, p. 148.

21 *Operação Registro*, p. 2, e *Relatório da Operação Registro*, do general Canavarro Pereira, fl. 3. Caldeira diz em seu depoimento que na época da sindicância comandava o Regimento de Cavalaria de Guarda. O capitão Luiz Fernandes de Brito, ao narrar como ele e seus comparsas combinaram iludi-lo, diz que comandava o DOI. *Processo nº 4896*, STM, vol. 1, p. 262.

22 *Dossiê dos mortos e desaparecidos*, p. 54. Para o professor Manoel Maurício, assistente de cátedra do historiador Helio Vianna, cunhado do presidente Castello Branco, *Projeto Brasil: nunca mais*, tomo V, vol. 2: *As torturas*, p. 889.

23 *Weekly Report* da Central Intelligence Agency, 4 de fevereiro de 1972.

24 Para a posição de Frota, *Segunda Reunião do Alto Comando das Forças Armadas*, 20 de janeiro de 1975. APGCS/HF.

roubo do contrabando o capitão tomara 25 dias de cadeia por desobedecer a ordens.[25]

A investigação do coronel Caldeira esteve para as relações dos oficiais do DOI com a marginália assim como a declaração do comandante do I Exército negando que um de seus quartéis servira de calabouço durante o seqüestro dos irmãos Duarte, em 1968. A investigação do coronel Caldeira sinalizou a impunidade não só para aquele caso, mas também para os futuros.

Desde 1964, quando a polícia paulista sumira com um casaco de peles da casa de Luiz Carlos Prestes, os agentes que invadiam aparelhos dispunham de uma carta de corso sobre os bens que lhes interessassem.[26] Furtavam até anéis de presas.[27] Em Belo Horizonte, um tenente torturador do 12º RI intimidara seus sócios num empreendimento imobiliário ameaçando prendê-los.[28] Um dos oficiais do DOI de São Paulo foi afastado porque fazia dívidas e, pelo que se viu, elas eram quitadas pelos avalistas.[29] Meterase também em falcatruas e fraudes de terras. Noves fora suas atividades no Esquadrão da Morte, o delegado Fleury fora acusado de aliviar o patrimônio descoberto nos aparelhos e de comandar uma Máfia da Proteção, vendendo segurança a empresários. O CIE protegia-o dos promotores paulistas.

Naquele mundo moralmente corrupto viviam oficiais que não assaltavam butins e nenhum proveito pessoal tiraram do poder que o governo lhes dera. Ainda assim, toleravam os saques. Mesmo em casos de achaques de agiotas ou tráfico de influência, transferiam os delinqüentes em silêncio. A tolerância com o crime estava expressa na zona de sombra lançada pela proteção a Fleury.

Os contrabandistas cariocas renderam-se e contrataram os serviços da quadrilha enquistada no DOI. No final de 1972 o capitão Guimarães,

25 *Processo nº 4896*, STM, vol. 2, pp. 1738 e 1398.

26 Para o saque à casa de Prestes, Maria Prestes, *Meu companheiro — 40 anos ao lado de Luís Carlos Prestes*, p. 26. Para a norma, informação dada pelo sargento Marival Chaves do Canto ao jornalista Expedito Filho em dezembro de 1991.

27 Depoimento de Maria Aparecida dos Santos, em *Projeto Brasil: nunca mais*, tomo V, vol. 3: *As torturas*, p. 65.

28 *O Estado de Minas*, 7 de dezembro de 1998.

29 Carlos Alberto Brilhante Ustra, *Rompendo o silêncio*, p. 138.

escoltado por um sargento, juntou-se à guarda que protegeu na praia do Caju a desova de uma carga de três caminhões com roupas e cosméticos. No serviço seguinte, em Sepetiba, um jipe do Exército escoltou o comboio que transportou perto de 18 mil calças Lee até o centro da cidade.[30] Eram jornadas de cinco horas de trabalho e valiam 5 mil cruzeiros por cabeça.[31] No Caju e em Sepetiba os agentes do DOI trabalharam ao lado do comissário Euclides Nascimento, o *Garotinho*, sócio-atleta da Escuderie Jason e presidente da Le Cocq, biombo do Esquadrão da Morte.[32]

Na madrugada de 22 de novembro de 1973 o capitão e o comissário escoltavam dois caminhões de uísque e cigarros desembarcados perto do aterro de lixo do Caju. Passavam por São Cristóvão quando apareceram dois policiais de pistola na mão, confiscando-lhes a carga. Tentou-se um acordo. Os contrabandistas ofereciam 50 mil cruzeiros, os meganhas queriam 150.[33] Na retaguarda iam Guimarães e o sargento Euler Moreira de Moraes, veterano da 1ª Companhia e fundador da quadrilha. Seu patrimônio somava dois apartamentos, oito casas, dois carros, uma loja e um sítio.[34] O capitão mandou-o requisitar a tropa. Euler telefonou para o quartel da Vila: estava encurralado nas proximidades da avenida Brasil e precisava de reforços.[35] Em meia hora chegou um camburão da PE com três soldados, todos de submetralhadora, sob o comando de um sargento. Era Paulo Roberto de Andrade, condecorado com a Medalha do Pacificador, torturador de Chael Charles Schreier.[36] Guimarães contra-atacou e ordenou à patrulha que desarmasse os policiais. Um deles, ven-

30 *Processo nº 4896*, STM, Depoimentos de Álvaro Cardoso Machado e Manoel da Cunha Gomes, vol. 1, pp. 75 e 84.

31 *Processo nº 4896*, STM, Denúncia do Procurador José Manes Leitão e Depoimento do Capitão Ailton Guimarães Jorge, vol. 1, pp. 9 e 270.

32 *Processo nº 4896*, STM, Auto de Qualificação e de Interrogatório de Euclides Nascimento, vol. 2, p. 887.

33 *Processo nº 4896*, STM, Termo de Perguntas do Indiciado Álvaro Cardoso Machado, vol. 1, p. 78.

34 *Processo nº 4896*, STM, Termo de Perguntas do Indiciado Euler Moreira de Moraes, vol. 1, p. 235.

35 *Processo nº 4896*, STM, Termo de Inquirição de Testemunha Nelson Santos Filho e do Indiciado Ailton Guimarães Jorge, vol. 1, pp. 126 e 275.

36 Para a relação com Chael, Auto de Qualificação de Antonio Roberto Espinosa, em *Projeto Brasil: nunca mais*, tomo V, vol. 1: *A tortura*, p. 404. Para a medalha, Folha de Assentamentos do Sargento Paulo Roberto de Andrade, *Processo nº 4896*, STM, p. 1487.

do a confusão em que se metera, dizia que era simples curioso e só parara ali porque precisava urinar.[37]

Os policiais receberam suas armas de volta, e a muamba foi em frente. No quartel da PE não ficou vestígio burocrático da diligência. Ao contrário do que sucedia com qualquer operação do gênero, nem sequer notícia à seção de informações da 1ª Divisão de Exército foi dada. O capitão da Escuderie Jason faturara 5 mil cruzeiros.[38] O comissário da Le Cocq, 4 mil.[39] Tornaram-se bons amigos. Euclides Nascimento ensinava a Ailton Guimarães Jorge o que sabia.[40]

Naquele mesmo dia, em São Paulo, o procurador-geral da Justiça, Oscar Xavier de Freitas, chamou ao seu gabinete do 15º andar do edifício do fórum os dois promotores que substituíram Hélio Bicudo na investigação de outra conexão da "tigrada" com o crime: o Esquadrão da Morte do delegado Fleury. Haviam aberto o leque de oito para 39 sindicâncias.[41] Eram Djalma Lúcio Gabriel Barreto e Alberto Marino Junior. Deu-se o seguinte diálogo:

OSCAR: Chamei vocês aqui para conversarmos porque a situação está preta.

DJALMA: Mas... preta em que sentido?

OSCAR: Em todos os sentidos. Vou falar francamente: nós todos corremos perigo.

DJALMA: Mas... perigo de quê?

OSCAR: Não posso entrar em pormenores, tal o vulto da coisa. Vocês precisam confiar em mim. Confiam? A impunidade do Dr. Fleury é pon-

37 *Processo nº 4896*, STM, Termo de Perguntas do Indiciado Paulo Roberto de Andrade, vol. 1, pp. 146-9. Para a versão do policial, Termo de Inquirição de Testemunha Rogerio Marcelino dos Santos, vol. 1, pp. 163-5.

38 *Processo nº 4896*, STM, Termo de Perguntas dos Indiciados Euler Moreira de Moraes e Álvaro Cardoso Machado, vol. 1, pp. 229 e 78.

39 *Processo nº 4896*, STM, Termo de Perguntas do Indiciado Euclides Nascimento, vol. 1, p. 380.

40 Entrevista do capitão Ailton Guimarães Jorge a *O Globo* de 23 de outubro de 1981.

41 Depoimento de Alberto Marino Junior, em Percival de Souza, *Autópsia do medo*, p. 397.

to de honra para a cúpula do governo e das Forças Armadas! [...] O perigo é enorme!

DJALMA: Nessa altura, inclusive para nosso resguardo, gostaríamos de saber qual o perigo. De que se trata? Em relação a quem? O que representa?

OSCAR: Não posso falar... Mas direi uma coisa: todos nós estamos arriscados a tudo, vocês, eu... o ministério público. As atenções estão voltadas principalmente contra você, Djalma! Você precisa ter muito cuidado. Vão lhe armar alguma cilada.

DJALMA: Não tenho nada a temer, pois nunca tive rabo-de-palha. [...]

OSCAR: Eles estão muito revoltados contra você. A ordem é você esquecer tudo o que viu e ouviu. Tome algum comprimido, digo comprimido que lhe provoque amnésia.

DJALMA: Mas eu apenas procedi às investigações, sem qualquer animosidade contra alguém. Tratei dos casos do Esquadrão como se fossem de réus comuns. Finalmente, estou nisso tudo porque você nos designou.

OSCAR: Eu compreendo, mas desejo que vocês atentem para a atual situação de força. O Bicudo é odiado por eles. Quanto a vocês dois, eles se voltam mais contra o Djalma. Djalma! [...] Não faça mais nada. Fique inerte! Se presenciar um homicídio, vire o rosto. Não veja mais nada! [...]

DJALMA: É angustiante ouvir isso do chefe do ministério público: o cumprimento da lei transformar-se em delito!

OSCAR: É verdade. Se alguém me ouvisse nesse instante, deveria dizer que o procurador-geral deveria ser internado. Mas vocês não avaliam as pressões a que estou submetido! Eu não recebo solicitações, apenas ordens. [...] Esqueçam, por favor, o fichário. Esqueçam tudo, não se metam em mais nada. Existem olheiros em toda parte, nos fiscalizando. Nossos telefones estão censurados. [...] Aliás, eu quero que os dois tirem férias em dezembro próximo.[42]

Fleury estava realmente protegido. Um dia antes o general Carlos de Meira Mattos, velha figura do castelismo pela qual Ernesto Geisel tinha

42 Hélio Bicudo, *Do Esquadrão da Morte aos justiceiros*, p. 29.

bastante respeito e pouca simpatia, procurara o futuro presidente. Queria falar do caso do delegado. Quando Geisel contou a gestão do general a Golbery, ele reagiu contra Fleury: "Ele é confessadamente, reconhecidamente o homem do Esquadrão da Morte".

Geisel foi na direção oposta:

— Eu sei, mas o Esquadrão da Morte é uma conseqüência dessa bagunça da Justiça, dessa esculhambação toda. Que é uma barbaridade, é. Mas não é uma conseqüência? Você vai a uma favela dessas e tem centenas de caras criminosos que estão soltos aí e ninguém prende. E se prender, vem o governo no fim de seis meses e dá indulto, vai solto. Não tem cadeias para manter os caras.

— Isso pode estar certo, mas não há de ser o "seu" Fleury que vai ser juiz. Esse negócio de Esquadrão da Morte, no começo, eram bandidos. Agora estão sendo cousas de outra ordem. Não se iluda — respondeu Golbery.[43]

No dia 20 de fevereiro de 1974, a quadrilha da PE viu-se encurralada. A Polícia Federal e o SNI haviam reunido provas de suas atividades e remeteram o material, que incluía gravações de conversas telefônicas, ao general Sylvio Frota, comandante do I Exército. Estava-se diante de uma situação nova. Agora não eram mais contrabandistas denunciando oficiais, mas a própria máquina de informações do governo provando que se delinqüia na 1ª Companhia da PE. Frota abriu um inquérito policial-militar para investigar a nova denúncia.[44] Seu chefe, coronel Aloysio Alves Borges, instalou-se no quartel da Barão de Mesquita. Em poucas horas estavam presos dois capitães, um subtenente, um sargento e dois contrabandistas. Capturaram o capitão Guimarães no dia seguinte. Euclides Nascimento presidia uma reunião de sua escuderia quando a tro-

43 Conversa de Geisel com Golbery, novembro de 1973. APGCS/HF.

44 Narrativa do general Sylvio Frota, *Segunda Reunião do Alto Comando das Forças Armadas*, 20 de janeiro de 1975. APGCS/HF.

pa lhe invadiu a sede, meteu-o num camburão, encapuzou-o e trancou-o numa cela por uma semana.[45] No fim do mês o coronel tinha perto de trinta presos, a maioria deles no DOI. Todos estavam incomunicáveis quando assinaram seus depoimentos.

Euler Moreira de Moraes, com doze anos de serviço na 1ª Companhia da PE, contou o que lhe aconteceu:

> Foi colocado numa cela, despido e despojado de todos os seus haveres, inclusive cigarros, cela essa a que inúmeras vezes havia levado outras pessoas. [...] No 1º Batalhão da PE foi novamente despido e contemplado com um capuz preto. [...] No decorrer dos dias foi retirado para uma outra dependência do DOI e no seu interior pôde perceber que estava numa geladeira, porque já conhecia tal dependência em razão de sua função. [...] Foi submetido às mais sérias torpezas, que foram "telefone" e choques de magneto, embora não vendo, sabia do que se tratava, pois já conhecia essa máquina infernal.[46]

Paulo Roberto de Andrade, Medalha do Pacificador da turma de 1970: "Levado para dependências do DOI, onde sofreu uma série de coações, foi interrogado encapuzado e ficou em uma sala que é chamada de frigorífico durante dois dias. [...] Durante o interrogatório levou choques e socos. [...] Não gosta nem de se lembrar, mas devido à friagem da citada cela adquiriu uma sinusite".[47]

O capitão Guimarães soube que seu irmão, doente mental, queixava-se de ter sido posto numa "cela de gelo".[48] O sargento Valter da Silva

45 *Apelação 42 476-8*, STM, Auto de Qualificação e de Interrogatório de Euclides Nascimento, p. 888.

46 *Apelação 42 476-8*, STM, Auto de Qualificação e de Interrogatório de Euler Moreira de Moraes, p. 813.

47 Para a citação, Auto de Qualificação e de Interrogatório de Paulo Roberto de Andrade, *Processo nº 4896*, STM, vol. 2, p. 851.

48 *Apelação 42 476-8*, STM, Auto de Qualificação e de Interrogatório de Ailton Guimarães Jorge, vol. 2, p. 806. Atestado de Amilcar Lobo informando que Amilcar Guimarães Jorge, "preso nesta unidade da Polícia do Exército, está sob meus cuidados profissionais, em tratamento psiquiátrico", 14 de março de 1974, p. 1868. Para a "cela de gelo", Termo de Declaração de Maria Amélia Motta Amorim Jorge, p. 1869.

Rangel, Medalha do Pacificador de 1971, era levado nu para os interrogatórios.[49] Quando o cabo Antonio José Soares deixou a geladeira e recebeu a visita da mulher, soube que os colegas a haviam assediado.[50] A incomunicabilidade de Euclides Nasçimento só foi quebrada porque ele teve um distúrbio cardíaco. Dois contrabandistas saíram com pneumonia, outro passou nove meses em tratamento psiquiátrico. Pelo menos um saiu da prisão para o hospital militar da Vila. No *Manuel Português* deram um soco que lhe tirou um dente.[51] Depois de apanhar e conhecer as duas celas especiais do DOI, o detetive Newton Moreira Lopes resumiria a experiência: "Após ser liberado, não mais voltou ao quartel da Barão de Mesquita, não passando sequer pela porta".[52]

Na primeira instância da Justiça Militar, o processo dos contrabandistas teve uma trajetória absurda. Em menos de dois meses os 24 indiciados estavam soltos. A 2ª Auditoria do Exército rejeitou a denúncia da promotoria, entendendo que se tratava de um caso de contrabando, crime comum de competência da Justiça Civil. O Superior Tribunal Militar revogou a decisão, e reabriu-se o processo. Todos os indiciados disseram em juízo que o coronel do IPM lhes extorquira as confissões. A maioria deles sustentou que, surrados, assinaram os papéis sem lê-los. Num procedimento inédito, os oficiais do Conselho de Justiça decidiram que o processo tramitaria em segredo. Durante o julgamento a promotoria jogou a toalha, e, em maio de 1979, os 21 acusados foram absolvidos. O caso voltou ao STM, cinco ministros recusaram-se a relatá-lo, e, por unanimidade, confirmou-se a absolvição. A sentença baseou-se num só argumento: "Tudo o que se apurou nestes autos, o foi, exclusivamente, através de confissões, declarações e depoimentos extrajudiciais, retratados e desmentidos posteriormente em juízo, sob a alegação de violências e ameaças praticadas durante o IPM".[53]

49 *Apelação 42 476-8*, STM, Auto de Qualificação e de Interrogatório de Valter da Silva Rangel, vol. 2, p. 850.

50 *Apelação 42 476-8*, STM, Auto de Qualificação e de Interrogatório de Antonio José Soares, p. 860.

51 *Apelação 42 476-8*, STM, Auto de Qualificação e de Interrogatório de Manoel da Cunha Gomes, p. 906.

52 *Apelação 42 476-8*, STM, declaração de Newton Moreira Lopes, p. 1156.

53 *Apelação 42 476-8*, STM, voto do relator Jorge Alberto Romeiro, pp. 2253-63.

Para que o coronel Aloysio Alves Borges construísse toda a trama denunciada em seu IPM tirando de sua cabeça cada história e cada detalhe, seria necessário que tivesse raro talento de ficcionista. O que ele informou era verdade, mas reconstituíra os delitos através de um processo que violentara os direitos dos acusados e ofendera o rito da Justiça. A idéia de que a confissão é insuficiente como prova e de que obtê-la pela violência anula o esforço da investigação, era estranha a ele, aos réus, ao DOI e ao regime. Agia-se com uma noção exclusiva de poder outorgando-se não só o direito de punir delinqüentes da forma que parecesse adequada, como também a prerrogativa de fechar os olhos quando se julgasse conveniente. Só isso explica que ninguém tenha desconfiado da sindicância sumária do coronel Caldeira, que inocentara os militares. O STM achou justo desconsiderar as confissões obtidas no DOI, mas esqueceu-se de determinar a investigação das torturas. O capuz da Justiça Militar estava torto: cego para a esquerda, enxergava à direita. Milhares de pessoas passaram pelos DOIs, mas a quadrilha de contrabandistas da PE foi o único grupo confesso na instrução policial integralmente absolvido em todas as instâncias judiciais.

Coube ao bicheiro *Tio Patinhas* consertar a vida de Ailton Guimarães Jorge. Chamava-se Angelo Maria Longa, era o maior banqueiro de bicho do Rio de Janeiro.[54] O processo do contrabando ainda tramitava, e o nome do capitão estava no *Almanaque do Exército* quando ele se transferiu formalmente para a contravenção, levando a patente por apelido e diversos colegas como colaboradores. Começou como gerente do banqueiro *Guto*, sob cujo controle estavam quatro municípios fluminenses. Um dia três visitantes misteriosos tiraram *Guto* de casa e sumiram com ele.[55] Num ambiente em que os negócios raramente saem das famílias, *Tio Patinhas* passou-lhe a banca. Em três anos o *Capitão Guimarães* foi de tenente a general, sentando-se no conselho dos sete grandes do bicho, redigindo as atas das reuniões, delimitando as zonas dos pequenos banqueiros.[56] Seu território estendeu-se de Niterói ao Es-

54 Entrevista do banqueiro de bicho *Capitão Guimarães* a *O Globo* de 23 de outubro de 1981.

55 *O Globo*, 25 de outubro de 1981.

56 Idem, 23 de outubro de 1981.

pírito Santo.[57] Seguindo a etiqueta de legitimação social de seus pares, apadrinhou a escola de samba Unidos de Vila Isabel e virou a maior autoridade do Carnaval, presidindo a liga das escolas do Rio de Janeiro. Rico e famoso, adquiriu uma aparência de árvore de Natal pelas cores de suas roupas e pelo ouro de seus cordões. Tornou-se um dos mais conhecidos comandantes da contravenção carioca. Do seu tempo da PE ficou-lhe o guarda-costas, um imenso ex-cabo que, como ele, começara no crime organizado da repressão política.

Os promotores paulistas conheciam as leis muito melhor que o coronel do IPM do contrabando. Conheciam também a força do delegado Fleury. Lentamente, com a inapelável sistemática do rito judicial, cercaram-no. No final de 1973 ele parecia perdido, com a prisão preventiva decretada pelo assassinato de um traficante de tóxicos, mas o procurador-geral Oscar Xavier de Freitas tinha razão quando dizia que a sua impunidade era ponto de honra para os comandantes militares. Só um remédio heróico poderia salvá-lo, e um remédio heróico salvou-o. Em novembro de 1973, no crepúsculo do governo Medici, providenciou-se uma nova redação para o artigo 594 do Código de Processo Penal, determinando que os réus primários, com "bons antecedentes", depois de condenados, teriam direito à liberdade enquanto durasse a tramitação de seus recursos.[58] Simples: abria-se uma porta para que o delegado respondesse em liberdade aos processos que Bicudo começara a acumular. O mandado de prisão preventiva caducara. Fleury estava livre.

Começara-se transferindo aos tribunais militares o julgamento dos crimes contra a segurança do Estado, mas isso pareceu pouco. Suspen-

57 Reportagem de Mônica Freitas e Cesar Pinho, *Jornal do Brasil*, 13 de outubro de 1989, Caderno Cidade, pp. 1 e 3.

58 O artigo 594 do Código de Processo Penal (decreto-lei nº 3689, de 3 de outubro de 1941) dispunha, originalmente: "Art. 594. O réu não poderá apelar sem recolher-se à prisão, ou prestar fiança, salvo se condenado por crime de que se livre solto". Alterado pelo artigo 1º da lei nº 5941, de 22 de novembro de 1973, ficou assim: "Art. 594. O réu não poderá apelar sem recolher-se à prisão, ou prestar fiança, salvo se for primário e de bons antecedentes, assim reconhecido na sentença condenatória, ou condenado por crime de que se livre solto".

deu-se o habeas corpus, e transformou-se a tortura em política de Estado, mas isso não era tudo. Protegendo-se das anomalias que provocara, a ditadura acobertara ladroagens de seus agentes, mas isso também não bastara. Tornara-se necessário reformar a lei penal para assegurar a liberdade de um condenado.

A matança

Era a segunda vez que o major Rubens Paim Sampaio recorria ao tenente Amilcar Lobo, médico do DOI. Na primeira, durante um intervalo de interrogatório, pedira-lhe que fosse à sua casa examinar as filhas gêmeas recém-nascidas, pois rejeitavam o leite materno. Desta vez, em maio de 1971, tratava-se de ir a Petrópolis cuidar de uma mulher atropelada em Cascadura. Lobo subiu a serra dois dias depois. Seu guia apresentou-se como *Camarão* e, ao entrar na cidade, deu-lhe um capuz preto. Quando o médico o tirou, estava diante de uma casa branca, com um daqueles grandes telhados típicos da arquitetura da região. Encarapitada no alto de um morro, era a única construção da vizinhança. O *Dr. Teixeira* veio à porta e levou-o para uma sala espaçosa, com lareira. Lá, apresentou-o ao *Dr. Nagib*. Nenhum dos dois era médico, e ambos eram majores do Centro de Informações do Exército. *Teixeira*, o próprio Rubens Sampaio. *Nagib* era Freddie Perdigão Pereira.[1] Em 1968 militara na conexão clandestina do CIE e participara de pelo menos um atentado a bomba.[2] Anexado ao DOI carioca, passara a interrogar e torturar presos.[3] Mancava de uma perna desde que um terrorista lhe dera dois tiros durante uma batida.

1 Amilcar Lobo, *A hora do lobo, a hora do carneiro*, pp. 32-5.

2 José Amaral Argolo e outros, *A direita explosiva no Brasil*, p. 251. Trata-se da explosão do depósito de papel do *Jornal do Brasil*, no Rio de Janeiro.

3 Depoimentos de Sérgio Ubiratan Manes e Tania Chao, em *Projeto Brasil: nunca mais*, tomo V, vol. 3: *As torturas*, pp. 728 e 759.

De acordo com as normas da casa, Lobo foi rebatizado e tornou-se *Carneiro*.[4] A mulher estava num dos quartos, deitada no chão. Tinha dois grandes ferimentos, na barriga e numa coxa. Era Inês Etienne Romeu, a *Alda* da VAR-Palmares, seqüestradora de Bucher, inquilina do aparelho da rua Taracatu, onde Carlos Lamarca salvara a vida do embaixador. Presa em São Paulo, dissera que no dia seguinte tinha um "ponto" no Rio de Janeiro. Deixada como isca numa rua de Cascadura, atirara-se contra um ônibus. Levaram-na para o HCE e estavam interrogando-a quando um oficial-médico exigiu o encerramento da sessão até que se trouxesse uma autorização do diretor. Assim como procedera em 1969 no caso de Chael Charles Schreier, o Hospital Central do Exército dissociou-se do porão. Seu diretor, em vez de autorizar o interrogatório, visitou-a várias vezes num só dia. Transferiram-na para o hospital Carlos Chagas e, de lá, para a casa de Petrópolis.[5]

Carneiro suturou os ferimentos da presa durante duas horas e voltou para o Rio de Janeiro com *Teixeira*. No caminho o major do CIE contou-lhe a história da casa. Segundo as memórias de Amilcar Lobo, publicadas dezoito anos depois, o ministro Orlando Geisel ordenara a morte dos prisioneiros banidos que regressassem ao país.[6] A casa (rua Arthur Barbosa, 668) funcionaria como um aparelho de torturas e assassinatos.[7]

O aparelho de Petrópolis — codinome Codão — era uma base do Centro de Informações do Exército.[8] Seria um erro chamá-la de clandes-

4 Amilcar Lobo, *A hora do lobo, a hora do carneiro*, p. 35.

5 Relatório de Inês Etienne Romeu, *O Pasquim*, nº 607, 12 a 18 de janeiro de 1981, pp. 4-5 e 26.

6 Amilcar Lobo, *A hora do lobo, a hora do carneiro*, p. 35.

7 Para o endereço, *IstoÉ*, 11 de fevereiro de 1981.

8 Esse não foi o primeiro aparelho. Em 1969 o Centro de Informações da Marinha operara uma base paralela numa casa em final de construção nas montanhas de São Conrado, no Rio de Janeiro. Nela foram torturados Ottoni Guimarães Fernandes Junior e Eduardo Leite, o *Bacuri*. Ver *Projeto Brasil: nunca mais*, tomo V, vol. 3: *As torturas*, p. 405, Auto de Qualificação de Ottoni Guimarães Fernandes Junior, e também entrevista do ex-sargento Marival Chaves Dias do Canto a Expedito Filho, *Veja*, 18 de novembro de 1992, pp. 20-32. Para o codinome, *IstoÉ*, 11 de fevereiro de 1981. Para a atribuição da casa ao CIE, depoimento do general Adyr Fiúza de Castro, em Maria Celina d'Araujo, Gláucio Ary Dillon Soares e Celso Castro (orgs.), *Os Anos de Chumbo*, p. 68. Existiu outro aparelho, numa delegacia do Alto da Boa Vista. Em seu depoimento a Maria Celina d'Araujo e Celso Castro (orgs.), *Ernesto Geisel*, p. 373, Geisel chamou a casa de Petrópolis de "dependência do CIE".

tina. O comandante da PE sabia de sua existência. Em 1973, um general revelou a Geisel que havia outras "instalações", no Alto da Boa Vista.[9] Os "doutores" que nelas operavam cumpriam escalas de serviço do Centro, dentro da sua hierarquia e de acordo com seu comando. Era um dispositivo complementar aos DOIs. Estes, com todas as suas anomalias, vinculavam-se à rotina administrativa do Exército. Já o aparelho dispunha de uma autonomia outorgada pela chefia. Não se tratava de operação avulsa, nem refletia o propósito de afastar a tortura dos quartéis. Escalas de serviço eram escalas de serviço, e os atos lá praticados influíam na carreira dos "doutores". *Teixeira* e *Nagib* tinham a Medalha do Pacificador. O aparelho refletia onipotência e anarquia, jamais indisciplina.

Indisciplina no CIE não havia. Seu chefe era o general Milton Tavares de Souza, o *Miltinho*. Uma sombra, só aparecia nos jornais três vezes por ano, durante as reuniões do Alto-Comando do Exército, sentado atrás do general Orlando Geisel. Devotava-lhe total lealdade. Fizera uma carreira notável. Como capitão fora ferido em combate na Itália. Em março de 1964 servia com o general Castello Branco no Estado-Maior do Exército. Vivia como um monge, sem férias nem vida social. Fisicamente frágil, nem sequer fazia o tipo do general buliçoso. Como chefe do CIE foi um mudo. É dele a marca de ferocidade da repressão. Passou pela vida pública sem revelar hábitos, gostos ou preferências. Era surdo, cardíaco, retraído e obsessivo. Depois de ter deixado o CIE, no comando da 10ª Região Militar, disse um pouco do que pensava: "Nada de importante acontece no país sem a ação dos comunistas. Há uma poeira vermelha nos olhos do povo e de grande parte das autoridades brasileiras. É preciso que acordemos e encaremos o problema com a seriedade que ele merece, se não quisermos ser cúmplices da queda do Brasil nas mãos dos comunistas. É uma opção que devemos fazer. Eu já fiz a minha. Prefiro morrer livre à escravidão do partido comunista".[10] Achava que o movimento hippie era uma invenção de Moscou.

9 *Diário de Heitor Ferreira*, 2 de agosto de 1973, APGCS/HF, e general Reynaldo Mello de Almeida, agosto de 1998.

10 Conferência do general Milton Tavares de Souza, comandante da 10ª Região Militar, na ADESG do Maranhão, *O Estado de S. Paulo*, 2 de outubro de 1976.

Se durante o mandarinato de Orlando Geisel houve generais poderosos, *Miltinho* foi o mais forte entre todos. Refletindo a hipertrofia que a repressão política impusera à estrutura do Exército, acumulou o comando do CIE com a chefia do gabinete do ministro. Seu CIE tinha em torno de 120 militares. Cerca de sessenta eram oficiais, divididos entre a chefia e quatro seções. A maior — operações — trabalhava com oito ou dez e cerca de 35 sargentos. Pode-se ter uma idéia da escala desse efetivo sabendo-se que nessa época o Gabinete Militar da Presidência tinha 141 militares. O CIE funcionava no prédio do antigo quartel-general, no Rio de Janeiro. Na teoria era um apêndice do gabinete, sem jurisdição sobre os comandos. Na prática fazia o que queria. Desautorizava o serviço de propaganda da Presidência patrocinando patriotadas como a campanha de divulgação do slogan "Brasil, ame-o ou deixe-o".[11] De uma lista de oitenta ordens de censura à imprensa colecionada pela Polícia Federal entre agosto de 1971 e janeiro de 73, doze saíram do CIE.[12] Em São Paulo o delegado Fleury era muito mais um operador do CIE do que um caudatário do DOI.

Sob o comando do CIE, a máquina de repressão do governo reorientara-se na direção do extermínio. Estavam esquecidos os costumes de 1969, quando, mesmo havendo tortura e assassinatos, todos os dez terroristas que jogaram um caminhão-bomba contra o QG do II Exército sobreviveram à captura. A partir do segundo semestre de 1970 ocorre uma mudança gradual em seu comportamento. Em 1971, prevalece o extermínio. Pelo menos na área sob jurisdição do II Exército, essa política está documentada. O general Vicente de Paulo Dale Coutinho, ex-comandante da 2ª Região Militar, descreveria a diretriz do seu colega Humberto de Souza Mello, que assumiu o comando do II Exército em janeiro de 1971: "Eu vi em São Paulo, e justiça se faça ao Humberto. Quando começou o comando do Humberto, começou a diminuir o terror, porque a ordem dele era matar. A ordem dele era matar".[13]

11 Carta do general Octavio Costa ao autor, de junho de 1991.

12 Maurício Maia de Souza, "Henfil e a censura — O papel dos jornalistas", pp. 67-74.

13 Conversa do general Dale Coutinho com Geisel, fevereiro de 1974.

Justiça também fazia o general Humberto. Ia ao DOI com alguma freqüência e, numa dessas ocasiões, dissera ao *Capitão José Lisboa* (delegado David dos Santos Araújo): "Matem os terroristas, matem os carteiros que entregam suas cartas. Os familiares, os amigos, seja o que for. Só não quero que morra nenhum de vocês".[14]

Essa virulência derivou de um processo racional, influenciado por circunstâncias emocionais. Na noite de 2 de abril de 1971 deu-se uma tragédia na rua Niquelândia, no subúrbio carioca de Campo Grande. Um cabo pára-quedista desconfiara do comportamento de um casal de vizinhos e levara seu receio ao chefe da seção de informações da Brigada Aeroterrestre. Cinco agentes entraram na casa suspeita durante a tarde e confirmaram: era um aparelho, quase um arsenal. Guardava uma submetralhadora, três fuzis, três pistolas, duas granadas e três quilos de explosivos.[15] Por volta das 22 horas havia sete militares e dois carros no boqueirão sem saída da pequena rua. Apareceu um táxi com um casal, passou pela casa, fez um contorno e ia embora quando um automóvel lhe fechou o caminho. Um agente saltou e pediu ao casal que se identificasse. A mulher abriu a bolsa e disparou.[16] O major José Julio Toja Martinez Filho, 39 anos, foi alvejado no tórax. A bala saiu abaixo da axila direita. Estava morto. Era o primeiro oficial das Forças Armadas assassinado em ação pelo terrorismo. Filho de um coronel, deixara viúva e quatro filhos, o mais novo com quatro anos.[17]

14 Depoimento do delegado David dos Santos Araújo, em Percival de Souza, *Autópsia do medo*, pp. 445-6.

15 *Boletim Informativo nº 02-71*, Centro de Relações Públicas do Exército, 1971, pp. 12-3.

16 A descrição do episódio está na apostila *Contra-Subversão*, da Escola Nacional de Informações, de 1974. O autor teve acesso a esse documento, sem poder copiá-lo.

17 Para o ferimento, *O Globo*, 5 de abril de 1971. A apostila da ESNI, *Contra-Subversão*, de 1974, sugere que o tiroteio foi na noite de sexta-feira. *O Globo* diz que foi na madrugada de sábado. Prevaleceu a apostila. Para o pai, depoimento do general Leonidas Pires Gonçalves, em *Histórias do poder*, de Alberto Dines, Florestan Fernandes Jr. e Nelma Salomão (orgs.), vol. 1: *Militares, Igreja e sociedade civil*, p. 363. Para outra narrativa do episódio, ver Alfredo Sirkis, *Os carbonários*, p. 386.

Marilena Villas Boas Pinto, a *Índia* do MR-8, foi entregue ao DOI, e é possível que a tenham levado para Petrópolis. Mataram-na com um tiro no pulmão.[18] O relato do que sucedeu a Marilena antes que a assassinassem chocou alguns dos companheiros de Toja. "Os pára-quedistas não tiveram nada a ver com o que fizeram com ela. No caixão, estava arrumada, estava inteira, mas era enfeite", relataria catorze anos depois o coronel Idyno Sardenberg.[19]

A morte do major Toja transformou-se em prova da virulência de um terrorismo encurralado. Marilena era uma veterana, mas a sua organização, o MR-8, estava se desfazendo. Nas discussões teóricas, o Oito estava abandonando a tese da luta armada urbana.

Na rua Niquelândia tantos foram os erros cometidos pelos pára-quedistas que, listados, transformaram-se em estudo de caso para a própria Comunidade de Informações. Eles não deveriam ter agido sem consultar "o órgão especializado". Não deveriam ter entrado na casa à tarde, e tendo-o feito, o certo seria ocupá-la, em vez de vigiá-la de fora com apenas dois agentes. Não deveriam ter estacionado os dois carros perto da casa, tampouco um único agente poderia ter abordado o táxi, muito menos pedindo documentos aos suspeitos.[20]

A despeito do impacto provocado pelo assassinato de Toja sobre a oficialidade, a política de extermínio e a criação de bases secretas derivaram de uma nova apreciação da luta armada. No fim de seu governo, justificando a regra de entrar nos aparelhos atirando, Medici dizia que matando-se os terroristas, reduzia-se o número de presos e, com isso, o poder de barganha dos que continuavam em atividade.[21]

Uma coisa seria entrar num aparelho atirando, sem contemplação com quem estivesse lá dentro, e outra, prender quem lá dentro estives-

18 *Projeto Brasil: nunca mais*, tomo V, vol. 4: *Os mortos*, p. 277.

19 Coronel Idyno Sardenberg, fevereiro de 1985.

20 Apostila *Contra-Subversão*, da ESNI, de 1974.

21 Esse raciocínio foi feito por Medici a Geisel num de seus últimos encontros. Geisel narrou-o assim, em janeiro de 1974: "Diz ele: é muito melhor morrerem eles que morrer um soldado ou sargento nisso. Com isso também o número de presos diminuiu. Agora não pode mais estar barganhando".

se e matá-lo, sem contemplação, num canto do porão. Havia nexo no propósito. Quando os setenta presos trocados pelo embaixador suíço desceram no aeroporto de Santiago do Chile, criou-se um fantasma aritmético: os 130 banidos dos quatro seqüestros de diplomatas tornaram-se um efetivo superior ao de militantes armados em ação no Brasil, que não chegavam a cem.[22] Como havia cerca de quinhentos presos, temia-se que novos seqüestros engrossassem a diáspora, levando a uma situação em que, tendo-se quebrado a espinha da guerrilha urbana, ela seria realimentada pelo retorno dos exilados, muitos deles reciclados em Cuba. Chegou a circular até uma conversa de marinheiros soviéticos bêbados segundo a qual a frota vermelha desembarcava banidos nos portos brasileiros.[23]

A sentença de morte contra os banidos autodocumenta-se. Entre 1971 e 1973 foram capturados dez. Nenhum sobreviveu.[24]

Ordenara-se também o assassínio dos "cubanos", nome dado aos militantes que regressavam de Havana. O Cenimar publicou confidencialmente uma galeria com fotografias de 135 pessoas que tinham ido para a Ilha.[25] O DOI de São Paulo produzira uma apostila ensinando a identificá-los: "Vestem-se sobriamente", usam cabelos curtos, carregam duas armas, seus documentos são muito bem falsificados, e reagem violentamente quando presos, "coisa que não é normal nos demais terroristas".[26]

Entre 1966 e 1970 foram capturados 26 "cubanos". Dezoito continuaram vivos, e oito morreram. Entre 1971 e 1973 foram capturados pelo me-

22 Em junho de 1971, quando o *Cabo Anselmo* teve acesso ao arquivo do DOPS, o número de "ativistas e simpatizantes somava aproximadamente cem pessoas". Depoimento de José Anselmo dos Santos a Percival de Souza, *Eu, Cabo Anselmo*, p. 179.

23 *O Globo*, 10 de julho de 1970.

24 São eles: Aderval Coqueiro, Carlos Eduardo Pires Fleury, João Leonardo Rocha, Jeová Assis Gomes, Eudaldo Gomes da Silva, Daniel José de Carvalho, Edmur Camargo, Joel José de Carvalho, João Batista Rita e Joaquim Pires Cerveira, os dois últimos, seqüestrados em Buenos Aires.

25 *A Ação Subversiva no Brasil*, marcado "confidencial", feito pelo Cenimar em maio de 1972. AA. Em 21 de novembro de 1972, o I Exército encaminhou ao DOPS do Rio outro álbum, com 219 nomes. Denise Rollemberg, *O apoio de Cuba à luta armada no Brasil*, p. 11.

26 *Jornal do Brasil*, 17 de janeiro de 1992, p. 8.

nos 32. Nesse período, descontando-se o *Cabo Anselmo*, que se tornou policial, um quadro da ALN, que negociou sua libertação, dois outros, cujo paradeiro não se conhece, e uma jovem, que teria abandonado a militância, só um "cubano" sobreviveu ao porão.[27]

As execuções transbordaram as categorias dos banidos e dos "cubanos". Segundo o *Dr. Pepe*, um dos matadores do CIE, o primeiro preso a morrer na casa (em março de 1971, 47 dias antes do tiro da rua Niquelândia) foi Carlos Alberto Soares de Freitas.[28] Não era banido nem "cubano", mas dirigente da VAR-Palmares. Sociólogo, vinha do trotskismo e fora o *Breno* da VPR. Pela sua militância, era uma "cobra", nome dado pelos oficiais do DOI do Rio aos combatentes mais destacados. Finalmente, passou-se a matar todo aquele que não convinha deixar vivo. No final de maio *Carneiro* viu o *Dr. Teixeira* matar um preso na sala do aparelho. Era um jovem enlouquecido que via um tigre no jardim. "Ninguém sai com vida daqui", explicou o major.[29]

Os mortos de Petrópolis eram esquartejados e enterrados nas cercanias.[30] Quantas pessoas morreram na rua Arthur Barbosa, não se sabe. Durante 96 dias de cativeiro, Inês Etienne Romeu listou pelo menos cinco.[31] Nessa mesma época a conta do *Dr. Teixeira* estava em mais de dez.[32]

27 José da Silva Tavares negociou sua libertação em troca da entrega de Joaquim Câmara Ferreira ao delegado Fleury (Jacob Gorender, *Combate nas trevas*, p. 218, e Percival de Souza, *Autópsia do medo*, p. 257). Boanerges de Souza Massa foi considerado um desaparecido político (Nilmário Miranda e Carlos Tibúrcio, *Dos filhos deste solo*, p. 154). Faltam dados a respeito de Benjamin de Oliveira Torres. Marilia Angélica do Amaral teria abandonado a militância. Sobreviveu, depois de presa, Darci Toshiko Miaki. Nessa conta não se incluiu Cláudio de Souza Ribeiro, que abandonou a militância e, tendo matado a mulher numa crise de ciúmes, entregou-se à Polícia Civil. Para o seu caso, *O Estado de S. Paulo*, 13 de abril de 1980.

28 Relatório de Inês Etienne Romeu a *O Pasquim*, nº 607, 12 a 18 de janeiro de 1981.

29 Amilcar Lobo, *A hora do lobo, a hora do carneiro*, p. 37.

30 Para o esquartejamento, entrevista do sargento Marival Chaves Dias do Canto a Expedito Filho, *Veja*, 18 de novembro de 1992, pp. 20-32. Para o sepultamento, Amilcar Lobo, *A hora do lobo, a hora do carneiro*, p. 71.

31 Carlos Alberto Soares de Freitas, Aluísio Palhano, Mariano Joaquim da Silva, Paulo de Tarso Celestino e Heleny Telles Guariba.

32 Amilcar Lobo, *A hora do lobo, a hora do carneiro*, p. 37.

Tornara-se difícil sair com vida em qualquer situação. Tateiam-se os números do extermínio verificando-se que, só em 1971, mataram-se cinqüenta pessoas, contra 29 no ano anterior.[33] Fechando-se o foco numa só organização, a ALN, vê-se que teve 48 mortos durante toda a sua existência. Em 1969 e 70, seus anos de maior atividade, morreram doze de seus militantes. Entre 1971 e 1972, no declínio, morreram trinta.

De acordo com as estatísticas da polícia e das forças armadas americanas o índice de pessoas alvejadas na cabeça em tiroteios é inferior a 5%. Isso para casos de uma só bala. Duas ou mais caracterizam as execuções feitas por pistoleiros profissionais e denominam-se "a marca da Máfia".[34] Os laudos de 129 autópsias de mortos de 1969 a 1973, coletadas pelo projeto *Brasil, nunca mais*, produzem o seguinte quadro:

Ano	*Mortos com autópsia conhecida*	*Mortos com tiros**	*Mortos com tiros na cabeça*	*Mortos com um só tiro na cabeça*	*Mortos com dois ou mais tiros na cabeça*
1969	20	9	1	1	0
1970	22	12	6	2	4
1971	33	21	6	4	2
1972	37	20	15	8	7
1973	17	8	4	2	2

* Não necessariamente a *causa mortis*.

Fonte: *Brasil, nunca mais*, pesquisa de Alcidésio de Oliveira Jr.

(Esse quadro não leva em conta os mortos na guerrilha do Araguaia.)

O regresso das falanges da diáspora era uma fantasia compartilhada pelos militantes que continuavam em ação. Desde o segundo semestre de 1970 pouco restava das organizações que um ano antes se mostravam vigorosas. A ALN vira-se encurralada em São Paulo. Um de seus comandantes mandado por Havana para o Brasil acabou fugindo para a

33 Levantamento do autor, com base nos dados de Nilmário Miranda e Carlos Tibúrcio, *Dos filhos deste solo*, e no *Dossiê dos mortos e desaparecidos políticos a partir de 1964*.

34 Brian Jenkins, dezembro de 1992.

Suécia.[35] Sem contatos, um de seus quadros mais ativos, o *Vieira*, com mais de vinte assaltos no prontuário, não tinha onde morar. Nos primeiros meses de 1971 passava as noites dentro de ônibus ou ia para Santos dormir na praia.[36]

Um levantamento das atividades de cinco organizações em São Paulo mostra que os assaltos a bancos caíram de doze em 1970 para sete em 71. Já os assaltos a supermercados, dez em 1970, sobem para dezesseis no ano seguinte.[37] Nesses dois anos a VAR-Palmares não operou na rede bancária paulista. Praticou doze assaltos, oito em supermercados e os outros até em fábrica de parafusos. Uma lista autocongratulatória, divulgada em Roma no início de 1972, informava que no semestre as organizações armadas haviam praticado 33 ações em todo o país, só seis em bancos. Buscaram fundos em duas boates, dois restaurantes e quatro postos da Loteria Esportiva.[38]

A VAR já reconhecera num documento interno que os combatentes, isolados e perseguidos, "mal sobrevivem e não têm uma influência decisiva sobre a realidade". Surpreendentemente, seu texto foi divulgado pela agência de notícias cubana Prensa Latina, sinalizando uma ponta de dúvida na fé de Havana em relação à capacidade divina dos revolucionários de fazerem a revolução.[39]

O paradigma da coluna cubana foi o Grupo Primavera, dissidência da ALN nascida na Ilha. Tinha em torno de trinta quadros, o equivalente a cerca de 20% do total de brasileiros treinados em Havana. Começaram a retornar ao Brasil no início de 1971. Pensavam em abrir uma nova frente de luta, mas transformaram-se em repasto do extermínio. Três não embar-

35 Denise Rollemberg, *O apoio de Cuba à luta armada no Brasil*, p. 48.

36 Francisco Carlos de Andrade, dezembro de 2000.

37 Para os assaltos de 1970 e 1971, Carlos Alberto Brilhante Ustra, *Rompendo o silêncio*, pp. 219-27, 326-7 e 329. Ustra ateve-se às ações praticadas por combatentes da ALN, VAR, MRT, REDE e Molipo cujos nomes sabia.

38 *Fronte Brasiliano d'Informazione*, nº 2, fevereiro de 1972.

39 Telegrama da agência Prensa Latina, de 6 de maio de 1971.

caram, e um desistiu durante a viagem. Pelo menos dezoito chegaram ao Brasil. Estavam vigiados desde a partida e foram descobertos com precisão e pontaria inéditas.[40] A infiltração existente em Cuba não explica, por si só, a localização de militantes meses depois de terem desembarcado no Brasil, onde se espalharam na rotina da organização. Dezesseis morreram. Contando-se os militantes que se juntaram ao grupo quando ele chegou ao Brasil, sobreviveram apenas seis pessoas, todas por terem escapado à captura.[41]

Duas execuções de "cubanos" estão documentadas pelo próprio Exército, amparadas nas versões fantásticas que as acompanhavam, destinadas a encobrir a crueldade, mas também a exagerar riscos, exaltando a coragem e a eficiência da "tigrada".

Em novembro de 1971 cercara-se um aparelho na rua Cervantes, em Vila Prudente. De suas quatro janelas saíra a fuzilaria de duas submetralhadoras e um rifle. A tropa calculara em quatro os atiradores, mas era um só: José Roberto Arantes de Almeida, 28 anos.[42] Era o *Gustavo* do Molipo e chegara de Cuba fazia cerca de seis meses. Passara pelo Instituto Tecnológico da Aeronáutica, pelo PCB, pela vice-presidência da UNE, pela Passeata dos Cem Mil e pelo arrastão de Ibiúna. Na rua Cervantes, fabricava explosivos. A casa foi bombardeada com gás lacrimogêneo e granadas. Segundo se ensinou na Escola Nacional de Informações, a tática revelara-se adequada, pois quando os agentes ocuparam o aparelho, encontraram seu cadáver.[43] Falso. A autópsia de José Roberto Arantes de Almeida informa que ele morreu com quatro tiros, todos na cabeça.[44] Os registros burocráticos do caso indicam que seu corpo chegou ao necrotério um dia depois do tiroteio, vindo do DOI.[45]

40 *Terroristas com Curso em Cuba — Situação em 21 de Junho de 1972*, do CIE, CIE-S/103, e *Informação nº 674/72-II, Assunto: 'Grupo da Ilha'*, citado em Nilmário Miranda e Carlos Tibúrcio, *Dos filhos deste solo*, pp. 127-30.

41 Denise Rollemberg, *O apoio de Cuba à luta armada no Brasil*, p. 59.

42 Apostila *Contra-Subversão*, da ESNI, de 1974. Para o tipo de armamento, Frei Betto, *Batismo de sangue*, p. 86.

43 Apostila *Contra-Subversão*, da ESNI, de 1974.

44 *Autópsia de José Carlos Pires de Andrade*, identidade com a qual estava José Roberto Arantes de Almeida, *Projeto Brasil: nunca mais*, tomo V, vol. 4: *Os mortos*, p. 212.

45 Nilmário Miranda e Carlos Tibúrcio, *Dos filhos deste solo*, p. 133.

No caso de Arantes, houvera ao menos o tiroteio. Em muitos casos, nem isso. Fazia-se uma encenação cartorial. O preso era assassinado, e seu cadáver colocado numa situação que simulasse um confronto. Ou simplesmente se inventava o confronto, dava-se baixa do preso, divulgava-se uma nota oficial, e a Censura fazia o resto.

Tamanha onipotência na manipulação da realidade produziria dois casos patéticos. De acordo com a documentação oficial, o "cubano" Francisco José de Oliveira chegou morto ao IML, com três balas na cabeça, dezoito horas antes do tiroteio em que teria sido alvejado.[46] Outro "cubano", Frederico Eduardo Mayr, morre três vezes. A primeira, "a caminho do hospital" depois de um tiroteio na avenida Paulista. A segunda, no dia seguinte, fugindo de um "ponto" no Jardim da Glória.[47] A terceira, no mesmo dia, alvejado pelos colegas quando estava dentro de um carro, preso.[48] Na realidade, Mayr foi para o DOI, onde o fotografaram e ficharam, dando-lhe o número 1112. Tinha uma bala alojada debaixo da pele da barriga. O ferimento era tão superficial que se podia apalpar o projétil. Conversava normalmente.[49] Mataram-no com três tiros no peito, perfurando-lhe os dois pulmões.[50]

Aos banidos e aos "cubanos", juntavam-se na morte jurada os dirigentes das organizações. Se o preso morria porque preenchia uma dessas condições, isso não significava que não as preenchendo, tinha a vida garantida. O jornalista Percival de Souza, em sua biografia de Sérgio Fleury, narra um episódio em que o delegado, tendo levado um preso ao que supunha ser um "ponto", impacientou-se: "Aqui não vai aparecer mais ninguém". Matou-o dentro do automóvel em que estavam.[51] Fleury governava uma vala no cemitério de Perus, administrada por um policial

46 Nilmário Miranda e Carlos Tibúrcio, *Dos filhos deste solo*, pp. 133-5.

47 *Boletim das Turmas de Busca do DOI*, 23 e 25 de fevereiro de 1972. Trechos lidos ao autor. A prisão de Mayr na avenida Paulista está referida também na apostila *Contra-Subversão*, da ESNI, de 1974.

48 *Aviso 0024/MM*, de 5 de fevereiro de 1993, do ministro da Marinha ao ministro da Justiça, no qual relatou os dados existentes nos arquivos da Força a respeito dos "desaparecidos".

49 Nilmário Miranda e Carlos Tibúrcio, *Dos filhos deste solo*, p. 151, e José Carlos Giannini, 1987.

50 *Projeto Brasil: nunca mais*, tomo V, vol. 4: *Os mortos*, p. 135.

51 Percival de Souza, *Autópsia do medo*, p. 173.

do DOPS. Entre 1971 e 1973, nela enterraram-se como indigentes, com nomes falsos e até mesmo com as identidades verdadeiras pelo menos 25 pessoas que haviam sido capturadas com vida.[52]

Num sinal de que a ação da "tigrada" dissociara-se da ameaça, a política de extermínio prosseguiu mesmo depois da primeira manifestação formal (ainda que verbal) de que o inimigo capitulava. No dia 14 de janeiro de 1973 o jornal francês *Le Monde* publicou um documento assinado por três organizações armadas (VAR, VPR e APML) reconhecendo que a luta armada, isolada, falhara. Falava numa guerra popular, mas a remetia para o futuro remoto. Não poderia haver dúvida quanto à essência do documento, pois tinha um quarto signatário, o Partidão.[53] O regime tivera a glória das festas do Sesquicentenário da Independência, via o apogeu do Milagre, mas a matança ganhara amplitude e ferocidade inéditas. Entre dezembro de 1972 e outubro de 73 morreram 43 pessoas. Delas, dezesseis em três chacinas.[54]

A matança de 1973 foi coadjuvada pelos militantes que o CIE transformara em agentes infiltrados. A precisão e a armadura dos disfarces dos "cachorros" chegou ao extremo no caso da captura de José Carlos da Mata Machado, da APML. Sua história foi contada pelo repórter Samarone Lima, em 1998, no emocionante livro *Zé — José Carlos Novais da Mata Machado*. Vivera treze de seus 28 anos na militância da esquerda católica, à qual pertencera seu pai, secretário de Educação do governador Magalhães Pinto e ex-deputado federal pelo MDB de Minas Gerais. Descendia de um conselheiro do Império, constituinte de 1891, e tinha na sua biografia a marca da prisão de Ibiúna, em 1968, ao preço de nove meses de cadeia. Casara-se com uma colega da AP usando codinome, numa cerimônia celebrada por um ex-padre (suspenso das ordens) casado com

52 Para os 25 mortos, Nilmário Miranda e Carlos Tibúrcio, *Dos filhos deste solo*. Para a maneira como Fleury cuidou do assunto, Percival de Souza, *Autópsia do medo*, pp. 179-84. Para a vala do DOPS no cemitério de Perus, ver Caco Barcellos, "O *Globo Repórter* sobre a vala de Perus", em Janaína Teles (org.), *Mortos e desaparecidos políticos: reparação ou impunidade?*, pp. 195-208.

53 *Le Monde*, 14 de janeiro de 1973.

54 Seis militantes do PCBR cujos corpos foram deixados numa rua do Grajaú em dezembro de 1972. Mais seis quadros da VPR no massacre da chácara São Bento, em Pernambuco, em janeiro de 1973. Quatro presos do PCBR num carro explodido na praça da Sentinela, no Rio.

uma ex-freira. Vivera em Fortaleza e no Recife, estruturando a organização, trabalhando como vendedor de roupas e sapatos, passando fome com a mulher e dois filhos. Fora *Fernando*, *Hilário*, *Alberto*, *Nando* e *Aluísio*.[55] A APML não juntava trinta militantes.

Em agosto, quando o CIE já o seguia, admitira a possibilidade de exilar-se. Foi para o Rio. Sua mulher teve um mau pressentimento. Desconfiara de que o próprio irmão, Gilberto Prata, fosse um "cachorro":

> — Você está trabalhando para a repressão?
>
> — Que é isso, Madá. Tá me estranhando? [...]
>
> — Você está com uma conversa de policial [...].
>
> — Estou com vocês, Madá. Na mesma luta.[56]

José Carlos saiu de casa com a roupa do corpo, empurrando um carrinho de bebê vazio, e tocou-se para São Paulo. Vagou pela cidade por três dias, sem comida, dormindo na rua, até que bateu à porta do advogado Hélio Navarro, amigo de seu pai. Conseguiu proteção, mas em pouco tempo foi novamente alcançado pelo "cachorro". Deveria partir para um esconderijo seguro no sábado, 19 de outubro de 1973. Foi preso na estrada.

Na noite do dia 27, José Carlos da Mata Machado foi visto na carceragem do DOI do Recife. Horas depois, de cuecas, estava sentado numa sala, sangrando pela boca e pelos ouvidos, quando percebeu a entrada de outro preso. Disse-lhe: "Companheiro... Meu nome é José Carlos Novais da Mata Machado. Sou dirigente nacional da Ação Popular Marxista-Leninista. Se você puder, se tiver condições, avise aos companheiros que eu não abri nada".[57]

Dez anos depois, no Natal de 1983, o cunhado de José Carlos, Gilberto Prata, sentou-se perto da irmã, Madá, e contou-lhe: era o "cachorro".[58]

55 Samarone Lima, *Zé*, pp. 91, 112 e 196.

56 Idem, p. 155.

57 Idem, p. 15.

58 Idem, p. 217.

Perplexos diante do colapso da violência romântica que construíram, os sobreviventes fugiam de uma realidade em que, triunfante, estava o mundo da crueldade do Estado. Nesse processo degenerativo as linhas que separam os dois universos acabam por se confundir, produzindo um novo tipo de ferocidade, dessa vez voltada também para dentro das próprias organizações. Problemática centenária, foi retratada por Dostoiévski em *Os demônios*, onde um dirigente terrorista ordena o assassinato de um colega contra o qual, no fundo, não tem muita coisa, simplesmente porque "ninguém tem o direito de abandonar a causa".[59] No Partidão de 1936, obcecado pelo fracasso do levante de novembro de 35 e com a quantidade de informações acumuladas pela polícia, Luiz Carlos Prestes forçou o assassinato de uma jovem analfabeta considerada delatora sem que houvesse contra ela uma só prova factual.[60] Na guerrilha argentina de 1963, antes que seu *Comandante Segundo* sumisse no mato, executou-se um jovem combatente deprimido que retardava as marchas e se "comportava mal".[61] No Japão, sob o comando de uma bela enfermeira, a organização Rengo Sekigun matou catorze de seus militantes, quer esfaqueando-os, quer deixando-os amarrados na neve.[62] No Exército Vermelho alemão vigorava o entendimento de que o único caminho de saída da organização era o túmulo.[63]

No Brasil a autofagia terrorista prosperou na ALN. A organização passara a se orgulhar do mote "Dez vidas eu tivesse, dez vidas eu daria".[64]

Em 1971, Márcio Leite de Toledo, o *Professor Pardal, Vicente, Carlos, Carlão*, achou que não valia mais a pena dar sua vida pela ALN. Tinha 26

59 Fiódor M. Dostoiévski, *Os demônios*, p. 1286.

60 Jacob Gorender, *Combate nas trevas*, pp. 275-6. Marly de Almeida Gomes Vianna, *Revolucionários de 35*, pp. 292-8.

61 Ricardo Rojo, *Meu amigo Che*, p. 163. Ver também Jon Lee Anderson, *Che Guevara*, p. 578.

62 Ovid Demaris, *Brothers in blood*, p. 29. Ver também Walter Laqueur, *The age of terrorism*, p. 84.

63 Declaração de Michael Baumann, especialista em explosivos do Exército Vermelho. Em Jerrold M. Post, "Terrorist psycho-logic — Terrorist behavior as a product of psychological forces", em Walter Reich (ed.), *Origins of terrorism*, p. 33.

64 *Venceremos*, nº 1, abril-maio de 1971.

anos, seu pai era dono de uma universidade no noroeste paulista e seu irmão, deputado federal governista. Estivera em Cuba e retornara em 1970, tornando-se membro da coordenadoria nacional da organização, mas comportava-se estranhamente. Estava aterrorizado. Sumia, faltava aos encontros. Rebaixaram-no e ofereceram-lhe o exílio, mas ele recusou, informando que pretendia ficar no Brasil, desligado da luta armada.

No quarto alugado onde vivia, *Pardal* alinhara suas idéias numa carta que pretendia entregar à organização: "Não vacilo e não tenho dúvidas quanto às minhas convicções. Continuarei trabalhando pela Revolução, pois ela é o meu único compromisso. [...] Os companheiros ficaram sem saber o que fazer".[65]

Alguns de seus companheiros reuniram-se num simulacro de tribunal e decidiram o que fazer. Por seis votos a um a direção da ALN condenou-o à morte. Recolheram-no num "ponto" e mataram-no com oito tiros, na rua Caçapava, em São Paulo. Márcio caiu tapando o rosto com as mãos.[66]

A ALN explicou-se num panfleto: "Ao assumir responsabilidades na organização cada quadro deve analisar sua responsabilidade e seu preparo. Depois disso, não se permitem recuos".[67]

Reunido no Chile, o comando da VPR condenou à morte o *Daniel* do vale do Ribeira, dos seqüestros de Von Holleben e Bucher. Seu crime fora um acesso de "recuísmo", no qual ele chegara a propor que a organização fosse desmobilizada. Herbert Eustáquio de Carvalho salvou-se porque não havia contato entre o tribunal de Santiago e o que eventualmente restasse da VPR no Brasil.[68]

À ferocidade da "tigrada" correspondeu uma fase pistoleira dos terroristas. Entre 1967 e 1972, além de Márcio Toledo a esquerda matou

65 Para a condenação, Jacob Gorender, *Combate nas trevas*, p. 279. Para a carta, *Jornal do Brasil*, 7 de junho de 1987, reportagem de Valdir Sanches.

66 Depoimento de Carlos Eugênio Sarmento da Paz, em Luís Mir, *A revolução impossível*, pp. 586-7.

67 *O Estado de S. Paulo*, 16 de abril de 1971, e "O assassinato de Márcio Leite de Toledo da ALN": <http://www.ternuma.com.br/aln.htm>.

68 Herbert Daniel, *Passagem para o próximo sonho*, p. 65.

a esquerda em duas ocasiões. Primeiro foi um professor a quem atribuíam a responsabilidade pela morte de um dirigente da ALN. Fuzilaram-no no colégio em que lecionava.[69] Depois foi a vez de um ex-militante do PCBR sobre quem recaía a suspeita da responsabilidade pela descoberta de Mário Alves, em 1970. Mataram-no enquanto estava atrás do balcão do bar onde trabalhava, no Leblon.[70]

A disciplina militar e a estrutura celular das organizações armadas fizeram que à desarticulação das siglas correspondesse a transformação de algumas de suas bases em pequenas quadrilhas. Em 1971 sobreviviam como grupos sem objetivos e com poucos propósitos além do assalto seguinte, capaz de trazer comida para casa e de pagar os aluguéis vencidos dos aparelhos.[71] É difícil caracterizar o comportamento de militantes de grupos esquerdistas como quadrilheiro, pois diversas camadas de racionalizações mascaram a decadência política das organizações insolventes. Mesmo assim, quando um pequeno grupo de militantes reduz sua atividade política a assaltos destinados apenas a sustentar-lhe a precária clandestinidade, pouca diferença há entre um revolucionário e um assaltante.

A história do terrorismo brasileiro produziu pelo menos um caso confesso de banditismo. Foi a preparação do assalto à casa de um contrabandista de dólares feita em 1971 por quadros da ALN em Santiago do Chile. O assalto fracassou na fase preparatória, depois de um tiroteio numa tentativa de roubo de um automóvel. Como contou Reinaldo Guarany, um dos planejadores, "faríamos a coisa como marginais". Outros assaltos, bem-sucedidos, teriam transformado um dos terroristas em empresário.[72]

O cotidiano desses militantes era assombrado por delírios. O *Otávio* da VPR planejara jogar milhares de ratos na usina de Volta Redonda para

69 Foi o professor Francisco Jacques Alvarenga. Depoimento do general Adyr Fiúza de Castro, em Maria Celina d'Araujo, Gláucio Ary Dillon Soares e Celso Castro (orgs.), *Os Anos de Chumbo*, pp. 78-9.

70 Jacob Gorender, *Combate nas trevas*, p. 281.

71 Para um exemplo dessas dificuldades, depoimento de Lídia Guerlenda, em Luiz Maklouf Carvalho, *Mulheres que foram à luta armada*, p. 244.

72 Reinaldo Guarany, *A fuga*, p. 108. Em entrevista a Denise Rollemberg, Guarany revelou que a VPR e a ALN praticaram diversos assaltos no Chile. Rollemberg, *Exílio*, p. 155.

sabotar a produção de aço do país. Seu companheiro *Felipe* tinha pesadelos em que o *Henrique* do MRT morria pendurado num gancho de açougue.[73] O *Adolfo* da ALN andava pelas ruas de Santiago falando com os amigos mortos.[74]

O último dos 63 fuzis FAL roubados por Lamarca no quartel de Quitaúna para a protofonia da insurreição de 1969 foi resgatado num terreno baldio de São Paulo em janeiro de 78. Estava enterrado com treze revólveres, duas carabinas e três pistolas, e foi entregue ao DOI pelo *Ari* da VAR-Palmares, um revolucionário que passara pela Universidade Patrice Lumumba, na União Soviética, pelo Punto Cero, em Cuba, e pela ALN, no Brasil. Reassumira sua identidade de Adilson Ferreira da Silva e, sem contatos nem comida, tornara-se assaltante na região dos Jardins, em São Paulo, onde uma patrulha de ronda o capturou atracado com um corretor de imóveis que tentara roubar.[75]

"Os grupos terroristas brasileiros iam se destruir sozinhos, acabariam empunhando bandeiras irrelevantes para as massas ou degenerariam em grupos de criminosos. O governo reagia contra seus próprios medos. Foi uma história trágica e ao mesmo tempo patética", explica Brian Jenkins.[76]

Nesse mundo de valores subvertidos houve pelo menos um caso de pai que entregou a filha ao DOI supondo que lá seria honrado o acordo pelo qual não a torturariam.[77] O deputado José Lindoso, vice-líder do governo, sustentava que havia uma "serena energia na repressão, na base da justiça e da verdade", mas não contava que fora barrado na porta do DOI de São Paulo quando tentou visitar o filho, militante da Ala Vermelha do PC do B e hóspede da sala de torturas da rua Tutóia.[78] Do outro lado do

73 Emiliano José e Oldack Miranda, *Lamarca*, p. 110.

74 Para *Adolfo*, Reinaldo Guarany, *A fuga*, p. 111.

75 Carlos Amorim, *Comando Vermelho*, pp. 197-9.

76 Brian Jenkins, dezembro de 1989.

77 Informação dada ao autor por um oficial do Exército cujo nome fica preservado. Os depoimentos dessa jovem, submetida a choques elétricos, permitiram que se puxasse um fio que levaria ao desmantelamento da Ala Vermelha, depois que um dos seus dirigentes, com curso na China, tornou-se agente policial.

78 Para o discurso do senador, Hélio Bicudo, *Meu depoimento sobre o Esquadrão da Morte*, p. 249.

combate, um coordenador do grupo de fogo da ALN, com uma bala na garganta, descobriu que seus companheiros, sem terem como providenciar assistência médica segura, decidiram deixá-lo morrer. Veterano de nove assaltos, entregou-se à polícia e meses depois contou seu caso à imprensa: "É bom, aliás, falar que a cobertura da Oban tem sido decisiva na minha recuperação".[79]

Em 1971, com uma impressora roubada num assalto, o que restava da ALN paulista acabara de publicar o primeiro número de seu jornal, intitulado *Venceremos*. A organização tinha um novo símbolo: a mira telescópica. A "mira dos canhões que derrubam os helicópteros dos agressores norte-americanos no Vietnã e no Laos, e dos fuzis que já estão em ação no Brasil". Na primeira página trazia um retrato do empresário Peri Igel, dono do grupo petroquímico Ultra, fornecedor das refeições Supergel do DOI: "Este é o homem que paga aos carrascos da Oban".[80] Um grupo de terroristas descobriu que freqüentava um edifício próximo ao Museu de Arte de São Paulo e planejou explodi-lo. Tinham 25 quilos de nitroglicerina estocados, mas Igel reforçou sua segurança, e a idéia foi abandonada. A prisão de um veterano da ALN abortou um plano de explodir o prédio da *Folha de S.Paulo*. A organização teria chegado a roubar um carro-tanque com 6 mil litros de gasolina. Carros da empresa eram emprestados ao DOI, que os usava como cobertura para transportar presos na busca de "pontos", e o próprio autor da idéia, depois de capturado, viu-se enfiado num deles.[81]

Outro grupo estava de olho em Henning Albert Boilesen, um norueguês que chegara a presidente da Ultragás e diretor da Federação das Indústrias do Estado de São Paulo. Era ativo colaborador do DOI. Participara da campanha contra d. Helder Câmara junto à comissão do Prêmio Nobel.[82] Ao contrário de Peri Igel, seu patrão, circulava sem segurança nem cuidados. Na manhã de 15 de abril, um Volks emparelhou com

79 Para o caso de Monir Tahan Sab, ver seu depoimento em Carlos Alberto Brilhante Ustra, *Rompendo o silêncio*, pp. 198-201.

80 *Venceremos*, nº 1, abril-maio de 1971.

81 Francisco Carlos de Andrade, agosto de 1988.

82 Para o caso do Nobel, Nelson Piletti e Walter Praxedes, *Dom Helder Câmara*, p. 12.

seu Galaxie azul, e Iuri Xavier Pereira, o *Joãozão*, disparou um tiro de fuzil Mauser. A bala raspou sua cabeça. Boilesen abriu a porta e correu alguns metros na contramão. Uma rajada de submetralhadora derrubou-o. *Joãozão* saiu para a rua. Tinha 1,90 m, cem quilos e 23 anos. Deu-lhe mais um tiro, que lhe destroçou o lado esquerdo do rosto.[83]

O surto terrorista brasileiro nada teve de incruento. Afora os seqüestros, depois de 1969 faltaram-lhe as sonhadas bases rurais e as ações espetaculares, mas abundaram as vítimas. Descontando-se os guerrilheiros do Araguaia, morreram em torno de duzentos quadros das organizações armadas que atuaram nas cidades. Essas organizações mataram 36 agentes anônimos da ordem. Boa parte deles eram soldados e cabos das polícias militares. Estavam na base da pirâmide social, mas sustentavam a ordem da ditadura. O mesmo não se pode dizer de cerca de quinze guardas de bancos, carros-fortes e estabelecimentos comerciais. Morreram na cena das ações terroristas pelo menos outras dez pessoas que nada tinham a ver com a segurança dos locais onde estavam. Eram bancários, comerciantes ou mesmo um cobrador de ônibus. Num cálculo conservador — excluindo-se casos em que as pessoas possam ter sido atingidas por tiros disparados pela polícia — as mortes ligadas a ações terroristas ficam em torno de setenta.[84] A esse número devem-se somar onze vítimas deliberadamente selecionadas, como foi o caso de Boilesen. Pode-se estimar que, para cada cinco mortos na esquerda ligada a ações armadas nas cidades, essa mesma esquerda matou duas pessoas. O surto começara com atentados urdidos para matar o marechal Costa e Silva e o captor de Che Guevara. Terminou no segundo semestre de 1973 com o assassinato de um professor de história e de um dono de bar, ex-militantes da ALN e do PCBR sobre os quais recaíra a suspeita da traição.

O foco urbano estava aniquilado em 1972. Ao longo desse ano, aquilo que restava da militância armada de cinco organizações praticara apenas oito ações. Já estavam assaltando até caixa de drogaria. Cinco anos de

83 *Folha de S.Paulo*, 16 de abril de 1971, e "Assassinato de Henning Albert Boilesen", no sítio *Terrorismo nunca mais*, *Ternuma*, em outubro de 2000: <http://www.ternuma.com.br/boilesen.htm>.

84 Para uma lista de vítimas do terrorismo, ver Carlos Alberto Brilhante Ustra, *Rompendo o silêncio*, pp. 183-93.

combates revolucionários destinados a produzir uma guerrilha em que se formaria o exército popular da revolução brasileira começaram e terminaram como Che Guevara advertira: "Se você começa roubando bancos, acaba virando assaltante de bancos".[85]

85 Em 1973 aquilo que restava dos grupos terroristas lançou-se a uma política de execuções. Em fevereiro mataram um dono de restaurante que teria denunciado uma mesa suspeita, provocando a morte de quatro militantes da ALN. No mês seguinte, na mais conhecida ação vindicativa do período, um comando composto por três terroristas da ALN, um do PCBR e outro da VAR assassinou numa calçada de Copacabana o delegado Octávio Gonçalves Moreira Junior, chefe da seção de busca e apreensão do DOI de São Paulo.

A floresta dos homens sem alma

Rosa, morena miúda, calçava 33. Chamava-se Maria Célia Corrêa, tinha 26 anos, estudara na Faculdade Nacional de Filosofia e sustentara-se trabalhando em banco. *Cristina*, cearense de rosto redondo, abandonara o curso de biologia da Universidade Federal Fluminense. Despedira-se dos pais dizendo-lhes que talvez não a tivessem de volta.[1] Era Jana Moroni Barroso. Tinha 21 anos.[2]

Ambas chegaram ao Araguaia em 1971, para mudar o mundo. Viviam em casebres e davam aulas (inclusive de tiro) para as crianças do lugar.[3] Desde 1966 o PC do B estocava militantes nas matas fechadas da região do Bico do Papagaio, numa das últimas frentes de expansão da sociedade brasileira. Lá juntam-se os rios Araguaia e Tocantins. Encontram-se a Amazônia, o Nordeste e o Brasil central. Formam o estuário dos fluxos de povoamento do Pará, Maranhão e Goiás.[4]

1 Depoimento de Cirene Moroni a *Manchete* de 22 de outubro de 1988, p. 128, reportagem de Hélio Contreiras, Kátia Pompeu, Fábio Antônio e Elsie Rotemberg.

2 A melhor documentação primária disponível para o conhecimento da guerrilha do Araguaia encontra-se no sítio do Centro de Documentação Eremias Delizoicov: <http://www.desaparecidos politicos.org.br>. Entre os dias 28 de abril e 8 de julho de 1996, *O Globo* publicou uma documentada série de reportagens que lançou novas luzes sobre a guerrilha. Elas foram resultado do trabalho dos seguintes jornalistas: Adriana Barsotti, Amaury Ribeiro Jr., Ascânio Seleme, Aziz Filho, Cid Benjamin, Consuelo Dieguez, Daniel Hessel Teich, Florência Costa, Letícia Helena, Maria Lima, Marta Barcellos, Mônica Gugliano e Ricardo Miranda.

3 Para as aulas de tiro de Jana Moroni Barroso, *O Estado de S. Paulo* de 18 de maio de 1996.

4 Na época não existia o estado de Tocantins.

Os quadros do PC do B dividiram-se por três áreas, numa extensão de 130 quilômetros. Moviam-se numa superfície de 6,5 mil quilômetros quadrados. Até o primeiro semestre de 1972 eles foram 59 homens e catorze mulheres. Quando o Exército chegou, havia 69 na mata e sete a caminho.[5] Cinco a menos que a força de Fidel ao alcançar o litoral cubano, 26 combatentes a mais do que Guevara tivera na Bolívia poucos anos antes. Seriam a centelha de uma guerra popular. Pela descrição dos documentos revolucionários, entrariam num cenário triunfal: "As montanhas e as florestas, as quebradas e os capões de mato, as grutas e as plantações mais densas, abrigarão os heróicos guerrilheiros, protegidos pela simpatia e pela violência das massas".[6]

O governo os atacara entre abril e outubro de 1972. Disfarçara a ofensiva como se fora uma grande manobra. Rotativamente, mobilizara 3200 militares das três Forças Armadas.[7] Em agosto essa força somara 1500 soldados.[8] Tomada pelo conjunto, fora a maior movimentação de tropas desde a formação da FEB. Maior, de longe, que a do levante de 1964. Maior também que três das quatro expedições mandadas a Canudos.[9] Resultara num miado de leão. As baixas dos militantes do PC do B ficaram em treze mortes e sete prisões.

A tropa voltara em outubro de 1973. Dessa vez somava cerca de 750 homens, divididos em grupos de 250 que se revezavam na zona de combates. Estavam sob as ordens do CIE. Eram comandados por oficiais e sargentos das forças especiais e de elite do Exército, boa parte deles treinados para a guerra na selva. Tinham ordens para não manter prisioneiros e prisioneiros não mantiveram. Em quatro meses derrotaram a guerrilha. Pela documentação conhecida, pode-se supor que no final de janei-

5 Estavam a caminho: João Amazonas, Elza Monnerat, Eduardo José Monteiro Teixeira, Rioco Kayano, Dagoberto Alves da Costa e outros dois não identificados. Ver Verônica Bercht, *Coração vermelho*, pp. 112-3.

6 Partido Comunista do Brasil, *Guerra popular*, p. 153.

7 *Jornal do Brasil*, 22 de março de 1992, p. 19, reportagem de Etevaldo Dias e Ronaldo Brasiliense.

8 Coronel Álvaro de Souza Pinheiro, "Guerrilha na Amazônia: uma experiência no passado, o presente e o futuro", edição brasileira da *Military Review*, janeiro-março de 1995, pp. 58-79.

9 A terceira expedição, comandada pelo coronel Moreira César, tinha 1300 homens. A quarta, do general Arthur Oscar, tinha 6500. Marco Antonio Villa, *Canudos — O povo da terra*, pp. 199 e 201.

ro de 1974 os quadros do PC do B não passavam de trinta.[10] Dispersos, vagavam pela mata, como bichos. Sem caça nem mantimentos, alguns alimentavam-se de polpa de babaçu.

Rosa e *Cristina* eram sobreviventes daquilo que fora o destacamento A. Operara ao sul de Xambioá. Tivera 22 combatentes. No dia 2 de janeiro o grupo em que estavam reunia cinco pessoas. Desfez-se sob a metralha da tropa, por conta do barulho da lata em que um deles carregava alguns pepinos e uma abóbora tirados a uma roça. As duas jovens embrenharam-se na floresta. Na sua narrativa do crepúsculo da guerrilha que comandava, Ângelo Arroyo, veterano sindicalista e dirigente do PC do B, registraria: "Não se sabe o que aconteceu com as duas companheiras".[11]

José Veloso de Andrade, um cearense que sobrevivera à seca de 1932 e desmatava a região desde 68, soube o que aconteceu a *Cristina*: "Ela morreu o seguinte: eles andava com uma equipe, a equipe do... chamavam ele *Dr. Terra*, que tudo era uns nomes véios, estrambólicos, que eles tinham... Aí, toparam nela. [...] Não foi combate, ela... quando ela... eles pressentiram o pessoal do Exército ela correu... [...] Um guia atirou nela. Era o Zé Catingueiro, atirou nela, deu chumbo, mas o chumbo era pequeno, e ela não morreu logo, mas ela morreu... A flor da subversão na boniteza".[12]

Dona *Maria da Metade*, outra pioneira da ocupação daquele pedaço de fim de mundo, estava no lugarejo de São José e viu o que aconteceu a *Rosa*: "Vinha dois homens com a Rosinha amarrada. [...] E ela toda trapiazinha, a roupa toda rasgada. [...] Ela tava comendo até peixe cru que lá na quitanda tinha, e deram bolacha pra ela e aí ela queria fazer xixi e foi lá pra detrás da casa. Nós fomos com ela porque os guias não queriam confiar... E nós fomos com ela e ela pedindo a nós que rezasse pra

10 Nilmário Miranda e Carlos Tibúrcio, *Dos filhos deste solo*, p. 183, listam quarenta guerrilheiros mortos a partir de 25 de dezembro de 1973. Estimando-se que nesse dia tenham morrido cinco, no início de janeiro seriam 35.

11 Ângelo Arroyo, "Relatório sobre a luta no Araguaia", em *Guerrilha do Araguaia*, p. 33.

12 Depoimento de José Veloso de Andrade a Romualdo Pessoa Campos Filho e Gilvane Felipe, 19 de janeiro de 1994. APRPCF. O trabalho do Centro de Documentação Eremias Delizoicov, <http://www.desaparecidospoliticos.org.br>, dá ao leitor acesso a quase todos os testemunhos conhecidos para o caso de cada guerrilheiro.

ela não ser morta, pra não matarem ela. [...] Ela não tava desesperada não, tava calma, rindo e tudo mais. Só tava assim maltrapilha demais".[13]

Manuel Leal Lima, o *Vanu*, mateiro de 35 anos, contou que estava à margem de um igarapé quando um helicóptero aterrissou trazendo três presos. Tinham os olhos vendados. Um oficial mandou que andassem cinco passos. Metralharam-nos. "Foi horroroso. As cabeças dos guerrilheiros ficaram totalmente destruídas."[14] Um deles era *Rosa*.

Rosa e *Cristina* ainda estavam vivas na manhã de 18 de janeiro, quando Ernesto Geisel, três dias depois de sua eleição pelo Colégio Eleitoral, conversava com o chefe de sua segurança, tenente-coronel Germano Arnoldi Pedrozo, do CIE. Conheciam-se desde 1964, quando ele fora seu ajudante-de-ordens. O general tomaria posse em março. Queria notícias do Araguaia:

— Vem cá. E como é que está aquela operação lá em Altamira?

— Lá em Xambioá? Tenho a impressão de que se prosseguir como tem sido executada, mais uns dois ou três meses liquida-se aquilo lá.

— Mas eles já conseguiram alguma coisa?

— Atualmente já pegaram quase que trinta.

— Trinta?

— Trinta. O efetivo mais ou menos estimado para lá é da ordem de 180, 200.

— E esses trinta, o que eles fizeram? Liquidaram? Também?

13 Depoimento de Maria Raimunda Rocha Veloso (*Maria da Metade*) a Romualdo Pessoa Campos Filho e Gilvane Felipe, janeiro de 1994. APRPCF. *Rosa* foi vista também por Agenor Moraes da Silva e José Moraes Silva; ver seus depoimentos, em *Inquéritos Civis Públicos* MPF/SP/Nº 03/2001, MPF/PA/Nº 01/2001 e MPF/DF/Nº 05/2001. O Centro de Documentação Eremias Delizoicov registra trechos de depoimentos de quinze pessoas que viram *Rosinha* viva: <http://www.desaparecidos politicos.org.br/araguaia/m_celia.html>.

14 Depoimento de Manuel Leal Lima, o *Vanu*, em *O Globo* de 2 de maio de 1996. Cinco anos depois, depondo aos procuradores que conduziram os Inquéritos Civis Públicos MPF/SP/Nº 03/2001, MPF/PA/Nº 01/2001 e MPF/DF/Nº 05/2001, *Vanu* não mencionou essa cena.

— Também.

— Hein?

— Alguns na própria ação. E outros presos, depois. Não tem jeito não.

— E os outros? Não liquida porque não adianta?

— Não. Porque não consegue apanhar. [...]

— E a população?

— A população vinha sendo trabalhada há muito tempo por eles. [...]

— A população não tomou conhecimento dessas mortes, não?

— Deve tomar, deve tomar porque a coisa se processa com a presença dos mateiros e se espalha logo. Mas eles já sabem, general, o principal é que agora eles sabem de cor que a maioria é terrorista, subversivo. Já houve, eles fizeram logo no início, um assalto a um distrito policial para roubar armamento, mataram um polícia. A população reagiu, ficou indignada. Então eles perderam um pouco esse apoio da população.

— Foi uma burrice deles.

— Foi, porque eles contavam com o apoio. A população é muito ignorante.

— A primeira condição da guerrilha é ter o apoio da população.

— [...] Eles estão atrapados justamente por causa disso. Eles perderam o apoio. Eles tinham depósitos com víveres e medicamentos. Grande parte desses depósitos já foram descobertos, foram desativados. Eles não têm recursos, praticamente. Deixaram de receber dinheiro. Recebiam constantemente, todo mês eles recebiam.

— Vinha de onde? Cubano?

— Não, era gente que levava pessoalmente na área.

— Onde era a sede, a direção deles, em São Paulo?

— A direção é do PC do B, Partido Comunista do Brasil. E eles tinham na área um elemento da chamada comissão militar. Praticamente supervisionava o trabalho ali na área. Essa comissão tinha elementos do Rio e de São Paulo que se revezavam. Agora não deve estar mais atuando essa comissão. Estão praticamente soltos, abandonados. Não recebem dinheiro, não têm o apoio da população. A maioria vive de sobrevivência na selva. Eu tenho a impressão de que mais dois, três meses... A despeito de que o cabeça de lá até hoje não pegaram, um tal de *Osvaldão*.

— Como é?

— *Osvaldão*. Um sujeito de quase dois metros de altura, oficial da reserva, do CPOR, tenente. Está lá há seis anos na área.

— Mas esse deve ser fácil de achar.

— Ah, mas esse está internado lá na mata. Tem saída. A região é muito difícil. Se ele bater no Araguaia tem condições de escapar. É uma área enorme, não há via de comunicação. [...] A localidade está lá no mapa. Vai ver são três, quatro casinhas numa clareira no meio da selva.

— Qual é o objetivo deles ali, afinal?

— Pretendiam fazer uma zona liberada.

— Mas se não tem quase população...

— Tenho a impressão de que eles iam levando gente de fora para lá. Aproveitar a pouca população e levando gente de fora, independente disso faziam treinamento. [...]

— E eles iam para lá como, de rio?

— Pelo rio. Normalmente entravam por São Geraldo, que é uma cidadezinha em frente a Xambioá. [...] Na margem do Araguaia.[15]

A narrativa de Pedrozo refletia o êxito e os receios dos comandantes militares. Não seriam necessários dois ou três meses para encerrar as operações. O efetivo dos guerrilheiros nunca chegara a cem. Poucos dias depois da conversa de Geisel com Pedrozo, Ângelo Arroyo tomou o caminho de volta para a cidade. Furou o cerco acompanhado por dois guerrilheiros.[16] Deixou para trás um pedaço do seu grupo e um cronograma de "pontos" a serem cobertos a cada dias 1º e 15 dos meses se-

15 Conversa de Ernesto Geisel com Germano Arnoldi Pedrozo, janeiro de 1974.

16 Depoimento de Micheas Gomes de Almeida, o *Zezinho*, ou *Zezim*, em Romualdo Pessoa Campos Filho, *Guerrilha do Araguaia*, pp. 237-41. Arroyo deixou a mata com Micheas e um guerrilheiro cuja identidade não se conhece.

guintes.[17] Dos outros, nada mais se sabia. Um deles era Osvaldo Orlando da Costa, o *Osvaldão*.

Negro, tinha 35 anos, 1,98 m, barba enorme e calçava 46. Filho de um padeiro, fora campeão de boxe no Botafogo e estudara engenharia na Universidade de Praga. Chegara ao Araguaia em 1966 e vivera no mato como garimpeiro e caçador de peles, plantando-se mais tarde numa capoeira perto da margem de um rio.[18] Até refugiar-se na mata, tivera uma casa de palha. Aterrorizava os soldados, a ponto de o CIE ter recomendado aos seus agentes infiltrados na região que evitassem confrontos, salvo se o achassem, "mas somente quando a possibilidade de êxito não deixar dúvidas".[19] Teria matado um sargento. Organizara três execuções de civis, dois dos quais eram seus compadres.[20] Tornara-se um mito de invulnerabilidade. Dizia-se que o Exército não o pegava porque, ao entrar na floresta, ele virava toco, mosquito, cachorro ou borboleta. (Lenda semelhante acompanhara Luiz Carlos Prestes pelo interior do país nos anos 20. Ele seria imortal, e os demais integrantes de sua coluna teriam o corpo fechado por feiticeiras.)

Um lavrador que lhe dera comida teve a roça incendiada e nunca mais foi visto.[21] No final de dezembro de 1973, quando aquilo que sobrara do comando da guerrilha decidira sair da região, *Osvaldão* perguntara: para onde? Anos antes da derrota, propusera que se planejasse um recuo

17 Ângelo Arroyo, "Relatório sobre a luta no Araguaia", em *Guerrilha do Araguaia*, pp. 32-3. Arroyo foi assassinado em São Paulo, em dezembro de 1976. Micheas Gomes de Almeida só reapareceu em 1996, em Goiânia.

18 Para a capoeira, entrevista de José Genoino, em Palmério Dória e outros, *A guerrilha do Araguaia*, p. 28. Para a barba, *Anexo B (Informações) à OP nº 1 (Operação Sucuri)*, do tenente-coronel Carlos Sergio Torres, comandante da operação, assinado e rubricado pelo major Gilberto Airton Zenkner, de abril de 1973, fl. 7.

19 *Plano de Informações Sucuri, nº 1*, do CIE, de abril de 1973, fl. 8.

20 Para a morte do sargento, Glênio Sá, *Araguaia*, p. 15. Para o fuzilamento de *Pedro Mineiro* e do camponês Osmar, Romualdo Pessoa Campos Filho, *Guerrilha do Araguaia*, pp. 132-3. Para o compadrio de *Osvaldão* com Osmar, entrevista de José Veloso de Andrade a Romualdo Pessoa Campos Filho e Gilvane Felipe, 19 de janeiro de 1994. APRPCF. Para a morte de um mateiro cuja execução não consta do relatório de Arroyo, Micheas Gomes de Almeida, março de 2001. Para a identificação desse mateiro como *Zé Grande*, compadre de Osvaldo, entrevista de Francisco Maciel Lima a Romualdo Pessoa Campos Filho e Gilvane Felipe, 19 de janeiro de 1994. APRPCF.

21 Entrevista de Madalena Lopes de Souza, viúva de José Ribeiro Dourado, a *O Globo* de 5 de maio de 1996.

para o Xingu. Batidos, não tinham rota de fuga. Sem suprimentos, teriam a floresta por inimiga. Restara-lhes a debandada.[22]

Na tarde de 4 de fevereiro de 1974 *Osvaldão* estava sozinho, escondido na floresta. Arlindo Vieira, o *Piauí*, um jovem camponês que colaborara com os guerrilheiros, vinha à frente de uma patrulha militar. Viu-o numa capoeira, sentado num tronco. Matou-o com um só tiro.[23] O corpo enorme e depauperado do guerrilheiro morto foi pendurado num cabo e içado por um helicóptero. Despencou. Amarraram-no de novo, e assim o povo da terra viu que *Osvaldão* se acabara. Antes de sepultá-lo, cortaram-lhe a cabeça.[24]

O que se deu no Araguaia foi o paroxismo do choque dos radicalismos ideológicos que, com seus medos e fantasias, influenciaram a vida política brasileira por quase uma década. A esquerda armada supusera que estava no caminho da revolução socialista, e a ditadura militar acreditara que havia uma revolução socialista a caminho. Até o início do surto terrorista esse conflito ficara no campo dos receios e dos planos. Daí em diante, um pedaço da esquerda mostrara-se disposto ao combate a que julgava ter faltado em 1964. Ela se aprisionara numa tática de choques urbanos deliberadamente isolacionista e fora esmigalhada pela violência do Estado. Foi uma rebelião sem povo, num país onde as grandes revoltas populares não tiveram a participação da elite. A história brasileira registra confrontos armados sangrentos e duradouros entre o povo pobre e o poder. Nos maiores, ocorridos no sertão de Canudos e nas matas do Con-

22 Depoimento de Micheas Gomes de Almeida, em Romualdo Pessoa Campos Filho, *Guerrilha do Araguaia*, p. 240.

23 Para a ligação de *Piauí* com a guerrilha, entrevista de dona Domingas a Romualdo Pessoa Campos Filho. APRPCF. Para a cena da morte de *Osvaldão*, depoimento de José Rufino Pinheiro, no Centro de Documentação Eremias Delizoicov: <http://www.desaparecidospoliticos.org.br/araguaia/osvaldo.html>. Entrevista de José Veloso de Andrade a Romualdo Pessoa Campos Filho e Gilvane Felipe, 19 de janeiro de 1994. APRPCF. Ele narrou a mesma cena ao repórter Amaury Ribeiro Jr. em *O Globo* de 29 de abril de 1996. Veloso de Andrade informou que ouviu essa narrativa de Arlindo *Piauí*, seu compadre.

24 Depoimentos de Joaquina Pereira da Silva, em *O Globo* de 29 de abril de 1996, e de Manuel Leal Lima, o *Vanu*, em *O Globo* de 2 de maio de 1996.

testado, contaram-se em poucas dezenas os combatentes que sabiam ler e escrever. Nas matas perdidas do Araguaia, o PC do B tornara-se a única — e derradeira — organização política brasileira a ir buscar na "violência das massas" a energia vital de seu projeto comunista.

Enquanto a ditadura se confrontou com a esquerda nas grandes cidades, fez o possível para combater seus adversários sem ferir a população. O general Medici orgulhara-se de não "adotar condutas que [...] servissem à técnica subversiva do 'quanto pior, melhor'", capazes de levar "a uma escalada de repressão". Ameaçara com uma resposta "dura e implacável", mas procurara demarcá-la: "Apenas contra o crime, e só contra os criminosos".[25] Nas cidades, foram relativamente poucos os casos de prisão de pessoas que tinham contatos superficiais com quadros de organizações armadas. Salvo os saques de aparelhos e poucos casos de furtos em residências de familiares de militantes, nas cidades jamais se atentou contra a propriedade ou o patrimônio de amigos, de simpatizantes ou das famílias desses militantes. Houvera uma preocupação em aprofundar a repressão sem expandi-la. Nas matas do Araguaia a história foi outra.

Era outro aquele mundo. Ali o "Brasil Grande" encontrava-se com lugar nenhum. Pouco mais de 20 mil habitantes, a população do Leme, viviam numa área pouco maior que a do Distrito Federal. Eram nordestinos atrás de terras, garimpeiros procurando pedras, todos querendo trabalho. Na região de garimpo onde *Osvaldão* se enfiara, viviam pessoas que tinham deixado os lugarejos próximos: "Na rua não está dando para viver. No mato pode-se viver até nu. E lá tem caça, pode-se plantar mandioca e criar galinha". A liberdade típica das fronteiras econômicas lhes parecia uma conquista, sempre ameaçada pela "besta-fera" que traria o "cativeiro".[26] Amparada em prefeitos "corruptos, incapazes e primários", associados a uma polícia "apática e irresponsável", diante de autoridades federais a serviço dos grandes proprietários, a "besta" já estava expulsando camponeses.[27] Famílias trabalhavam em fazendas por menos de um

25 Emilio Garrastazú Medici, *Nova consciência de Brasil*, pp. 89, 90 e 91.

26 Otávio Guilherme Velho, *Frentes de expansão e estrutura agrária*, pp. 134 e 131.

27 *Relatório da Operação de Informações Realizada pelo CIE no Sudeste do Pará — Operação Sucuri*, de autoria do capitão Sebastião Rodrigues de Moura, o *Major Curió*, de 24 de maio de 1974, fl. 14.

salário mínimo. Em seu estudo dessa região, Otávio Guilherme Velho verificou que, na safra de 1968-69, uma caixa de fósforos custava Cr$ 0,50 na cidade e Cr$ 3,00 num barracão a três dias de viagem. O hectolitro da castanha-do-pará, principal produção do lugar, era comprado pelo fazendeiro a Cr$ 4,50 no mato e vendido a Cr$ 6,00 na cidade. Valia Cr$ 55,00 ao chegar a Belém.[28] Enfim, o Eldorado da revolta popular.

A floresta tropical ganhara uma das jóias da Coroa do "Brasil Grande". Era a rodovia Transamazônica, cuja abertura fora decidida por Medici nos primeiros meses de seu governo. Ela ligaria a cidade maranhense de Imperatriz a Rio Branco, capital do Acre. As obras estavam na metade do caminho, e a estrada já passava por Marabá, o maior povoado da região. O fim do mundo ficara mais perto. Até o final de 1967, quando os militantes do PC do B estabelecidos na região giravam em torno de meia dúzia, consumiam-se até dois dias para percorrer os 56 quilômetros que separam de Marabá a localidade de São Domingos. No ano seguinte, com a abertura de uma estrada, a viagem (de lotação) passou a demorar seis horas. A partir de outubro de 1971, com a Transamazônica, fazia-se o percurso em uma hora, de ônibus, ao preço de dois cruzeiros. A estrada atraíra as correntes migratórias que a selva continha. No dizer de um morador: "O negócio pro chegante está complicado. Pobre tem que andar [...]. Quem já fez já fez, quem não fez não faz mais".[29]

O PC do B fixara-se no Araguaia seguindo uma linha política e atendendo a uma necessidade prática. Sua defesa da luta armada era anterior à ditadura. Era também exclusiva. Rejeitara a idéia do foco ("concepção voluntarista") e o conceito de revolução continental ("estranha ao marxismo-leninismo"). Não tinha negócios com Havana, muito menos com Moscou ("camarilha de renegados").[30] Entre 1964 e 1968, os chineses haviam-lhe dado dezoito vagas em seus cursos de capacitação militar, mas desde o ano seguinte suas relações com Pequim estavam frias.[31] Seu san-

28 Otávio Guilherme Velho, *Frentes de expansão e estrutura agrária*, p. 84.

29 Idem, pp. 82, 84, 147-8 e 153.

30 Partido Comunista do Brasil, *Guerra popular*, pp. 137 e 161.

31 *Folha de S.Paulo* de 22 de novembro de 1968 e "Breve histórico das divergências com o PC da China", *A Classe Operária*, dezembro de 1978, pp. 11 e 17.

tuário externo mais próximo ficava a 8550 quilômetros de distância, na Albânia, o "destacamento avançado do socialismo na Europa", onde sobrevivia o derradeiro regime stalinista.[32] Ponto de partida de uma guerra popular que ainda não tinha data marcada para começar, a floresta serviu também para proteger militantes perseguidos pela polícia. Sem coletar fundos por meio de assaltos, o PC do B era pobre. Enfurnando-se na Amazônia, um militante procurado pela polícia custava pouco e algum dia renderia um combatente. A operação era mantida em sigilo. Só alguns dos membros de sua comissão executiva sabiam onde ficava a "área prioritária" para onde eram levados os militantes designados para a "tarefa especial".

Até a primeira metade de 1968 havia em torno de quinze militantes estabelecidos em três pontos diferentes da região. Pelo menos sete tinham passado pelos cursos de capacitação na China.[33] Dois possuíam um barco que fazia comércio pelo rio. Outro era dono de farmácia. Havia um médico (que passava por curandeiro) e uma quitandeira. Um pedreiro da Baixada Fluminense fizera-se mascate. Quase todos plantavam roças. Chefiavam-nos *Mário* e o *Velho Cid*.

Mário dirigia a comissão militar encarregada de conduzir as operações. Era o baiano Maurício Grabois, com 55 anos, quase quarenta de militância comunista. Amigo de infância de Carlos Marighella e, como ele, prisioneiro do Estado Novo.[34] Comprara um pequeno sítio e abrira uma tenda de comércio. Tinha consigo o filho, a nora e um genro. O *Velho Cid* (ou *Tio Cid*) era João Amazonas, o secretário-geral do PC do B, um revolucionário estóico e frugal, cujo radicalismo político contrastava com a gentileza dos modos. Tinha 56 anos e conhecera a região em 1941, quando fugira de uma cadeia de Belém e subira o Tocantins de barco. Como Grabois e Marighella, fora constituinte de 1946.[35]

32 Partido Comunista do Brasil, *Guerra popular*, p. 163.

33 Eram eles: João Carlos Haas Sobrinho, Paulo Mendes Rodrigues, André Grabois, Miguel Pereira dos Santos, Micheas Gomes de Almeida, Nelson Piauhy Dourado e Divino Ferreira de Souza. Afora João Amazonas e Grabois, recebidos oficialmente em Pequim.

34 *Dicionário histórico-biográfico brasileiro pós-1930*, coord. de Alzira Alves de Abreu e outros, vol. 3, pp. 2633-5.

35 Idem, vol. 1, pp. 209-10.

Mário e *Cid* eram dirigentes históricos do comunismo nacional, com sua tradição escolástica, agressiva e triunfalista nas palavras, mas quase sempre incruenta nas ações. Sua tropa tinha o impulso combativo da juventude das demais organizações armadas. A idade média dos guerrilheiros estava abaixo de trinta anos. Cerca de 70% de seu efetivo era composto por estudantes que haviam tomado as ruas em 1968. Mais da metade havia abandonado as universidades. Em pouco mais de três anos, no meio da juventude, saltaram da militância urbana para a clandestinidade. Dela, para o grande sonho da guerra popular amazônica. Cinco passaram por faculdades de medicina. Três estudaram física e um deles, astronomia. Duas jovens abandonaram os cursos de letras, uma das quais matriculada nas cadeiras de alemão e japonês. Outro tinha três anos de química e um de teoria musical, o que o tornaria flautista do grupo. Dois guerrilheiros estiveram na diretoria da UNE. Outro presidira a União Paulista dos Estudantes Secundários e pagara dois anos de cárcere. Cinco haviam sido presidentes dos diretórios acadêmicos de suas faculdades. Dezesseis passaram pela prisão, oito deles no grande arrastão de Ibiúna. Compunham dez matrimônios, dois pares e uma trinca de irmãos: os Petit da Silva.[36]

Lúcio e Jaime Petit eram engenheiros. Um tinha 29 anos e o outro, 27. Ambos chegaram ao Araguaia com as mulheres. *Regina* estudara medicina, e Regilena deixara o curso secundário. A terceira irmã, Maria Lúcia, de 22 anos, era professora. Quando percebeu que não teria tempo para conhecer um sobrinho que nasceria em São Paulo, dissera à mãe que ficava melhor assim, pois seria uma pessoa a menos para sentir saudade.[37]

Aos 22 anos, a baiana *Mariadina*[38] explicara aos pais a escolha que fizera, ao lado do marido (estudante de economia): "Só nos resta este caminho e é com amor que vamos percorrê-lo".[39]

36 Para os laços de parentesco, ver Neide Richopo, "A esquerda no Brasil — Um estudo de caso", p. 130. A sua lista somei os casais Lúcio Petit e Lúcia Regina de Souza Martins, com base em *O Globo* de 3 de maio de 1996, e Pedro e Tereza Albuquerque.

37 *O Globo*, 16 de maio de 1996.

38 Dinaelza Santana Coqueiro, 23 anos, estudante de geografia.

39 *Movimento*, 30 de julho a 5 de agosto de 1979, p. 2.

Luiz[40] fora preso no final da Passeata dos Cem Mil. Tinha 23 anos quando chegou à floresta com uma sentença de seis meses de prisão nas costas e uma revolução na idéia. Do mato, escrevera à família: "Não posso largar tudo, seria atentar contra minha própria consciência. [...] No momento só há uma saída, transformar esse país, e o próprio governo é que nos obriga a ela. A violência injusta gera a violência justa. A violência reacionária é injusta, enquanto a violência popular é justa porque está a favor do progresso e da justiça social. [...] Não se preocupem comigo, estou bem e seguro, não estou sozinho".[41]

Enquanto estiveram sozinhos e seguros, os guerrilheiros misturaram-se à população. *Juca*,[42] médico, atendia doentes e ajudava nos mutirões da roça. A vendeira *Dina*[43] dava remédios e fazia partos. Dentro da etiqueta do meio rural e da curiosidade recatada das fronteiras econômicas, eram estimados pelo povo do lugar. Arlindo Pereira, o *Arlindo Balela*, um pioneiro do final dos anos 50, resumiria esse sentimento: "Eles eram umas boas pessoas, eu arrancava dentes com eles, extraía dentes. Eles compravam peles em minhas mãos, de caititu, que naquele tempo era vendável, eles eram umas boas pessoas, tratavam bem a gente quando chegava na casa deles. Eles tinham de tudo na casa, de açúcar, sabão, sal, fumo, agulhas, brilhantina... essas coisas assim".[44]

Apesar do esforço, não faziam sentido. Em algumas localidades chamavam-nos "paulistas" ou ainda "povo da mata". O próprio Arlindo não sabia o que eles faziam: "Eles não diziam pra gente. [...] Não explicavam pra ninguém". Ou, nas palavras do camponês *Pedro Zuza*: "[Eram] gente boa e sabida, que nós não temos essa teoria, sabedoria, aqui, por isso eu achava esquisito eles aqui".[45] Um comerciante suspeitou que fos-

40 Guilherme Gomes Lund, carioca, ex-aluno do Colégio Militar, estudante de arquitetura na UFRJ.

41 Carta de Guilherme Lund aos pais, de 2 de fevereiro de 1970, em Vários Autores; Documentos do PC do B, *Guerrilha do Araguaia*, p. 50.

42 João Carlos Haas Sobrinho, 31 anos, ex-presidente do Centro Acadêmico da Faculdade de Medicina da UFRGS.

43 Dinalva Oliveira Teixeira, 28 anos, geóloga, formada pela UFBA.

44 Depoimento de Arlindo Pereira a Romualdo Pessoa Campos Filho, 22 de fevereiro de 1996. APRPCF.

45 Depoimento de Pedro Vicente Ferreira (*Pedro Zuza*) a Romualdo Pessoa Campos Filho, 19 de janeiro de 1994. APRPCF.

sem grileiros. Uma senhora convenceu-se de que as jovens que passavam por sua casa e brincavam com seu filho eram "gente de fora": "E que não era gente à-toa não. Era gente importante". Talvez freiras.[46] Quando *Osvaldão* disse a um vizinho que um jovem sobrinho do *Velho Cid* era bom de facão, o roceiro observou-o e respondeu: "Deve ser bom mesmo é de caneta".[47]

Mesmo quando faziam parte de um pequeno núcleo, os guerrilheiros viviam a quilômetros de distância. Quatro numa posse, seis num castanhal ou um casal perto da beira de uma estrada. Plantavam arroz, inhame e mandioca. Criaram calos nas mãos, tiveram febres. Aprendiam a andar numa floresta onde uma caminhada de duzentos metros é suficiente para se perder o rumo da volta. No final de 1970 a maioria não completara um ano de vida rural. Ainda não se sentiam adaptados. Para a turma estabelecida na vizinhança do rio Gameleira a última noite do ano foi quase triste. Juntou menos de seis pessoas. Os demais não circulavam com desembaraço junto à população, orientavam-se mal na mata ou estavam abatidos pela malária.[48]

Depois de um ano de disciplina, no final de 1971 os guerrilheiros conseguiram organizar uma manobra com um efetivo de dezenove pessoas.[49] Alguns estavam treinados a ponto de saírem em pequenos grupos para jornadas de um mês na floresta, levando apenas suas armas, sal, farinha e munição.[50] Adestravam-se para sobreviver. Estocavam alimentos, remédios e munições em pontos esparsos da mata. Viviam compartimentados. Um grupo não sabia onde estava ou o que fazia o outro. A confiança adquirida ao longo do ano animou o réveillon de 1972 na Gameleira. Teve veado-mateiro ao leite de castanha, paca e palmito de babaçu. *Osvaldão* recitou o poema *I-Juca Pirama*, de Gonçalves Dias, e todos cantaram "Apesar de você", de Chico Buarque de Hollanda. Quando um grupo chegou cantando a *Internacional*, o *Velho Cid* pulava de alegria. À meia-noite, saudaram

46 Depoimento de dona Amância a Romualdo Pessoa Campos Filho, 23 de julho de 1992. APRPCF.

47 Glênio Sá, *Araguaia*, p. 5.

48 Entrevista de José Genoino, em Palmério Dória e outros, *A guerrilha do Araguaia*, p. 39.

49 Glênio Sá, *Araguaia*, p. 11.

50 Entrevista de José Genoino, em Palmério Dória e outros, *A guerrilha do Araguaia*, p. 38.

o ano com vinte tiros.[51] Iam bem as coisas, e eles esperavam entrar em ação até dezembro.[52] Sem mencionar o trabalho clandestino na floresta, o PC do B informava aos seus militantes urbanos: "Amadurecem rapidamente as condições para tornar uma realidade a guerra popular. [...] Tudo indica que o povo se lançará em importantes batalhas e alcançará brilhantes vitórias".[53]

A guerrilha amazônica estivera nos projetos de todas as organizações da esquerda armada, mas também nos cuidados de todos os governos da ditadura. Em agosto de 1964, passados apenas quatro meses da deposição de Goulart, o Exército mandara onze oficiais e doze sargentos ao centro de treinamento de operações na selva mantido pelo governo americano no Panamá.[54] Desde 1969 o Estado-Maior baixara uma portaria contendo as instruções provisórias que formavam uma espécie de minimanual do contraguerrilheiro rural. Tinha 135 páginas e ecos vietnamitas.[55] Em 1970, as três Forças Armadas realizaram uma grande manobra na região e, em operações paralelas, desbarataram duas estruturas da ALN na área do Bico do Papagaio. Um ano depois, com a mobilização de apenas sessenta militares, desativaram-se outras duas propriedades, onde a VAR-Palmares pretendia montar bases de treinamento.[56] Eram projetos de guerrilhas assentados no conceito de posse fundiária da base da insurreição. Nos três casos foi chegar, ver e prender.

O governo descobriu o projeto guerrilheiro do PC do B no início de 1972. Soube disso por duas fontes diferentes. Não se pode dizer qual foi a primeira. Em novembro de 1971, o guerrilheiro *Peri* (Pedro Albuquer-

51 José Genoino, novembro de 1992, e entrevista de José Genoino, em Palmério Dória e outros, *A guerrilha do Araguaia*, p. 39. Ver também Glênio Sá, *Araguaia*, p. 12.

52 Entrevista de José Genoino, em Palmério Dória e outros, *A guerrilha do Araguaia*, p. 39.

53 Gilvane Felipe, "A guerrilha do Araguaia (Brasil: 1966-1975)", cap. II.3.1.

54 A lista dos estagiários da Escola das Américas foi oficialmente liberada. Encontra-se na internet, no seguinte endereço: <http://www.soaw.org/Graduates/br5496.htm>.

55 Ministério do Exército, *Instruções Provisórias IP 31-15 — O Pequeno Escalão nas Operações Contraguerrilhas*, Estabelecimento general Gustavo Cordeiro de Farias, 1969. Para o eco vietnamita, as descrições de armadilhas e esconderijos das páginas 145 a 147.

56 *O Globo*, 5 de abril de 1998.

que) e sua mulher fugiram da mata.[57] Em janeiro de 1972 ele viria a ser preso em Fortaleza. Um relatório do CIE atribui-lhe a indicação do fio da meada que levou os militares ao Araguaia.[58] (Albuquerque sustentou que seus torturadores já tinham conhecimento da estrutura do PC do B na região.)[59] A outra pista veio do Sul. A guerrilheira *Regina*, mulher de Lúcio Petit da Silva, contraíra hepatite e brucelose. Também em novembro, fora levada a Anápolis e internada. Deveria retornar, mas foi para São Paulo. Manteve-se em contato com o partido e chegou a repassar-lhe alguns remédios. Pressionada pela família, revelou ao Exército aquilo que sabia da "área prioritária".[60]

Informados da prisão de Pedro, os guerrilheiros acautelaram-se e passaram a dormir fora dos casebres, em barracas armadas no mato ou nas capoeiras.[61] Não deram maior importância à informação de uma dona de hotel de Xambioá. Em março ela avisara *Geraldo*[62] da passagem de agentes federais procurando forasteiros. Dada a abundância de projetos revolucionários existente na região, acharam que aquilo não era com eles.[63]

A tropa começou a chegar no dia 12 de abril de 1972. Operava entre Marabá e Xambioá. Em cada uma dessas cidades acampou um batalhão, cada um com quatrocentos homens. No interior da floresta instalaram-se seis bases de combate, cada uma com uma companhia. Em agosto chegaram a somar 1500 homens.[64] Para consumo geral, participavam do Manobrão, um exercício chefiado pelo comando do IV Exército, com sede no Recife, a 1600 quilômetros de distância. Nele, camufla-

57 Romualdo Pessoa Campos Filho, *Guerrilha do Araguaia*, p. 104.

58 *Relatório da Operação de Informações Realizada pelo CIE no Sudeste do Pará — Operação Sucuri*, de autoria do capitão Sebastião Rodrigues de Moura, o *Major Curió*, de 24 de maio de 1974, e *Relatório Especial de Informações nº 2/12*, citado no *Jornal do Brasil* de 22 de março de 1992.

59 Romualdo Pessoa Campos Filho, *Guerrilha do Araguaia*, p. 105.

60 Depoimento de Elza Monnerat a Romualdo Pessoa Campos Filho, abril de 1993. APRPCF.

61 Ângelo Arroyo, "Relatório sobre a luta no Araguaia", em *Guerrilha do Araguaia*, p. 19.

62 José Genoino Neto, 26 anos, ex-presidente do Diretório Central de Estudantes da Universidade Federal do Ceará.

63 Entrevista de José Genoino, em Palmério Dória e outros, *A guerrilha do Araguaia*, p. 41.

64 Coronel Álvaro de Souza Pinheiro, "Guerrilha na Amazônia: uma experiência no passado, o presente e o futuro", edição brasileira da *Military Review*, janeiro-março de 1995, pp. 58-79.

da, estava a *Operação Papagaio*, destinada a eliminar a guerrilha. Tinha em torno de oitocentos homens. Seu poder de fogo concentrava-se nas tropas profissionais e de elite. Do Rio de Janeiro vieram 26 combatentes das forças especiais da Brigada Pára-Quedista. Além deles, havia cerca de cem homens do CIE.[65]

Entraram em quatro cidades e pelo menos dez lugarejos e fazendas. Montaram uma base aérea em Xambioá e armaram postos de controle na Transamazônica e na Belém—Brasília. O comando das operações ficou numa casa de telhado azul, encarapitada num barranco à margem do rio Itacaiúnas, próximo a Marabá.

Atacaram dois núcleos dos "homens da mata". O camponês José Veloso de Andrade lembra-se do resultado de uma das ações: "No primeiro ataque, na sede dos guerrilheiros, no lugar denominado Chega com Jeito, então quando eles chegaram lá não encontraram mais ninguém, eles estavam escondidos. Mas tava o barraco... eles encontraram um touro mecânico, montado a pilha... é com doze pilha, e uma metralhadora acabando de aperfeiçoar".[66]

Também não havia vivalma no outro barraco, 130 quilômetros a sudeste. Capturaram uma forja, ferramentas, um rádio, livros de medicina, panelas e farinha.[67]

Os guerrilheiros enfiaram-se nos refúgios armados na floresta. *Piauí*,[68] avisado por um camponês, seguiu até onde pôde no seu burro. Quando precisou entrar na mata fechada, deu-o a um conhecido: "Se um dia eu aparecer, você me entrega, e se eu nunca aparecer, então você fica com o burro".[69] Antônio[70] bateu à noite na casa de *Maria da Metade* e pe-

65 Para as forças especiais, Agnaldo del Nero Augusto, *A grande mentira*, p. 429.

66 Entrevista de José Veloso de Andrade a Romualdo Pessoa Campos Filho e Gilvane Felipe, 19 de janeiro de 1994. APRPCF.

67 Ângelo Arroyo, "Relatório sobre a luta no Araguaia", em *Guerrilha do Araguaia*, p. 20. Para a forja, as ferramentas e os livros, *A Ação Subversiva no Brasil*, documento do Cenimar, de maio de 1972, p. 47.

68 Antônio de Pádua Costa, 28 anos, ex-aluno do Instituto de Física da UFRJ.

69 Depoimento de José Veloso de Andrade a Romualdo Pessoa Campos Filho e Gilvane Felipe, 19 de janeiro de 1994. APRPCF.

70 Antônio Ferreira Pinto, cerca de quarenta anos, ex-alfaiate.

diu-lhe que na manhã seguinte fosse ao seu barraco para recolher um rádio e um toca-discos. Se não voltasse, podiam ficar. Ela lhe perguntou o que estava acontecendo: "Não, nada, nós vamos embora. Até um dia dei'stá que vocês sabem".[71] O sentimento dos guerrilheiros diante da chegada dos militares ficou na memória de *Geraldo*: "A frase que a gente mais ouvia era: 'Chegou a hora'".

Chegara a hora de 71 guerrilheiros, mas isso acontecera pela ação do inimigo. A guerrilha, cujo capital inicial está em surpreender o governo, fora surpreendida. Faltavam-lhe treze quadros para atingir a estrutura planejada pelo PC do B. Também não havia terminado a organização dos depósitos clandestinos de mantimentos.[72] Sua força era composta por três destacamentos (A, B e C). Cada um deles tinha dois chefes e por volta de vinte combatentes. Subdividiam-se em três grupos de fogo, com cerca de meia dúzia de pessoas.[73] No topo da hierarquia, estavam os quatro dirigentes da comissão militar, oculta em outro ponto da mata.

Cada guerrilheiro tinha um revólver com quarenta balas. O conjunto dispunha ainda de quatro submetralhadoras, duas de confecção doméstica, mais 25 fuzis e rifles. Essas eram suas armas de guerra (menos de uma para cada dois guerrilheiros). Somando-se a elas trinta espingardas e quatro carabinas, as armas longas eram 63. Faltavam oito para que cada combatente tivesse a sua. Armamento escasso, de má qualidade balística, bastava para pouco mais que a simples defesa pessoal. Seu poder de fogo era inferior ao de quatro grupos de combate do Exército, cada um deles com nove homens armados de oito fuzis FAL e uma submetralhadora. Por velha, a maior parte do arsenal estava com defeito.[74] A guer-

71 Entrevista de Maria Raimunda Rocha Veloso (*Maria da Metade*) a Romualdo Pessoa Campos Filho e Gilvane Felipe, janeiro de 1994. APRPCF.

72 Depoimento de Micheas Gomes de Almeida a Romualdo Pessoa Campos Filho e Gilvane Felipe, dezembro de 1996.

73 Coronel Álvaro de Souza Pinheiro, "Guerrilha na Amazônia: uma experiência no passado, o presente e o futuro", edição brasileira da *Military Review*, janeiro-março de 1995, pp. 58-79.

74 Idem. Arroyo não dá o número de rifles, espingardas e carabinas do destacamento C. Estimei que nele houvesse a maior quantidade registrada em cada um dos outros dois destacamentos. Glênio Sá dá números ligeiramente diferentes para o destacamento B. Estimei sempre o maior.

rilheira *Lena*[75] lembraria: "O fuzil que eu usava, nossa! [...] Pra acertar naquela árvore tinha que atirar três árvores depois".[76]

A precariedade de meios e o isolamento físico eram parcialmente compensados por um alento emocional. A cada dia, às vinte horas, a rádio de Tirana transmitia um programa de sessenta minutos, em português, informando ao mundo que havia uma revolta camponesa no Brasil e narrando os feitos dos guerrilheiros.[77] Para espanto do Exército, o noticiário não só divulgava fatos verdadeiros, como se mostrava ágil e atualizado. Era abastecido por um sistema de transmissão próximo, porém paralelo à guerrilha.[78]

A *Operação Papagaio* começou mal. No primeiro choque com a guerrilha uma patrulha desfez-se.[79] Na tarde de 5 de maio, uma "turma de informações" foi emboscada na beira de um riacho. Os guerrilheiros dispersaram a tropa, feriram um tenente, um sargento e mataram o cabo Odílio Cruz Rosa, da 5ª Companhia de Guardas, de Belém.[80] Num novo choque um soldado teria sido morto e um sargento, ferido. Um guia, o camponês *China*, escondeu-se por dois dias num brejão e sumiu: "Resolvi cair fora daquela guerra, porque se eu não morresse naquele dia, morria no dia seguinte, aquilo ia durar muito tempo. Os soldados não entendiam nadinha de mato".[81]

O maior êxito dessa fase inicial da ofensiva militar passou despercebido. Manteve fora da área da guerrilha o *Velho Cid*, seu principal qua-

75 Regilena da Silva Carvalho, 25 anos.

76 Depoimento de Regilena da Silva Carvalho, em Luiz Maklouf Carvalho, *Mulheres que foram à luta armada*, p. 464.

77 *A Classe Operária*, maio de 1972. Davam-se duas transmissões de uma hora cada uma, às vinte e às 22 horas, e outras duas de meia hora, às quatro e às 18h30.

78 Coronel Álvaro de Souza Pinheiro, "Guerrilha na Amazônia: uma experiência no passado, o presente e o futuro", edição brasileira da *Military Review*, janeiro-março de 1995, pp. 58-79, e entrevista do coronel Pedro Correa Cabral a Euler Belém, *Jornal Opção*, 27 de junho de 2001.

79 Ângelo Arroyo, "Relatório sobre a luta no Araguaia", em *Guerrilha do Araguaia*, p. 21.

80 *Parte nº 54-E2*, de 15 de junho de 1972, do tenente-coronel Raul Augusto Borges, da 2ªSEC/EMR/8, ao chefe do EMR/8. Para o ferimento do tenente e do sargento, Agnaldo del Nero Augusto, *A grande mentira*, p. 429.

81 Depoimento de José Bezerra, o *China*, em Fernando Portela, *Guerra de guerrilhas no Brasil*, pp. 25-6.

dro político, e *Dona Maria*,[82] veterana organizadora de sua estrutura. Ela vinha de São Paulo, trazendo novos combatentes. Entregou dois no caminho e seguiu com os outros num ônibus que deveria deixá-los em Marabá. Foram interceptados por uma patrulha militar, e um dos rapazes foi preso. Tinha consigo dois livros suspeitos (*A estrada de Volokolansk* e *Um homem de verdade*). *Dona Maria* voltou sozinha para Anápolis e foi para a rodoviária da cidade, à procura do *Velho Cid*, que também estava a caminho da "área especial".[83] Ela conta o encontro: "O Amazonas passou olhando pra baixo, aí eu olhei pra cima mas não me mexi, só olhei pra cima [...]. Quando ele chegou mais perto eu fiz sinal pra ele que a coisa lá estava feia. [...] Então eu fiz assim um sinal pra ele e ele entendeu que pelo jeito estava cercado, eu fiz assim, fiz um sinal assim, mas com a mão lá embaixo. [...] Aí o Amazonas então saiu da rodoviária, atravessou a rua e foi para um café do outro lado".[84] De lá, ele voltou para São Paulo.

Ao contrário do que sucedera no enfrentamento com a esquerda armada das cidades, no Araguaia as coisas começaram diferentes. Os militares comportaram-se como uma força de ocupação. O tamanho da mobilização e a conduta dos soldados assustaram o povo. Em Xambioá prenderam tanto um lutador de circo, por seu cabelo comprido, como os comerciantes acusados de transacionar com os "terroristas". Um vendeiro foi amarrado num pau e exibido pelas ruas de São João do Araguaia.[85] Uma patrulha capturou um fazendeiro capixaba que ia pelo mato à frente de 22 peões e duas tropas de burros para se assentar numa terra que acabara de comprar. Foi colocado num helicóptero e passou pelo seguinte: "Pousamos num acampamento cercado por rolos enormes de arame farpado. Parecia aqueles campos de concentração nazistas. Me desembarcaram e me fizeram entrar num buraco fundo, de uns três metros, esca-

82 Elza de Lima Monnerat, ex-professora primária, com 59 anos e 27 de militância comunista, chegara ao Araguaia no Natal de 1967.

83 Verônica Bercht, *Coração vermelho*, pp. 114-5.

84 Depoimento de Elza de Lima Monnerat a Romualdo Pessoa Campos Filho, abril de 1993. APRPCF.

85 Fernando Portela, *Guerra de guerrilhas no Brasil*, p. 48. Para o lutador de circo, depoimento do padre Roberto de Valicourt a Romualdo Pessoa Campos Filho e Gilvane Felipe, 16 de janeiro de 1994. APRPCF.

vado no chão. Em seguida puseram em cima uma tampa de madeira. Aquilo virou noite".[86]

No dia 18 de maio chegou à delegacia de Xambioá o barqueiro Lourival Paulino, com cerca de 55 anos. Era acusado de colaborar com a guerrilha. Três dias depois o sargento-delegado informou que ele se enforcara com uma corda.[87]

Em termos operacionais, conseguira-se seccionar a linha de contatos da guerrilha com o seu destacamento C. Disso resultaria o isolamento de vinte combatentes, 25% do efetivo. Em menos de um mês, a tropa capturou cinco guerrilheiros. Um caminhava pela Transamazônica depois de ter-se desligado da operação.[88] Dois foram achados no mato, e dois outros foram denunciados por camponeses.[89]

O Exército oferecia mil cruzeiros por "paulista" capturado. Era dinheiro suficiente para a compra de um pequeno pedaço de terra. Esse tipo de incentivo, associado à intimidação, levou um camponês a denunciar um guerrilheiro com quem tinha boas relações. Deveria entregar-lhe um rolo de fumo e avisou o Exército. Cinco "paulistas" foram para as proximidades do lugar onde deveria ser deixada a encomenda. Um deles, *Jorge*, aproximou-se. Ouviram-se três rajadas.[90] Bergson Gurjão Farias, 25 anos, ex-aluno de química na Universidade Federal do Ceará, tornou-se o primeiro desaparecido da guerrilha. O lavrador *Pernambuco* delatou *Carlito*,[91] que parara num castanhal. Uma fístula de leishmaniose na perna impedia-o de caminhar, e ele pedira aos companheiros que o deixassem. Foi visto surrado, em cima de um burro. Mataram-no três dias depois. Quando seu cadáver foi fotografado, ainda tinha no pesco-

86 Depoimento de José Augusto Aranza, em *O Globo* de 28 de abril de 1996, reportagem de Ascânio Seleme.

87 Nilmário Miranda e Carlos Tibúrcio, *Dos filhos deste solo*, p. 172.

88 Ângelo Arroyo, "Relatório sobre a luta no Araguaia", em *Guerrilha do Araguaia*, pp. 19-21.

89 Entrevistas de Danilo Monteiro (*Miguel*) e Luzia Reis (*Baianinha*) a *O Globo* de 28 de abril e 12 de maio de 1996, e Ângelo Arroyo, "Relatório sobre a luta no Araguaia", em *Guerrilha do Araguaia*, p. 21.

90 Depoimentos de Amaro Lins e João de Deus Nazário a Romualdo Pessoa Campos Filho. APRPCF.

91 Kléber Lemos da Silva, trinta anos, economista.

ço a bússola que sempre trazia pendurada.[92] Outro camponês, *João Coioió*, tocaiou sua amiga Maria.

Era Maria Lúcia Petit da Silva. *Lena*, sua cunhada, narrou a reação do irmão de Maria, que também estava na guerrilha, ao receber a notícia: "Aí o Jaime caiu. Sabe o que é cair mesmo? Estava de calção, o corpo molhado, tinha tomado banho. Caiu e rolou nas folhas. Quando levantou era uma figura terrível, parecia um vegetal, em prantos. Eu joguei água na cabeça, no corpo dele. Tirei folha, terra, formiga. Parecia um bicho ferido".[93]

Os militares enterraram Maria num cemitério de Xambioá, com o corpo embrulhado num pedaço de pára-quedas e a cabeça envolta em plástico.[94] A ditadura fixara um padrão de conduta. Fazia prisioneiros, mas não entregava cadáveres. Jamais reconheceria que existissem. Quem morria, sumia. Esse comportamento não pode ser atribuído às dificuldades logísticas da região, pois a tropa operava de acordo com uma instrução escrita: "Os PG (prisioneiros de guerra) falecidos deverão ser sepultados em cemitério escolhido e comunicado. Deverão ser tomados os elementos de identificação (impressões digitais e fotografia)".[95]

Pouco depois da morte de Maria, *Lena* afastou-se de um grupo que ouvia o noticiário noturno. O comandante do destacamento reclamou:

> — Você não vai ouvir a Tirana? [...]
>
> — Ué. A Tirana está falando como se isso aqui fosse o Vietnã e não é nada disso. Parece que é o Vietnã, mas não é.[96]

92 Nilmário Miranda e Carlos Tibúrcio, *Dos filhos deste solo*, p. 174, e *O Globo*, 28 de abril de 1996. Para a morte de *Carlito*, ver também *Anexo A da Ordem de Operações* (*Papagaio*) (*Exercício*), do Comando do Grupamento de Operações FFE, nº 01-72, fl. 11. Para a delação, Ângelo Arroyo, "Relatório sobre a luta no Araguaia", em *Guerrilha do Araguaia*, p. 22.

93 Depoimento de Regilena da Silva Carvalho, em Luiz Maklouf Carvalho, *Mulheres que foram à luta armada*, p. 463.

94 *O Globo*, 28 de abril de 1996, reportagem de Adriana Barsotti, Aziz Filho e Consuelo Dieguez.

95 *Carta de Instrução 01/72*, em *Jornal do Brasil* de 3 de dezembro de 1992.

96 Depoimento de Regilena da Silva Carvalho, em Luiz Maklouf Carvalho, *Mulheres que foram à luta armada*, p. 464.

Lena tinha 24 anos. Percebera o dilema que se apresentara aos guerrilheiros: "Continuar naquilo pra mim significava a morte. Eu não estava a fim de morrer". Perdeu-se no mato, dormiu numa casca de palmeira, saiu numa estradinha e chegou a uma casa de camponeses amigos. Notou que tinham mudado de atitude, mas mesmo assim pousou. Acordou com o barulho do helicóptero, fugiu descalça e meteu-se de novo no mato. Rasgada e ferida por espinhos, na manhã seguinte estava cheia de formigas, com os pés infeccionados. Improvisou um par de muletas e caminhou de volta à casa de onde fugira. Trinta homens do lugar, todos armados, esperavam-na. Chegaram os pára-quedistas e o helicóptero. À noite *Lena* estava no buraco onde se guardavam presos em Xambioá.[97]

A prisão do lutador cabeludo e o assassinato do barqueiro foram uma ostentação da força da tropa. Em apenas duas semanas, ela ostentou também sua opção política. No Dia de Corpus Christi, depois da missa, prenderam o padre Roberto de Valicourt, missionário francês e ex-soldado na guerra colonial argelina. Ele chegara à região em janeiro e enfrentara o prefeito da cidade, que envenenava as roças de posseiros para tomar-lhes as terras e dá-las às filhas.[98] Valicourt contaria:

> Aí eles pegaram dois pra dar soco assim, na cara, nos ossos, e botavam os dedos nos olhos, e torcendo os braços, e batendo a cabeça na parede, era pontapé na barriga, nos rins, eu fiquei bastante machucado. [...] "Mentiroso, sacana, safado." É pá, pá, pá, é porrada de todo jeito, e os soldados ficavam lá quietos. Me disseram depois que alguns tavam chorando sabe? Porque os soldados eram recrutas, do Planalto. [...] Depois eles amarraram a gente com as cordas, atrás, nos braços atrás e pelo pescoço [...] e jogaram no jipe.[99]

O propósito e o tamanho da mobilização militar pressupunham uma operação que associasse surpresa, impacto e sucesso rápido. Inicial-

97 Depoimento de Regilena da Silva Carvalho, em Luiz Maklouf Carvalho, *Mulheres que foram à luta armada*, pp. 465-8.

98 Depoimento do padre Roberto de Valicourt a Romualdo Pessoa Campos Filho e Gilvane Felipe, 16 de janeiro de 1994. APRPCF.

99 Idem.

mente, a tropa da Marinha acreditou que a fatura estava liquidada. Em maio, um documento do Cenimar informava que, "pelo menos na região mencionada, os grupos foram desbaratados".[100] Passado o êxito do primeiro mês, a *Operação Papagaio* atolou. Junto à população, o Exército teve colaboradores, mas não conseguiu apoio. Como recordou o coronel pára-quedista Idyno Sardenberg: "Os caboclos não colaboravam, ou se colaboravam, eram tão prestativos com os 'federais', como eles diziam, quanto com os 'homens da mata', como eles chamavam aos guerrilheiros. Eles não queriam se meter".[101]

Entre junho e julho a tropa retraíra-se. Nada descobrira a respeito do destacamento A, e obtivera informações incompletas a respeito do B.[102] Só conseguira localizar a área de refúgio do destacamento C. Um grupo de guerrilheiros passou duas semanas cercado, comendo carne crua e encharcado.[103] Outro padeceu fome, diarréias e malárias.[104] O Exército combatera apenas o destacamento C, isolado e dividido. O chefe da comissão militar da guerrilha temeu pelo seu desmoronamento.[105] Os soldados enfrentaram seis vezes seus grupos dispersos e levaram vantagem em quatro. Deram-se dois outros combates, com guerrilheiros que o procuravam.

Em setembro começou uma nova ofensiva, dessa vez com 3 mil homens.[106] À diferença da primeira, durante a qual manteve relações estritamente policiais com a população, o Exército cuidou de dissociar-se da "besta-fera". Desembarcaram 2,5 toneladas de medicamentos e panfletaram cartas de três dos seis guerrilheiros presos pedindo aos companheiros que se rendessem. *Lena* explicaria a sua: "Podia ter dito 'não estou a fim de escrever'. Podia. [...] Fiz duas linhas [...]: 'Estou presa. Estou bem.

100 *A Ação Subversiva no Brasil*, documento do Cenimar, de maio de 1972, p. 48.

101 Coronel Idyno Sardenberg, fevereiro de 1985.

102 *Relatório da Operação de Informações Realizada pelo CIE no Sudeste do Pará — Operação Sucuri*, de autoria do capitão Sebastião Rodrigues de Moura, o *Major Curió*, de 24 de maio de 1974, fl. 2.

103 Depoimento de Criméia Schmidt, em Gilvane Felipe, "A guerrilha do Araguaia (Brasil: 1966-1975)", cap. II.4.

104 Glênio Sá, *Araguaia*, p. 16.

105 Carta de Maurício Grabois, do final de 1972, em *O Globo* de 7 de abril de 1998.

106 Para o efetivo, Agnaldo del Nero Augusto, *A grande mentira*, p. 430.

Desistam dessa aventura"".[107] Trouxeram também médicos, dentistas e remédios. Obrigaram fazendeiros a reconhecer os direitos trabalhistas dos peões e vingaram humilhações.

A segunda investida teve resultados mais medíocres que os da anterior. Programada para durar vinte dias, durou a metade, pois gastaram-se seis na adaptação da tropa e outros quatro foram perdidos com o cancelamento antecipado da operação. A guerrilha atacou uma base do 2º Batalhão de Infantaria de Selva e matou o sargento Mário Abrahim da Silva.[108] A força militar não conseguiu chegar a um só refúgio dos guerrilheiros. Ao contrário do que ocorrera na primeira operação, a ajuda dos mateiros contratados a 25 cruzeiros por dia (cerca de oito vezes a remuneração de uma jornada na roça) não produziu emboscadas bem-sucedidas.[109] Seus êxitos resultaram sobretudo dos choques com guerrilheiros que buscavam suprimentos. O Exército nunca revelou suas baixas nessas duas ofensivas. A escassa documentação oficial registra a morte do sargento Abrahim e do cabo Odílio. Ângelo Arroyo listou um sargento e dois soldados (afora a execução de um morador da região que servira de guia à tropa e cinco soldados feridos). Um mateiro foi alvejado na cabeça.[110]

Para os camponeses, a retirada da tropa representava uma vitória dos "paulistas". Escapar do Exército significava tê-lo derrotado. Na melhor tradição da guerrilha maoísta, a força de um revelara-se fraqueza e a fraqueza do outro, força. Esse entendimento pode ser percebido na reação dos próprios mateiros que ajudaram a tropa. *João Coioió* juntou sua família e sumiu da região. Outro bate-pau fingiu-se inepto: "Eles iam embora e eu ia ficar na isca?".[111] Um camponês que guiara os mi-

107 Depoimento de Regilena da Silva Carvalho, em Luiz Maklouf Carvalho, *Mulheres que foram à luta armada*, p. 473.

108 Agnaldo del Nero Augusto, *A grande mentira*, pp. 438 e 431.

109 Para o estipêndio dos mateiros, Ângelo Arroyo, "Relatório sobre a luta no Araguaia", em *Guerrilha do Araguaia*, p. 23.

110 Depoimento de Ângelo Lopes de Souza, em *Inquéritos Civis Públicos* MPF/SP/Nº 03/2001, MPF/PA/Nº 01/2001 e MPF/DF/Nº 05/2001.

111 Depoimento de José Veloso de Andrade a Romualdo Pessoa Campos Filho e Gilvane Felipe, 19 de janeiro de 1994. APRPCF. Para essa percepção pelo comando militar, ver *Anexo B* (*Informações*) *à OP nº 1* (*Operação Sucuri*), do tenente-coronel Carlos Sergio Torres, comandante da operação, assinado e rubricado pelo major Gilberto Airton Zenkner, de abril de 1973, fl. 2.

litares pelo mato, surpreendido casualmente por três guerrilheiros, foi assassinado.[112]

Pelo número de mortos, a guerrilha pagou caro. Nenhuma de suas baixas resultou de ações ofensivas. Salvo o ataque à base do 2º BIS, as emboscadas que planejaram nunca se realizaram. Entre abril e outubro de 1972 ela perdeu dezenove combatentes. Oito morreram em áreas de combate ou em emboscadas.[113] Quatro foram assassinados depois da captura.[114] Outros sete foram aprisionados e remetidos a Brasília.[115]

O último prisioneiro foi o guerrilheiro Glênio,[116] capturado por camponeses depois de vagar durante quase dois meses, perdido na floresta. Sua caminhada ilustra o apoio que a população dava aos "homens da mata". Ele se perdera com munição para quatro tiros, meia caixa de fósforos e um facão. Dormiu em pé, caminhou nu, comeu carne crua e delirou de malária. Esquálido, imundo e com vermes de gado num braço, recebeu ajuda num lugarejo, cinco roças e uma fazenda. Cruzou com dois mateiros que haviam guiado patrulhas militares. Um deles, Osmar, amigo de *Osvaldão*, deu-lhe carne de onça e pediu-lhe que relevasse sua atitude: fora obrigado a guiar os soldados. Glênio só foi traído no décimo contato.

Os 52 "paulistas" que permaneceram na floresta criaram uma forte coesão: "Era como se cada um fosse um pedaço do outro".[117] Pelo menos dez já haviam trocado tiros com os militares. Três tinham sido feridos. Entre eles surgia uma lenda que se somaria à de *Osvaldão*. Era a *Dina*. A geóloga Dinalva Oliveira Teixeira estava na região desde 1970, vivendo como vendeira e ganhando estima como professora, dentista e par-

112 Ângelo Arroyo, "Relatório sobre a luta no Araguaia", em *Guerrilha do Araguaia*, p. 22.

113 Morreram em áreas de combate: Miguel Pereira dos Santos (*Cazuza*), José Toledo de Oliveira (*Vitor*), Francisco Manoel Chaves (*Zé Francisco*), Ciro Flávio Salasar Oliveira (*Flávio*), João Carlos Haas Sobrinho e Manuel José Nurchis (*Gil*). Emboscados: Maria Lúcia Petit e Idalísio Soares Aranha Filho.

114 Morreram depois de capturados: Bergson Gurjão Farias, Kléber Lemos da Silva, Helenira Nazareth e Antônio Carlos Monteiro Teixeira. A eles se deve somar o barqueiro Lourival Paulino.

115 Foram aprisionados: Danilo Monteiro, José Genoino, Dower Cavalcanti, Dagoberto Alves da Costa, Luzia Reis, Regilena da Silva Carvalho e Glênio Sá.

116 Glênio Sá, 22 anos, ex-estudante secundarista.

117 Depoimento de Micheas Gomes de Almeida a Romualdo Pessoa Campos Filho e Gilvane Felipe, 19 de dezembro de 1996. APRPCF.

teira. Sobrevivera a três enfrentamentos. Escapara de uma emboscada e alvejara no ombro o capitão pára-quedista Álvaro Pinheiro, de 28 anos, filho do general que comandava a Escola Nacional de Informações.[118] Saíra ferida no pescoço. Fizera fama de valente e de boa atiradora.

Retirando-se em outubro, antes da chegada das chuvas que inundam a região alterando-lhe o relevo, o chefe de uma parte da operação, general Vianna Moog, registrou que "o êxito da manobra excedeu a expectativa deste comandante".[119] Repetiu diante dos "terroristas" do Araguaia o triunfalismo do general Carlos de Mesquita quando combateu os "bandidos" do Contestado, em 1914. Proclamou vitória e foi-se embora.[120] Seu principal estrategista, o general Antonio Bandeira, da 3ª Brigada de Infantaria, trocou a mata pela mesa de diretor da Polícia Federal, onde se celebrizaria combatendo as composições de Chico Buarque de Hollanda. Numa projeção grosseira, se o desempenho de Vianna Moog e Bandeira pudesse ser medida de êxito, o Exército precisaria de pelo menos quatro anos para acabar com a guerrilha do Araguaia.

As operações de 1972 resultaram num incompreensível desastre militar. Conceitualmente disforme, a ofensiva acumulou quase todos os erros que a situação permitia. Repetiu a tática do "martelo e bigorna", que fracassara em 1969, no vale do Ribeira. Nessas operações, tenta-se conter o inimigo numa posição (a bigorna) para esmagá-lo com uma força ofensiva (o martelo). No Araguaia, como no Ribeira, a bigorna revelou-se uma esponja.[121] Chegou-se ao ponto de jogar bombas de gasolina ge-

118 Para o ferimento do capitão, *IstoÉ* de 4 de setembro de 1985, reportagem de Raymundo Costa.

119 *Ofício 119/SPC*, de 2 de outubro de 1972, *Jornal do Brasil* de 3 de dezembro de 1992.

120 No caso do general Mesquita importa registrar que ele se retirou porque julgou que não lhe competia "andar com forças federais à caça de bandidos, como capitão-do-mato do tempo da escravatura". Ademais, reclamou de descaso do governo para com os habitantes da região. Paulo Ramos Derengoski, *Guerra no Contestado*, p. 51. Ver também Marli Auras, *Guerra do Contestado*, pp. 93-9.

121 Para o uso da tática, coronel Álvaro de Souza Pinheiro, "Guerrilha na Amazônia: uma experiência do passado, o presente e o futuro", edição brasileira da *Military Review*, janeiro-março de 1995, pp. 58-79. Para a tática, Ministério do Exército, *Instruções Provisórias IP 31-15 — O Pequeno Escalão nas Operações Contraguerrilhas*, Estabelecimento general Gustavo Cordeiro de Farias, 1969, pp. 24-6.

latinosa numa serra careca onde os guerrilheiros nunca haviam posto o pé.[122] Pior: evitou-se entrar na selva.[123] Já coronel, tendo-se passado 23 anos, Álvaro Pinheiro analisaria a derrota:

> 1. Concepção equivocada nos níveis operacional e tático. [...] No terreno da selva, as patrulhas se deslocavam com um efetivo de pelotão, 35 a 40 homens, pelas trilhas, enquanto os grupos de guerrilha se deslocam através da selva, com um efetivo de cinco a no máximo dez elementos. [...]
>
> 2. Falta de unidade de comando. Provocada, sobretudo, pelo fato de que a base de combate de Marabá estava sob o controle do Comando Militar da Amazônia, enquanto a de Xambioá estava sob o do Comando Militar do Planalto. [...]
>
> 3. Informações deficientes sobre o terreno e o inimigo. Não havia cartas nem fotos aéreas da região de operações em escala compatível. O desconhecimento do terreno era enorme. As patrulhas se deslocavam somente pelas trilhas, enquanto os guerrilheiros, profundos conhecedores do terreno, sempre através da selva.
>
> 4. Grande diversidade de unidades empregadas e deficiências no adestramento. Unidades de diferentes pontos do território nacional foram empregadas nesta fase. Algumas delas com graves deficiências no adestramento em operações de contraguerrilha em ambiente de selva. Muitas delas com efetivos constituídos por soldados recrutas.
>
> 5. Falta de continuidade nas operações. Diferentemente da força de guerrilha que já estava na área há algum tempo e lá permanecia, a tropa era empregada por períodos predeterminados, não mais de vinte dias, findos os quais retornava à sua sede, sem ser substituída.[124]

122 Coronel Álvaro de Souza Pinheiro, "Guerrilha na Amazônia: uma experiência no passado, o presente e o futuro", edição brasileira da *Military Review*, janeiro-março de 1995, pp. 58-79, citado por Luiz Maklouf Carvalho, em *Folha de S.Paulo* de 20 de abril de 1998.

123 Agnaldo del Nero Augusto, *A grande mentira*, pp. 430 e 438.

124 Coronel Álvaro de Souza Pinheiro, "Guerrilha na Amazônia: uma experiência no passado, o presente e o futuro", edição brasileira da *Military Review*, janeiro-março de 1995, pp. 58-79.

Dona Domingas, moradora de São Geraldo do Araguaia, viu os soldados: "Tudo recruta. Choravam, passavam aqui com o caminhão cheio, chorando".[125] Deram-se alguns casos de deserção.[126]

Não se conhecem as razões que levaram à concepção de um plano grandioso, inepto e inútil. Pode-se apenas conjecturar que, no início do ano do Sesquicentenário, os chefes militares e os generais envolvidos na operação quisessem produzir uma vitória militar digna do "Brasil Grande". Só um verniz napoleônico explica, por exemplo, a ida do general Breno Borges Fortes, chefe do Estado-Maior do Exército, a uma zona de operações onde três generais e mais de mil soldados caçavam, sem sucesso, algumas dezenas de guerrilheiros.[127] O sargento José Pereira, do 10º Batalhão de Caçadores, cuja patrulha matara três combatentes e jogara seus cadáveres na base de comando de um general, descreveu a rotina de um acampamento de apoio: "A gente estava com as fardas rasgadas. Parecia que a gente estava no Vietnã e eles estavam na Disneylândia. Estavam tranqüilos, tomando banho. Todo mundo de calção". Mais: "Teve muito coronel que não participou do combate à guerrilha, ficou fazendo a barba com água mineral na beira do rio Araguaia".[128]

O disfarce da operação prejudicara seu desempenho militar sem trazer nenhum benefício adicional ao que já lhe dava a censura à imprensa. O governo podia impedir a publicação dos panfletos do PC do B, mas não podia evitar que ele os produzisse. A guerrilha emitiu seu primeiro comunicado no dia 25 de maio, e a Censura ratificou-o um mês depois, vetando notícias sobre movimentos de tropas na Amazônia.[129] Em setembro o jornal *O Estado de S. Paulo* publicou uma longa e minuciosa re-

125 Depoimento de dona Domingas a Romualdo Pessoa Campos Filho. APRPCF. Segundo o general Agnaldo del Nero Augusto, a maioria dos soldados mobilizados na ofensiva de setembro eram, de fato, recrutas. *A grande mentira*, p. 430.

126 *Jornal do Brasil*, 22 de março de 1992, p. 19.

127 *O Estado de S. Paulo*, 1º de outubro de 1972, p. 27. Nessa época participavam da operação os generais Vianna Moog, Antonio Bandeira e Hugo Abreu, comandante da Brigada Pára-Quedista.

128 Entrevista do ex-sargento José Pereira a Euler Belém, *Jornal Opção*, 9 a 15 de novembro de 1997. Esse episódio ocorreu em setembro de 1972.

129 Para o comunicado, Vários Autores; Documentos do PC do B, *Guerrilha do Araguaia*, pp. 34-5. Para a Censura, Paolo Marconi, *A censura política na imprensa brasileira — 1968/1978*, p. 241.

portagem descrevendo a mobilização militar. Dois dias depois, a guerrilha estava no *The New York Times*.[130]

Os militares haviam-se envolvido num fiasco, mas isso não significava que fossem incapazes de conhecer o inimigo. O Exército supunha que cada guerrilheiro tivesse um revólver e uma arma longa, mas percebera a manutenção precária e a falta de munição. Na sua conta, cada combatente tinha apenas 25 balas por revólver e pouco mais de vinte tiros por espingarda ou fuzil.[131]

O capitão-de-corveta Uriburu Lobo da Cruz, que colaborara no patrulhamento do Araguaia, registrara em seu relatório: "Embora alguns elementos tenham realizado cursos de guerrilha no exterior, pode-se afirmar que os grupos terroristas não têm experiência de combate, estão precariamente armados e, para atenuar essas deficiências, buscam sempre fugir ao contato com as tropas, mas persistem obstinadamente em permanecer na área".[132] Seu colega Rubens Almeida Moreira Piedras foi mais sucinto: "O inimigo carece de armamento indispensável para dar prosseguimento às ações".[133]

Retirada a tropa e desfeito o segredo para os moradores da região, o PC do B lançou-se na propaganda. Produziu uma *Proclamação da União pela Liberdade e pelos Direitos do Povo*. Anunciado como um "documento simples, acessível às pessoas mais atrasadas", o manifesto tinha 4 mil palavras, entre as quais *estagnado*, *urbanização* e *ramos da adminis-*

130 Essa reportagem, intitulada "Em Xambioá, a luta é contra a miséria e a guerrilha", publicada em *O Estado de S. Paulo* de 24 de setembro de 1972, p. 27, é do jornalista Fernando Portela. Ele é autor do primeiro livro sobre o episódio (*Guerra de guerrilhas no Brasil*). *The New York Times*, 26 de setembro de 1972.

131 *Anexo B* (*Informações*) *à OP nº 1* (*Operação Sucuri*), do tenente-coronel Carlos Sergio Torres, comandante da operação, assinado e rubricado pelo major Gilberto Airton Zenkner, de abril de 1973, fls. 12-3.

132 *Anexo A da Ordem de Operações* (*Papagaio*) (*Exercício*), do Comando do Grupamento de Operações FFE, de setembro de 1972, fl. 12.

133 *Diretiva de Planejamento* (*Operação Papagaio*) (*Exercício*), *Elementos Informativos de Informações*, CmdoDivAnf nº 03/72, de setembro de 1972.

tração.[134] Seu texto traía o propósito propagandístico, destinado a criar nas grandes cidades a impressão de que começara uma revolução na selva. Referindo-se ao terecô[135] e às pajelanças, seu autor julgou necessário informar: "(religiões da região)". Apresentava um programa de 27 pontos, doze dos quais se relacionavam com a justiça e racionalidade na posse da terra, na produção e no trabalho. As iniciativas de educação e saúde, responsáveis pelo prestígio e pelo afeto conseguidos pelos "homens da mata", tiveram apenas quatro referências, numa das quais se incluiu a promessa de construção de pistas de atletismo.[136] As redações de jornais receberam uma "Carta a um deputado federal". Nela o Comando das Forças Guerrilheiras do Araguaia contava sua história, turbinando fatos com fantasias: "Pouco a pouco, cresceu o número de lutadores, homens e mulheres, organizando-se a força combatente".[137] Quando a proclamação foi escrita, a guerrilha tivera dez baixas, simpatia e nenhuma adesão efetiva. Um lavrador que participara de reuniões com os "paulistas" recordaria: "Eles falavam em comunismo, mas as pessoas não entendiam muito bem o que era aquilo".[138]

Grabois percebera o erro do inimigo ao mobilizar grandes efetivos. Lembrava que, ao contrário do que sucedera cinco anos antes a Che Guevara nas matas bolivianas, "não ficamos isolados". Ressentia-se, contudo, da posição defensiva em que agia. Tendo o fator surpresa ao seu lado, o Che partira para o ataque e, em três semanas, matara dezessete soldados e aprisionara 37.[139] Apesar de tudo, Grabois estava otimista:

> Podemos afirmar que as Forças Guerrilheiras, apesar das sérias perdas sofridas, mantêm sua capacidade de luta [...]. É certo que pagamos preço ele-

134 Para "pessoas mais atrasadas", *A Classe Operária*, nº 76, agosto de 1973.

135 Modalidade de macumba, às vezes associada à magia negra, comum na região.

136 *Proclamação da União pela Liberdade e pelos Direitos do Povo*, em Vários Autores; Documentos do PC do B, *Guerrilha do Araguaia*, pp. 45-9.

137 "Carta a um deputado federal", em Vários Autores; Documentos do PC do B, *Guerrilha do Araguaia*, pp. 35-8.

138 Depoimento de José Moraes Silva, em *Inquéritos Civis Públicos* MPF/SP/Nº 03/2001, MPF/PA/Nº 01/2001 e MPF/DF/Nº 05/2001.

139 Brian Loveman e Thomas M. Davies Jr., "Case histories of guerrilla movements and political change", em Che Guevara, *Guerrilla warfare*, p. 344.

vado. Mas as coisas correram assim, e não como desejamos. Não podemos pensar em ficar enfurnados na mata. Este deve ser nosso ponto de apoio para as ações militares e para o trabalho de propaganda [...]. Enfim as Forças Guerrilheiras têm boas perspectivas de crescer e se consolidar. O maior perigo está em nós mesmos, isto é, na superestimação do inimigo e na subestimação de nossas reais possibilidades.[140]

No mundo das paixões revolucionárias, os combatentes atingiram algo próximo da felicidade do guerrilheiro maoísta, movendo-se no meio do povo como o peixe na água. Na estimativa de um oficial do Exército, o inimigo tinha o apoio de oito em cada dez habitantes da região e de quase todos os pequenos comerciantes. Noutro cálculo dos militares, os guerrilheiros tiveram a adesão direta ou indireta de até 180 moradores.[141] O amparo derivava tanto da simpatia como do medo. Seis anos de postura samaritana dos quadros do PC do B foram substituídos pela real identidade revolucionária. Reabasteceram as despensas e espalharam pequenos depósitos de mantimentos pelos refúgios por onde sabiam que haveriam de passar. Até junho de 1973, recrutaram dois combatentes e formaram treze núcleos clandestinos de apoio à guerrilha, juntando pelo menos 39 simpatizantes. Um dos grupos chegou a reunir cinqüenta pessoas para discutir os problemas da região.[142]

Desenfurnados, os guerrilheiros atacaram. Até setembro de 1973 organizaram quatro expedições punitivas. Mataram mais três colaboradores do Exército.[143] Um tinha fama de jagunço. O outro foi Osmar, que meses antes se explicara a Glênio.[144] Ocuparam a sede de uma fa-

140 Carta de Maurício Grabois, do final de 1972, em *O Globo* de 7 de abril de 1998.

141 "A guerrilha do Araguaia", documento existente no sítio *Terrorismo Nunca Mais, Ternuma*: <http://www.ternuma.com.br>, em julho de 2002.

142 Ângelo Arroyo, "Relatório sobre a luta no Araguaia", em *Guerrilha do Araguaia*, pp. 25 e 27.

143 Para a morte de um terceiro mateiro, Micheas Gomes de Almeida, março de 2001, e entrevista de Francisco Maciel Lima a Romualdo Pessoa Campos Filho e Gilvane Felipe, 19 de janeiro de 1994. APRPCF.

144 Em abril de 1973, Osmar estava na lista que o Exército organizara dos colaboradores da guerrilha, identificado como "compadre de Osvaldão". *Anexo B (Informações) à OP nº 1 (Operação Sucuri)*, do tenente-coronel Carlos Sergio Torres, comandante da operação, assinado e rubricado pelo major Gilberto Airton Zenkner, de abril de 1973, fl. 3.

zenda, prenderam seu dono, confiscaram-lhe quatrocentos cruzeiros, remédios e alimentos. Na maior ação ofensiva de todo o período, atacaram um posto da PM na Transamazônica. O cabo que o comandava estava alhures, bebendo. Os guerrilheiros cercaram a casa, atearam fogo ao teto de palha, e cinco soldados renderam-se. Levaram-lhes as fardas e as armas (seis fuzis e um revólver).[145] Dias depois soltaram um panfleto que informava: "Os soldados, depois de interrogados, sofreram severa advertência: se voltarem a cometer violências contra o povo serão justiçados".[146]

O ataque ao posto da PM significou o apogeu da guerrilha. A proximidade do período chuvoso permitia a suposição de que o Exército só se aventuraria a retornar à região no final do primeiro trimestre de 1974. Além disso, acreditavam que retornaria ao velho estilo e, portanto, seria possível derrotá-lo novamente. Segundo o relatório de Arroyo, havia 56 guerrilheiros. Seis eram camponeses. Escasseavam roupas, isqueiros, bússolas e pilhas. Faltavam sapatos. Quase todos calçavam sandálias feitas com pedaços de pneus, ou nada. Em caixa, quatrocentos cruzeiros, dinheiro equivalente a algo como quarenta sacos de farinha, ao preço da mata. Tinham comida para quatro meses, mas suas armas continuavam insuficientes. Eram 29 fuzis e rifles, vinte espingardas, três submetralhadoras e 49 revólveres. Pouco mais de uma arma de guerra para cada dois combatentes. Menos de uma arma longa para cada um. Havia quarenta balas para cada revólver, mas faltava munição para as espingardas e carabinas.[147]

Isso era o que tinham para lutar por suas idéias ao preço do risco de suas vidas. Não receberam reforços. João Amazonas contaria, mais de vinte anos depois, que planejara retornar ao Araguaia mas a estrutura que

145 Ângelo Arroyo, "Relatório sobre a luta no Araguaia", em *Guerrilha do Araguaia*, p. 27, e depoimentos de José Veloso de Andrade (19 de janeiro de 1994) e *Pedro Marivetti* (21 de janeiro de 1994) a Romualdo Pessoa Campos Filho e Gilvane Felipe. APRPCF.

146 Comunicado do Destacamento Helenira Rezende sobre o ataque a um posto da Polícia Militar, em Vários Autores; Documentos do PC do B, *Guerrilha do Araguaia*, p. 41.

147 Ângelo Arroyo, "Relatório sobre a luta no Araguaia", em *Guerrilha do Araguaia*, p. 28. Para o preço da farinha, tomei a tabela de Otávio Guilherme Velho (*Frentes de expansão e estrutura agrária*, p. 82), a qual informa que em 1969 ela custava dezesseis cruzeiros.

o levaria à floresta foi abalada por uma prisão e "mais tarde o desenvolvimento da luta já não aconselhava minha volta".[148] No final de 1972, Grabois perguntava à direção paulista: "Até meados do ano que vem não daria para vir uns vinte elementos?".[149] Não recebeu nenhum. Pelo contrário, teve a deserção do guerrilheiro *Paulo*.[150] Deixara o acampamento com a roupa do corpo.[151]

O cerco imposto aos guerrilheiros era temível, porém precário. Glênio foi preso quando tentava reencontrar os combatentes, enquanto Paulo, querendo sair da floresta, dela conseguiu escapar. Pelo menos dois guerrilheiros experimentados entravam e saíam da região com a cautela que a situação exigia, mas também com a freqüência que suas tarefas demandavam. Um era *Nunes*.[152] O outro, *Zezinho*,[153] era o encarregado de buscar suprimentos nas cidades próximas. Tinha entre suas tarefas a manutenção do estoque de medicamentos para Grabois, que padecia de hipertensão. "Eu entrei e saí da região todas as vezes em que isso foi necessário. Podia fazê-lo em viagens de três dias ou de duas semanas. Sem saber nadar, atravessava os rios agarrado em pedaços de pau."[154]

Cabe a pergunta: por que a guerrilha não se desmobilizou?

Por mais vitoriosa que se sentisse e por mais determinado que fosse o espírito de luta dos combatentes, a falta de reforços físicos indicava que estavam sitiados. A falta de armas revelava que não teriam capacidade de combate. Haviam sido assassinados no Rio de Janeiro quatro dirigentes do partido. Três deles integravam sua comissão executiva, e um conhecia o pouco que restava do sistema de comunicações com o

148 Entrevista de João Amazonas, em Vários Autores; Documentos do PC do B, *Guerrilha do Araguaia*, p. 66.

149 Carta de Maurício Grabois, do final de 1972, em *O Globo* de 7 de abril de 1998.

150 João Carlos Wisnesky, ex-estudante de medicina da UFRJ.

151 Ângelo Arroyo, "Relatório sobre a luta no Araguaia", em *Guerrilha do Araguaia*, p. 28. Paulo era casado com Maria Célia Corrêa, a *Rosa*, irmã de Elmo Corrêa, o guerrilheiro *Lourival*, estudante de medicina.

152 Divino Ferreira de Souza, 32 anos, ex-estudante secundarista, com curso de capacitação na China.

153 Micheas Gomes de Almeida, 37 anos, operário, com curso de capacitação na China.

154 Micheas Gomes de Almeida, março de 2001.

Araguaia.[155] O desbaratamento do PC do B em São Paulo, no Rio, Goiás, Ceará, Bahia e Espírito Santo mostrara que ele não seria capaz de mobilizar novos quadros para a guerrilha.[156] Vista de dentro, a "guerra popular" estava desarmada. Vista de fora, estava isolada.

Pela lógica, deveriam ter ido embora, mas, também pela lógica, não poderiam ter derrotado a expedição militar de 1972. Toda guerrilha vitoriosa transforma-se em exemplo de heroísmo de seus combatentes e de clarividência de seus líderes. Da mesma forma, toda guerrilha fracassada assemelha-se a um poço de voluntarismos e leviandades. Os guerrilheiros permaneceram no Araguaia porque acreditavam naquilo que estavam fazendo.

A autoconfiança dos líderes do PC do B e da comissão militar excluíra do planejamento de sua guerra a alternativa da retirada. Antes mesmo do início da guerrilha, *Osvaldão* propusera que se definisse uma rota de retirada estratégica. Pensara na região do Xingu. Tratava-se de rastreá-la, conhecê-la e abastecê-la com os apoios possíveis e, sobretudo, mantimentos. Durante toda a luta *Osvaldão* insistiu na necessidade desse refúgio de última instância. Foi derrotado pela convicção da maioria da comissão militar, certa de que o Exército não entraria na mata.[157] Grabois julgava-o "bom militar e valente", mas "revela espírito defensivo".[158]

Em abril de 1973 o inimigo começou a armar seu bote. O fracasso do Manobrão retirara à estrutura convencional do Exército o planejamento das operações. Ele fora centralizado no CIE. À *Operação Papagaio* sucedeu-se a *Sucuri*, nome da cobra que engole suas presas. O Exército selecionou cinco oficiais e 25 sargentos, cabos e soldados no DOI de Brasília e na 3ª

155 Carlos Nicolau Danielli, Lincoln Bicalho Roque, Lincoln Cordeiro Oest e Luiz Guilhardini. Em Nilmário Miranda e Carlos Tibúrcio, *Dos filhos deste solo*, p. 198.

156 Wladimir Pomar, *Araguaia*, p. 41.

157 Depoimento de Micheas Gomes de Almeida a Romualdo Pessoa Campos Filho e Gilvane Felipe, 19 de dezembro de 1996. APRPCF.

158 Carta de Maurício Grabois, do final de 1972, em *O Globo* de 7 de abril de 1998.

Brigada de Infantaria.[159] Mandou-os em maio de 1973 para o Araguaia, seguindo a mesma técnica de disfarce que beneficiara o PC do B. Se a guerrilha tinha o "tio" *Cid* em São Paulo, a *Sucuri* tinha o "tio" Antônio como coordenador-geral, em Brasília. Era o major Gilberto Airton Zenkner, de 39 anos, da seção de operações do CIE. A maioria dos agentes nem documentos de identidade carregavam. Quando os tinham, eram falsos.[160]

Em Xambioá, apareceu um novo agrônomo no escritório do INCRA. Tinha 39 anos e jeito de matuto mineiro. Era *Marco Antônio Luchini*.[161] Outro forasteiro, *Nonato*, comprador de arroz e madeira, chegou a participar de uma reunião convocada pelos guerrilheiros para discutir o funcionamento da escolinha do local.[162] Dois "chegantes" compraram pequenas bodegas e meteram-se em negócios de madeira. Um deles expandiu o negócio tornando-se também padeiro. Eram soldados. Um sargento, sem conseguir comprar um ponto, transformara-se em biscateiro ambulante.[163] Espaçadamente, quatro duplas de migrantes adquiriram roças na região. Eram militares ambientados para a vida rural numa chácara nas cercanias de Brasília.[164] Um dizia vir de Mato Grosso, onde estivera envolvido num crime de morte. Conversava pouco, e os guerrilheiros desconfiaram dele, ameaçando matá-lo. *Tião*, um falso amealhador de tarefeiros, chegou a ser aprisionado. Sustentou sua identidade, foi libertado e abandonou a operação.[165] Outro agente, para

159 *Relatório da Operação de Informações Realizada pelo CIE no Sudeste do Pará — Operação Sucuri*, de autoria do capitão Sebastião Rodrigues de Moura, o *Major Curió*, de 24 de maio de 1974, fl. 6.

160 *Plano de Informações Sucuri, nº 1*, do CIE, de abril de 1973.

161 Era o major Sebastião Rodrigues de Moura, que viria a ser conhecido como *Major Curió*. *O Globo*, 7 de abril de 1998, e *Correio Braziliense*, 5 de maio de 1996.

162 Depoimentos de Abdias Soares e Silva, em 21 de janeiro de 1994, e Maria Raimunda Rocha Veloso (*Maria da Metade*), em janeiro de 1994, a Romualdo Pessoa Campos Filho e Gilvane Felipe (APRPCF), e de José Moraes Silva, em Inquéritos Civis Públicos MPF/SP/Nº 03/2001, MPF/PA/Nº 01/2001 e MPF/DF/Nº 05/2001. Ver também Termo de Declaração prestado por José Ribamar Ribeiro Lima, no dia 4 de julho de 1996, na sede da Procuradoria da República no estado de Roraima, presente o procurador-chefe, dr. Osório Barbosa, no arquivo do Centro de Documentação Eremias Delizoicov: <http://www.desaparecidospoliticos.org.br/araguaia/militares.html>.

163 *Relatório da Operação de Informações Realizada pelo CIE no Sudeste do Pará — Operação Sucuri*, de autoria do capitão Sebastião Rodrigues de Moura, o *Major Curió*, de 24 de maio de 1974, fl. 12.

164 Idem, fl. 13.

165 Idem, fl. 11. Para o nome, *Plano de Informações Sucuri, nº 1*, do CIE, de abril de 1973.

não despertar suspeitas, vendeu-lhes munição.[166] Na venda de dona Domingas entraram dois jovens vendendo alho e fazendo perguntas.[167] Outros compravam carvão.[168] Todos mapeavam a identidade dos guerrilheiros e aquilo que o CIE chamava de "força subterrânea". Em abril de 1973 uma lista do Exército arrolara 51 moradores da região como "possíveis integrantes das forças de sustentação" da guerrilha.[169] Cinco meses depois, um novo fichário, mais amplo, acumulava quatrocentos nomes.[170]

O sigilo com que o Exército protegeu suas operações no Araguaia tinha o propósito de negar aos adversários do regime "o reconhecimento de que efetivos das forças armadas estavam sendo empregados num problema de defesa interna dessa natureza".[171] Inúmeros depoimentos dão conta de que a ditadura temia que a propagação das notícias de combates, mesmo ocorrendo apenas no exterior e em canais semiclandestinos, desse notoriedade à guerrilha. Era o medo de que o Araguaia se transformasse numa "zona liberada", como sucedera nas guerras do gênero no Sudeste da Ásia.[172] O general Medici queria que a campanha seguisse em silêncio: "Era preciso esconder as operações para que elas tivessem sucesso".[173]

O segredo da operação militar determinou a clandestinização da ação do Estado. O Araguaia não produziu inquéritos policial-militares, denúncias formais ou sentenças judiciais. A guerrilheira Regilena, que se ren-

166 Para a venda de munição, Agnaldo del Nero Augusto, *A grande mentira*, p. 443.

167 Entrevista de dona Domingas a Romualdo Pessoa Campos Filho. APRPCF.

168 Depoimento do padre Roberto de Valicourt a Romualdo Pessoa Campos Filho e Gilvane Felipe, 16 de janeiro de 1994. APRPCF.

169 *Anexo B* (*Informações*) *à OP nº 1* (*Operação Sucuri*), do tenente-coronel Carlos Sergio Torres, comandante da operação, assinado e rubricado pelo major Gilberto Airton Zenkner, de abril de 1973, fls. 2-4.

170 *Veja*, 13 de outubro de 1993, pp. 16-28, por Rinaldo Gama.

171 Coronel Álvaro de Souza Pinheiro, "Guerrilha na Amazônia: uma experiência no passado, o presente e o futuro", edição brasileira da *Military Review*, janeiro-março de 1995, pp. 58-79.

172 *Anexo B* (*Informações*) *à OP nº 1* (*Operação Sucuri*), do tenente-coronel Carlos Sergio Torres, comandante da operação, assinado e rubricado pelo major Gilberto Airton Zenkner, de abril de 1973, fl. 1.

173 Antonio Carlos Scartezini, *Segredos de Medici*, p. 36.

dera em julho de 1972, foi libertada em dezembro.[174] Outra combatente, capturada na primeira ofensiva, fora libertada na primeira metade de 1973. Ficara presa por dez meses.[175] *Alice*, mulher de André Grabois, fora tirada da selva no final de 1972 e acabou presa em dezembro. Soltaram-na em abril do ano seguinte.[176] O guerrilheiro Glênio foi mantido sem visitas de familiares por treze meses, mas foi solto em dois anos. Para os padrões punitivos do regime, eram libertações precoces. Fora do Araguaia, os inquéritos e processos resultavam em penas superiores a cinco anos de prisão para um em cada três réus condenados.[177] Os guerrilheiros de Caparaó, por exemplo, foram todos condenados a penas iniciais de quatro a doze anos de prisão.[178]

Na madrugada de 7 de outubro os soldados chegaram simultaneamente aos pequenos povoados por onde andaram os guerrilheiros. Alguns vieram dentro de cargas ocas de caminhões que simulavam transportar madeira. Era a *Operação Marajoara*.[179] Apoiava-se no 23º Batalhão de Infantaria de Selva, de Marabá, com cerca de quatrocentos homens, mas diferia do Manobrão tanto na quantidade como na qualidade. O ataque foi desfechado por um efetivo menor, com cerca de 250 combatentes.[180] Operavam a partir de três bases de combate, em Xambioá, Marabá e na pequena localidade de Bacaba, às margens da Transamazônica. Na selva, alguns diziam-se funcionários da Agropecuária Araguaia.[181] Tinham o reforço de uma tropa de fuzileiros e de aviões e helicópteros da FAB, todos descaracterizados, a serviço de uma inexistente Mineração Aripuanã.[182] Dessa vez não havia soldadinhos. Só profissionais.

174 Depoimento de Regilena da Silva Carvalho, em Luiz Maklouf Carvalho, *Mulheres que foram à luta armada*, p. 478.

175 Era Luzia Reis, a *Baianinha*. *O Globo*, 28 de abril de 1996.

176 *Folha de S.Paulo*, 28 de agosto de 1999.

177 *Projeto Brasil: nunca mais*, tomo III: *Perfil dos atingidos*, pp. 12-3. De um total de 2828 condenados, 880 receberam penas superiores a cinco anos.

178 Gilson Rebello, *A guerrilha de Caparaó*, p. 45.

179 Coronel Álvaro de Souza Pinheiro, "Guerrilha na Amazônia: uma experiência no passado, o presente e o futuro", edição brasileira da *Military Review*, janeiro-março de 1995, pp. 58-79.

180 Para o efetivo, Agnaldo del Nero Augusto, *A grande mentira*, p. 449.

181 *Veja*, 13 de outubro de 1993, pp. 16-28, por Rinaldo Gama.

182 Para a Mineração, coronel Francisco Dellamora, fevereiro de 2001.

Perto da metade veio da Brigada Pára-Quedista, outra das tropas especiais e dos batalhões de guerra na selva. Eram soldados das guarnições de fronteira, jovens habituados à vida na floresta.[183] Tropa sem farda, comandada por oficiais sem nome, todos fazendo-se chamar de doutores. *Doca* era coronel. *Arturo* era o major Lício Augusto Ribeiro Maciel.

Se em 1972 houvera o interesse em mostrar a ação do Exército, dessa vez havia a preocupação de esconder ou, pelo menos, descaracterizar a ação militar. Cabeludos, barbudos e vestidos como o povo da região, os combatentes chegaram como se fossem "paulistas". Um lavrador desaconselhou uma senhora a entrar no seu lugarejo: "Dona, volte que os guerrilheiros, os terroristas tão acabando com São Domingos. Já pegaram dez e carregaram".[184] *Nonato* foi à casa do açougueiro, perguntando pela *Dina*. Ele lhe disse que não a vira. Prendeu-o.[185] Outro grupo buscou o dono da farmácia para dar um depoimento "aos terroristas". Mais tarde, os dois vendedores de alho desembarcaram de um helicóptero.[186] A essa altura, na condição de capitão do CIE, o posseiro mato-grossense estava instalado na sede do comando, a casa de telhado azul debruçada sobre o rio Itacaiúnas.

Cada equipe que chegava a uma área recebia um fichário com os nomes dos moradores, informando as relações que mantinham com os "paulistas".[187] Os lavradores e pequenos comerciantes eram levados para as prisões de Xambioá e Marabá. Alguns eram amontoados em grandes buracos abertos no chão, cobertos por grades.[188] Estima-se que, em dois meses, capturaram-se trezentas pessoas. Admitindo-se que a população da área de ação efetiva dos guerrilheiros fosse de 5 mil pessoas, e saben-

183 Coronel Álvaro de Souza Pinheiro, "Guerrilha na Amazônia: uma experiência no passado, o presente e o futuro", edição brasileira da *Military Review*, janeiro-março de 1995, pp. 58-79.

184 Depoimento de Maria Raimunda Rocha Veloso (*Maria da Metade*) a Romualdo Pessoa Campos Filho e Gilvane Felipe, janeiro de 1994. APRPCF.

185 Entrevista de José Veloso de Andrade a Romualdo Pessoa Campos Filho e Gilvane Felipe, 19 de janeiro de 1994. APRPCF.

186 Depoimento de dona Domingas a Romualdo Pessoa Campos Filho. APRPCF.

187 Agnaldo del Nero Augusto, *A grande mentira*, p. 449.

188 Depoimento de Arlindo Pereira, o *Arlindo Balela*, a Romualdo Pessoa Campos Filho, 25 de fevereiro de 1996. APRPCF.

do-se que foram poucos os casos de detenção de mulheres, o Exército prendeu, ao longo de toda a campanha, mais da metade dos homens do lugar. Na localidade de Tabocão, onde eles eram dezessete, prendeu todos.[189] Há relatos de torturas praticadas contra os presos. Um deles contou: "Moço, tinha nego despedaçado lá. Tinha nego lá que tava azul que nem carne roxa".[190]

Antes das refeições os presos eram postos em fila e obrigados a cantar:

É um tal de soca soca,
é um tal de pula pula,
quem tem culpa se enrola,
quem não tem logo se apura.[191]

Quem errasse a cantoria, apanhava. Como assinalou o professor Romualdo Pessoa Campos Filho, a cultura do lugar registrou sobretudo a queixa da "humilhação". Um morador recordaria: "Eles foram humilhados bastante, já pensou um pai de família de uma certa idade, quase sessenta anos como era o caso de meu pai, e ele ficar naquela situação, como nasceu, despido, não só ele, como todos?".[192]

As informações obtidas pelo CIE permitiram a montagem de um painel no qual se fixavam as fotografias e os dados biográficos dos guerrilheiros. As patrulhas moviam-se em helicópteros e monomotores L-19, os "paqueras", que asseguravam as comunicações entre cada uma delas e o comando. A cada dia pelo menos uma dezena de patrulhas ia caçar o rastro dos guerrilheiros, sempre guiadas por moradores da região.

Não há como calcular o número de mateiros que serviram ao Exército. Durante o planejamento da *Operação Sucuri*, cujas características exigiam um grau elevado de confiança e sigilo, o major Zenkner listara doze

189 Ângelo Arroyo, "Relatório sobre a luta no Araguaia", em *Guerrilha do Araguaia*, p. 30.

190 Depoimento de *Pedro Marivetti* a Romualdo Pessoa Campos Filho, 21 de janeiro de 1994. APRPCF.

191 Depoimento de Joarez Pinheiro e Luiz Martins dos Santos, em *Inquéritos Civis Públicos* MPF/SP/Nº 03/2001, MPF/PA/Nº 01/2001 e MPF/DF/Nº 05/2001.

192 Depoimento de Joel a Romualdo Pessoa Campos Filho, 26 de julho de 1992. APRPCF.

moradores da região como informantes seguros.[193] Duas dezenas de entrevistas, realizadas mais de vinte anos depois da guerrilha, produziram uma lista nominal de outros vinte camponeses que se tornaram guias da tropa. Nas duas primeiras campanhas houvera a atração das recompensas e do prestígio. Na terceira, o dilema era outro. Ângelo Lopes de Souza, o *Carneiro*, tinha quarenta anos quando foi levado para o campo de concentração da localidade de Bacaba e ficou um mês preso. Conhecia bem os guerrilheiros e seu caminho. Recebeu (e entendeu) uma proposta para juntar-se à tropa: "Tinha certeza de que se não aceitasse seria morto".[194] Tornou-se guia também um lavrador que fizera do guerrilheiro *Flávio*[195] padrinho de seu filho.[196] Poucos meses antes de matar *Cristina*, *Zé Catingueiro* levava recados dos guerrilheiros convidando famílias de lavradores a acompanhá-los mata adentro.[197] Esse nível de coação não encontra paralelo na repressão aos grupos armados urbanos. Desconhece-se caso de pessoa que tenha sido obrigada a trabalhar sistematicamente para o aparelho repressivo sem que mantivesse vínculos orgânicos com alguma organização clandestina. Muito menos de pessoa que tenha sido morta por ter-se recusado a fazê-lo.

Aos lavradores que atravessavam, presos, o rio Itacaiúnas, mostrava-se a casa de telhado azul. Era "o castelo do homem sem alma". De lá, onde estava a sala de comando das operações, partira a diretriz: a população deveria ter mais medo do Exército que dos guerrilheiros. Essa estratégia de intimidação articulou as prisões em massa, os espancamentos e um ingrediente inédito de agressão patrimonial. Num conjunto de trinta relatos recolhidos 28 anos depois dos combates, oito testemunhas rememoraram o incêndio de um lugarejo (o sítio Água Boa, em São Domingos do Araguaia) e de pelo menos seis roças. Inúmeros lavradores

193 *Plano de Informações Sucuri, nº 1*, de abril de 1973, fls. 2-3.

194 Depoimento de Ângelo Lopes de Souza, em *Inquéritos Civis Públicos* MPF/SP/Nº 03/2001, MPF/PA/Nº 01/2001 e MPF/DF/Nº 05/2001.

195 Ciro Flávio Salasar Oliveira, trinta anos, ex-estudante da Faculdade de Arquitetura da UFRJ.

196 Depoimento de Cícero Saraiva da Silva, em *Inquéritos Civis Públicos* MPF/SP/Nº 03/2001, MPF/PA/Nº 01/2001 e MPF/DF/Nº 05/2001.

197 Depoimentos de Luiz Martins dos Santos e Zulmira Pereira Neres, em *Inquéritos Civis Públicos* MPF/SP/Nº 03/2001, MPF/PA/Nº 01/2001 e MPF/DF/Nº 05/2001.

foram expulsos de suas terras. Uma família perdeu cinqüenta alqueires de mata, porcos, galinhas, sessenta sacos de arroz e dois de farinha.[198]

Amedrontada, a gente do Araguaia impôs-se um toque de recolher. Ninguém saía de casa à noite. Se de um lado a estratégia do medo deu ao Exército uma rede de informantes e uma brigada de mateiros, de outro forneceu à guerrilha uma inédita leva de adesões. Pelo menos seis famílias entraram na mata. É razoável supor que entre setembro e novembro de 1973 os guerrilheiros tiveram, no mínimo, a colaboração efetiva de vinte adultos, número muito superior às poucas simpatias conseguidas por Guevara na Bolívia.[199]

Com o apoio dos adultos, os guerrilheiros alistaram também meninos e adolescentes que iam às aulas das professoras *Rosa* e *Cristina*. Três deles são casualmente mencionados por Arroyo. A um chama de "rapazinho que, por acaso, se encontrava entre os nossos". Nomeia os outros dois, dizendo-os "bastante jovens", e informa que saíram da guerrilha "mostrando medo".[200] Um deles, Wilson, tinha pouco mais de dez anos.[201] A narrativa de um garoto que acompanhou o pai e foi capturado, revela que se recrutaram pelo menos mais dois.[202] Admitindo-se que tenham sido só sete

198 Depoimentos de Adalgisa, Agenor e Pedro Moraes da Silva, Dionor Carlos Azevedo, Manoel Ferreira, Margarida Ferreira Félix, Maria Nazaré Ferreira Brito e Sinvaldo de Souza Gomes, em *Inquéritos Civis Públicos* MPF/SP/Nº 03/2001, MPF/PA/Nº 01/2001 e MPF/DF/Nº 05/2001.

199 São Luiz Vieira, *Batista*, *Pedro Carretel* e Abel, e as famílias de Pedro Moraes da Silva, José Atanásio Santana, Zé Gonçalo, João da Mariona, *Velho Tadeu* e Romão, em depoimento de Pedro Moraes da Silva, em *Inquéritos Civis Públicos* MPF/SP/Nº 03/2001, MPF/PA/Nº 01/2001 e MPF/DF/Nº 05/2001. Há ainda Antonio Alfredo Campos. Ver Nilmário Miranda e Carlos Tibúrcio, *Dos filhos deste solo*, p. 181. No seu "Relatório sobre a luta no Araguaia", em *Guerrilha do Araguaia*, p. 29, Arroyo se refere a nove "elementos da massa" que ajudaram, sem sucesso, a tocar fogo numa ponte da Transamazônica.

200 Ângelo Arroyo, "Relatório sobre a luta no Araguaia", em *Guerrilha do Araguaia*, p. 27.

201 Depoimento de Manuel Leal Lima, o *Vanu*, em *O Globo* de 2 de maio de 1996.

202 Depoimento de José Vieira a Romualdo Pessoa Campos Filho, 25 de fevereiro de 1996. APRPCF. No "Relatório sobre a luta no Araguaia", em *Guerrilha do Araguaia*, p. 29, Arroyo menciona Ribamar e Wilson. José Vieira menciona esses dois, mais Antoninho e Sebastião. Sinvaldo menciona João Batista. Para as adesões de adolescentes, ver também o depoimento de Maria Raimunda Rocha Veloso (*Maria da Metade*) a Romualdo Pessoa Campos Filho e Gilvane Felipe, janeiro de 1994. APRPCF.

os adolescentes anexados à guerrilha, resulta que, para cada três adultos integrados na "guerra popular", o PC do B alistou um menor de idade.

Uma semana depois da chegada do Exército, quatro guerrilheiros e um camponês que os acompanhava resolveram capturar dois porcos numa roça. Fizeram um fogo de palha e pelaram-nos. Iam-se embora com a carne quando apareceu uma patrulha. Eram quinze soldados. Dois "homens da mata" morreram no lugar, dois ficaram feridos, e o quinto desapareceu. Um dos mortos era *Zé Carlos*, filho de Grabois. O oficial que comandava a tropa mandou que o mateiro *Vanu* os enterrasse na direção do rio. Um dos feridos era *Nunes*, um veterano do curso na China, que vivera como comerciante na região. Enquanto foi interrogado na mata, ameaçou os militares com a possibilidade da chegada da imprensa e da televisão àquele pedaço de selva, para que registrassem o que lá acontecia.[203] O outro era Antonio Alfredo Campos, um lavrador analfabeto. Foram levados de helicóptero para a Casa Azul e assassinados.[204]

À noite, dois camponeses que haviam prometido aderir à guerrilha decidiram fugir da mata. Passados alguns dias, foram capturados ou entregaram-se ao Exército. Tornaram-se mateiros.[205] O mesmo sucedera a dois lavradores presos depois de terem colaborado com os guerrilheiros na tentativa fracassada de incendiar uma ponte.[206]

Na tarde de 24 de outubro, num banhado da grota da Borracheira, a guerrilha do Araguaia teve o seu mais famoso combate. Acompanhada por um menino, a guerrilheira *Sônia*[207] resolveu descalçar as botinas e lavar os pés. Por parteira e pelos seus conhecimentos de medicina, era uma das "paulistas" mais populares da região. Na volta, não achou o calçado. Pensou que fosse brincadeira, até que se viu diante de uma patrulha. Esse

203 Entrevista de Manuel Leal Lima, o *Vanu*, a Terezinha de Souza Amorim, cedida pelo professor Romualdo Pessoa Campos Filho. APRPCF.

204 Para o fato de Alfredo ter sido ferido, e não morto, entrevistas de Manuel Leal Lima, o *Vanu*, a Terezinha de Souza Amorim, cedida pelo professor Romualdo Pessoa Campos Filho, APRPCF, e a *O Globo* de 2 de maio de 1996.

205 Depoimento de um oficial combatente do Araguaia cujo nome fica preservado, fevereiro de 2001.

206 Ângelo Arroyo, "Relatório sobre a luta no Araguaia", em *Guerrilha do Araguaia*, p. 30.

207 Lúcia Maria de Souza, 29 anos, ex-quartanista de medicina.

encontro foi narrado pouco tempo depois pelo general João Baptista Figueiredo, chefe do Gabinete Militar de Medici:

> Houve uma menina [...]. Vêm aqueles rastreadores na frente e eles vêm cem metros atrás. [...] Desconfiaram de qualquer coisa e recuaram. Recuaram e então o pessoal veio. E veio um major, na frente, pela picada no meio do mato. E encontrou uma moça escondida atrás de uma árvore com uma metralhadora na mão. Meninota, de vinte e poucos anos. [...] Diz que o major que estava de revólver na mão baixou a arma e disse: "Vem cá, minha filha, como é o teu nome? Vem cá, minha filha, que é que você está fazendo aqui?", não dando a perceber que tinha visto ela com a metralhadora. E a menina respondeu:
>
> — Isso não é da tua conta.
>
> — Vem cá, minha filha, vem me contar a sua história. Como é seu nome?
>
> A mulher responde: "Guerrilheira não tem nome. A resposta de guerrilheiro é esta". E deu uma rajada no major. Levou um tiro na mão e outro de raspão assim no rosto. Aí o pessoal que já tinha entrado na mata começou a atirar em cima da menina. Aí ela continuou atirando. Quando ela caiu tinha quarenta e poucas perfurações de calibre 22.[208]

Sônia não foi surpreendida, mas emboscada por uma patrulha que achara as suas botinas. Não tinha submetralhadora. Atirou de revólver. Acertou o capitão Sebastião Rodrigues de Moura, da seção de operações do CIE. Ele era o ex-*Marco Antônio Luchini* do INCRA, futuro *Major Curió* do Araguaia. Feriu-o no braço, desarmando-o momentaneamente. Outro tiro derrubou o *Dr. Arturo*, ou *Ivan*, o major Lício Augusto Ribeiro Maciel, do CIE.[209] A bala, sem força, atingiu-o no rosto, passou por baixo da pele e saiu na altura da nuca.

A cena paternal foi uma fantasia de Figueiredo. O diálogo não ocorreu antes dos tiros, mas depois que *Sônia* alvejara os dois oficiais e esta-

208 Narrativa do general Figueiredo a Ernesto Geisel, fevereiro de 1974. APGCS/HF.

209 Para a identidade do major, entrevista de José Veloso de Andrade a Romualdo Pessoa Campos Filho e Gilvane Felipe, 19 de janeiro de 1994. APRPCF. Para "Ivan", Romualdo Pessoa Campos Filho, *Guerrilha do Araguaia*, p. 152.

va no chão, ferida e satisfeita: "Uau, tem gente ferido aí...".[210] Na lembrança de um mateiro do Exército, a conversa foi outra:

— Qual é o teu nome?

— Guerrilheira não tem nome, seu filho-da-puta. Eu luto pela liberdade.[211]

Anos depois, o general Hugo Abreu, que comandava a tropa pára-quedista, contou a seguinte história: "Lembro-me de um casal que matamos — eles mataram um major e eu tive de mandar matá-los. A moça devia ter uns vinte anos e era belíssima, o rapaz, uns 25 anos. Digo a vocês que não sentia ódio dos guerrilheiros. No caso desse casal, o que senti foi pena".[212]

Hugo Abreu revelava o seu mundo de fantasias. Não morreu major no Araguaia. A guerrilheira não foi morta por ordem de ninguém, mas na cena do combate em que feriu os dois oficiais. O acompanhante de *Sônia* não tinha 25 anos, nem morreu. Era um adolescente e fugiu. Foi achado dias depois e sobreviveu à guerrilha.

Três moradores da região asseguram que o corpo de *Sônia* ficou na lama da Borracheira. Tornou-se repasto dos animais.[213] Na ocasião em que narrou a morte da "menina", Figueiredo definiu os guerrilheiros: "São fanáticos".

210 Para o "uau", Romualdo Pessoa Campos Filho, *Guerrilha do Araguaia*, p. 152.

211 Entrevista de Manuel Leal Lima, o *Vanu*, em *O Globo* de 2 de maio de 1996.

212 Quinze páginas com o texto de uma entrevista concedida pelo general Hugo Abreu a Getulio Bittencourt e Haroldo Cerqueira Lima em 23 de agosto de 1978.

213 Depoimentos de Margarida Ferreira Félix a Claudio Renato, em *O Estado de S. Paulo* de 2 de maio de 1996, e de Manuel Leal Lima, o *Vanu*, a Terezinha de Souza Amorim, cedida pelo professor Romualdo Pessoa Campos Filho. APRPCF. Para inúmeros depoimentos sobre a morte de *Sônia*, ver Centro de Documentação Eremias Delizoicov: <http://www.desaparecidospoliticos.org.br/araguaia/lucia.html>.

A palavra maldita de Canudos e do Contestado chegara ao Araguaia. Poucas semanas depois da morte de *Sônia*, dois guerrilheiros acercaram-se de uma grota. Um era *Ari*,[214] veterano de três choques com as tropas. O outro, *Jonas*, um camponês de nome Abel, recrutado na região. Fora preso no final de 1972 e tinha o pai na cadeia.[215] Outros combatentes que estavam nas vizinhanças ouviram três tiros. Aproximaram-se da grota e encontraram o corpo de *Ari*, sem a cabeça.[216] A degola de Canudos, do Contestado e das volantes do cangaço também chegara ao Araguaia.[217]

Passados 21 anos, o mateiro José Veloso de Andrade teve o seguinte diálogo com os professores Romualdo Pessoa Campos Filho e Gilvane Felipe:

— O *Ari* ele foi morto e quem cortou a cabeça dele foi um guia.

— O sr. lembra do nome dele?

— [...] Ouvi falar que foi o Abel. Mas eu não tenho certeza.

— Ele chegou com a cabeça dele num saco?

— É, num saco, exatamente, eles carregaram num saco.

— E o sr. tomou conhecimento de outras cabeças que chegaram assim?

— É... muitas, vários, porque eles... vários outros que eles...

— O sr. ficou sabendo de mais alguma?

214 Arildo Valadão, 25 anos, ex-presidente do Diretório Acadêmico do Instituto de Física da UFRJ.

215 Segundo Ângelo Arroyo, "Relatório sobre a luta no Araguaia", em *Guerrilha do Araguaia*, p. 29, *Jonas* foi preso na segunda ofensiva e, na época do início da terceira, tinha o pai encarcerado. *Pedro Marivetti*, que foi preso no dia 9 de novembro, encontrou Abel na Bacaba, colaborando com os militares. Arildo Valadão foi morto no dia 24 de novembro. Pela narrativa de Arroyo fica claro que ele foi recrutado depois do início da ofensiva.

216 Ângelo Arroyo, "Relatório sobre a luta no Araguaia", em *Guerrilha do Araguaia*, p. 31. Para um testemunho ocular, Termo de Declaração que Presta Sinésio Martins Ribeiro, em São Geraldo do Araguaia, em 19 de julho de 2001. Centro de Documentação Eremias Delizoicov, <http://www.desaparecidospoliticos.org.br/araguaia/arildo.html>.

217 Em outubro de 1972, como parte dos festejos do Sesquicentenário da Independência, o Estado-Maior do Exército publicou uma *História do Exército brasileiro — Perfil militar de um povo*, em três volumes; nela, classificou a luta do Contestado como "uma guerra revolucionária", vol. 2, p. 789.

— É, fiquei... [...]

— Tinha alguma recompensa quando acontecia isso?

— Mixaria, mas tinha. Mas era mixaria.

— Então pra provar que tinha matado aí eles levavam a cabeça?

— É. Exatamente. [...]

— Diga uma coisa, esse Abel não era um que tinha aderido à guerrilha... e aí numa traição pegou o *Ari*?

— É, exatamente, ele mesmo.[218]

Nos primeiros 45 dias as operações militares foram conduzidas de forma a empurrar os guerrilheiros para as terras mais altas e secas, para emboscá-los quando descessem em busca de água. Essa tática resultara em três choques bem-sucedidos, com a captura e morte de seis guerrilheiros. Restavam em torno de cinqüenta quadros do PC do B, e a *Operação Marajoara* corria o risco de repetir o fracasso dos ataques anteriores. Os jovens tenentes e capitães que entravam no mato convenceram seus chefes a mudar de tática, trocando a linha da cautela pela da agressividade. Duas bases de operações perdidas na selva ganharam autonomia em relação à sala refrigerada da casa de telhado azul.[219] Era a aplicação de um ensinamento das forças contra-insurrecionais: "Guerrilha se combate com guerrilha".[220]

Criou-se um sistema pelo qual quando uma patrulha achava um rastro e conseguia projetar o rumo dos guerrilheiros, em vez de persegui-los, fustigando sua retaguarda, comunicava-se com a base, de forma a lançar outras duas mais à frente, com o objetivo de emboscar sua vanguarda. As patrulhas tinham entre dez e doze homens, comandados por um tenente ou capitão.[221] Dispunham de mantimentos para dez dias de per-

218 Entrevista de José Veloso de Andrade a Romualdo Pessoa Campos Filho e Gilvane Felipe, 19 de janeiro de 1994. *Pedro Marivetti*, em seu depoimento a Romualdo Pessoa Campos Filho, diz ter ouvido que a cabeça de *Ari* chegou à Bacaba num saco. APRPCF.

219 Depoimento de um oficial combatente do Araguaia cujo nome fica preservado, março de 2001.

220 Coronel Álvaro de Souza Pinheiro, "Guerrilha na Amazônia: uma experiência no passado, o presente e o futuro", edição brasileira da *Military Review*, janeiro-março de 1995, pp. 58-79.

221 Idem.

manência na selva. Assemelhavam-se aos pequenos grupos de guerrilheiros da primeira fase dos combates. Sobrepujavam o inimigo no apoio aéreo, nas comunicações e, sobretudo, no armamento. Cada uma delas tinha mais poder de fogo que toda a guerrilha junta. Ao contrário do que sucedera na primeira ofensiva, a região fora aerofotografada. Abriram-se mais de uma centena de clareiras, nas quais os pilotos de helicópteros eram capazes de descer em vôo visual.

Reunido em novembro, o comando da guerrilha sentira-se vitorioso. Pensara em concentrar todo o efetivo numa só região, o que permitiria ações de maior envergadura. As dificuldades de abastecimento adiaram a decisão para o encontro seguinte, marcado para o final de dezembro.[222] O comando julgou-se diante de uma ofensiva branda, com tropa pequena (estimada em cinqüenta homens), sem preparo para lutar na selva e sem logística, condenada a retirar-se em poucas semanas, com a chegada das chuvas.[223] Para um grupo de combatentes que acreditava já ter derrotado duas ofensivas de 8 mil a 10 mil soldados, descobrir que dessa vez a tropa contava, no conjunto, com quinhentos homens pouca diferença faria. Não tinham como saber que agora enfrentavam tropas habituadas à vida na selva, comandadas por oficiais recrutados nas forças especiais do Exército. Faria pouca diferença também a lembrança de que o Che Guevara fora derrotado seis anos antes na Bolívia por uma tropa de seiscentos soldados de elite, numa campanha que durara pouco menos de dois meses.[224]

Avaliaram mal o rastro do inimigo. Surpreenderam-se ao perceber que os soldados vasculhavam algumas das áreas desabitadas onde eles se refugiavam. As patrulhas tinham roçado dois de seus principais acampamentos e passaram perto do esconderijo do comando da guerrilha.[225] Os combatentes já haviam perdido o principal depósito de remédios, e começava a escassear a Resochina com que enfrentavam os acessos de ma-

222 Ângelo Arroyo, "Relatório sobre a luta no Araguaia", em *Guerrilha do Araguaia*, p. 30.

223 Idem, p. 29, e Ângelo Arroyo, "Grande acontecimento na vida do país e do PC do B", em *Guerrilha do Araguaia*, p. 60.

224 Thomas C. Wright, *Latin America in the era of the Cuban Revolution*, p. 94.

225 Ângelo Arroyo, "Relatório sobre a luta no Araguaia", em *Guerrilha do Araguaia*, pp. 30 e 60.

lária.[226] A tropa caçava os esconderijos de mantimentos e fechava as fontes do comércio local. Dois guerrilheiros que foram a um lugarejo buscar sal, encontraram todas as casas vazias.

Nesse quadro, a guerrilha jogava apenas com a sorte. Prevalecia quando não era percebida. Danava-se se a viam. No final de novembro, um grupo de oito combatentes dissolveu-se na cabeceira de uma grota. *Chico*[227] foi abatido com um tiro no peito enquanto procurava jabutis.[228] Por ordem do *Dr. Silva*, o tenente-comandante da patrulha, foi degolado por um mateiro. Cícero Pereira, morador da região, lembraria: "Ajudei a carregar a cabeça dele num saco pelo meio da mata. Pesava tanto que até parecia um corpo inteiro".[229] Outros cinco meteram-se no mato, sem comida. Quando reencontraram a coluna, estavam famintos, com o corpo inchado de picadas de mosquito. Dois outros sumiram. Um deles era Jaime Petit da Silva. Morreu duas semanas depois, atirando. Estava doente, e restaram-lhe um pouco de sal, milho e seis balas. Foi degolado, e sua cabeça, colocada num saco, foi levada na mochila de um mateiro.[230] Jaime sobrevivera dezoito meses a Maria Lúcia. Dos três irmãos Petit da Silva vivia apenas Lúcio, o *Beto*.

A guerrilha do Araguaia começou a acabar na segunda semana de dezembro. Os quadros do PC do B no Araguaia eram 44. Camponeses, só dois.[231] A maior parte dos combatentes juntou-se numa só coluna de 23 pessoas. Outros quinze guerrilheiros convergiriam para um morrote na região de Palestina, perto da Transamazônica. Lá acampou a comissão militar. Havia mais seis cumprindo tarefas em outros lugares. A manobra concentraria toda a força guerrilheira numa área de, no máximo, cinqüenta quilômetros quadrados. Só a certeza de que o Exército não tinha tropa poderia justificar essa decisão.

226 Micheas Gomes de Almeida, março de 2001.

227 Adriano Fonseca Fernandes Filho, 28 anos, ex-aluno da Faculdade de Filosofia da UFRJ.

228 Ângelo Arroyo, "Relatório sobre a luta no Araguaia", em *Guerrilha do Araguaia*, p. 30.

229 Depoimento do mateiro Cícero Pereira, em "A história do Exército que torturava, matava e cortava cabeças", reportagem de Eumano Silva, *Correio Braziliense*, 28 de novembro de 2001.

230 Depoimento da testemunha ocular Sinésio Martins Ribeiro, em Termo de Declaração que Presta Sinésio Martins Ribeiro, em São Geraldo do Araguaia, em 19 de julho de 2001. Centro de Documentação Eremias Delizoicov, <http://www.desaparecidospoliticos.org.br/araguaia/jaime.html>.

231 Os camponeses eram *Pedro Carretel* e *Batista*.

Os guerrilheiros sabiam que deixavam rastro e se deram conta de que havia militares por perto, pois encontraram papel higiênico no caminho.[232] Seus comandantes sabiam que o inimigo capturara e mantinha presas pelo menos cinco pessoas que conheciam os hábitos, os objetivos e boa parte das trilhas dos combatentes.[233] Um dos presos era *Josias*,[234] ex-estudante de medicina que acabara de completar 24 anos. Haviam-se invertido as táticas. A guerrilha tornara-se pesada, tomando o risco, enquanto o Exército agia com tropas leves, com o monopólio da surpresa.

Entre os dias 20 e 21 de dezembro uma patrulha militar achara um forte rastro de uma coluna guerrilheira e seguiu-a à distância. Dois dias depois, outras duas patrulhas entraram na mata com o objetivo de cortar o caminho de sua vanguarda. Moviam-se em linhas paralelas, em sentido contrário, ao longo de um eixo nordeste—sudoeste.[235] Na manhã do Natal de 1973 uma das patrulhas estava na região de Palestina. O acaso fez com que uma tropa que pretendia interceptar a marcha de uma coluna de guerrilheiros acabasse passando pelo seu ponto de destino, o morrote onde estava a comissão militar.

Maurício Grabois, o *Mário*, pode ter sido o primeiro guerrilheiro a morrer. A narrativa de um oficial que se encontrava na região mas não presenciou o choque, informa que ele estava sentado numa trilha quando, para surpresa mútua, um tenente viu-o à sua frente. Grabois tinha um revólver 38 e o oficial, uma submetralhadora. As duas armas travaram, mas o tenente teve a segunda chance.[236] Há ainda duas outras versões. Numa, ele foi surpreendido enquanto comia. Na outra, foi morto em combate. Nesse choque morreram mais quatro guerrilheiros, entre

232 Ângelo Arroyo, "Relatório sobre a luta no Araguaia", em *Guerrilha do Araguaia*, p. 31.

233 Os dirigentes da guerrilha sabiam que haviam sido capturados *Jonas* (Abel) e dois camponeses que tinham colaborado no incêndio da ponte. Sabia-se da fuga do guerrilheiro *Josias*, no dia 17 de dezembro. No "Relatório sobre a luta no Araguaia", em *Guerrilha do Araguaia*, p. 31, Arroyo registra também o conhecimento da fuga do lavrador "Toninho", que conhecia a área.

234 Tobias Pereira Júnior.

235 Depoimento de um oficial combatente do Araguaia cujo nome fica preservado, agosto de 2001.

236 Idem, março e agosto de 2001. Outro oficial, que teria testemunhado a cena, diz que Grabois morreu no meio do tiroteio, combatendo. *Veja*, 13 de outubro de 1993, pp. 16-28. Ver também a documentação referente a Grabois, arquivada no Centro de Documentação Eremias Delizoicov, <http://www.desaparecidospoliticos.org.br/araguaia/mauricio.html>.

eles seu genro *Pedro*.[237] Grabois guardava consigo o arquivo da guerra. Desde o seu diário de campanha, até a coleção de panfletos, hinos e poemas dos combatentes. Ao tiroteio seguiu-se uma revoada de aviões e helicópteros que por todo o dia desembarcaram tropas e levaram para Marabá o que acharam. Tanto cadáveres como mochilas e objetos pessoais.[238]

A partir do tiroteio de 25 de dezembro de 1973, a narrativa de Ângelo Arroyo, principal fonte documental dos movimentos dos guerrilheiros, perde o método. Ele estava a dois quilômetros do acampamento.[239] Ouviu os tiros, mas só no dia seguinte veio a saber o que aconteceu. Restaram apenas memórias episódicas de moradores e umas poucas revelações feitas por militares.

Surpreendidos e fustigados por três patrulhas (trinta homens bem armados), os guerrilheiros perderam sua condição de força militar organizada. Eram pelo menos 35, metade do efetivo que vira a chegada do Exército em 1972. Dos quinze (ou dezesseis) combatentes do acampamento apenas quatro restabeleceram contato com o pedaço da guerrilha cujos movimentos foram registrados por Arroyo.[240] Escaparam *Osvaldão* e a temida *Dina*, que padecia de uma crise de malária. A ação das patrulhas dispersara os combatentes e desarticulara o seu sistema de comunicações. Os depósitos de mantimentos e os pontos de referência tornaram-se armadilhas.

Segundo Arroyo, 25 guerrilheiros reuniram-se na floresta no dia 29 de dezembro. No seu relatório, ele informou: "Mostrou-se a gravidade da situação e destacou-se que este era o período mais crítico que atravessava a guerrilha. Acentuou-se que outros povos já tinham passado por momentos muito difíceis e venceram porque persistiram na luta. Man-

237 Gilberto Olímpio Maria, 31 anos, ex-estudante de engenharia.

238 Segundo um oficial cujo nome fica preservado, os guerrilheiros no morrete de Palestina eram dezesseis e os mortos nesse combate foram cinco. Maio de 2002.

239 Elza Monnerat, "Dados a respeito do Araguaia", em Verônica Bercht, *Coração vermelho*, p. 151.

240 São *Osvaldão*, *Lia*, *Batista* e Lauro.

tendo-se unidos e decididos poder-se-iam superar as dificuldades. O comando indagou se algum dos combatentes queria abandonar a luta. [...] Ninguém manifestou o desejo de sair".[241]

Num relato posterior, Arroyo omitiu a cena da reunião heróica. Ela nunca aconteceu. Ele mesmo registrou que, depois do ataque do Natal, "os combatentes ficaram à mercê do inimigo".[242] *Zezinho*, o último sobrevivente da guerrilha, não guardou lembrança de semelhante reunião nos dias seguintes ao ataque contra a comissão militar.[243] A lembrança que guardou foi de que a certa altura decidiram retirar-se pelo menos 21 pessoas: "Quando se falou em dispersão, em outras palavras salve-se-quem-puder, cada destacamento teve a sua livre iniciativa de tomar rumo diferente. [...] Quando se fala em recuar, para onde? Aí o Osvaldo tinha muita razão, tinha muita clareza quando colocava. Quando nós falamos em recuo tínhamos de ter um lugar preestabelecido para o recuo. [...] Quando houve aquele momento da dispersão, foi um momento de desespero".[244]

Veterano militante do PC do B, *Zezinho* tinha 39 anos e uma condenação a dezoito meses de prisão.[245] Trabalhara na construção de Brasília, num bar e numa oficina de motocicletas. Passara cerca de um ano na China e dessa experiência extrairia uma objetiva serenidade. Ela o habituara à floresta, tornando-o um dos melhores mateiros da guerrilha: "Na mata eu serei a árvore, serei as folhas, serei o silêncio. A tática, a princípio, é essa. Dentro desses princípios, que são fundamentais na mata, a gente pode ir e vence todos os obstáculos".[246]

241 Ângelo Arroyo, "Relatório sobre a luta no Araguaia", em *Guerrilha do Araguaia*, p. 33.

242 Idem, "Grande acontecimento na vida do país e do PC do B", em *Guerrilha do Araguaia*, p. 60. Elza Monnerat, que conviveu com Arroyo nos anos seguintes, menciona uma reunião "com todos os guerrilheiros", mas não diz quantos eles eram. Ver Verônica Bercht, *Coração vermelho*, pp. 151-2.

243 O autor entrevistou Micheas Gomes de Almeida em duas ocasiões, por cerca de cinco horas. Ele tinha vaga lembrança do que pode ter sido uma reunião de dezessete pessoas, antes do ataque à comissão.

244 Depoimento de Micheas Gomes de Almeida a Romualdo Pessoa Campos Filho e Gilvane Felipe, 19 de dezembro de 1996. APRPCF.

245 Habeas data de Micheas Gomes de Almeida, dado em 20 de novembro de 2000 pela Agência Brasileira de Inteligência.

246 Depoimento de Micheas Gomes de Almeida a Romualdo Pessoa Campos Filho e Gilvane Felipe, 19 de dezembro de 1996. APRPCF.

Segundo Arroyo, a guerrilha dividiu-se em cinco grupos, e cada um deles partiu na manhã de 30 de dezembro. Um foi emboscado à tarde, e é provável que se tenha dissolvido. Outro dissolveu-se três dias depois. Seu chefe foi morto, e os quatro combatentes restantes dispersaram-se. Entre eles estavam *Rosa* e *Cristina*.

Depois de duas semanas de caminhada, Arroyo e seus cinco acompanhantes acamparam perto de uma capoeira. Foram procurar comida. Andaram pela estrada e não camuflaram a terra de onde haviam tirado algumas mandiocas. Metralhados, dividiram-se, e três tomaram outro curso. Um deles era *Beto*, o engenheiro Lúcio, de 29 anos, o último dos irmãos Petit da Silva.

Continuaram a marcha. Eram quatro, pois haviam incorporado ao grupo um guerrilheiro disperso. No dia 19 de janeiro, dois foram deixados no caminho. Ficaram com a tarefa de marcar um encontro para os dias 1º ou 15 de março com o pedaço do grupo que se separara.[247]

Segundo a narrativa de Arroyo, ele seguiu com *Zezinho* até a localidade onde fora destroçado o acampamento de Grabois. É dele o relato dos passos seguintes: "Notou-se fortes rastros dos inimigos, não só antigos como recentes. E os helicópteros sobrevoavam o local. Decidiram voltar, porque não havia condições para prosseguir".[248]

Lendo-se essas palavras, pode-se pensar que o principal quadro sobrevivente da comissão militar decidiu voltar ao lugar onde estava seu grupo, ou a um lugar seguro de onde pudesse seguir para os encontros que marcara com os combatentes. Ângelo Arroyo decidira voltar para São Paulo. Ia-se embora do Araguaia, deixando para trás pelo menos trinta guerrilheiros transformados em fugitivos. Haveria de faltar-lhe a sinceridade de Guevara, que, ao abandonar o Congo, registrara: "Nossa retirada não passava de uma fuga".

Guiados por *Zezinho*, atravessaram o rio Araguaia; em três dias passaram por terras goianas e subiram para o Maranhão até chegarem ao

247 Ângelo Arroyo, "Relatório sobre a luta no Araguaia", em *Guerrilha do Araguaia*, p. 33.
248 Idem.

Ceará.[249] Durante 22 anos acreditou-se que Arroyo saiu sozinho da floresta. Essa foi a impressão que deixou em seu relatório. Em 1996 o professor Romualdo Pessoa Campos Filho encontrou *Zezinho* em Goiânia. Micheas Gomes de Almeida completara 52 anos e vivera em São Paulo com outra identidade.[250]

Narrando a caminhada com Arroyo, *Zezinho* teve o seguinte diálogo com o professor Romualdo:

> — Quando o senhor estava retirando essas duas últimas pessoas, qual era o sentimento de vocês? [...] O que passava na cabeça de vocês?
>
> — Eu não sei. [...] Nós chegamos a um ponto extremo em que nós não tínhamos condição para nada. Não tínhamos condição para fazer comida, não tínhamos condição de conversar.[251]

Já no Maranhão, Arroyo disse a *Zezinho* que iriam para São Paulo. Ao saber disso, o guerrilheiro sentiu faltar-lhe chão debaixo dos pés:[252]

> Eu jamais imaginei que eu ia receber tarefa para me retirar dali. Nunca. Olhe, tudo me passou pela cabeça, menos essa hipótese.[...] Para mim naquele momento foi pior do que se eu tivesse recebido um tiro. [...] Eu vi o sacrifício de todos aqueles companheiros. A gente lutando junto, tendo um objetivo, e, naquele momento de dificuldade, a pessoa que tinha condição de dar um pouco, retirar alguém de lá... Eu me senti amarrado, eu me senti um trapo. Em outra conversa, me senti um lixo, me senti uma coisa assim que eu não sei nem te explicar.[253]

249 Para a duração, Micheas Gomes de Almeida, março de 2001.

250 Romualdo Pessoa Campos Filho, *Guerrilha do Araguaia*, pp. 237-41.

251 Depoimento de Micheas Gomes de Almeida a Romualdo Pessoa Campos Filho e Gilvane Felipe, 19 de dezembro de 1996. APRPCF.

252 Micheas Gomes de Almeida, março de 2001.

253 Depoimento de Micheas Gomes de Almeida a Romualdo Pessoa Campos Filho e Gilvane Felipe, 19 de dezembro de 1996. APRPCF.

Passados quase trinta anos do aniquilamento da guerrilha do Araguaia, a reconstrução do que sucedeu na floresta a partir do Natal de 1973 é um exercício de exposição de versões prejudicadas pelo tempo, pelas lendas e até mesmo pela conveniência das narrativas. Delas, a mais embusteira é a dos comandantes militares que se recusam a admitir a existência da guerrilha e a política de extermínio que contra ela foi praticada. Nunca revelaram suas baixas. Reconheceram a morte do sargento Mário Abrahim e do cabo Odílio, mas nunca revelaram o nome de um soldado morto na Bacaba por um disparo acidental. Pode-se estimar que seus mortos girem em torno de dez.

Da guerrilha do Araguaia só há um relato assumido de oficial combatente. É o do capitão Pedro Correa Cabral, feito mais de vinte anos depois, quando ele já era coronel da reserva: "A guerrilha já não era mais guerrilha. Era uma caçada levada a termo por verdadeiros monstros".[254] Cabral revelou que helicópteros sobrevoaram a selva com alto-falantes por meio dos quais se oferecia a rendição aos guerrilheiros. Quem a aceitou, foi assassinado.[255] Os comandantes militares produziram apenas um documento, da Marinha, no qual está registrada a suposta data da morte de cada guerrilheiro.[256] Conhece-se também um canhenho de anotações de um oficial que participou dos combates, com registros parciais. Juntos, formam um conjunto desconexo.

Restam ainda as lembranças de moradores que continuaram na região. Três depoimentos são esclarecedores. Um é do encarregado da lan-

254 *Veja*, 13 de outubro de 1993, p. 22, por Rinaldo Gama.

255 Depoimento do coronel Pedro Correa Cabral à Comissão de Direitos Humanos da Câmara dos Deputados, 23 de maio de 2001.

256 A confiabilidade dessa lista requer cautela. Está errada em dois casos. Registra que Antônio Guilherme Ribeiro Ribas, o *Ferreira*, morreu em fevereiro de 1973, quando Arroyo, no "Relatório sobre a luta no Araguaia", em *Guerrilha do Araguaia*, p. 31, o dá por vivo no dia 28 de novembro. Informa que *Rosa* foi morta a tiros num acampamento, quando ela foi capturada viva e vista tanto presa como na ocasião de seu fuzilamento. Apesar dessa restrição, três mortes (*Zeca Fogoió*, *Osvaldão* e *Peri*) cuja data pode ser estabelecida com base nos depoimentos de outras fontes militares estão corretamente localizadas.

chonete da Bacaba, José Veloso de Andrade, outro é do sargento João Santa Cruz, cujo nome se tornou uma lenda entre as forças da ordem. O terceiro é o do coronel Pedro Cabral.

Veloso guardou uma versão e uma certeza do que aconteceu a *Dina*:

> A *Dina* foi presa aqui nas imediações da Itaipava, quando ela tirou o revólver do braço e deu pra um velho ir vender, porque ela tava fraca de dinheiro, não tinha dinheiro, então ela juntamente com a *Lia*, não sei o nome da *Lia*.[257] E aí o velho chegou e avisou pra turma do Exército. Aí juntou o pessoal e foram, o pessoal do Exército, foram com o velho levar... acompanharam o velho e fizeram lá os traços deles com o velho, e fizeram uma emboscada. Aí o velho vai com elas deixar dinheiro e tirar elas, à noite. [...] Ela não foi morta, ela foi presa. Quem falou, quem informou mentiu. [...] Ouvi falar que tinham levado pra Brasília, agora não sei.[258]

Santa Cruz, que chegou com as tropas em 1972 e permaneceu na região depois da saída do Exército, viu *Dina* na Bacaba e conversou com ela em inúmeras ocasiões.[259] O coronel Pedro Cabral trocou algumas palavras com uma guerrilheira grávida, que acredita ter sido *Dina*, presa na Casa Azul. Ela lhe dissera: "Estou doida para voltar para Brasília, pagar minha pena". No dia seguinte, Cabral viu-a embarcando num helicóptero com uma patrulha comandada pelo *Major Curió*.[260] Foi assassinada.

257 Telma Regina Cordeiro Corrêa, 27 anos, ex-estudante de geografia na Universidade Federal Fluminense.

258 Depoimento de José Veloso de Andrade a Romualdo Pessoa Campos Filho e Gilvane Felipe, 19 de janeiro de 1994. APRPCF. Ainda que haja outras versões segundo as quais *Dina* foi entregue por um morador da região, é improvável que ela e *Lia* tenham sido presas juntas. Para o conjunto de versões sobre as duas, consultar o Centro de Documentação Eremias Delizoicov. Para *Dina*: <http://www.desaparecidospoliticos.org.br/araguaia/dinaelza.html>. Para *Lia*, com o depoimento de uma testemunha ocular que a viu ser presa sozinha: <http://www.desaparecidospoliticos.org.br/araguaia/telma.html>.

259 Deputado Luiz Eduardo Greenhalgh, setembro de 2001, depois de ter tomado o depoimento do sargento Santa Cruz na Comissão de Direitos Humanos da Câmara dos Deputados.

260 Depoimento do coronel Pedro Correa Cabral à Comissão de Direitos Humanos da Câmara dos Deputados, 23 de maio de 2001.

Sabe-se também como foi capturado *Zeca Fogoió*,[261] o último sobrevivente da comissão militar da guerrilha: no início de janeiro ele se acercou da casa de um camponês e lhe pediu água, comida e chão para repousar. Recebeu água e sentou-se num toco à beira de um mandiocal. O menino da casa foi mandado à fazenda onde estava o comando das patrulhas do lugar. Rendido, o guerrilheiro pediu: "Doutor, não vai me matar". Tinha o corpo coberto por ulcerações de picadas de mosquito e desnutrição. Numa mochila de aniagem carregava carne de macaco e mandioca. Identificou-se como José Humberto Bronca. Quando o helicóptero chegou, trazendo sargentos do CIE, um deles esclareceu: "Que Bronca coisa nenhuma, esse é o *Fogoió*".[262] Segundo o registro da Marinha, ele morreu no dia 13 de março de 1974.

Piauí, um dos quadros mais qualificados do PC do B, andou pelo mato por várias semanas, até que um menino que o acompanhava (cujo pai aderira à guerrilha e fora morto) resolveu levá-lo à casa de um tio. Estava faminto, seminu. Foi entregue à tropa, que o encapuzou, amarrou e levou para a Bacaba.[263] O mateiro *Peixinho* acompanhou-o em cinco patrulhas na busca por depósitos de armas ou mantimentos. A princípio *Piauí* ia amarrado. Depois, andava com a tropa. Um dia disseram ao mateiro que *Piauí* não o acompanharia mais.[264]

João Araguaia,[265] que participara do ataque ao posto da PM e escapara da emboscada em que morrera André Grabois, partira à frente de um dos cinco grupos formados no dia 30 de dezembro. Provavelmente no final de janeiro, a sorte protegeu-o de novo. Foi com o guerrilheiro *Manoel*[266]

261 José Humberto Bronca, 39 anos, ex-mecânico de manutenção de aviões.

262 Depoimento de um oficial combatente do Araguaia cujo nome fica preservado, fevereiro de 2001.

263 Depoimento de José Vieira a Romualdo Pessoa Campos Filho, 25 de fevereiro de 1996. APRPCF. Ver também o depoimento de uma moradora da região a Sônia Zaghetto, em *O Liberal* de 3 de junho de 2001, e os de José Moraes Silva e José Francisco Dionísio, em *Inquéritos Civis Públicos* MPF/SP/Nº 03/2001, MPF/PA/Nº 01/2001 e MPF/DF/Nº 05/2001.

264 Termo de Declaração que Presta Raimundo Nonato dos Santos (*Peixinho*), em São Domingos do Araguaia, em 14 de julho de 2001. Centro de Documentação Eremias Delizoicov, <http://www.desaparecidospoliticos.org.br/araguaia/a_padua.html>.

265 Dermeval da Silva Pereira, 29 anos, advogado.

266 Rodolfo de Carvalho Troiano, 24 anos, ex-estudante secundarista.

à casa de um lavrador para devolver-lhe o filho Sebastião, que acompanhara a guerrilha. Continuava robusto, vestia bermudas e carregava uma submetralhadora. O pai do menino foi para a Bacaba e avisou os militares. Voltou com doze soldados. Guiados por Sebastião, entraram na mata, e deu-se um tiroteio. *Manoel*, ferido, foi morto com um tiro na cabeça.[267] Tempos depois, magro, amarelado e cabeludo, *João* pediu a um lavrador que o entregasse ao Exército. Foi metralhado na Bacaba.[268]

Beto, o último dos irmãos Petit da Silva, foi preso em abril, com dois outros guerrilheiros, quando foi à casa de um lavrador em busca de sal.[269] Um deles mal podia caminhar. (Nos cinco anos seguintes, vivendo em São Paulo, a costureira Julieta, mãe dos três Petit da Silva, acreditou que eles estariam no exterior ou na prisão. Pelo resto de sua vida colocou uma flor ao lado do retrato de Maria Lúcia no dia de seu aniversário, retirando-a somente quando as pétalas caíam. Restou-lhe um casal de filhos.)[270]

Peri,[271] achado sozinho na mata, tinha consigo uma garrafa com sal, uma garrucha e um caderno de notas no qual louvava os jabutis e maldizia os mateiros. Levou um tiro na cabeça, e um helicóptero buscou seu cadáver.[272] Deixado no chão da base de Xambioá, foi chutado pela tropa até que um oficial da FAB interveio, exigindo que respeitassem o inimigo morto. No cárcere da Bacaba, Veloso viu pelo menos sete guerrilheiros

267 Depoimento de Luiz Martins dos Santos e Zulmira Pereira Neres, em *Inquéritos Civis Públicos* MPF/SP/Nº 03/2001, MPF/PA/Nº 01/2001 e MPF/DF/Nº 05/2001.

268 Depoimento de Rocilda Souza dos Santos, em *Inquéritos Civis Públicos* MPF/SP/Nº 03/2001, MPF/PA/Nº 01/2001 e MPF/DF/Nº 05/2001, e entrevista de Manuel Leal Lima, o *Vanu*, a Romualdo Pessoa Campos Filho. APRPCF.

269 Ele estava com Antônio Ferreira Pinto (*Antônio Alfaiate*) e Uirassu de Assis Batista (*Valdir*). Depoimentos de Margarida Ferreira Félix e Antônio Félix da Silva. *Beto* foi visto preso, por Adalgisa Moraes da Silva. Segundo Sinvaldo de Souza Gomes, existe uma fotografia de *Beto*, amarrado, diante de um helicóptero. *Inquéritos Civis Públicos* MPF/SP/Nº 03/2001, MPF/PA/Nº 01/2001 e MPF/DF/Nº 05/2001.

270 *O Globo*, 28 de abril de 1996, e *Veja*, 19 de maio de 1996.

271 Pedro Alexandrino de Oliveira Filho, 27 anos, bancário.

272 Informação dada por um oficial cujo nome fica preservado, fevereiro de 2001. Segundo o relatório da Marinha, *Peri* morreu em agosto de 1974.

capturados. Por coincidência, *Vanu* viu dois deles vivos, no mato, escoltados pela tropa.[273]

Depois de morto, *Osvaldão* foi degolado.[274] Nesse caso, por puro barbarismo. A lógica do extermínio explicava a degola como recurso necessário para a identificação de guerrilheiros mortos no meio da mata, a dias de distância de um ponto de contato com a tropa. Num episódio desse tipo, José dos Santos Aniká, que combateu a guerrilha como soldado, contou o que fez: "Eu matei um guerrilheiro e, seguindo a prática do Exército, cortei sua cabeça e as mãos para que seu nome pudesse ser riscado da lista negra entregue a todos os militares com os nomes e as fotos de todos os procurados".[275]

A partir de outubro de 1973 todos os militantes do PC do B aprisionados foram executados. Pelo menos dois cadáveres foram deixados insepultos na floresta.[276] Mataram inclusive *Josias*, que, segundo os registros de um militar, identificou e confirmou a presença na região de quatro outros guerrilheiros.[277] Há depoimentos esparsos de mateiros e moradores indicando que alguns guerrilheiros se renderam. Outros, depois de presos, foram levados de volta à floresta para localizar refúgios e esconderijos de mantimentos. (Em março de 1974 o governo contabilizara a destruição de 54 depósitos de mantimentos.[278]) Rendidos e submissos, foram assassinados. Puseram alguns deles em aviões tripulados por equipes do Centro de Informações da Aeronáutica e jogaram-nos no oceano.[279] Esse

273 Veloso viu na Bacaba: *Mariadina* (Dinaelza Soares Santana Coqueiro), *Chica* (Suely Yumiko Kanayama), *Edinho* (Hélio Luiz Navarro de Magalhães), *Beto* (Lúcio Petit da Silva), *Valdir* (Uirassu de Assis Batista), *Pedro Carretel* (Pedro Matias de Oliveira) e *Rosa* (Maria Célia Corrêa). Desses, *Vanu* viu vivos *Pedro Carretel* e *Rosa*. Além deles, viu *Piauí* (Antônio de Pádua Costa) e *Duda* (Luiz Renê Silveira e Silva).

274 Entrevistas do ex-soldado José dos Santos Aniká a *O Globo* de 31 de dezembro de 1995 e de Joaquina Pereira a *O Globo* de 2 de maio de 1996.

275 *O Globo*, 31 de dezembro de 1995.

276 Agenor Moraes da Silva viu o cadáver que acreditou ser de Luiz Renê Silveira e Silva, o *Duda*, a quem vira, vivo, na Bacaba. Margarida Ferreira Félix viu o de Lúcia Maria de Souza, a *Sônia*. *Inquéritos Civis Públicos* MPF/SP/Nº 03/2001, MPF/PA/Nº 01/2001 e MPF/DF/Nº 05/2001.

277 *O Globo*, 28 de abril de 1996.

278 Maria Celina d'Araujo e Celso Castro (orgs.), *Dossiê Geisel*, p. 49.

279 Depoimento de um oficial combatente do Araguaia cujo nome fica preservado, janeiro de 2002.

pode ter sido o caso dos que foram retirados da Bacaba com a informação de que fariam uma "viagem".

As forças militares pouparam pelo menos seis lavradores que, com suas famílias, internaram-se na mata a convite da guerrilha e, semanas depois, dispersaram-se.[280] Pouparam também três dos adolescentes recrutados pelo PC do B. Não há notícia de jovem atraído pelos guerrilheiros que, depois de capturado, tenha sido assassinado pelo Exército. O menino José Vieira, que foi preso com *Piauí*, sobreviveu à terceira campanha e contou sua história. Passou um tempo na cadeia. Levaram-no para Belém e de lá para Altamira, onde o alistaram no Exército. Serviu por um ano e retornou para casa. Ele guardou a lembrança de dois outros que foram alistados.[281]

No final de fevereiro de 1974 o Exército estimava que os fugitivos fossem cerca de vinte e começou a retirar suas tropas especiais do Araguaia. Deixou em torno de cem homens do CIE e das tropas especiais, manteve os postos de comando e as bases de Marabá e Xambioá. A partir daí o músculo da força combatente passaria a ser outro, as equipes Zebra. Em geral uma equipe Zebra era composta por dois mateiros, armados com fuzis Mauser e trinta cartuchos, atrás de recompensas que iam de 3 mil cruzeiros por uma boa informação a 5 mil por um guerrilheiro morto.[282] Três mil cruzeiros era o valor do prêmio que o colégio Pedro II pagara ao aluno de sua Faculdade de Humanidades que fizera o melhor ensaio so-

280 Depoimento de Luiz Martins dos Santos e Zulmira Pereira Neres, em *Inquéritos Civis Públicos* MPF/SP/Nº 03/2001, MPF/PA/Nº 01/2001 e MPF/DF/Nº 05/2001.

281 Depoimento de José Vieira a Romualdo Pessoa Campos Filho, 25 de fevereiro de 1996. APRPCF. Segundo José, um jovem de nome Sebastião também "tirou os tempos" em Altamira. Ele menciona mais dois, um dos quais é Wilson, o garoto que escapou da emboscada em que morreu a guerrilheira *Sônia*. Para o caso de Sebastião, ver o depoimento de Zulmira Pereira Neres, em *Inquéritos Civis Públicos* MPF/SP/Nº 03/2001, MPF/PA/Nº 01/2001 e MPF/DF/Nº 05/2001.

282 Depoimento de um oficial combatente do Araguaia cujo nome fica preservado, dezembro de 2001. O ex-guia Alexandre de Oliveira usou esse termo, que relacionou com a busca de rastros, fixando a sua ação em 1974: "Eu ficava com mais quatro na 'zebra' [...] e não tinha dia, não tinha sol, não tinha chuva: o pau quebrava mesmo no mato". Em <http://www.desaparecidospoliticos.org.br/araguaia/7.html>, citando *A guerrilha do Araguaia*, de Palmério Dória e outros. Há outra referência às "zebras" no depoimento de José Veloso de Andrade a Romualdo Pessoa Campos Filho e Gilvane Felipe, de 19 de janeiro de 1994: "[...] os caras que entravam... que eles criavam uma equipe de guias, que se chamavam 'zebras' [...]". APRPCF.

bre o tema "A Revolução de 1964 e a educação nacional".[283] Cinco mil valera a parte do capitão Guimarães no trabalho de cobertura de um desembarque de contrabando em Sepetiba.[284]

Pela narrativa de um morador, a oferta de dinheiro era suficiente para enricar.[285] Pelo menos dois sargentos com anos de serviço na selva (um com curso no Panamá) ficaram no Araguaia caçando guerrilheiros. Um deles seguiu para sudoeste e capturou dois fugitivos.[286] Estabeleceu-se na região, onde obteve terras.[287] O guerrilheiro *Doca*[288] foi fotografado na companhia do ex-sargento João Santa Cruz, na mata, ao lado de uma pequena cachoeira. Está agachado, com as mãos e os pés livres, na posição de quem compõe uma cena.[289] Segundo o relatório da Marinha, ele morreu em junho de 1974.

Renasceram as volantes caçadoras de cangaceiros. Pode-se estimar que as equipes Zebra tenham sido dez, mas não se sabe quantos guerrilheiros mataram. A recompensa foi dada apenas às volantes credenciadas. Os demais eram gratificados de acordo com os costumes definidos em 1972. O mateiro *Piauí*, matador de *Osvaldão*, ganhou uma gleba de terra na mata e viveu a fama de seu êxito. Morreu pobre em 1993, e o governo pagou-lhe o funeral.[290] Outro bate-pau, que participara de pelo menos um combate no qual morreram quatro guerrilheiros, ganhou sua gleba, mas faltou-lhe dinheiro para mantê-la. Acabou como carroceiro.[291] Adalberto Virgulino, que capturou a guerrilheira Áurea,[292] re-

283 *A Revolução e a juventude*, p. 17.

284 Depoimento de Álvaro Cardoso Machado, *Processo nº 4896*, STM, vol. 1, p. 75.

285 Para o interesse dos mateiros pela recompensa, depoimento de João de Deus Nazário a Romualdo Pessoa Campos Filho, 26 de fevereiro de 1996. APRPCF.

286 Depoimento de um oficial combatente do Araguaia cujo nome fica preservado, abril de 2001.

287 Depoimento de *Pedro Marivetti* a Romualdo Pessoa Campos Filho, 21 de janeiro de 1994. APRPCF.

288 Daniel Ribeiro Callado, 34 anos, operário.

289 *Jornal Opção*, 8 a 14 de julho de 2001, reportagem de Euler Belém.

290 Depoimento de Dilma Bezerra, sobrinha de Arlindo Vieira, em *O Globo* de 29 de abril de 1996. Para o funeral, depoimento de José Veloso de Andrade a Romualdo Pessoa Campos Filho e Gilvane Felipe, 19 de janeiro de 1994. APRPCF.

291 É Manuel Leal Lima, o *Vanu*. *O Globo*, 2 de maio de 1996.

292 Áurea Eliza Valadão, 24 anos, ex-estudante de Física da UFRJ, viúva de Arildo Valadão.

cebeu oitocentos cruzeiros e um maço de cigarros.[293] O fazendeiro que entregou *Rosa* foi condecorado e veio a ser delegado de polícia na sua pequena cidade.[294]

A caçada do Araguaia pode ter durado mais nove meses. Dois registros de informantes do Exército revelam que em outubro de 1974 três guerrilheiros foram vistos no mato. Dois homens com roupas esfarrapadas, no dia 3.[295] Uma semana depois o lavrador *Chico Vitorino* viu uma mulher magra, meio amarelada. Mancava de uma perna e estava descalça. Vestia bermuda e camisa de homem, e trazia um revólver na mão. Desorientada, pedia fósforos. Fugiu quando lhe pediram a arma. Dois mateiros seguiram seu rastro, sem sucesso. Na folha manuscrita assinada por *Chico Vitorino* alguém escreveu: "Ela".

Era Walkíria.[296] Chegara ao mato em 1971 e dois anos depois estivera no pelotão de quatro mulheres que assassinaram um funcionário da Companhia de Terras de Goiás.[297] Segundo o registro da Marinha enviado ao Congresso, *Walk* foi a última combatente executada. Morreu no dia 25 de outubro de 1974. O mateiro Sinésio Martins Ribeiro viu-a presa na base de Xambioá: "Ela estava bem cuidada, limpa com roupa nova, um vestido, falando com o doutor. O doutor não gostava de falar com guerrilheiro sujo". Um soldado levou-a para o mato, carregando uma lata de biscoitos com cal virgem. Dias depois, quando Sinésio perguntou ao soldado onde ela estava, ouviu: "Já era".[298]

293 *IstoÉ*, 28 de julho de 1993.

294 Depoimento do fazendeiro Geraldo Martins de Souza, em *O Globo* de 5 de maio de 1996.

295 *Informe nº 4*, de 3 de outubro de 1974. AA.

296 Walkíria Afonso Costa, 28 anos, ex-aluna de pedagogia da UFMG e ex-vice-presidente de seu diretório acadêmico.

297 Documento da Marinha, anexo ao *Relatório da Comissão Externa Destinada a Atuar junto aos Familiares dos Mortos e Desaparecidos Políticos após 1964, na Localização de seus Restos Mortais*, publicado no *Diário do Congresso Nacional* de 23 de março de 1995, p. 4179. Para o fuzilamento, *Jornal do Brasil* de 12 de abril de 1992, p. 17, reportagem de Ronaldo Brasiliense.

298 Termo de Declaração que Presta Sinésio Martins Ribeiro, em São Geraldo do Araguaia, em 19 de julho de 2001. Centro de Documentação Eremias Delizoicov, <http://www.desaparecidos-politicos. org.br/araguaia/walquiria.html>.

Na guerra popular do PC do B pereceram 59 quadros levados para o Araguaia. Suas famílias foram indenizadas pelo Estado. Quase todos tornaram-se nome de pelo menos uma rua, no município de Campinas. Alguns, de três. Morreram também cerca de dez moradores do Araguaia. Em alguma medida, deram à guerrilha "a simpatia" e a "violência das massas". Só três foram indenizados. Um deles — Antonio Alfredo — virou nome de rua. Os outros — Lourival Paulino e Luiz Vieira — não tiveram essa homenagem. Num livro em que publicou a biografia dos mortos do Araguaia, o PC do B dedicou 121 linhas a Maurício Grabois e três a cinco camponeses desaparecidos durante a guerrilha, um dos quais estava vivo.[299] Nelas falta pelo menos um combatente. Chama-se *Batista*, e dele pouco se sabe. Estava com *Osvaldão* quando a tropa atacou a comissão militar, no Natal de 1973.[300] Continuou com os guerrilheiros até que foi capturado, numa casa onde pediu comida. Foi visto na prisão, em Xambioá, onde desapareceu.[301]

Num dos mais grosseiros episódios de mistificação política produzidos pelo comunismo nacional, a direção do PC do B, liderada por João Amazonas, levou ao seu limite a retórica do heroísmo popular e transferiu os combates para o mundo da fantasia do materialismo histórico. Em abril de 1974, quando Arroyo já se encontrava em São Paulo, um editorial d'*A Classe Operária* enviava "fraternais e entusiásticas saudações de combate" aos seus quadros e assegurava: "Não há dúvida de que os guerrilheiros do Araguaia têm condições para resistir e possuem imenso campo de manobra".[302] Em novembro o jornal clandestino *O Araguaia* informava que, "no decorrer destes dois anos e oito meses do início da

299 É Frederico (Frederico Lopes). Apareceu em 1985. *O Globo*, 5 de maio de 1996.

300 Ângelo Arroyo, "Relatório sobre a luta no Araguaia", em *Guerrilha do Araguaia*, pp. 31-2.

301 Termo de Declaração que Presta Sinésio Martins Ribeiro, em São Geraldo do Araguaia, em 19 de julho de 2001. Centro de Documentação Eremias Delizoicov, <http://www.desaparecidos-politicos.org.br/araguaia/aurea.html>.

302 "Dois anos de luta gloriosa", *A Classe Operária*, abril de 1974. Elza Monnerat encontrou-se com Arroyo em São Paulo, no final de março de 1974. Verônica Bercht, *Coração vermelho*, p. 146.

resistência, a guerrilha conseguiu se implantar firmemente na região".[303] Nessa época, nem fugitivos havia mais.

Enquanto os capas-pretas do PC do B combatiam numa guerrilha que não tinha mais história, o CIE combatia a História, para que nela não existisse guerrilha. Apagava o registro do extermínio. Equipes de militares mandadas ao Araguaia abriram sepulturas, retiraram os corpos espalhados pela região e levaram-nos de helicóptero para a serra das Andorinhas, onde foram queimados em fogueiras de pneus carecas.[304] Em abril de 1975 o PC do B dirigia-se aos combatentes: "Saudamos calorosamente os intrépidos guerrilheiros do Araguaia, sua decisão inabalável de prosseguir combatendo por uma causa justa". Em setembro, sempre conjugando a ação da guerrilha no tempo presente, proclamava: "Vivam as Forças Guerrilheiras do Araguaia!". Só em abril de 1976 o núcleo dirigente do PC do B admitiu que a guerra popular tinha "retrocedido".[305] Ainda assim, sustentaria: "O balanço político, do ponto de vista da luta do nosso povo e do papel do partido, no que respeita aos sucessos do Araguaia, é altamente positivo".[306]

O Exército nunca contou como prevaleceu, e o PC do B nunca reconheceu a derrota militar de sua iniciativa política. Agiram assim porque cada um teve um pedaço da história a esconder.

Pelo lado das forças da ditadura, os militares que se apresentavam ao país como um fator de civilização e progresso, encarnaram os valores e os métodos das volantes de caçadores de quilombolas e de cangaceiros. A vida dos inimigos tornara-se uma irrelevância diante de um objetivo maior: o extermínio da subversão comunista.

Pelo lado da liderança do PC do B, que se apresentava como a vanguarda de uma guerra popular, ruiria sua conexão com a realidade. Operacionalmente, ela se desligou do que acontecia no Araguaia, tanto em relação aos meios (que eram poucos) como em relação à responsabili-

303 *O Araguaia*, novembro-dezembro de 1974, em Wladimir Pomar, *Araguaia*, p. 47.

304 *Veja*, 13 de outubro de 1993.

305 *A Classe Operária*, abril e setembro de 1975 e abril de 1976, em Wladimir Pomar, *Araguaia*, pp. 237, 245 e 247.

306 Ângelo Arroyo, "Grande acontecimento na vida do país e do PC do B", em *Guerrilha do Araguaia*, p. 56.

dade que lhe cabia. Substituiu o massacre de seus quadros pela propaganda da iniciativa. O extermínio tornara-se uma irrelevância diante do objetivo maior: a autoglorificação do partido.

Perseguindo objetivos que ora prescindiam dos fatos ora os temiam, a ditadura e o PC do B entrariam para a história com o mesmo slogan: "Vencemos".

A extravagância geográfica, somada ao sigilo da operação e ao silêncio em que o massacre do Araguaia foi envolvido por todos os governos seguintes, deixou a impressão de que este foi um episódio singular. Do ponto de vista histórico, os massacres de Canudos e do Contestado ficaram por décadas em situação parecida. O primeiro, incorporado como enredo de uma obra-prima literária. O segundo, relegado a um desconhecimento às vezes atribuído à falta de um Euclides da Cunha. Cada um à sua maneira, esses episódios adquiriram aparência de excentricidade quando foram manifestações semelhantes do exercício selvagem da violência do Estado.[307]

O massacre do Araguaia foi o apogeu de uma concepção política na qual se embutira o extermínio das militâncias esquerdistas. Teve pouco de específico. A violência militar contra os humildes moradores da região seguiu a tradição nacional. Sua singularidade esteve apenas na diretriz, executada a partir de outubro de 1973, do extermínio de todos os guerrilheiros.

O recurso ao assassinato e a idéia da eliminação das lideranças e dos principais quadros das organizações armadas era-lhe anterior. Quando o primeiro oficial do Centro de Informações do Exército chegou à casa de telhado azul de Marabá, a casa de Petrópolis funcionava havia pelo menos um ano. Em 1971, quando nada se sabia do Araguaia, desapareceram pelo menos catorze presos políticos. Muitos deles foram executados nas condições de submissão em que haveriam de morrer quase todos os guerrilheiros.

307 Vale lembrar que Adeodato, comandante rebelde do Contestado, vagou pela mata e foi localizado em condições semelhantes àquelas em que se encontrava *Osvaldão*. Entregou-se, e um júri o condenou. Fugiu e foi recapturado. Sete anos depois, mataram-no quando tentava nova fuga. Paulo Ramos Derengoski, *Guerra no Contestado*, pp. 106-8.

No último trimestre de 1973 morreram treze pessoas fora do Araguaia. Destas, seis desapareceram. Pela primeira vez na história da ditadura, o número de desaparecidos aproximava-se ao de mortos oficialmente admitidos. Estava-se diante de um novo comportamento. Nele, o que sucedeu no Araguaia foi amostra radical, não episódio isolado.

Dez anos depois da saída do marechal Castello Branco de sua casa de Ipanema para o palácio Laranjeiras, o general Ernesto Geisel preparava-se para ocupar a Presidência da República. Receberia uma ditadura militar que apoiara, sabendo que dentro dela estava montada uma máquina de extermínio das lideranças esquerdistas. Não havia mais guerrilha, muito menos terrorismo. Sobrara a máquina.

APÊNDICE

BREVE NOMENCLATURA MILITAR

1 Patentes

São as seguintes as patentes dos oficiais das Forças Armadas:

MARECHAL (cinco estrelas)
Patente honorífica, extinta no governo Castello.
Ao passarem para a reserva, os generais-de-exército eram promovidos ao marechalato.
Em 1975 eles eram 73.*

GENERAL-DE-EXÉRCITO (quatro estrelas)
É a patente mais alta dos oficiais da ativa.
Em 1964 o Exército tinha catorze quatro-estrelas. Quatro em comandos de exércitos, um na chefia do Estado-Maior e outros quatro na chefia dos departamentos administrativos. Juntos, formavam o Alto-Comando.
Um oficial pode ter quatro estrelas e ficar sem função, assim como pode ter função (o comando da Escola Superior de Guerra, por exemplo) e não pertencer ao Alto-Comando.
(Essa patente corresponde à de almirante-de-esquadra na Marinha e tenente-brigadeiro na Força Aérea.)

GENERAL-DE-DIVISÃO (três estrelas)
Em 1964 eram 31.** Em 1975, 42.
Os três-estrelas comandam as divisões de tropas (a 1ª Divisão de Infantaria, da Vila Militar, por exemplo). Ocupam as vice-chefias do Estado-Maior e dos departamentos. Também chefiam as Regiões Militares.
(Corresponde ao vice-almirante e ao major-brigadeiro.)

* Até 1968, quando morreu, o marechal Mascarenhas de Moraes foi mantido no serviço ativo, por decisão do Congresso. Era uma homenagem ao comandante da Força Expedicionária Brasileira.
** Computaram-se os engenheiros militares (dois), médicos (um), veterinários (um) e intendentes (um).

GENERAL-DE-BRIGADA (duas estrelas)
Em 1964 eram 73. Em 1975, 93.
Um general de duas estrelas pode comandar uma unidade importante, como a Brigada Pára-Quedista, ou uma diretoria burocrática.
Em 1964 a idade média dos generais-de-brigada ficava em pouco menos de 54 anos.
(Corresponde ao contra-almirante e ao brigadeiro.)

Pela reforma de 1967, devida ao presidente Castello Branco, nenhum oficial pode permanecer mais de doze anos na ativa como general. Além disso, cada uma das patentes deve ter 25% de seu quadro renovado a cada ano. Essas normas vigoram até hoje.

CORONEL
Em 1964 o Exército tinha 340 coronéis em funções consideradas militares. Em 1975, 408.
Na tropa, o coronel comanda um regimento.
(Corresponde ao capitão-de-mar-e-guerra da Marinha.)

Pela reforma de Castello nenhum coronel pode permanecer menos de sete e mais de nove anos na patente.

TENENTE-CORONEL
Comanda um batalhão.
Ficava-se nessa patente em torno de cinco anos.
A etiqueta militar dá aos tenentes-coronéis o tratamento de "coronel".
(Corresponde ao capitão-de-fragata da Marinha.)

MAJOR
Comanda um batalhão.
(Corresponde ao capitão-de-corveta da Marinha.)

CAPITÃO
Comanda uma companhia.
Em 1975 o Exército tinha cerca de 2 mil capitães.

TENENTE
Comanda um pelotão.
Na média, de cada cem tenentes, seis chegam a general.

2 Estrutura

No Exército convivem duas estruturas. Uma, diretamente relacionada com as tropas de combate, é bastante simples. Outra, na qual está a burocracia, é mais complexa.
É a seguinte a estrutura de uma tropa de combate, vista de baixo para cima:

PELOTÃO
Tem um efetivo que pode variar entre trinta e cinqüenta homens. É comandado por um tenente.

COMPANHIA
Três pelotões formam uma companhia. Tem de cem a 150 homens. É comandada por um capitão.

BATALHÃO
Três companhias formam um batalhão. Seu efetivo oscila de trezentos a 450 homens, comandados por um major ou tenente-coronel.

REGIMENTO
Três batalhões formam um regimento. Tem entre mil e 1500 homens e é comandado por um coronel.

BRIGADA
É uma unidade de composição mista, sempre comandada por um general de duas estrelas. Seu efetivo pode variar entre 5 mil e 10 mil homens.

DIVISÃO
Um número variável de brigadas e regimentos agrupam-se numa divisão.
Essa é a principal unidade combatente. Reúne tropas das diferentes Armas. Nelas, excentricamente, as tropas de infantaria ficavam sob o comando de uma Infantaria Divisionária, conhecida como ID.

EXÉRCITO
Conhecido como "grande comando", agrupa todas as tropas de uma determinada região geográfica.
As tropas terrestres estavam assim divididas:
I Exército, com jurisdição sobre as tropas do Rio (onde ficava o seu comando), Minas Gerais e Espírito Santo;
II Exército, incluindo São Paulo (sede do comando) e Mato Grosso;
III Exército, incluindo o Rio Grande do Sul (sede do comando, em Porto Alegre), Santa Catarina e Paraná, e
IV Exército, com sede no Recife, englobando todos os estados do Nordeste.

Além desses grandes comandos ocupados por quatro-estrelas, havia dois outros, sob as ordens de generais-de-divisão:
Comando Militar da Amazônia, com sede em Manaus, e
Comando Militar do Planalto, com sede em Brasília e jurisdição sobre o Distrito Federal e Goiás.

Existiam também onze Regiões Militares, comandadas por generais-de-divisão.
A região cuida essencialmente do apoio logístico ao Exército em cuja área se situa.
Eram as seguintes as Regiões Militares:

1ª RM, com sede no Rio de Janeiro;
2ª RM, com sede em São Paulo;
3ª RM, com sede em Porto Alegre;
4ª RM, com sede em Juiz de Fora;
5ª RM, com sede em Curitiba;
6ª RM, com sede em Salvador;
7ª RM, com sede no Recife;
8ª RM, com sede em Belém;
9ª RM, com sede em Campo Grande;
10ª RM, com sede em Fortaleza, e
11ª RM, com sede em Brasília.

CRONOLOGIA

1969

POLÍTICA

Janeiro Cassados 39 parlamentares, três ministros do STF e um do STM.

O capitão Carlos Lamarca deserta.

Julho Inaugurada a nova sede da Oban.

Os conservadores prevalecem na CNBB.

Roubado o cofre de Adhemar de Barros.

Agosto Costa e Silva sofre uma isquemia cerebral. Uma junta militar assume.

Setembro Seqüestrado o embaixador americano Charles Elbrick.

Virgílio Gomes da Silva, da ALN, é preso e some. É o primeiro desaparecido.

Outubro Nova Constituição.

Reaberto, o Congresso elege Medici.

Novembro Morre Carlos Marighella.

Surge em Paris a Frente Brasileira de Informações, denunciando a ditadura.

• No ano, mais de 100 assaltos e explosões. Neles morrem 15 guardas e policiais e quatro cidadãos. Morrem 19 militantes da esquerda.

• As denúncias de torturas são 1027.

ECONOMIA E SOCIEDADE

Janeiro O governo informa que só falará sobre casos de corrupção quando as investigações estiverem concluídas.

O *The New York Times* informa: "O regime é antipatizado, mas o Brasil cresce".

Fevereiro Inaugurada a estação receptora de sinais de satélites da Embratel, em Itaboraí.

Delfim Netto prevê que a economia crescerá 10% no ano.

Março O governo concede isenção de impostos de importação às emissoras de TV e rádio.

Seca e saques no Nordeste.

Julho Começa a alta das bolsas de valores de São Paulo e do Rio.

Setembro Vendido o *Correio da Manhã.*

Novembro O general Ernesto Geisel assume a presidência da Petrobrás.

• O ano termina com um crescimento de 9,5% do PIB e a inflação em 20,1%.

1970

Março O historiador Caio Prado Júnior é condenado a quatro anos e meio de prisão.

O papa Paulo VI condena a tortura brasileira.

Abril Descoberta uma base de treinamento de Lamarca no vale do Ribeira.

Junho Seqüestrado o embaixador alemão Von Holleben. É trocado por 40 presos.

Há no país 500 presos: 56% são estudantes cuja idade média é 23 anos.

Setembro Criados os DOIS.

Outubro D. Agnello Rossi vai para Roma. D. Paulo Evaristo Arns é o novo arcebispo de São Paulo.

Novembro Eleições legislativas. A Arena faz mais de dois terços na Câmara.

Dezembro Seqüestrado o embaixador suíço Giovanni Bucher. É trocado por 70 presos.

• Denúncias de torturas: 1206. Mortos: 30.

• Os terroristas mataram 17 pessoas, entre elas um tenente, três sargentos e seis policiais.

Fevereiro Cai o ministro da Indústria e Comércio, Fábio Yassuda. Divergiu de Delfim.

Junho Medici anuncia a abertura da rodovia Transamazônica, ligando o Maranhão ao Acre.

Julho Por conta de um boato, as ações do Banco do Brasil sobem 15% num só dia.

Sai da fábrica da Volkswagen o milionésimo fusca.

Agosto Nixon baixa um pacote, e o governo americano passa a controlar salários, preços e aluguéis.

Criado o PIS, com o objetivo de formar um pecúlio para os trabalhadores.

• Os EUA fecham o ano com um déficit de 9,8 bilhões de dólares. É a primeira vez que isso acontece, desde 1888.

• Segundo grande ano do Milagre. Crescimento de 10,4% do PIB. Inflação em 19,3%.

CULTURA	MUNDO
• Pelé marca seu milésimo gol. • Caetano Veloso e Gilberto Gil seguem exilados para Londres. • Chico Buarque de Hollanda vai para a Itália. • O diplomata Vinicius de Moraes é aposentado com base no AI-5. • Estréia o *Jornal Nacional.* • Surge *O Pasquim*. Em dezembro sua circulação chega a 250 mil exemplares. • A Junta Militar cria a Embrafilme. • Com Sonia Braga no elenco, estréia em São Paulo a peça *Hair*. • A Censura suspende as apresentações do balé soviético da Moldávia. • Joaquim Pedro de Andrade mostra *Macunaíma*. • Samuel Beckett ganha o Nobel de Literatura. • Quatrocentos mil jovens americanos juntam-se no festival de música de Woodstock. • Mario Puzo publica *Godfather* (*O poderoso Chefão*).	• Onda terrorista na Itália, com 398 ações e 19 mortos. **Fevereiro** Um livro-bomba mata Eduardo Mondlane, primeiro presidente da Frente de Libertação de Moçambique. Os Tupamaros assaltam o cassino San Rafael, em Punta del Este. Costa e Silva afrouxa o bloqueio ao regime racista da África do Sul e permite o pouso de seus aviões em aeroportos brasileiros. **Junho** Pancadaria no bar Stonewall. Os homossexuais que freqüentavam o lugar enfrentam a polícia. Daí em diante 28 de junho torna-se a festa do Orgulho Gay. **Julho** O astronauta americano Neil Armstrong anda na Lua. **Dezembro** Aproximando-se da China, o governo americano reduz o bloqueio comercial que lhe impunha.
• Por 4 × 1 (confirmando o prognóstico do presidente Medici) o Brasil derrota a Itália e ganha a Copa do Mundo. • Chico Buarque compõe "Apesar de você". • Paulinho da Viola grava "Foi um rio que passou em minha vida". • Roberto e Erasmo Carlos gravam "Jesus Cristo". • Nelson Cavaquinho grava seu primeiro disco solo, aos 59 anos. • José Rubem Fonseca publica *Lúcia McCartney*. • Solzhenitsyn ganha o Nobel de Literatura. • O museu Metropolitan compra o quadro *Juan de Pareja*, de Velásquez, por 5,5 milhões de dólares. • Começo da construção, em Nova York, das duas torres do World Trade Center.	• Dobra o número de mortos em atos terroristas no mundo. São 131. **Fevereiro** O secretário de Estado Henry Kissinger começa a se reunir secretamente com emissários do Vietnã do Norte. **Abril** Assassinado na Guatemala o embaixador alemão Karl von Spreti. **Maio** Terroristas argentinos seqüestram e matam o general e ex-presidente Pedro Aramburu. **Julho** Os Tupamaros seqüestram Dan Mitrione, responsável pelo programa de ajuda prestada pelo governo americano ao uruguaio em assuntos de segurança. **Setembro** Salvador Allende é eleito presidente do Chile. **Outubro** A CIA manda armas a terroristas chilenos que planejam matar (e matam) o comandante do exército do Chile, general René Schneider.

1971

POLÍTICA

Janeiro O general Humberto Mello assume o II Exército, em São Paulo. Sua ordem é matar.
Fevereiro Ulysses Guimarães assume a presidência do MDB.

Está funcionando a "Casa da Morte", administrada pelo CIE, em Petrópolis.
Maio O Senado americano realiza sua série de audiências sobre o Brasil.
Junho O *Cabo Anselmo* está na polícia.
Setembro Carlos Lamarca é morto.
Dezembro Medici vai aos EUA e Nixon diz que "para onde o Brasil for, para lá irá o resto do continente latino-americano".
• As denúncias de torturas são 788. Trinta mortos nas organizações armadas, dos quais 15 (50%) desapareceram.
• As organizações terroristas matam 21 pessoas, entre elas um major do Exército, um industrial e um militante da ALN.

ECONOMIA E SOCIEDADE

• O excesso de liquidez da banca internacional faz renascer o mercado de empréstimos a países subdesenvolvidos.
Janeiro Segundo uma pesquisa do Gallup, 48% dos paulistanos acham que seu nível de vida está subindo. Só 7% dizem que está caindo.
Março Começa a funcionar a discagem direta nas ligações entre o Rio, São Paulo e outras cinco capitais.
Agosto A exuberante bolsa de valores brasileira começa a cair.

Nixon descola o dólar do padrão ouro, congela preços e salários por noventa dias, e se reserva o direito de aplicar uma taxa de 10% sobre as importações.
Dezembro A Petrobrás torna-se a segunda maior distribuidora de derivados de petróleo do país.
• O ano termina com um crescimento de 11,3% do PIB e a inflação em 19,5%.

1972

POLÍTICA

Janeiro O Exército descobre uma base de treinamento de guerrilha no Araguaia.

O deputado Flávio Marcílio defende a reeleição de Medici.
Fevereiro Terroristas matam o marinheiro inglês David Cuthberg, de 19 anos.
Abril Campanha militar no Araguaia. Termina em julho. Recomeça, por um mês, em setembro.
Agosto A Censura proíbe qualquer notícia sobre a sucessão presidencial.

A Anistia Internacional divulga um relatório listando os nomes de 472 torturadores e 1081 torturados.

A Censura proíbe a publicação da declaração de Filinto Müller, presidente da Arena, de que não há censura.
Outubro Começa a circular o semanário *Opinião*.
• Os mortos foram 58, com 18 desaparecidos e cinco suicidas, três enforcados na cela.

ECONOMIA E SOCIEDADE

Janeiro A Censura proíbe más notícias sobre a queda da bolsa.
Fevereiro O secretário do Tesouro americano, John Connally, diz que os EUA deviam seguir o exemplo da economia brasileira.
Abril Chegam ao Brasil os ossos de d. Pedro I. Começam as festas do Sesquicentenário da Independência.
Maio Inaugurada em Brasília a Escola Nacional de Informações, ESNI, braço pedagógico do SNI e do CIE.

Inaugurada em Paulínia a maior refinaria de petróleo do Brasil.
Agosto O IBGE informa que o Brasil bateu a marca dos 100 milhões de habitantes.
Novembro O índice Dow Jones, da bolsa de Nova York, fecha pela primeira vez acima dos mil pontos.
• O ano termina com um crescimento de 11,9% do PIB e 15,7% de inflação.

CULTURA	MUNDO
• Pela primeira vez desde sua fundação, em 1965, a TV Globo fecha o ano com lucro. • Leon Hirszman mostra *São Bernardo.* • Nelson Pereira dos Santos mostra *Como era gostoso o meu francês.* • Antonio Callado publica *Bar Don Juan.* • João Ubaldo Ribeiro publica *Sargento Getúlio.* Num parecer para o Instituto Nacional do Livro, Otávio de Faria reconhece suas virtudes, mas não o recomenda. • George C. Scott é o general Patton no filme de mesmo nome. • Stanley Kubrick mostra *Laranja mecânica,* proibido no Brasil. • Começam a circular os *Cadernos Cebrap.* • É preso em Ouro Preto o teatrólogo americano Julian Beck. • *O país de São Saruê* é tirado do Festival de Cinema de Brasília. No lugar entra *Brasil bom de bola,* no qual Medici abraça Pelé.	• Começam os desaparecimentos na Argentina. Uma pessoa a cada 18 dias. **Janeiro** Os Tupamaros uruguaios seqüestram o embaixador inglês. **Abril** Uma equipe de pingue-pongue americana é convidada a jogar na China. **Junho** O *The New York Times* começa a publicar os documentos secretos do Pentágono sobre a Guerra do Vietnã. **Julho** Henry Kissinger vai à China. Conversa com Mao. **Agosto** Golpe na Bolívia. Com a ajuda do governo brasileiro, assume o coronel Hugo Banzer. **Setembro** Fracassa o golpe do ministro da Defesa Lin Piao contra Mao Zedong. As forças armadas uruguaias assumem o combate aos Tupamaros. A tortura torna-se sistemática. **Novembro** Fidel Castro passa três semanas no Chile.
• Há 6,2 milhões de aparelhos de TV no Brasil. Surge a TV em cores. • Emerson Fittipaldi ganha o campeonato da fórmula 1. • Caetano Veloso e Gilberto Gil voltam do exílio. Em Londres, Caetano gravou *Triste Bahia,* musicando um poema de Gregório de Matos: *Triste Bahia, ó quão dessemelhante.* • Aparece a dupla João Bosco e Aldir Blanc. • Os Novos Baianos cantam "Acabou chorare". • Liza Minnelli em *Cabaret.* • Bernardo Bertolucci mostra *O último tango em Paris.* O filme é proibido no Brasil. • Marlon Brando em *O poderoso Chefão.* • Woody Allen em *Play it again, Sam* (*Sonhos de um sedutor*). • Tom Jobim toca "Águas de março". • O ano de Secretariat, um dos maiores cavalos de todos os tempos.	**Fevereiro** Richard Nixon vai à China. **Março** O editor italiano Giangiacomo Feltrinelli morre quando instalava uma bomba numa torre de transmissão de energia, perto de Milão. **Maio** No fim de seu mandato o presidente da Nicarágua, Anastasio Somoza, dá um golpe e fica no poder. Terroristas japoneses matam 25 peregrinos judeus no aeroporto de Tel Aviv. **Junho** Cinco pessoas são presas no edifício Watergate, em Washington. Tinham grampeado a sede do Partido Democrata. **Setembro** Preso o chefe Tupamaro Raúl Sendic. Metade dos uruguaios apóiam a repressão militar. Terroristas seqüestram parte da delegação de Israel nas Olimpíadas de Munique. Morrem atletas e seqüestradores. **Novembro** Nixon é reeleito.

1973

POLÍTICA

Março Terroristas matam no Rio o delegado Octávio Gonçalves Moreira Jr., do DOI de SP.
Maio O CIE começa a *Operação Sucuri*, infiltrando oficiais e soldados no Araguaia.
Junho Medici chama Ernesto Geisel ao Laranjeiras e diz que ele será seu sucessor.
Julho *O Estado de S. Paulo* publica poemas nos espaços abertos pela Censura.

Filinto Müller morre. Petrônio Portella torna-se presidente do partido do governo, a Arena.
Setembro Ulysses Guimarães lança-se como "anticandidato" à Presidência.
Outubro Começa nova ofensiva no Araguaia.
Novembro Medici altera o Código de Processo Penal para impedir que o delegado Sérgio Fleury vá para a cadeia.
Dezembro Dissolvida a guerrilha do Araguaia.
• As organizações terroristas executam cinco pessoas, duas das quais ex-militantes.

ECONOMIA E SOCIEDADE

• Greves parciais de metalúrgicos na Villares e na Volkswagen, em São Paulo.
Janeiro A Grã-Bretanha adere ao Mercado Comum Europeu.
Fevereiro Nixon desvaloriza o dólar em 10%.
Abril Brasil e Paraguai assinam o tratado que permitirá a construção de Itaipu.
Maio Uma divergência com Delfim provoca a saída do ministro da Agricultura, Cirne Lima.
Junho A iniciativa privada entrega o controle da Petroquímica União à Petrobrás.
Outubro-dezembro Em dois aumentos sucessivos, os países exportadores de petróleo elevam o preço do barril de US$ 3,01 para US$ 11,56.
• O ano termina com um crescimento do PIB de 14%. Isso nunca tinha acontecido, nem voltaria a acontecer, pelo menos nos trinta anos seguintes.

CULTURA

- Estréiam na TV Globo o programa *Fantástico* e a primeira novela em cores, *O Bem Amado.*
- Hugo Carvana mostra *Vai trabalhar, vagabundo.*
- Arnaldo Jabor mostra *Toda nudez será castigada.*
- A Censura proíbe a peça *Calabar*, de Chico Buarque e Ruy Guerra.
- Roberto Athayde monta *Apareceu a Margarida.*
- Publicado postumamente *Os últimos dias de Paupéria*, de Torquato Neto.
- Sai *As meninas*, de Lygia Fagundes Telles.
- A Editora Brasiliense pede concordata.
- Julio de Mesquita Neto declara num depoimento que enquanto houver censura no seu jornal, o que nele se publica é da responsabilidade do ministro da Justiça, Alfredo Buzaid.

MUNDO

Fevereiro O Senado americano começa a investigar o caso Watergate.

Março Termina mais um ciclo militar na Argentina. O peronista Héctor Cámpora é eleito presidente. Renunciará para permitir a ascensão de Juan Perón.

Julho A embaixada brasileira asila um político chileno envolvido numa tentativa de golpe contra Salvador Allende.

Setembro Golpe militar no Chile. Allende se mata. Pinochet assume, numa junta.

A embaixada do Brasil nega auxílio aos exilados em Santiago. Policiais brasileiros interrogam presos.

Juan Perón é eleito presidente da Argentina.

Outubro O Egito e a Síria invadem Israel. São derrotados e o mundo árabe declara um boicote de petróleo aos países pró-Israel.

O vice-presidente dos EUA, Spiro Agnew, renuncia ao cargo. Nixon indica o deputado Gerald Ford.

FONTES E BIBLIOGRAFIA CITADAS

1 Obras de referência

ABREU, Alzira Alves de; BELOCH, Israel; LATTMAN-WELTMAN, Fernando, & LAMARÃO, Sérgio Tadeu de Niemeyer (coords.). *Dicionário histórico-biográfico brasileiro pós-1930*. Vols. 1 a 5. 2ª ed. rev. e atualizada. Rio de Janeiro: Editora FGV/CPDOC, 2001.

Almanaque do pessoal militar do Exército — Oficiais. Rio de Janeiro: Ministério do Exército, Departamento Geral de Pessoal, Diretoria de Cadastro e Avaliação, 1972; 1975; 1977.

Anuário estatístico do Brasil — 1971. Rio de Janeiro: Fundação IBGE, 1972.

Estatísticas históricas do Brasil. 2ª ed. Rio de Janeiro: Fundação IBGE, 1990.

2 Fontes primárias

Arquivos, bibliotecas

Arquivo do Autor
Arquivo do General Antonio Carlos Muricy
Arquivo Privado de Golbery do Couto e Silva/Heitor Ferreira
Arquivo Privado de Romualdo Pessoa Campos Filho
Biblioteca Lyndon B. Johnson
Departamento de Estado dos Estados Unidos da América

Informantes

Alcir Henrique da Costa
Aloysio Nunes Ferreira
Amália Lucy Geisel
Americo Mourão
Antonio Carlos Magalhães
Antonio Carlos Muricy
Antonio Delfim Netto
Antonio Gallotti
Ariston Lucena
Armênio Guedes
Brian Jenkins
Candido Mendes de Almeida
Carlos Alberto Brilhante Ustra
Carlos Medeiros Silva
Claude Erbsen
Djalma (operário da Forja Tijolos)
Ernesto Geisel
Eugênio Sales
Expedito Filho
Fernando Gabeira
Francisco Carlos de Andrade
Francisco Dellamora
Franklin Martins
Gastão Vidigal
Gustavo Moraes Rego
Heitor Lopes de Souza

Helio Fernandes
Idyno Sardenberg Filho
Italo Zappa
João Batista Torrens Gomes Pereira
John Blacken
José Bonifácio de Oliveira Sobrinho
José Carlos Giannini
José Genoino
Joseíta Ustra
Leonidas Pires Gonçalves
Luiz Eduardo Greenhalgh
Luiz Helvecio da Silveira Leite
Micheas Gomes de Almeida
Murillo Santos
Octavio Costa
Octavio Frias de Oliveira
Pat Holt
Paulo Bonchristiano
Paulo Egydio Martins
Paulo Sawaya
Ralph della Cava
Reynaldo Mello de Almeida
Romualdo Pessoa Campos Filho
Rubens Resstel
Salomão Malina
Silvio Ferraz
Stephen Dachi
Vicente Sanchez Gavito

Periódicos — diários

Correio Braziliense
Correio da Manhã
Diário do Congresso Nacional
Folha de S.Paulo
Jornal da Tarde
Jornal do Brasil
Le Monde
O Estado de S. Paulo
O Globo
The Baltimore Sun
The New York Times
The Washington Post

Periódicos — semanais

IstoÉ
Manchete
O Pasquim
Time
Veja

Periódicos — outros

A Classe Operária
Boletim do Sedoc
Brazilian Information Bulletin
Commonweal
Coojornal
Cuadernos de Marcha
Em Tempo
Encontros com a Civilização Brasileira
Estudos Avançados
Fronte Brasiliano d'Informazione
Jornal Opção
Le Nouvel Observateur
L'Europeo
Look
Mensaje
Movimento
Noticiário Diplomático Brasileiro
Notícias da Igreja Universal
O Liberal
Permanência
Politique d'Aujourd'hui
Repórter
Revisão
Voz Operária

Séries documentais, dossiês

A Revolução e a juventude. Monografias dos estudantes do Colégio Pedro II, vencedores do Concurso sobre a Revolução de 1964. Rio de Janeiro: Colégio Pedro II, 1973.

ALMEIDA, Candido Mendes de, & BANDEIRA, Marina. *Comissão Brasileira Justiça e Paz — 1969-1995* (*Empenho e memória*). Rio de Janeiro: Educam, 1996.

ARROYO, Ângelo. "Grande acontecimento na vida do país e do PC do B" e "Relatório sobre a luta no Araguaia". In VÁRIOS

AUTORES; DOCUMENTOS DO PC DO B. *Guerrilha do Araguaia.* 3ª ed. São Paulo: Editora Anita Garibaldi, 1996.

BANDEIRA, Marina. "Comissão Pontifícia Justiça e Paz — 1969-1995 (Memória)". In ALMEIDA, Candido Mendes de, & BANDEIRA, Marina. *Comissão Brasileira Justiça e Paz — 1969-1995 (Empenho e memória).* Rio de Janeiro: Educam, 1996.

Brasil: nunca mais — Um relato para a história. Petrópolis: Vozes, 1985.

CABRAL, Reinaldo, & LAPA, Ronaldo (orgs.). *Desaparecidos políticos — Prisões, seqüestros, assassinatos.* Rio de Janeiro: Edições Opção/Comitê Brasileiro pela Anistia, 1979.

Dossiê dos mortos e desaparecidos. Documento do Comitê Brasileiro pela Anistia, Seção do Rio Grande do Sul. Porto Alegre: Assembléia Legislativa do Estado do Rio Grande do Sul, 1984.

Dossiê dos mortos e desaparecidos políticos a partir de 1964. Preparado pela Comissão de Familiares de Mortos e Desaparecidos Políticos, Instituto de Estudo da Violência do Estado (IEVE). Recife: Grupo Tortura Nunca Mais/Companhia Editora de Pernambuco/Governo do Estado de Pernambuco, 1995.

MEDICI, Emilio Garrastazú. *O jogo da verdade.* Brasília: Departamento de Imprensa Nacional, 1969.

_____ *Nova consciência de Brasil.* Brasília: Livro composto no Departamento de Imprensa Nacional para a Secretaria de Imprensa da Presidência da República, 1970.

_____ *O povo não está só.* Brasília: Livro composto no Departamento de Imprensa Nacional para a Secretaria de Imprensa da Presidência da República, 1972.

MIRANDA, Nilmário, & TIBÚRCIO, Carlos. *Dos filhos deste solo — Mortos e desaparecidos políticos durante a ditadura militar: a responsabilidade do Estado.* São Paulo: Editora Fundação Perseu Abramo/Boitempo Editorial, 1999.

PARTIDO COMUNISTA DO BRASIL. *Guerra popular — Caminho da luta armada no Brasil.* Edições Maria da Fonte, 1974. Coleção Documentos.

POMAR, Pedro Estevam da Rocha. *Massacre na Lapa — Como o Exército liquidou o comitê central do PC do B — São Paulo, 1976.* São Paulo: Busca Vida, 1987.

POMAR, Wladimir. *Araguaia — O partido e a guerrilha — Documentos inéditos.* São Paulo: Brasil Debates, 1980.

PRANDINI, Fernando; PETRUCCI, Victor A., & DALE, O. P., frei Romeu. *As relações Igreja-Estado no Brasil.* São Paulo: Centro de Pastoral Vergueiro (CPV)/Loyola, 1986. 6 vols.

Projeto Brasil: nunca mais. Tomo I: *O regime militar.* Tomo II, vol. 1: *A pesquisa BNM*; vol. 2: *Os atingidos*; vol. 3: *Os funcionários.* Tomo III: *Perfil dos atingidos.* Tomo IV: *As leis repressivas.* Tomo V, vol. 1: *A tortura*; vol. 2: *As torturas*; vol. 3: *As torturas*; vol. 4: *Os mortos.* Tomo VI, vol. 1: *Índice dos anexos*; vol. 2: *Inventário dos anexos.* São Paulo/Petrópolis: Arquidiocese de São Paulo/Vozes, 1985. 6 tomos.

REIS FILHO, Daniel Aarão, & SÁ, Jair Ferreira de (orgs.). *Imagens da revolução — Documentos políticos das organizações clandestinas de esquerda dos anos 1961-1971.* Rio de Janeiro: Marco Zero, 1985.

Relatório sobre as acusações de tortura no Brasil. Londres: Amnesty International Publications, 1973.

VÁRIOS AUTORES; DOCUMENTOS DO PC DO B. *Guerrilha do Araguaia.* 3ª ed. São Paulo: Editora Anita Garibaldi, 1996.

Depoimentos, entrevistas, diários, memórias

ANDRADE, Auro de Moura. *Um Congresso contra o arbítrio — Diários e memórias 1961-1967.* Rio de Janeiro: Nova Fronteira, 1985.

ARNS, d. Paulo Evaristo. *Da esperança à utopia — Testemunho de uma vida*. Rio de Janeiro: Sextante, 2001.

BARBOZA, Mario Gibson. *Na diplomacia, o traço todo da vida*. Rio de Janeiro: Record, 1992.

BARCELLOS, Maria Auxiliadora Lara. "Continuo sonhando". In CAVALCANTI, Pedro Celso Uchôa, & RAMOS, Jovelino. *Memórias do exílio — Brasil 1964/19??*. São Paulo: Livramento, 1978.

BICUDO, Hélio. *Meu depoimento sobre o Esquadrão da Morte*. 3ª ed. rev. São Paulo: Pontifícia Comissão de Justiça e Paz de São Paulo, 1976.

_____ *Do Esquadrão da Morte aos justiceiros*. São Paulo: Paulinas, 1988.

CALDAS, Álvaro. *Tirando o capuz*. 2ª ed. Rio de Janeiro: Codecri, 1981.

CAPITANI, Avelino Bioen. *A rebelião dos marinheiros*. Porto Alegre: Artes e Ofícios, 1997.

CASO, Antonio. *A esquerda armada no Brasil — 1967/1971*. Lisboa: Moraes Editores, 1976.

CAVALCANTI, Pedro Celso Uchôa, & RAMOS, Jovelino. *Memórias do exílio — Brasil 1964/19??*. São Paulo: Livramento, 1978.

CHE GUEVARA. *Guerrilla warfare*. Introd. e estudos Brian Loveman & Thomas M. Davies Jr. Lincoln/Londres: University of Nebraska Press, 1985.

_____ *Diário*. 7ª ed. São Paulo/Rio de Janeiro: Global, 1986.

CLARK, Walter, & PRIOLLI, Gabriel. *O campeão de audiência — Uma autobiografia*. São Paulo: Best Seller, 1991.

COELHO, Marco Antônio Tavares. *Herança de um sonho — As memórias de um comunista*. Rio de Janeiro: Record, 2000.

CORRÊA, Manoel Pio. *O mundo em que vivi*. Rio de Janeiro: Expressão e Cultura, 1995.

COSTA, Celia Maria Leite; PANDOLFI, Dulce Chaves, & SERBIN, Kenneth (orgs.). *O bispo de Volta Redonda — Memórias de dom Waldyr Calheiros*. Rio de Janeiro: Editora FGV, 2001.

DANIEL, Herbert. *Passagem para o próximo sonho — Um possível romance autocrítico*. Rio de Janeiro: Codecri, 1982.

D'ARAUJO, Maria Celina; SOARES, Gláucio Ary Dillon, & CASTRO, Celso (orgs.). *Os Anos de Chumbo — A memória militar sobre a repressão*. Rio de Janeiro: Relume-Dumará, 1994.

_____; SOARES, Gláucio Ary Dillon, & CASTRO, Celso (orgs.). *A volta aos quartéis — A memória militar sobre a abertura*. Rio de Janeiro: Relume-Dumará, 1995.

_____ & CASTRO, Celso (orgs.). *Ernesto Geisel*. Rio de Janeiro: Editora FGV, 1997.

_____ & CASTRO, Celso (orgs.). *Militares e política na Nova República*. Rio de Janeiro: Editora FGV, 2001.

_____ & CASTRO, Celso (orgs.). *Dossiê Geisel*. Rio de Janeiro: Editora FGV, 2002.

DE GAULLE, Charles. *Mémoires d'espoir*. Tomo I: *Le Renouveau — 1958-1962*. Paris: Plon, 1970. 3 tomos.

DIAS, Erasmo. *Reflexões de uma vida*. São Paulo: Indústria de Embalagens Santa Inês, 1988.

DIAS, Luzimar Nogueira (seleção). *Esquerda armada — Testemunho dos presos políticos do presídio Milton Dias Moreira, no Rio de Janeiro*. Vitória: Edições do Leitor, 1979.

DINES, Alberto; FERNANDES JR., Florestan, & SALOMÃO, Nelma (orgs.). *Histórias do poder — 100 anos de política no Brasil*. São Paulo: Editora 34, 2000. 3 vols.

DIRCEU, José, & PALMEIRA, Vladimir. *Abaixo a ditadura — O movimento de 68 contado por seus líderes*. Rio de Janeiro: Espaço e Tempo/Garamond, 1998.

FRAGOSO, Heleno Cláudio. *Advocacia da liberdade — A defesa nos processos políticos*. Rio de Janeiro: Forense, 1984.

FREI BETTO. *O Paraíso perdido — Nos bastidores do socialismo*. 2ª ed. São Paulo: Geração Editorial, 1993.

_____ *Batismo de sangue — A luta clandestina contra a ditadura militar —*

Dossiês Carlos Marighella e Frei Tito. 11ª ed. rev. e ampliada. São Paulo: Editora Casa Amarela, 2000.

_____; Brito, frei Fernando de, & Lesbaupin, frei Ivo. *O canto na fogueira — Cartas de três dominicanos quando em cárcere político.* Petrópolis: Vozes, 1977.

FREITAS, Alípio de. *Resistir é preciso — Memória do tempo da morte civil do Brasil.* Rio de Janeiro: Record, 1981.

GABEIRA, Fernando. *O que é isso, companheiro? — Depoimento.* 10ª ed. Rio de Janeiro: Codecri, 1979.

GRAEL, Dickson Melges. *Aventura, corrupção e terrorismo — À sombra da impunidade.* Petrópolis: Vozes, 1985.

GUIMARÃES, Renato. *Travessia — Da tortura e dos meios de resistir a ela.* Rio de Janeiro: Revan, 2000.

HEALEY, Denis. *The time of my life.* Nova York: W. W. Norton & Company, 1990.

LACERDA, Carlos. *Depoimento.* Org. Cláudio Lacerda Paiva. 2ª ed. Rio de Janeiro: Nova Fronteira, 1978.

LOBO, Amilcar. *A hora do lobo, a hora do carneiro.* Petrópolis: Vozes, 1989.

MARIGHELLA, Carlos. *Pour la libération du Brésil.* Org. e prefácio Conrad Detrez. Paris: Aubier-Montaigne/Christian Bourgois/Buchet-Chastel/Le Centurion/Le Cerf/Armand Colin/Denoël/Esprit/Flammarion/Grass et-Fasquelle/Gallimard/Pierre Horay/Magnard/Mercure de France/Minuit/Robert Morel/J.-J. Pauvert/Seghers/Le Seuil/La Table Ronde/Claude Tchou, 1970.

_____ *Manual do guerrilheiro urbano e outros textos.* Org. Adérito Lopes. 2ª ed. Lisboa: Assírio & Alvim, s. d.

_____ *Poemas — Rondó da liberdade.* São Paulo: Brasiliense, 1994.

MÉDICI, Roberto Nogueira. *Medici — O depoimento.* Rio de Janeiro: Mauad, 1995.

MELLO, Jayme Portella de. *A Revolução e o governo Costa e Silva.* Rio de Janeiro: Guavira Editores, 1979.

MONTELLO, Josué. *Diário do entardecer — 1967-1977.* Rio de Janeiro: Nova Fronteira, 1991.

MORAES, Dênis de (org.). *Prestes com a palavra — Uma seleção das principais entrevistas do líder comunista.* Campo Grande: Letra Livre, 1997.

PADRE LAGE. *O padre do diabo — A Igreja ausente na hora de mudar.* Rio de Janeiro: EMW Editores, 1988.

PAIVA, Mauricio. *O sonho exilado.* Rio de Janeiro: Achiamé, 1996.

PASSARINHO, Jarbas. *Na planície.* Belém: Cultural Cejup, 1990.

_____ *Um híbrido fértil.* Rio de Janeiro: Expressão e Cultura, 1996.

PRESTES, Maria. *Meu companheiro — 40 anos ao lado de Luís Carlos Prestes.* Rio de Janeiro: Rocco, 1992.

Rememória — Entrevistas sobre o Brasil do século XX. Org. Ricardo de Azevedo e Flamarion Maués. São Paulo: Editora Fundação Perseu Abramo, 1997.

RIBEIRO, Octávio (Pena Branca). *Por que eu traí — Confissões de Cabo Anselmo.* 5ª ed. São Paulo: Global, 1984.

SANTOS, Paulo de Tarso. *64 e outros anos — Depoimentos a Oswaldo Coimbra.* São Paulo: Cortez, 1984.

SILVA, Ernani Ayrosa da. *Memórias de um soldado.* Rio de Janeiro: Biblioteca do Exército Editora, 1985.

SIMAS, Mario. *Gritos de justiça — Brasil 1963-1979.* São Paulo: FTD, 1986.

SIRKIS, Alfredo. *Os carbonários — Memórias da guerrilha perdida.* 14ª ed. Rio de Janeiro: Record, 1998.

SODRÉ, Roberto de Abreu. *No espelho do tempo — Meio século de política.* São Paulo: Best Seller/Círculo do Livro, 1995.

SOUZA, Percival de. *Eu, Cabo Anselmo — Depoimento a Percival de Souza.* São Paulo: Globo, 1999.

TAVARES, Aurelio de Lyra. *O Brasil de minha geração — Mais dois decênios de lutas — 1956/1976.* Rio de Janeiro: Biblioteca do Exército Editora, 1976; 1977. 2 vols.

TAVARES, Flávio. *Memórias do esquecimento.* São Paulo: Globo, 1999.
USTRA, Carlos Alberto Brilhante. *Rompendo o silêncio — OBAN-DOI/CODI/29 SET. 70-23 JAN. 74.* Brasília: Editerra Editorial, 1987.
VALLI, Virginia. "*Eu, Zuzu Angel, procuro meu filho*". Rio de Janeiro: Philobiblion, 1986.
WAINER, Samuel. *Minha razão de viver — Memórias de um repórter.* Org. Augusto Nunes. Rio de Janeiro: Record, 1987.

3 Fontes secundárias

Brasil

ABREU, Alzira Alves de, & LATTMAN-WELTMAN, Fernando. "Momentos de decisão: os anos 70 e a mídia no Rio de Janeiro". In FREIRE, Américo; SARMENTO, Carlos Eduardo, & MOTTA, Marly Silva da (orgs.). *Um estado em questão — Os 25 anos do Rio de Janeiro.* Rio de Janeiro: Assembléia Legislativa do Estado do Rio de Janeiro/Editora FGV/Núcleo de Memória Política Carioca e Fluminense, 2001.
A Constituição que não foi — História da Emenda Constitucional nº 1, de 1969. Brasília: Senado Federal, 2002.
ALVES, Marcio Moreira. *A Igreja e a política no Brasil.* São Paulo: Brasiliense, 1979.
AMORIM, Carlos. *Comando Vermelho — A história secreta do crime organizado.* 2ª ed. Rio de Janeiro: Record, 1993.
ANDRADE, Jeferson de, & SILVEIRA, Joel. *Um jornal assassinado — A última batalha do Correio da Manhã.* Rio de Janeiro: José Olympio, 1991.
ANTOINE, Charles. *L'Église et le pouvoir au Brésil — Naissance du militarisme.* Paris: Desclée de Brouwer, 1971.
AQUINO, Maria Aparecida de. *Censura, imprensa, Estado autoritário (1968-1978).* Bauru: Edusc, 1999.
ARAÚJO, Caetano Ernesto Pereira de, & MACIEL, Eliane Cruxên Barros de Almeida. "A Comissão de Alto Nível: história da Emenda Constitucional nº 1, de 1969". In *A Constituição que não foi — História da Emenda Constitucional nº 1, de 1969.* Brasília: Senado Federal, 2002.
ARBIX, Glauco, & ZILBOVICIUS, Mauro (orgs.). *De JK a FHC — A reinvenção dos carros.* São Paulo: Scritta, 1997.
ARGOLO, José Amaral, et alii. *A direita explosiva no Brasil.* Rio de Janeiro: Mauad, 1996.
AUGUSTO, Agnaldo del Nero. *A grande mentira.* Rio de Janeiro: Biblioteca do Exército Editora, 2001.
AURAS, Marli. *Guerra do Contestado — A organização da irmandade cabocla.* 4ª ed. Florianópolis: Editora da UFSC, 2001.
BANDEIRA, Manuel. *Manuel Bandeira — Poesia e prosa.* Rio de Janeiro: José Aguilar, 1958.
BARCELLOS, Caco. "O *Globo Repórter* sobre a vala de Perus". In TELES, Janaína (org.). *Mortos e desaparecidos políticos: reparação ou impunidade?.* São Paulo: Humanitas/FFLCH-USP, 2000.
BERCHT, Verônica. *Coração vermelho — A vida de Elza Monnerat.* São Paulo: Editora Anita Garibaldi, 2002.
BONALUME NETO, Ricardo. *A nossa segunda guerra — Os brasileiros em combate, 1942-1945.* Rio de Janeiro: Expressão e Cultura, 1995.
BORBA, Marco Aurélio. *Cabo Anselmo — A luta armada ferida por dentro.* 2ª ed. São Paulo: Global, 1984. Coleção Passado & Presente (nº 22).
BRAGA, José Luiz. *O Pasquim e os anos 70 — Mais pra epa que pra oba.* Brasília: Editora UnB, 1991.
BRUNEAU, Thomas C. *The political transformation of the Brazilian Catholic Church.* Nova York: Cambridge University Press, 1974.
CALLIARI, Ivo. *D. Jaime Câmara — Diário do IV cardeal arcebispo do Rio de Janeiro.* Rio de Janeiro: Léo Christiano Editorial, 1996.

CAMPOS FILHO, Romualdo Pessoa. *Guerrilha do Araguaia — A esquerda em armas.* Goiânia: Editora da Universidade Federal de Goiás, 1997.

CARVALHO, Luiz Maklouf. *Mulheres que foram à luta armada.* São Paulo: Globo, 1998.

_____ *Cobras criadas — David Nasser e O Cruzeiro.* São Paulo: Senac, 2001.

CASTRO, Marcos de. *64 — Conflito Igreja × Estado.* Petrópolis: Vozes, 1984.

CASTRO, Ruy. *O Anjo Pornográfico — A vida de Nelson Rodrigues.* São Paulo: Companhia das Letras, 1992.

CAVA, Ralph della (org.). *A Igreja em flagrante — Catolicismo e sociedade na imprensa brasileira, 1964-1980. Cadernos do Instituto de Estudos da Religião*, ISER, 17. Ed. espec. Rio de Janeiro: ISER/Marco Zero, 1985.

CHAGAS, Carlos. *113 dias de angústia — Impedimento e morte de um presidente.* Rio de Janeiro: Agência Jornalística Image, 1970.

_____ *A guerra das estrelas (1964/1984) — Os bastidores das sucessões presidenciais.* Porto Alegre: L&PM, 1985.

Chico Buarque — Letra e música. São Paulo: Companhia das Letras, 1990. 2 vols.

COES, Donald V. *Macroeconomic crises, policies, and growth in Brazil — 1964-90.* Washington: The World Bank, 1995.

COTTA, Pery. *Calandra — O sufoco da imprensa nos Anos de Chumbo.* Rio de Janeiro: Bertrand Brasil, 1997.

D'AGUIAR, Hernani. *A Revolução por dentro.* Rio de Janeiro: Artenova, 1976.

_____ *Ato 5 — A verdade tem duas faces.* Rio de Janeiro: Razão Cultural, 1999.

DERENGOSKI, Paulo Ramos. *Guerra no Contestado.* Florianópolis: Insular, 2000.

DÓRIA, Palmério; Carelli, Vincent; Buarque, Sérgio, & Sautchuk, Jaime. *A guerrilha do Araguaia.* São Paulo: Alfa-Omega, s. d. Coleção História Imediata, vol. 1.

DREIFUSS, René Armand. *1964: a conquista do Estado — Ação política, poder e golpe de classe.* Petrópolis: Vozes, 1981.

DROSDOFF, Daniel. *Linha dura no Brasil — O governo Medici 1969-1974.* São Paulo: Global, 1986.

DULLES, John W. F. *Castello Branco — O caminho para a Presidência.* Rio de Janeiro: José Olympio, 1979.

_____ *Castello Branco, o presidente reformador.* Brasília: Editora UnB, 1983.

_____ *Carlos Lacerda — A vida de um lutador.* Vol. 2: *1960-1977.* Rio de Janeiro: Nova Fronteira, 2000. 2 vols.

ELOYSA, Branca (org.). *Seminário do Grupo Tortura Nunca Mais — Depoimentos e debates.* Petrópolis: Vozes, 1987.

FELIPE, Gilvane. "A guerrilha do Araguaia (Brasil: 1966-1975)". Institut des Hautes Études de l'Amérique Latine (IHEAL), Université de la Sorbonne Nouvelle (Paris III), out. 1993 (versão digital).

FON, Antonio Carlos. *Tortura — A história da repressão política no Brasil.* São Paulo: Comitê Brasileiro pela Anistia/Global, 1979.

FREIRE, Américo, SARMENTO, Carlos Eduardo, & MOTTA, Marly Silva da (orgs.). *Um estado em questão — Os 25 anos do Rio de Janeiro.* Rio de Janeiro: Assembléia Legislativa do Estado do Rio de Janeiro/Editora FGV/Núcleo de Memória Política Carioca e Fluminense, 2001.

GORENDER, Jacob. *Combate nas trevas.* 5ª ed. rev., ampliada e atualizada. São Paulo: Ática, 1998.

GUARANY, Reinaldo. *A fuga.* São Paulo: Brasiliense, 1984. Cantadas Literárias, nº 18.

História do Estado-Maior do Exército. Trabalho de pesquisa do EME sob coordenação do coronel de artilharia Paulo da Motta Banha. Rio de Janeiro: Biblioteca do Exército Editora, 1984.

História do Exército brasileiro — Perfil militar de um povo. Brasília/Rio de Janeiro: Estado-Maior do Exército, Comissão Executiva Central do Sesquicentenário da Independência do Brasil, 1972. 3 vols.

HOLLANDA, Heloisa Buarque de. *Impressões de viagem — CPC, vanguarda e desbunde: 1960/70*. 3ª ed. Rio de Janeiro: Rocco, 1992.

JOSÉ, Emiliano. *Carlos Marighella, o inimigo número um da ditadura militar*. São Paulo: Sol e Chuva, 1997.

_____ & MIRANDA, Oldack. *Lamarca, o capitão da guerrilha*. São Paulo: Global, 1980.

KINZO, Maria d'Alva G. *Legal opposition politics under authoritarian rule in Brazil — The case of the MDB, 1966-79*. Nova York: St. Martin's Press, 1988.

KLEIN, Lúcia, & FIGUEIREDO, Marcus F. *Legitimidade e coação no Brasil pós-64*. Rio de Janeiro: Forense-Universitária, 1978.

KUCINSKI, Bernardo. *Jornalistas e revolucionários — Nos tempos da imprensa alternativa*. São Paulo: Scritta, 1991.

LABAKI, Amir. *1961 — A crise da renúncia e a solução parlamentarista*. São Paulo: Brasiliense, 1986.

LAGÔA, Ana. *SNI — Como nasceu, como funciona*. São Paulo: Brasiliense, 1983.

LANGGUTH, A. J. *A face oculta do terror*. Rio de Janeiro: Civilização Brasileira, 1978.

LIMA, Samarone. *Zé — José Carlos Novais da Mata Machado, uma reportagem*. Belo Horizonte: Mazza, 1998.

MACARINI, José Pedro. "Um estudo da política econômica do 'Milagre' Brasileiro (1969-1973)". Tese de mestrado apresentada ao Instituto de Filosofia e Ciências Humanas da Universidade Estadual de Campinas, 1984.

MACHADO, José Antonio Pinheiro. *Opinião × Censura — Momentos da luta de um jornal pela liberdade*. Porto Alegre: L&PM, 1978.

MACIEL, Luiz Carlos. *Negócio seguinte: (Crônicas brasileiras)*. Rio de Janeiro: Codecri, 1981.

MAINWARING, Scott. *A Igreja católica e a política no Brasil (1916-1945)*. São Paulo: Brasiliense, 1989.

MALTA, Maria Helena. *Brasil, um sonho intenso*. Rio de Janeiro: Espaço e Tempo, 1987.

MANFREDINI, Luiz. *As moças de Minas — Uma história dos anos 60*. São Paulo: Alfa-Omega, 1989.

MARCONI, Paolo. *A censura política na imprensa brasileira — 1968-1978*. 2ª ed. rev. São Paulo: Global, 1980.

MATTOS, Sérgio. *A televisão no Brasil: 50 anos de história (1950-2000)*. Salvador: Editora PAS/Edições Ianamá, 2000.

MIR, Luís. *A revolução impossível — A esquerda e a luta armada no Brasil*. São Paulo: Best Seller/Círculo do Livro, 1994.

MORAES, José Geraldo Vinci de, & REGO, José Marcio. *Conversas com historiadores brasileiros*. São Paulo: Editora 34, 2002.

OLIVEIRA, José Alberto Saldanha de. "*A mitologia estudantil*" — *Uma abordagem sobre o movimento estudantil alagoano*. Maceió: Secretaria de Comunicação Social do Governo do Estado de Alagoas/Sergasa, 1994.

PAIVA, Marcelo. *Não és tu, Brasil*. São Paulo: Mandarim, 1996.

PATARRA, Judith Lieblich. *Iara — Reportagem biográfica*. Rio de Janeiro: Rosa dos Tempos, 1992.

PILETTI, Nelson, & PRAXEDES, Walter. *Dom Helder Câmara — Entre o poder e a profecia*. São Paulo: Ática, 1997.

PINTO, Bilac. *Guerra revolucionária*. Rio de Janeiro: Forense, 1964.

PORTELA, Fernando. *Guerra de guerrilhas no Brasil*. 2ª ed. São Paulo: Global, 1979.

RAMALHO, José Ricardo, & SANTANA, Marco Aurélio (orgs.). *Trabalho e tradição sindical no Rio de Janeiro — A trajetória dos metalúrgicos*. Rio de Janeiro: Governo do Estado do Rio de Janeiro/DP&A/Faperj, 2001.

REBELLO, Gilson. *A guerrilha de Caparaó*. São Paulo: Alfa-Omega, 1980.

REGO, Norma Pereira. *Pasquim — Gargalhantes pelejas*. Rio de Janeiro: Relume-Dumará/Prefeitura da Cidade do Rio de Janeiro/RioArte/Secretaria Municipal de Cultura, 1996.

REIS FILHO, Daniel Aarão. "As organizações comunistas e a luta de classes — 1961-68". Tese de doutorado apresentada ao Departamento de História da Universidade de São Paulo, 1987. 4 vols. Manuscrito.

_____ *A revolução faltou ao encontro — Os comunistas no Brasil.* São Paulo: Brasiliense/Programa Nacional do Centenário da República e Bicentenário da Inconfidência Mineira/MCT/CNPq, 1989.

_____ *Ditadura militar, esquerdas e sociedade.* Rio de Janeiro: Zahar, 2000.

RICHOPO, Neide. "A esquerda no Brasil — Um estudo de caso". Dissertação de mestrado apresentada ao Departamento de Ciência Política da Faculdade de Filosofia, Letras e Ciências Humanas da Universidade de São Paulo, 1987.

RIDENTI, Marcelo. *O fantasma da revolução brasileira.* São Paulo: Editora da Unesp/Fapesp, 1994.

ROLLEMBERG, Denise. *Exílio — Entre raízes e radares.* Rio de Janeiro: Record, 1999.

_____ *O apoio de Cuba à luta armada no Brasil — O treinamento guerrilheiro.* Rio de Janeiro: Mauad, 2001.

SÁ, Glênio. *Araguaia — Relato de um guerrilheiro.* São Paulo: Editora Anita Garibaldi, 1990.

SCARTEZINI, Antonio Carlos. *Segredos de Medici.* São Paulo: Marco Zero, 1985.

SERBIN, Kenneth P. *Diálogos na sombra — Bispos e militares, tortura e justiça social na ditadura.* São Paulo: Companhia das Letras, 2001.

SHAPIRO, Helen. "A primeira migração das montadoras: 1956-1968". In ARBIX, Glauco, & ZILBOVICIUS, Mauro (orgs.). *De JK a FHC — A reinvenção dos carros.* São Paulo: Scritta, 1997.

SOUZA, Maurício Maia de. "Henfil e a censura — O papel dos jornalistas". Dissertação de mestrado apresentada à Escola de Comunicações e Artes da Universidade de São Paulo, mai. 1999.

SOUZA, Percival de. *Autópsia do medo — Vida e morte do delegado Sérgio Paranhos Fleury.* São Paulo: Globo, 2000.

STACCHINI, José. *Março 64 — Mobilização da audácia.* São Paulo: Companhia Editora Nacional, 1965.

STEPAN, Alfred. *The military in politics — Changing patterns in Brazil.* Princeton: Princeton University Press, 1971.

_____ (ed.). *Authoritarian Brazil — Origins, policies, and future.* New Haven/Londres: Yale University Press, 1973.

_____ (org.). *Democratizando o Brasil.* Rio de Janeiro: Paz e Terra, 1988.

TAPAJÓS, Renato. *Em câmara lenta — Romance.* São Paulo: Alfa-Omega, 1977.

TELES, Janaína (org.). *Mortos e desaparecidos políticos: reparação ou impunidade?.* São Paulo: Humanitas/FFLCH-USP, 2000.

TRINDADE, Hélgio. "O radicalismo militar em 64 e a nova tentação fascista". In SOARES, Gláucio Ary Dillon, & D'ARAUJO, Maria Celina (orgs.). *21 anos de regime militar — Balanços e perspectivas.* Rio de Janeiro: Editora FGV, 1994.

VARGENS, João Baptista M. *Nos bastidores d'O Pasquim.* Rio de Janeiro: GMS, 1999.

VÁRIOS AUTORES. *Versões e ficções — O seqüestro da História.* São Paulo: Editora Fundação Perseu Abramo, 1997.

VELHO, Otávio Guilherme. *Frentes de expansão e estrutura agrária — Estudo do processo de penetração numa área da Transamazônica.* Rio de Janeiro: Zahar, 1972.

VENTURA, Zuenir. *1968 — O ano que não terminou.* Rio de Janeiro: Nova Fronteira, 1988.

VIANNA, Marly de Almeida Gomes. *Revolucionários de 35 — Sonho e realidade.* São Paulo: Companhia das Letras, 1992.

VIDAL, Germano Seidl; REIS, Everaldo de Oliveira, & ARRUDA, Antônio de. *Segurança interna — Guerra revolucionária.* Rio de Janeiro:

Associação dos Diplomados da Escola Superior de Guerra/Delegacia do Estado do Rio de Janeiro, 1971. Ciclo de Estudos sobre Segurança Nacional e Desenvolvimento.

VILLA, Marco Antonio. *Canudos — O povo da terra.* São Paulo: Ática, 1995.

WELCH, John H. *Capital markets in the development process — The case of Brazil.* University of Pittsburgh Press, 1993.

Geral

ABSHIRE, David M. *Preventing World War III — A realistic grand strategy.* Nova York: Harper & Row, 1988.

ALEXANDER, Arthur J. "An economic analysis of security, recovery, and compensation in terrorist kidnapping". In JENKINS, Brian M. (ed.). *Terrorism and personal protection.* Boston: Butterworth Publishers, 1985.

ALLEG, Henri. *The question.* Nova York: George Braziller, 1958.

ANDERSON, Jon Lee. *Che Guevara — A revolutionary life.* Nova York: Grove Press, 1997.

ANSARI, Masud. *International terrorism — Its causes and how to control it.* Washington: Mas-Press, 1988.

ARENDT, Hannah. *Eichmann em Jerusalém — Um relato sobre a banalidade do mal.* São Paulo: Companhia das Letras, 1999.

ARNS, d. Paulo Evaristo. *A técnica do livro segundo São Jerônimo.* Rio de Janeiro: Imago, 1993.

AUSSARESSES, Paul. *Services spéciaux — Algérie, 1955-1957.* Paris: Perrin, 2001.

BAUMGARTNER, José Luiz, et alii. *Os desaparecidos — A história da repressão no Uruguai.* Porto Alegre: Tchê!, 1987.

BELL, J. Bowyer. *The Irish troubles — A generation of violence, 1967-1992.* Nova York: St. Martin's Press, 1993.

BOLLARDIÈRE, Jacques Paris de. *Bataille d'Alger, bataille de l'homme.* Paris: Desclée de Brouwer, 1972.

CORNWELL, John. *Hitler's pope — The secret history of Pius XII.* Nova York: Viking, 1999.

COURRIÈRE, Yves. *La Guerre d'Algérie.* Paris: Robert Laffont, 1990. 2 tomos.

CROZIER, Brian. *A theory of conflict.* Nova York: Scribner, 1975.

DAVIS, Nathaniel. *The last two years of Salvador Allende.* Ithaca: Cornell University Press, 1985.

DEMARIS, Ovid. *Brothers in blood — The international terrorist network.* Nova York: Scribner, 1977.

DOSTOIÉVSKI, Fiódor M. *Obra completa.* Rio de Janeiro: Aguilar, 1963. 4 vols. Vol. 3: *Os demônios.*

DRURY, Bruce Raymond. "Creating support for an authoritarian regime: the case of Brazil, 1964-70". Ph. D. Thesis, The University of Florida, 1973.

FALCOFF, Mark. *Modern Chile, 1970-1989 — A critical history.* New Brunswick/ Londres: Transaction Publishers, 1991.

FOUCAULT, Michel. *Vigiar e punir — História da violência nas prisões.* Petrópolis: Vozes, 1977.

FURNISS JR., Edgar S. *De Gaulle and the French Army — An appraisal of a civil-military crisis.* Nova York: The Twentieth Century Fund, 1964.

GERAGHTY, Tony. *The Irish War — The hidden conflict between the IRA and British Intelligence.* Baltimore/Londres: The Johns Hopkins University Press, 2000.

HEBBLETHWAITE, Peter. *Paul VI — The first modern pope.* Nova York: Paulist Press, 1993.

HOFFMAN, Abbie, et alii. *The best of Abbie Hoffman.* Nova York: Four Walls Eight Windows, 1989.

HORNE, Alistair. *Histoire de la Guerre d'Algérie.* Paris: Albin Michel, 1980.

JAMIESON, Alison. *The heart attacked — Terrorism and conflict in the Italian State.* Londres/Nova York: M. Boyars, 1989.

JENKINS, Brian M. (ed.). *Terrorism and personal protection.* Boston: Butterworth Publishers, 1985.

JUDIS, John B. *The paradox of American democracy — Elites, special interests, and the betrayal of the public trust.* Nova York: Pantheon Books, 2000.

KATZ, Robert. *Death in Rome.* Nova York: MacMillan, 1967.

KERAMANE, Hafid. *La pacification.* Lausanne: La Cité, 1960.

LACOUTURE, Jean. *De Gaulle — The ruler — 1945-1970.* Nova York/Londres: W. W. Norton & Company, 1992.

LAQUEUR, Walter. *The age of terrorism.* Boston/Toronto: Little, Brown and Company, 1987.

LARSEN, Egon. *A flame in barbed wire — The story of Amnesty International.* Nova York: W. W. Norton & Company, 1979.

MARCHETTI, Victor, & MARKS, John D. *The CIA and the cult of intelligence.* Nova York: Dell Publishing, 1989.

MASSU, Jacques. *La vraie Bataille d'Alger.* Paris: Plon, 1971.

_____ *Le torrent et la digue — Alger du 13 Mai aux barricades.* Paris: Plon, 1972.

MAXWELL, Kenneth. *The making of Portuguese democracy.* Cambridge/Nova York/Melbourne: Cambridge University Press, 1995.

MCGIRR, Lisa. *Suburban warriors — The origins of the New American Right.* Princeton/Oxford: Princeton University Press, 2001.

MONTAGNON, Pierre. *La Guerre d'Algérie — Genèse et engrenage d'une tragédie.* Paris: Pygmalion/Gérard Watelet, 1984.

MOSS, David. *The politics of left-wing violence in Italy, 1969-85.* Nova York: St. Martin's Press, 1989.

NAFFAH NETO, Alfredo. *Poder, vida e morte na situação de tortura — Esboço de uma fenomenologia do terror.* São Paulo: Hucitec, 1985.

"*OAS parle*". Paris: René Julliard, 1964. Collection Archives Julliard nº 10.

PETERS, Edward. *Torture.* Nova York/Oxford: Basil Blackwell, 1985.

PETRAS, James, & MORLEY, Morris. *The United States and Chile — Imperialism and the overthrow of the Allende government.* Nova York/Londres: Monthly Review Press, 1975.

PORZECANSKI, Arturo C. *Uruguay's Tupamaros — The urban guerrilla.* Nova York: Praeger, 1973.

POST, Jerrold M. "Terrorist psycho-logic — Terrorist behavior as a product of psychological forces". In REICH, Walter (ed.). *Origins of terrorism.* Cambridge/Nova York: Woodrow Wilson International Center for Scholars and Cambridge University Press, 1990.

POWERS, Thomas. *The man who kept the secrets — Richard Helms and the CIA.* Nova York: Pocket Books, s. d.

REICH, Walter (ed.). *Origins of terrorism.* Cambridge/Nova York: Woodrow Wilson International Center for Scholars and Cambridge University Press, 1990.

ROJO, Ricardo. *Meu amigo Che.* São Paulo: Traço Editora, s. d.

SARTRE, Jean-Paul. Prefácio. In ALLEG, Henri. *The question.* Nova York: George Braziller, 1958.

SCARRY, Elaine. *The body in pain — The making and the unmaking of the world.* Nova York/Oxford: Oxford University Press, 1985.

SCHMITTER, Philippe. "The 'Portugalization' of Brazil?". In STEPAN, Alfred (ed.). *Authoritarian Brazil — Origins, policies, and future.* New Haven/Londres: Yale University Press, 1973.

SCHOULTZ, Lars. *Human rights and United States policy toward Latin America.* Princeton: Princeton University Press, 1981.

STERLING, Claire. *The terror network.* Nova York: Berkley Books, 1981.

THOMPSON, Leroy. *The rescuers — The world's top anti-terrorist units.* Nova York: Dell Publishing, 1986.

TRINQUIER, Roger. *La guerre.* Paris: Albin Michel, 1980.

VERBITSKY, Horacio. *El vuelo.* Buenos Aires: Planeta, 1995.

VIDAL-NAQUET, Pierre. *La torture dans la république.* Paris: La Découverte/ Maspero, 1983. PCM (Petite Collection Maspero), nº 143.

_____ *Face à la raison d'État — Un historien dans la Guerre d'Algérie.* Paris: La Découverte, 1989.

WESCHLER, Lawrence. *Um milagre, um universo.* São Paulo: Companhia das Letras, 1990.

WILKINSON, Paul. *Terrorism and the Liberal State.* 2ª ed. rev., ampliada e atualizada. Nova York: New York University Press, 1986.

WITTE, Ludo de. *The assassination of Lumumba.* Londres/Nova York: Verso, 2001.

WOODHOUSE, C. M. *The rise and fall of the Greek colonels.* Nova York: Watts, 1985.

WRIGHT, Thomas C. *Latin America in the era of the Cuban Revolution.* Nova York/Londres: Praeger, 1991.

*Internet**

Terrorismo nunca mais, Ternuma — http://www.ternuma.com.br

The National Security Archive — http://www.gwu.edu/~nsarchiv

School of the Americas Watch — http://www.soaw.org

Centro de Documentação Eremias Delizoicov — http://www.desaparecidospoliticos.org.br

PINHEIRO, coronel Álvaro de Souza. "Guerrilha na Amazônia: uma experiência no passado, o presente e o futuro". *Military Review* (ed. brasileira), jan.-mar. 1995, pp. 58-79 — http://www.google.com.br/search?q=cache:l20h3FJIajOC:www.airpower.maxwell.af.mil/apj-p/ppinheiro.html+alvaro+pinheiro&hl=pt

* Até julho de 2002 verificou-se o acesso aos sítios aqui mencionados.

ÍNDICE REMISSIVO

1ª EDIÇÃO [2002] 1 reimpressão

ESTA OBRA FOI COMPOSTA POR TÂNIA MARIA DOS SANTOS EM MINION
E FOI IMPRESSA PELA RR DONNELLEY AMÉRICA LATINA EM PAPEL PÓLEN SOFT
DA COMPANHIA SUZANO PARA A EDITORA SCHWARCZ EM DEZEMBRO DE 2002